PHP & MYSQL

desenvolvimento web no lado do servidor

JON DUCKETT

ALTA BOOKS
GRUPO EDITORIAL
Rio de Janeiro, 2024

PHP & MYSQL — Desenvolvimento web no lado do servidor

Copyright © 2024 STARLIN ALTA EDITORA E CONSULTORIA LTDA.
Copyright © 2022 John Wiley & Sons, Inc.
ISBN: 978-65-5520-591-6

Translated from original PHP & MYSQL - Server-side web development. Copyright © 2022 by John Wiley & Sons, Inc. ISBN 9781119149224. This translation is published and sold by John Wiley & Sons, Inc., the owner of all rights to publish and sell the same. PORTUGUESE language edition published by Starlin Alta Editora e Consultoria Ltda, Copyright © 2024 by STARLIN ALTA EDITORA E CONSULTORIA LTDA.

Impresso no Brasil — 1ª Edição, 2024 — Edição revisada conforme o Acordo Ortográfico da Língua Portuguesa de 2009.

Dados Internacionais de Catalogação na Publicação (CIP) de acordo com ISBD

D835p   Duckett, Jon
          PHP&MYSQL: desenvolvimento web no lado do servidor / Jon Duckett ; traduzido por Eveline Vieira Machado. - Rio de Janeiro : Alta Books, 2024.
          672 p. ; 16cm x 23cm.

          Tradução de: PHP&MYSQL
          Inclui índice.
          ISBN: 978-65-5520-591-6

          1. Computação. 2. Linguagem de programação. 3. PHP. 4. MYSQL. I. Machado, Eveline Vieira. II. Título.

2023-3015   CDD 005.133
                                                CDU 004.43

Elaborado por Vagner Rodolfo da Silva - CRB-8/9410

Índice para catálogo sistemático:
1. Computação. Linguagem de programação 005.133
2. Computação. Linguagem de programação 004.43

Todos os direitos estão reservados e protegidos por Lei. Nenhuma parte deste livro, sem autorização prévia por escrito da editora, poderá ser reproduzida ou transmitida. A violação dos Direitos Autorais é crime estabelecido na Lei nº 9.610/98 e com punição de acordo com o artigo 184 do Código Penal.

O conteúdo desta obra foi formulado exclusivamente pelo(s) autor(es).

Marcas Registradas: Todos os termos mencionados e reconhecidos como Marca Registrada e/ou Comercial são de responsabilidade de seus proprietários. A editora informa não estar associada a nenhum produto e/ou fornecedor apresentado no livro.

Material de apoio e erratas: Se parte integrante da obra e/ou por real necessidade, no site da editora o leitor encontrará os materiais de apoio (download), errata e/ou quaisquer outros conteúdos aplicáveis à obra. Acesse o site www.altabooks.com.br e procure pelo título do livro desejado para ter acesso ao conteúdo.

Suporte Técnico: A obra é comercializada na forma em que está, sem direito a suporte técnico ou orientação pessoal/exclusiva ao leitor.

A editora não se responsabiliza pela manutenção, atualização e idioma dos sites, programas, materiais complementares ou similares referidos pelos autores nesta obra.

Produção Editorial: Grupo Editorial Alta Books
Diretor Editorial: Anderson Vieira
Vendas Governamentais: Cristiane Mutüs
Gerência Comercial: Claudio Lima
Gerência Marketing: Andréa Guatiello

Produtor Editorial: Paulo Gomes
Tradução: Eveline Machado
Copidesque: Guilherme Caloba
Revisão: Ana Mota; Fernanda Lutfi
Diagramação: Lucia Quaresma
Revisão Técnica: William Pereira
(Analista/Desenvolvedor de Sistemas)

Rua Viúva Cláudio, 291 — Bairro Industrial do Jacaré
CEP: 20.970-031 — Rio de Janeiro (RJ)
Tels.: (21) 3278-8069 / 3278-8419
www.altabooks.com.br — altabooks@altabooks.com.br
Ouvidoria: ouvidoria@altabooks.com.br

Editora
afiliada à:

Código do livro disponível para download em: http://phpandmysql.com

SUMÁRIO

Introdução — 1

Secção A. **Instruções Básicas de Programação** — 17

Capítulos 1: Variáveis, Expressões e Operadores — 29
Capítulos 2: Estruturas de Controle — 67
Capítulos 3: Funções — 103
Capítulos 4: Objetos e Classes — 143

Secção B. **Páginas Dinâmicas da Web** — 177

Capítulos 5: Funções Predefinidas — 201
Capítulos 6: Obtendo Dados em Navegadores — 231
Capítulos 7: Imagens e Arquivos — 285
Capítulos 8: Datas e Horas — 309
Capítulos 9: Cookies e Sessões — 329
Capítulos 10: Tratamento de Erros — 349

Secção C. **Sites Orientados a Bancos de Dados** — 381

Capítulos 11: Structured Query Language (Linguagem de Consulta Estruturada) — 397
Capítulos 12: Obtendo e Mostrando Dados do Banco de Dados — 433
Capítulos 13: Atualizando Dados no Banco De Dados — 483

Secção D. **Estendendo a Aplicação de Exemplo** — 521

Capítulos 14: Refatoração e Injeção de Dependência — 533
Capítulos 15: Namespaces e Bibliotecas — 557
Capítulos 16: Associação — 603
Capítulos 17: Adicionando Funcionalidade — 633

Índice — 663

Download do código: http://phpandmysql.com

INTRODUÇÃO

Este livro ensinará como criar sites usando a linguagem de programação chamada PHP e como armazenar os dados que o site usa em um banco de dados, como o MySQL.

PHP é uma linguagem de programação planejada para rodar em um servidor da web, de forma que, quando alguém solicitar uma página da web, o servidor possa gerar uma página HTML e retornar para esse usuário específico. Isso significa que as páginas podem ser individualizadas. É um requisito para qualquer site que permite aos usuários realizar tarefas como:

- **Registrar ou fazer login** porque o nome de cada usuário, e-mail e senha são diferentes.
- **Fazer uma compra** porque o pedido de cada cliente, pagamento e detalhes do envio são únicos.
- **Pesquisar o site** porque os resultados da pequisa são ajustados a cada usuário.

O PHP foi planejado para trabalhar com bancos de dados, como por exemplo o MySQL, que podem armazenar dados como o conteúdo das páginas que o site exibe, os produtos que um site vende ou os detalhes sobre os membros do site. Usando o PHP, você aprenderá a criar páginas da web que permitem aos membros atualizar os dados armazenados no banco de dados. Por exemplo:

- **Sistemas de gerenciamento de conteúdo** permitem que os proprietários do site atualizem o conteúdo dele usando um formulário, e essas atualizações são mostradas aos visitantes sem nenhum código adicional ser escrito.
- **Compras online** permitem que os proprietários listem os produtos para a venda e os clientes façam compras.
- **Redes sociais** permitem que os visitantes se registrem e façam login, criem perfis de usuário, façam upload de seu próprio conteúdo e vejam as páginas adaptadas a eles ou a seus interesses.

Como as informações mostradas nesses sites são armazenadas em um banco de dados, eles são conhecidos como **sites orientados a banco de dados**.

Veja um guia para os tipos de páginas neste livro. Os designs variados das páginas passam diferentes informações.

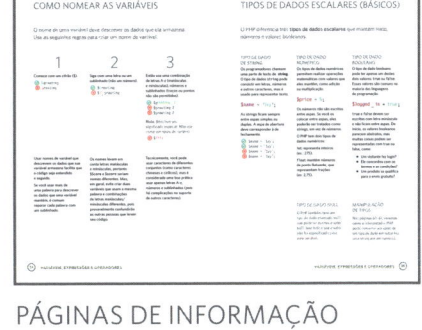

PÁGINAS DE INFORMAÇÃO

Aparecem em um fundo branco e apresentam os tópicos, explicando o contexto e como são usados.

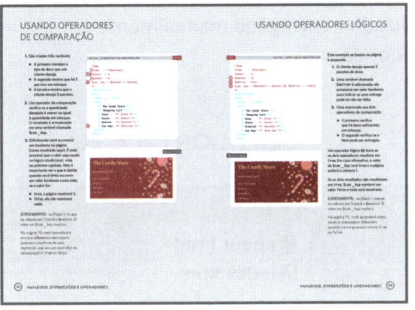

PÁGINAS DE CÓDIGO

Aparecem com um fundo bege e mostram como aplicar as seções individuais de código.

PÁGINAS DE DIAGRAMA

Aparecem em um fundo escuro e explicam os conceitos usando diagramas e infográficos.

PÁGINAS DE EXEMPLO

Aparecem nos primeiros capítulos para reunir os tópicos aprendidos e como aplicá-los.

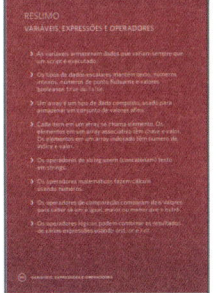

PÁGINAS DE RESUMO

Aparecem no fim de cada capítulo e relembram os principais tópicos tratados.

SITES ESTÁTICOS VERSUS DINÂMICOS

Quando um site é criado usando apenas HTML e CSS, todo visitante vê o mesmo conteúdo porque os mesmos arquivos HTML e CSS são enviados.

1. Quando seu navegador solicita uma página do site criada usando arquivos HTML e CSS, a solicitação é enviada para um **servidor da web** que hospeda o site.

2. O servidor da web localiza o arquivo HTML que o navegador solicitou e o retorna para o navegador. Pode também enviar um conteúdo CSS para estilizar a página, um arquivo de mídia (como imagens), código JavaScript e outros arquivos que a página usa.

Como são enviados os mesmos arquivos HTML a todos os visitantes, eles verão o mesmo conteúdo. Portanto, esse tipo é conhecido como **site estático**.

As pessoas que atualizam os sites estáticos precisam conhecer HTML e CSS. Se os proprietários quiserem atualizar o texto em uma página, o código HTML deverá ser atualizado e carregado manualmente no servidor da web.

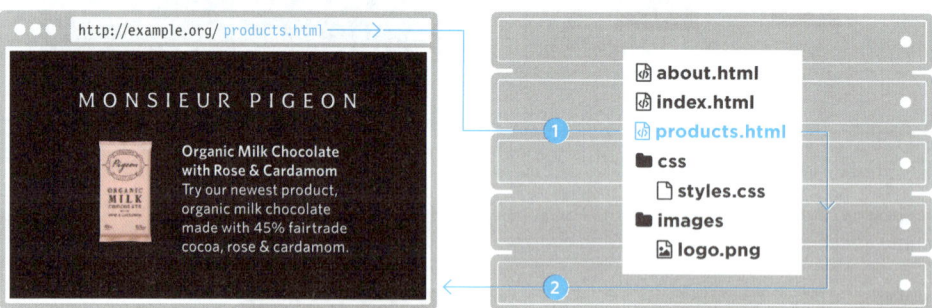

NAVEGADOR DA WEB   SERVIDOR DA WEB

Este livro pressupõe que você tem conhecimento sobre HTML e CSS. Se for iniciante, experimente nosso livro *HTML e CSS Projete e Construa Websites*, em `https://altabooks.com.br/`, e leia sobre o tópico.

Quando os sites são criados usando PHP, cada visitante pode ver um conteúdo diferente porque a página PHP cria o arquivo HTML que é enviado para ele.

Sites como eBay, Facebook e os de notícias costumam exibir novas informações sempre que são visitados. Se você exibir a fonte das páginas em um navegador, verá o código HTML, mas um programador não atualizou manualmente o código entre suas visitas.

Esse tipo é conhecido como **site dinâmico** porque a página HTML retornada para o visitante é criada usando instruções escritas em uma linguagem como o PHP.

1. Quando um navegador solicita uma página de um site criado usando PHP, a solicitação é enviada para o servidor da web.
2. O servidor da web localiza o arquivo PHP.
3. Qualquer código PHP no arquivo é executado em uma parte do software chamada **interpretador PHP** e uma página HTML é criada para esse visitante.
4. O servidor da web envia a página HTML criada para o navegador do visitante (e não mantém uma cópia do arquivo; da próxima vez que o arquivo PHP for solicitado, ele criará uma nova página HTML para o visitante).

NAVEGADOR DA WEB   SERVIDOR DA WEB

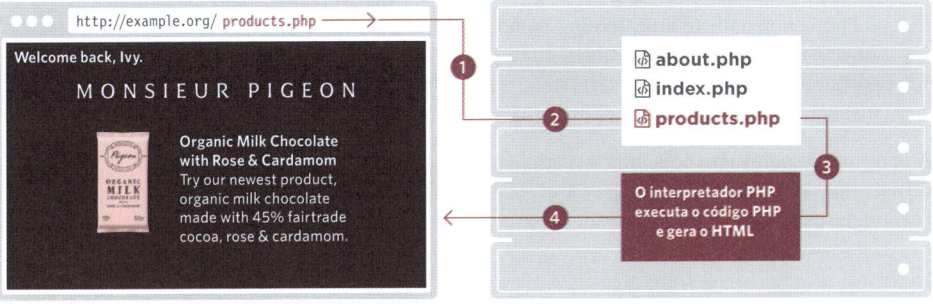

O código PHP não é retornado para o navegador da web; é usado para criar uma página HTML que é retornada para o navegador. Como o código PHP é executado no servidor da web, é chamado de **programação no lado do servidor**.

O PHP pode ser usado para criar páginas HTML que são adaptadas ou **personalizadas** a cada visitante individual. Isso pode incluir a exibição do nome do visitante, os tópicos nos quais ele está interessado ou postagens dos seus amigos.

PHP: A LINGUAGEM E O INTERPRETADOR

O interpretador PHP é um software executado no servidor da web. É possível informá-lo sobre o que fazer usando o código escrito em uma linguagem chamada PHP.

O software ajuda as pessoas a usar um computador para realizar tarefas específicas sem um conhecimento profundo de como a máquina faz tal tarefa. Por exemplo:

- Programas de e-mail permitem que você envie e receba e-mails sem precisar entender como os computadores armazenam ou transmitem as mensagens.
- O Photoshop permite que você edite imagens sem aprender como os computadores manipulam essas imagens.

Sempre que você usa um software, é capaz de realizar as mesmas tarefas, mas pode fazer isso com dados diferentes:

- Um programa de e-mail pode ser usado para criar, enviar, receber e armazenar e-mails, mas o conteúdo e o destinatário de cada e-mail pode ser diferente.
- O Photoshop pode realizar tarefas, como adicionar um filtro, redimensionar ou cortar uma imagem. E pode fazer as mesmas tarefas com qualquer imagem.

Ambos os softwares têm uma interface gráfica do usuário com a qual você interage para realizar essas tarefas.

O interpretador PHP também é um software. Ele é executado como parte do servidor da web. Mas, em vez de usar uma interface gráfica do usuário, você informa ao interpretador o que deseja que ele faça usando um código escrito na linguagem de programação PHP.

Ao criar uma página da web usando o PHP, essa página sempre fará as mesmas tarefas, mas pode realizá-las usando dados diferentes sempre que for solicitada. Por exemplo, um site escrito usando PHP poderia ter:

- Uma página de login que todo membro usa para se registrar, mesmo que o e-mail e a senha de cada um sejam diferentes.
- Uma página da conta do usuário que todo membro pode usar para ver os detalhes da conta. Mesmo que centenas de pessoas diferentes usem a página ao mesmo tempo, elas verão apenas seus próprios detalhes.

Isso é possível porque as regras ou as instruções necessárias para realizar essas tarefas são as mesmas para todos os usuários, mas os dados que eles fornecem ou veem podem ser diferentes.

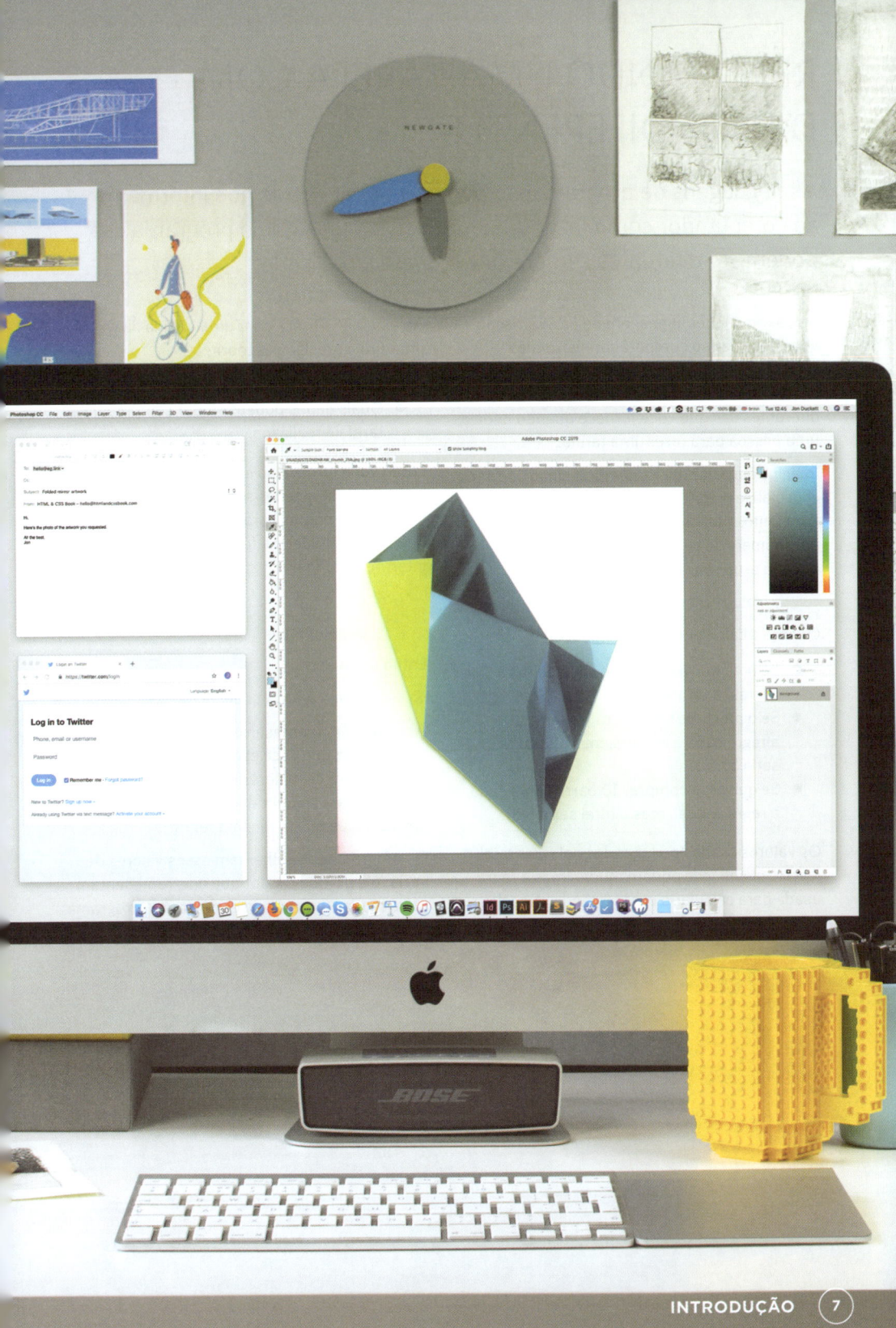

INTRODUÇÃO

REALIZANDO UMA TAREFA COM DADOS DIFERENTES

As linguagens de programação permitem criar regras que informam ao computador como fazer uma tarefa. Os dados que o programa usa podem ser diferentes sempre que a tarefa é realizada.

Ao usar qualquer linguagem de programação, você deve dar ao computador instruções precisas, informando-o exatamente o que deseja que ele faça. Essas instruções são muito diferentes das que você fornece quando pede a uma pessoa para fazer uma tarefa.

Imagine que você queira comprar cinco barras de chocolate e precise calcular o custo total delas. Para tanto, multiplique o preço de uma barra pelo número de barras que deseja comprar. Você poderia expressar essa regra assim:

total = preço x quantidade

Quanto a calcular o custo do chocolate:

- Se uma barra custa $1 e você compra 5 barras, o total é $5.
- Se o preço de uma barra fosse $1,50, a regra seria a mesma, mas o total seria $7,50.
- Se quisesse comprar 10 barras a $2 cada, a regra é igual, mas o total seria $20.

Os valores usados no lugar das palavras *total*, *preço* e *quantidade* podem mudar, mas a regra usada para calcular o custo total do chocolate permanece igual.

Ao usar o PHP para criar uma página da web, primeiro é preciso descobrir:

- Qual tarefa deseja realizar.
- Quais dados podem mudar sempre que a tarefa é realizada.

Então você fornece ao interpretador PHP instruções detalhadas sobre como realizar a tarefa e usa nomes para representar os valores que podem mudar. Se fosse informado ao interpretador PHP:

preço = 3

quantidade = 5

Então use a regra:

total = preço x quantidade

A palavra *total* representaria o valor 15. Na próxima vez que você executasse a página, poderia fornecer valores diferentes para o preço ou para a quantidade, e ele calcularia o novo total usando a mesma regra.

Os programadores chamam esses valores de **variáveis** porque o valor que elas representam pode mudar (ou variar) sempre que o programa é executado.

total = preço x quantidade

$9 = 3 x 3

INTRODUÇÃO

O QUE É PÁGINA PHP?

Em geral, uma página PHP contém uma combinação de código HTML e PHP. Ela pode ser usada para retornar uma página HTML para o navegador.

Abaixo, à esquerda, veja uma página PHP que contém uma combinação de código HTML e PHP.

- O código HTML está em azul.
- O código PHP está em roxo.

Quando o interpretador PHP abre o arquivo, ele:

- Copia qualquer código HTML direto para um arquivo HTML temporário que ele cria para o visitante.
- Segue quaisquer instruções escritas no código PHP (que normalmente gera o conteúdo para a página HTML).

O código PHP mostrado aqui determina o ano atual e o escreve dentro das marcas <p> de abertura e </p> de fechamento.

O código PHP pode realizar tarefas básicas, como fazer cálculos ou obter a data atual, e tarefas mais complexas, como usar as informações enviadas por um formulário HTML para atualizar os dados armazenados em um banco de dados.

Quando o interpretador PHP termina de processar o arquivo PHP, ele retorna para o navegador a página HTML temporária criada para o visitante, e então exclui essa página.

Abaixo, veja a página HTML retornada para o navegador assim que o interpretador PHP executou o código PHP.

O interpretador PHP determinou o ano atual e o exibiu na página HTML criada.

PHP
```
<!DOCTYPE html>
<html>
    <body>
        <h1>Current Year</h1>
        <p>It is: <?php echo date('Y'); ?> </p>
    </body>
</html>
```

HTML
```
<!DOCTYPE html>
<html>
    <body>
        <h1>Current Year</h1>
        <p>It is 2021 </p>
    </body>
</html>
```

O interpretador PHP obtém o ano atual e o escreve entre as marcas de parágrafo.

INTRODUÇÃO

Em geral, cada página realiza a mesma tarefa sempre que ela é solicitada, mas pode trabalhar com informações diferentes para cada visitante do site.

Um site PHP é composto por um conjunto de páginas PHP, e cada página realiza uma tarefa específica. Por exemplo, um site que permite aos membros fazer login poderia ter:

- Página de login — para os membros entrarem no site.
- Página de perfil — para mostrar os perfis dos membros.

Sempre que uma das páginas é solicitada, é preciso trabalhar com dados diferentes que são específicos do membro atual. Portanto, a página precisa:

- Ter instruções sobre como concluir a tarefa que a página deve realizar.
- Dar um nome a cada parte de dado que pode mudar sempre que a página é solicitada.

No PHP, as variáveis usam um nome para representar um valor que pode mudar sempre que a página é solicitada. O código PHP pode informar ao interpretador PHP:

- Qual nome da variável usar para uma parte do dado que pode mudar *sempre* que a página é solicitada.
- Qual valor usar *desta* vez em que a página foi solicitada.

Assim que a página HTML retorna para o usuário, o interpretador PHP esquece qualquer valor armazenado nas variáveis e, portanto, pode realizar a mesma tarefa para a próxima pessoa que solicita a página (com valores diferentes).

Para armazenar os dados por mais tempo, coloque-os em um banco de dados, como o MySQL, que você verá na próxima página.

PHP
```
<!DOCTYPE html>
<html>
  <body>
    <h1>My Profile</h1>
    <p>Name: <?php echo $username; ?></p>
  </body>
</html>
```

HTML
```
<!DOCTYPE html>
<html>
  <body>
    <h1>My Profile</h1>
    <p>Name: Ivy Stone</p>
  </body>
</html>
```

O interpretador PHP obtém o valor armazenado na variável $username e o escreve entre as tags de parágrafo.

O QUE É MYSQL?

O MySQL é um tipo de banco de dados. Os bancos de dados armazenam dados de um modo estruturado para que você possa acessar e atualizar com facilidade as informações mantidas.

Os programas de planilha, como o Excel, armazenam informações em uma grade composta de colunas e linhas. Então, podem usar os dados armazenados na planilha para fazer cálculos ou manipulá-los por meio de fórmulas.

O MySQL é um software que armazena informações de forma parecida em **tabelas**, que também são compostas de colunas e linhas. Você pode usar o PHP para acessar e atualizar as informações que o banco de dados armazena.

Um banco de dados pode ter várias tabelas. Em geral, cada uma mantém um tipo de dado que o site precisa armazenar. Veja abaixo dois exemplos de tabelas do banco de dados que mantêm:

- Membros (ou usuários) de um site.
- Artigos que um site exibe.

Em cada tabela, os **nomes da coluna** descrevem o tipo de informação que cada coluna da tabela mantém:

- A tabela `member` armazena nome, sobrenome, e-mail, senha, data em que o membro ingressou e imagem de perfil de cada um deles.
- A tabela `article` armazena título, resumo, conteúdo, data de criação e alguns outros valores de cada artigo analisados na página à direita.

Cada **linha** mantém dados para descrever uma das coisas que a tabela representa:

- Na tabela `member`, cada linha representa um membro.
- Na tabela `article`, cada linha mantém um artigo.

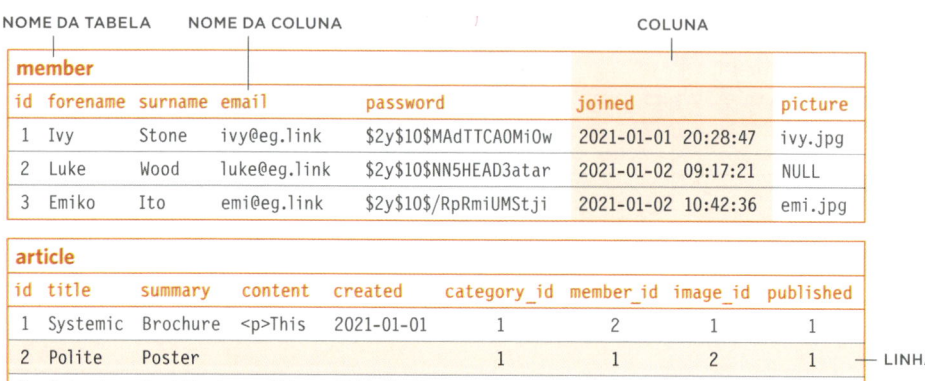

Usando o PHP, é possível:

- **Obter dados do banco de dados** e mostrar essa informação em uma página da web.
- **Adicionar novas linhas de dados**. Para criar um novo artigo, você adicionaria uma linha à tabela `article` e forneceria os dados que devem ser armazenados em cada coluna.
- **Excluir linhas de dados**. Para excluir um artigo, você removeria a linha inteira que o representa.
- **Mudar os dados em uma linha existente**. Para atualizar o e-mail de um membro, você encontraria a linha na tabela `member` que o representa, e então atualizaria o valor na coluna `email` dessa linha.

Note como ambas as tabelas iniciam com uma coluna `id`. Cada linha da tabela tem um valor exclusivo nessa coluna (aqui, os valores nessas colunas iniciam em 1 e aumentam em 1 a cada nova linha). Os valores na coluna `id` permitem informar ao banco de dados com qual linha de dado você deseja trabalhar. Por exemplo, você poderia obter o membro cuja `id` é 2 ou o artigo cuja `id` é 1.

O MySQL é chamado de **banco de dados relacional** porque ele pode definir relacionamentos entre os tipos de dados armazenados em diferentes tabelas.

Nas tabelas abaixo, por exemplo, os artigos são escritos por membros diferentes do site. Na tabela `article`, o valor na coluna `member _ id` informa qual usuário escreveu o artigo porque ela mantém o número que corresponde a um dos valores na coluna `id` da tabela `member`.

O primeiro artigo foi escrito pelo membro cuja coluna `id` tem um valor 2 (Luke Wood). O segundo e o terceiro artigos são escritos pelo usuário cuja coluna `id` tem um valor 1 (Ivy Stone).

Essas relações:

- Estruturam os dados, assegurando que cada tabela mantenha apenas um tipo particular de dado (membro ou artigo).
- Evitam que o banco de dados tenha que armazenar o mesmo dado em várias tabelas (economizando espaço).
- Facilitam manter os dados atualizados. Se um membro muda seu nome, ele só precisa ser atualizado na tabela `member` (não em cada artigo que ele escreveu).

member

id	forename	surname	email	password	joined	picture
1	Ivy	Stone	ivy@eg.link	$2y$10$MAdTTCAOMiOw	2021-01-01 20:28:47	ivy.jpg
2	Luke	Wood	luke@eg.link	$2y$10$NN5HEAD3atar	2021-01-02 09:17:21	NULL
3	Emiko	Ito	emi@eg.link	$2y$10$/RpRmiUMStji	2021-01-02 10:42:36	emi.jpg

article

id	title	summary	content	created	category_id	member_id	image_id	published
1	Systemic	Brochure	<p>This	2021-01-01	1	2	1	1
2	Polite	Poster	<p>These	2021-01-02	1	1	2	1
3	Swimming	Architect	<p>This	2021-01-02	4	1	3	1

INTRODUÇÃO

HISTÓRIA DO PHP

Como na maioria dos softwares, houve muitas versões do PHP & MySQL. As mais recentes possuem recursos adicionais e são executadas mais rapidamente que as anteriores.

O PHP foi criado por Rasmus Lerdorf em 1994. Então ele lançou o código para o público em 1995, encorajando que os usuários o melhorassem. Naquela época, as letras representavam Personal Home Page. Agora o acrônimo significa PHP: Hypertext Processor.

Atualmente, o PHP é utilizado em 80% dos sites que usam uma linguagem de programação no servidor.

Sites como Facebook, Etsy, Flickr e Wikipedia foram desenvolvidos primeiro em PHP (embora alguns também usem outras tecnologias hoje).

Softwares populares de fonte aberta, como WordPress (que alimenta mais de 35% dos sites do mundo), Drupal, Joomla e Magento são escritos em PHP. Aprender o PHP ajuda a trabalhar com eles.

A cada nova versão do PHP, recursos extras são adicionados. Este livro apresentará os recursos até o PHP 8, que foi lançado em novembro de 2020.

PHP 1	1995
	1996
	1997
PHP 2	1998
PHP 3	
	1999
PHP 4	2000
	2001
	2002
	2003
	2004
PHP 5	
	2005
PHP 5.1	2006
PHP 5.2	2007
	2008
	2009
PHP 5.3	
	2010
	2011
PHP 5.4	2012
PHP 5.5	2013
	2014
PHP 5.6	
	2015
PHP 7	2016
PHP 7.1	2017
PHP 7.2	2018
PHP 7.3	2019
PHP 7.4	2020
PHP 8	2021

HISTÓRIA DO MYSQL

1995	MYSQL 1
1996	
1997	MYSQL 3.2
1998	
1999	PHPMYADMIN
2000	
2001	
2002	
2003	MYSQL 4
2004	
2005	
2006	MYSQL 5
2007	
2008	SUN BUYS MYSQL
2009	MYSQL 5.1
2010	MARIADB — ORACLE BUYS SUN
2011	MYSQL 5.5
2012	
2013	MYSQL 5.6
2014	
2015	
2016	MYSQL 5.7
2017	
2018	MYSQL 8
2019	
2020	
2021	

O MySQL foi lançado pela primeira vez em 1995. As letras SQL (pronunciadas como *esse-que-éle* ou *sequél*) representam Structured Query Language ou Linguagem de Consulta Estruturada. A SQL é uma linguagem usada para obter informações dentro e fora dos bancos de dados relacionais.

O MySQL foi desenvolvido por uma empresa sueca chamada MySQL AB. Ela disponibilizou o MySQL de graça. Michael Widenius, um dos criadores do MySQL, nomeou o MySQL em homenagem à sua filha, My.

A MySQL AB foi vendida à Sun Microsystems em janeiro de 2008, então a Oracle comprou a Sun em 2010.

Quando os desenvolvedores do MySQL descobriram que a Oracle compraria a Sun (e, portanto, seria proprietária do MySQL), ficaram preocupados com o fato de que ele poderia deixar de ser gratuito, então criaram uma versão de fonte aberta do BD chamada MariaDB (em homenagem à filha mais nova do mesmo fundador, Maria).

Sites como Facebook, YouTube, Twitter, Neftlix, Spotify e Wordpress usam MySQL ou MariaDB.

O phpMyAdmin é uma ferramenta que pode ser usada para administrar os bancos de dados MySQL e MariaDB. Foi lançada em 1998 como uma ferramenta gratuita para ajudar a gerenciar os bancos de dados MySQL (e também funciona com o MariaDB).

O código neste livro trabalha com o MySQL versão 5.5 ou o MariaDB 5.5 e posterior, e a aphpMyAdmin é usada para trabalhar com eles.

A versão mais recente do MySQL (quando este livro foi escrito) é 8 (o MySQL 6 nunca foi lançado e a versão 7 não é mostrada porque foi projetada para rodar em clusters de servidores, não em seu computador pessoal).

INTRODUÇÃO

ESTE LIVRO INCLUI

Este livro está dividido em quatro seções.
Tenha uma visão geral dos tópicos que você aprenderá em cada seção.

A: INSTRUÇÕES BÁSICAS DE PROGRAMAÇÃO

A primeira seção mostra como usar o código PHP para escrever instruções que o interpretador PHP pode seguir. Você aprenderá:

- Instruções básicas de programação.
- Como executar um código diferente em situações variadas (por exemplo, executar um conjunto de código se um usuário fez login e outro conjunto se não fez).
- Como as funções agrupam todo o código requerido para realizar uma tarefa individual.
- Como classes e objetos ajudam a organizar o código usado para representar coisas no mundo à nossa volta.

B: PÁGINAS DINÂMICAS DA WEB

A segunda seção apresenta as ferramentas que o PHP fornece para permitir a criação de páginas dinâmicas da web. Você aprenderá a:

- Coletar dados enviados do navegador da web.
- Verificar se os usuários forneceram os dados que uma página precisa e se estão no formato certo.
- Trabalhar com quaisquer dados enviados.
- Processar os arquivos que os usuários fizeram upload.
- Representar datas e horas no PHP.
- Armazenar temporariamente dados em cookies e sessões.
- Resolver problemas no código.

C: SITES ORIENTADOS A BANCOS DE DADOS

A terceira seção mostra como obter dados em um banco de dados (BD) e mostrá-los em suas páginas da web, além de como atualizar os dados armazenados no BD. Você aprenderá como:

- Os bancos de dados armazenam dados.
- Como uma linguagem chamada SQL é usada para recuperar ou atualizar os dados mantidos em um banco de dados.
- Os dados do BD são exibidos na página PHP.
- Os formulários HTML podem ser usados para permitir que os visitantes atualizem os dados armazenados no BD.

D: ESTENDENDO A APLICAÇÃO DE EXEMPLO

A quarta seção mostra técnicas práticas para criar sites e aplicações da web no PHP. O exemplo é um sistema de gerenciamento de conteúdo básico com recursos sociais. Você aprenderá a:

- Melhorar a estrutura do seu código.
- Incorporar o código que outros programadores compartilham.
- Enviar e-mails usando o PHP.
- Permitir que os membros se registrem e façam login em um site.
- Criar páginas adaptadas a membros individuais.
- Usar URLs amistosas para os mecanismos de pesquisa.
- Adicionar recursos sociais, como curtidas e comentários.

A
INSTRUÇÕES BÁSICAS DE PROGRAMAÇÃO

Na primeira seção deste livro, você aprenderá o básico sobre como escrever código em PHP.

Programar envolve criar uma série de instruções que um computador pode seguir para realizar uma tarefa específica. Você pode comparar essas instruções com uma receita contendo as etapas que devem ser seguidas para criar um prato. Cada instrução individual no PHP se chama **declaração**.

Como o PHP foi planejado para desenvolver sites que podem criar páginas HTML dinamicamente para cada visitante, as declarações aprendidas nesta primeira seção do livro focam como o PHP é usado para criar páginas HTML.

Em geral, um site completo é composto por milhares de linhas de código; portanto, é importante organizar o código com cuidado. Esta seção apresenta dois conceitos que agrupam conjuntos de declarações afins:

- **Funções** agrupam as declarações requeridas para realizar uma tarefa individual.
- **Objetos** agrupam um conjunto de declarações que representam conceitos; por exemplo, artigos mostrados em um site, produtos que um site vende ou membros que se registraram em um site.

Os tópicos nesta seção formam a base de tudo mais que você aprenderá neste livro.

Antes de iniciar o primeiro capítulo, existem alguns fundamentos a aprender que lhe ajudarão em seu caminho.

COMO INSTALAR O SOFTWARE E OS EXEMPLOS DE CÓDIGO

Para criar sites usando PHP e um banco de dados como o MySQL em seu PC desktop ou notebook, você precisará instalar um software. Com ele instalado, será preciso baixar os arquivos do código de exemplo para o livro no site [conteúdo em inglês em todas as ocorrências]:

`http://phpandmysql.com/code/`

OS ARQUIVOS PHP CONTÊM UMA COMBINAÇÃO DE CÓDIGO HTML E PHP

Como o PHP é usado para criar páginas HTML, uma página PHP costuma ter uma combinação de código HTML e PHP. Portanto, é preciso aprender como o interpretador PHP diferencia esses dois tipos de código.

O PHP É USADO PARA CRIAR HTML

Uma das instruções mais comuns para o interpretador PHP realizar é adicionar conteúdo à página HTML que ele retorna para o visitante. Essa instrução é usada em cada exemplo desta seção.

COMO ADICIONAR COMENTÁRIOS AO CÓDIGO PHP

Os comentários não são executados pelo interpretador PHP em si, mas eles ajudarão você (e os outros) a entender o que o código deve fazer. Dessa forma, é importante saber como adicioná-los. Os comentários são usados nos códigos deste livro para ajudar a explicar o que os exemplos de código fazem.

INSTALANDO SOFTWARE E ARQUIVOS

As ferramentas abaixo instalam todo o software necessário para criar sites baseados em banco de dados em seu PC desktop ou notebook.

Para trabalhar neste livro, é preciso instalar:

- Um **servidor da web** que roda um interpretador PHP. Este livro usa o **Apache** (pois é o mais usado).
- O **MySQL** ou o **MariaDB**, que são softwares do banco de dados.
- A **phpMyAdmin** para gerenciar o banco de dados.

Em vez de baixar e instalar cada programa individualmente, as ferramentas descritas abaixo baixam e instalam todas elas para você.

Também recomendados usar um editor de código como os descritos aqui:
http://notes.re/php/editors
[conteúdo em inglês].

INSTALANDO EM UM MAC

Recomendamos que os usuários Mac instalem o software requerido com uma ferramenta chamada MAMP. Veja o link para baixá-la e as instruções sobre o uso:
http://notes.re/php/mamp
[conteúdo em inglês].

Ao instalar o MAMP no Mac (com as definições-padrão), ele cria a pasta:
/Applications/MAMP

Há outra pasta dentro dela chamada htdocs. Qualquer página da web escrita usando PHP deve ser colocada nessa pasta, que é conhecida como **documento-raiz**.

INSTALANDO EM UM PC/LINUX

Recomendamos que os usuários de PC e de Linux instalem o software requerido usando uma ferramenta chamada XAMPP. Veja o link para baixá-la e as instruções sobre o uso:
http://notes.re/php/xampp
[conteúdo em inglês].

Ao instalar o XAMPP em um PC (com as definições-padrão), ele cria a pasta:
c:\xampp\

Há outra pasta dentro dela chamada htdocs. Qualquer página da web escrita usando PHP deve ser colocada nessa pasta, que é conhecida como **documento-raiz**.

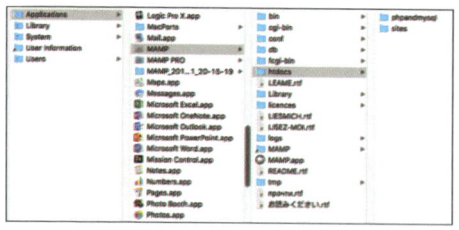

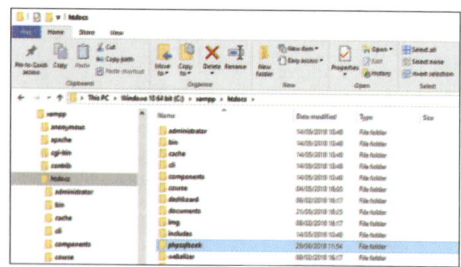

DOWNLOAD DO CÓDIGO DE EXEMPLO

Baixe o código de exemplo deste livro usando o botão de download disponível no endereço: http://phpandmysql.com/code

O código de exemplo é armazenado em uma pasta chamada phpbook. Ela contém subpastas para cada seção do livro, assim como cada capítulo individual. Coloque a pasta phpbook dentro da pasta htdocs.

Para abrir os arquivos PHP no navegador, você **deve** digitar uma URL na barra de endereço (se abrir um arquivo com o comando Open do menu File, clicar duas vezes nele ou arrastá-lo para o navegador, o código PHP não será executado).

Ao abrir a URL mostrada a seguir você deverá ver a página de texto mostrada abaixo. Ao abrir arquivos no computador, em vez de usar um nome de domínio, digite localhost, seguido pelo caminho desde a pasta htdocs até o arquivo que você deseja abrir.

O caminho mostrado abaixo informa ao servidor para pesquisar na pasta phpbook/section_a/intro e encontrar o arquivo chamado test.php.

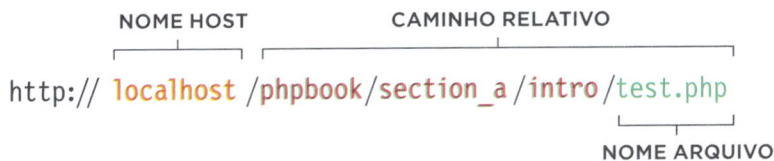

NOME HOST / CAMINHO RELATIVO / NOME ARQUIVO

http:// localhost /phpbook/section_a/intro/test.php

SOLUÇÃO DE PROBLEMAS

Se você não vir a página à esquerda, verifique [conteúdos em inglês]:

http://notes.re/php/mamp para MAMP

http://notes.re/php/xampp para XAMPP

Por vezes, o MAMP requer um **número da porta**. Ele usa a porta 8888, então digite: http://localhost:8888/

Os números da porta ajudam os diferentes programas instalados no PC a compartilhar a mesma conexão na internet. Lembra o número de telefone dos escritórios, seguido da extensão para acessar os telefones individuais das pessoas.

AS PÁGINAS PHP COMBINAM OS CÓDIGOS HTML E PHP

Muitas páginas PHP combinam os códigos HTML e PHP. O código PHP é escrito entre tags do PHP. As tags de abertura e de fechamento, mais qualquer código que elas contenham, são conhecidas como um **bloco PHP.**

TAG DE ABERTURA

<?php

A tag de abertura indica que o interpretador PHP deve iniciar o processamento do código antes de retornar qualquer conteúdo para o navegador.

TAG DE FECHAMENTO

?>

A tag de fechamento indica que o interpretador PHP pode parar de processar o código até encontrar outra tag **<?php** de abertura.

O PHP é uma linguagem de programação conhecida como **linguagem de script**. As linguagens de script são para rodar em um ambiente em particular. O PHP foi criado para trabalhar com um interpretador PHP em um servidor da web. Uma página PHP individual normalmente é chamada de **script**.

Você deve tratar todo o código PHP como se ele levasse em conta letras maiúsculas e minúsculas.

Embora algumas partes da linguagem não diferenciem as letras, tratá-las como se todas se diferenciassem reduz os erros.

Uma página PHP é um arquivo de texto (como um arquivo HTML). Sua extensão de arquivo é `.php`, que informa ao servidor da web para enviar o arquivo ao interpretador PHP a fim de que ele possa seguir as instruções escritas em PHP.

Abaixo, veja uma página PHP que contém:

- **Código PHP entre as tags PHP em roxo. O interpretador** PHP processa qualquer código escrito dentro das tags PHP.
- **Código HTML fora das tags PHP em branco.** Isso é adicionado automaticamente ao arquivo HTML enviado para o navegador (porque o interpretador PHP não precisa fazer nada com ele).

Cada instrução individual dentro das tags PHP se chama declaração. A maioria das declarações inicia em uma nova linha e termina com ponto e vírgula. Você pode omitir o ponto e vírgula após uma instrução:

- Na última linha de um bloco PHP.
- Se o bloco PHP contiver apenas uma declaração.

Incluir ponto e vírgula no fim de cada declaração ajuda a evitar erros.

Esta página calcula o custo de 5 sacos de doce a US$3 cada e armazena o preço em uma variável chamada `$total`. Então escreve esse valor na página HTML. Você aprenderá como o código PHP faz isso no Capítulo 1.

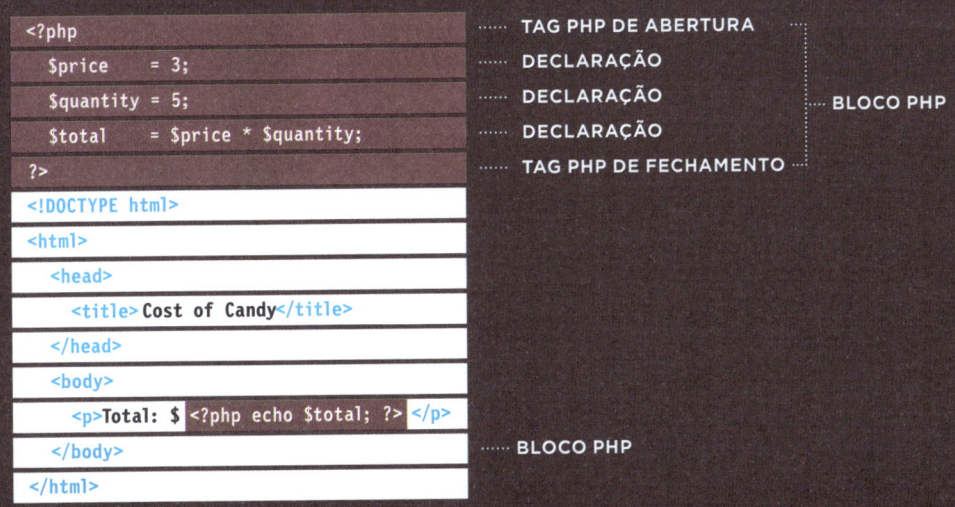

INSTRUÇÕES BÁSICAS DE PROGRAMAÇÃO

COMO O PHP ENVIA TEXTO E HTML PARA O NAVEGADOR

O comando echo pede ao interpretador PHP para adicionar texto ou marcação à página HTML sendo criada no navegador.

Qualquer texto e/ou HTML que aparece entre aspas após um comando echo é enviado ao navegador para ser exibido na página. Você pode usar aspas simples ou duplas após o comando echo, mas as aspas de abertura e de fechamento devem **combinar**.

A primeira aspa informa ao interpretador PHP onde inicia o texto que ele deve adicionar à página; a segunda informa onde termina. O texto é conhecido como **string literal**. O ponto e vírgula no fim da linha informa ao interpretador PHP que é o final da declaração.

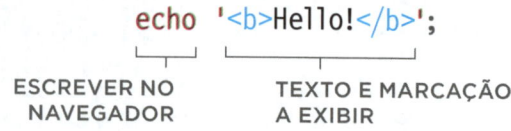

Para exibir aspas *no* texto enviado para o navegador, adicione uma barra invertida logo antes dela. Essa barra informa ao interpretador PHP para não tratar a aspa depois da barra invertida como código. Os programadores chamam isso de aplicar **escape** na aspa.

Abaixo o comando echo usa aspas para escrever um link HTML. A URL no atributo href deve estar entre aspas, portanto elas têm um escape.

Este código escreve o seguinte link HTML:
`<a href="http://notes.re/php">PHP</a>`

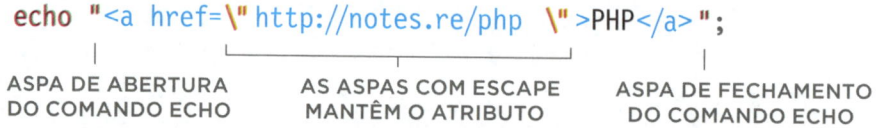

Você também pode exibir aspas colocando qualquer texto e HTML que deseja gerar entre aspas simples.

Isso funciona porque o interpretador PHP busca uma aspa simples correspondente para indicar o fim do texto.

ESCREVENDO CONTEÚDO NA PÁGINA

PHP — section_a/intro/echo.php

```
<!DOCTYPE html>
<html>
  <head>
    <title>echo Command</title>
    <link rel="stylesheet" href="css/styles.css">
  </head>
  <body>
    <h1>The Candy Store</h1>
① <h2><?php echo 'Ivy\'s'; ?> page</h2>
② <?php echo '<p class="offer">Offer: 20% off</p>' ?>
  </body>
</html>
```

RESULTADO

NOTA: se você usa aspas duplas após um comando echo, o interpretador PHP verifica se o texto contém nomes de variáveis (encontrados nas páginas 32-36). Em caso afirmativo, ele escreverá o valor que a variável mantém. Ele não faz isso com aspas simples. Veja a página 52 para ter um exemplo.

No box de código à esquerda:
- O nome do caminho no canto superior direito corresponde ao arquivo no código baixado.
- Os números correspondem às etapas que descrevem o código ao lado.

1. O comando echo usa aspas simples para escrever o nome do visitante seguido de 's. O caractere de barra invertida é usado para aplicar o escape em ' entre o nome e a letra s.

2. O comando echo adiciona um parágrafo à página. O elemento <p> tem um atributo class.

Como o texto e a marcação escritos na página ficam entre aspas simples, o atributo HTML pode usar aspas duplas.

Embora você possa usar aspas simples ou duplas após o comando echo, é melhor escolher apenas uma. Este livro usa aspas simples, em grande parte para que o conteúdo possa ter atributos HTML, como mostrado aqui.

EXPERIMENTE: na Etapa 1, mude o nome Ivy para o seu e salve o arquivo. Quando atualizar a página, a saudação usará seu nome.

COMENTÁRIOS

É uma boa prática adicionar comentários que descrevam o código PHP, para você lembrar o que o código faz quando voltar após um tempo e também para ajudar outras pessoas a entender seu código.

Os **comentários com uma linha** começam com:

- Duas barras //.
- Uma cerquilha #.

Esses caracteres pedem ao interpretador PHP para ignorar qualquer outro código PHP nessa linha, até encontrar uma tag PHP ?> de fechamento.

```
echo "Welcome";   // Exibir saudação
echo "Welcome";   #  Exibir saudação
```

COMENTÁRIO COM UMA LINHA

Os **comentários com várias linhas** se estendem em mais de uma linha no arquivo PHP. Eles permitem adicionar descrições mais detalhadas e/ou notas ao código.

Uma barra e um asterisco /* pedem ao interpretador PHP para ignorar qualquer coisa até encontrar um asterisco seguido de uma barra */.

```
echo "Welcome";
/*
Após a mensagem de boas-vindas:
- Adicionar imagem de perfil ao nome do membro
- Criar link para página de perfil do membro
*/
```

COMENTÁRIO COM VÁRIAS LINHAS

ADICIONANDO COMENTÁRIOS AO SEU CÓDIGO

```
PHP                                section_a/intro/comments.php
<?php
   /*
   Esta página exibe o nome do membro
   e os detalhes de uma oferta atual
   */
?>
<!DOCTYPE html>
<html>
   <head>
      <title>Adding Comments to Your Code</title>
      <link rel="stylesheet" href="css/styles.css">
   </head>
   <body>
      <h1>The Candy Store</h1>
      <h2><?php echo 'Welcome Ivy'; // Show name ?></h2>
      <?php echo '<p class="offer">Offer: 20% off</p>' ?>
   </body>
</html>
```

RESULTADO

Este exemplo lembra muito o anterior, mas adiciona comentários ao código.

1. A página começa com um comentário de várias linhas que descreve o que o código faz.

2. Após a mensagem de boas--vindas, um comentário com uma linha indica o que está sendo mostrado.

Os comentários não são adicionados ao HTML enviado para o navegador; são visíveis apenas no código PHP.

EXPERIMENTE: na Etapa 1, adicione outra linha de texto ao comentário.

EXPERIMENTE: na Etapa 2, mude os caracteres de duas barras para # (o símbolo de cerquilha).

NOTA: este livro usa muitos comentários para ajudar a descrever o que as linhas individuais do código fazem nos exemplos. Programadores experientes raramente usam tantos comentários, linha por linha, como os mostrados neste livro.

CAPÍTULOS NA SEÇÃO A
INSTRUÇÕES BÁSICAS DE PROGRAMAÇÃO

1 **VARIÁVEIS, EXPRESSÕES E OPERADORES**
Sempre que uma página PHP realiza a tarefa planejada, ela pode usar valores diferentes; portanto, é importante aprender a representar esses dados no código usando variáveis. Você também aprenderá como expressões e operadores são utilizados para trabalhar com esses valores.

2 **ESTRUTURAS DE CONTROLE**
Nem sempre uma página PHP executará as mesmas linhas de código na mesma ordem. **Estruturas de controle** permitem escrever regras que o interpretador PHP usa para determinar qual código executar em seguida.

3 **FUNÇÕES**
Todas as declarações individuais requeridas para realizar uma tarefa podem ser agrupadas usando uma função. Isso não só ajuda a organizar seu código, como também evita repetir as mesmas instruções, caso a página precise realizar uma tarefa várias vezes.

4 **CLASSES E OBJETOS**
O código é usado para representar conceitos, como membros do site, produtos sendo vendidos e artigos exibidos. Os programadores usam **classes** e **objetos** para agrupar o código que representa cada conceito diferente.

1
VARIÁVEIS, EXPRESSÕES E OPERADORES

Este capítulo mostra como as variáveis armazenam dados que podem mudar sempre que uma página PHP é solicitada e como expressões e operadores trabalham com valores nas variáveis.

As variáveis usam um nome para representar um valor que pode mudar sempre que uma página PHP é solicitada:

- **Nome** descreve o tipo de dado que a variável contém.
- **Valor** é o que a variável deve armazenar cada vez que a página for solicitada.

Assim que a página termina de ser executada e o HTML retorna para o navegador, o interpretador PHP esquece a variável (portanto, na próxima vez que a página for executada, poderá ter um valor diferente).

O PHP distingue os diferentes tipos de valor que você pode armazenar em uma variável (como texto e números); isso é conhecido como **tipos de dados**:

- Uma parte de um texto se chama **string**.
- Um número sem parte decimal se chama **inteiro**.
- Um número fracionário é representando com um **ponto flutuante**.
- Um valor true ou false se chama **booleano** ou **lógico**.
- Uma série de nomes e valores afins pode ser armazenada em uma **matriz** (ou **array**, em inglês).

Assim que você aprender sobre as variáveis, verá como as **expressões** podem usar diversos valores para criar outro valor. Por exemplo, o texto em duas variáveis pode ser combinado para formar uma sentença, ou um número armazenado em uma variável pode ser multiplicado por um número em outra.

As expressões contam com **operadores** para criar um valor. Por exemplo, o operador + é usado para somar dois valores e o operador − é para subtrair um valor de outro.

VARIÁVEIS, EXPRESSÕES E OPERADORES

VARIÁVEIS

As variáveis armazenam dados que podem mudar (ou variar) sempre que uma página PHP é solicitada. Elas usam um **nome** para representar um **valor** que pode mudar.

Para criar uma variável e armazenar um valor nela, você precisa de:

- Um **nome** da variável que deve iniciar com cifrão, seguido de um ou mais caracteres alfanuméricos descrevendo o tipo de informação que a variável pode manter.
- Um **sinal de igual** conhecido como **operador de atribuição** porque atribui um valor ao nome da variável.
- O **valor** que você deseja que a variável tenha.

Se a variável mantém texto, o texto é escrito entre aspas. Você pode usar aspas simples ou duplas, mas elas devem combinar (por exemplo, não inicie com aspas simples e termine com aspas duplas).

Se a variável armazena um número ou um valor booleano (`true` ou `false`), não o coloque entre aspas.

Quando uma variável é criada, os programadores chamam isso de **declarar** uma variável. Quando recebe um valor, dizem que um valor está sendo **atribuído** a ela.

Assim que uma variável foi declarada e um valor foi atribuído a ela, o nome da variável poderá ser usado no código PHP sempre que você desejar usar o valor que a variável mantém atualmente.

Quando o interpretador PHP encontra um nome de variável, ele substitui o nome pelo valor mantido. Abaixo, o comando `echo` é usado para exibir o valor armazenado na variável `$name` mostrada acima.

```
echo $name;
```
EXIBIR   VALOR NA VARIÁVEL

CRIANDO E ACESSANDO VARIÁVEIS

PHP — section_a/c01/variables.php

```php
<?php
  $name  = 'Ivy';
  $price = 5;
?>
<!DOCTYPE html>
<html>
  <head>
    <title>Variables</title>
    <link rel="stylesheet" href="css/styles.css">
  </head>
  <body>
    <h1>The Candy Store</h1>
    <h2>Welcome <?php echo $name; ?></h2>
    <p>The cost of your candy is
      $<?php echo $price; ?> per pack.</p>
  </body>
</html>
```

① ② ③ ④

RESULTADO

The Candy Store
WELCOME IVY
The cost of your candy is $5 per pack.

Neste exemplo, duas variáveis são criadas e os valores são atribuídos no topo da página:

1. $name mantém o nome do visitante atual no site. É texto, portanto é escrito entre aspas.

2. $price mantém o preço de um pacote de doce. É um número, portanto o valor não fica entre aspas.

Em seguida, veja o HTML retornado para o navegador do visitante. No HTML:

3. O nome do visitante é escrito na página usando o comando echo.

4. O custo do doce é escrito na página.

EXPERIMENTE: na Etapa 1, mude o valor da variável $name para manter seu nome. Salve o arquivo e atualize a página no navegador. Seu nome será exibido.

EXPERIMENTE: na Etapa 2, mude o preço para 2. Salve o arquivo e atualize a página. O novo preço será mostrado.

Neste capítulo, os valores são atribuídos às variáveis no código PHP. Nos capítulos posteriores, os valores atribuídos às variáveis virão de formulários HTML que os visitantes enviam, de dados em URLs e de bancos de dados.

VARIÁVEIS, EXPRESSÕES E OPERADORES

COMO NOMEAR AS VARIÁVEIS

O nome de uma variável deve descrever os dados que ela armazena. Use as seguintes regras para criar um nome de variável.

1

Comece com um cifrão ($).

- ✅ `$greeting`
- ❌ `greeting`

2

Siga com uma letra ou um sublinhado (não um número).

- ✅ `$greeting`
- ❌ `$2_greeting`

3

Então use uma combinação de letras A-z (maiúsculas e minúsculas), números e sublinhados (traços ou pontos não são permitidos).

- ✅ `$greeting_2`
- ❌ `$greeting-2`
- ❌ `$greeting.2`

Nota: `$this` tem um significado especial. Não use como um nome de variável.

- ❌ `$this`

Usar nomes de variável que descrevem os dados que sua variável armazena facilita que o código seja entendido e seguido.

Se você usar mais de uma palavra para descrever os dados que uma variável mantém, é comum separar cada palavra com um sublinhado.

Os nomes levam em conta letras maiúsculas e minúsculas, portanto `$Score` e `$score` seriam nomes diferentes. Mas, em geral, evite criar duas variáveis que usam a mesma palavra e combinações de letras maiúsculas/minúsculas diferentes, pois provavelmente confundirão as outras pessoas que lerem seu código.

Tecnicamente, você pode usar caracteres de diferentes conjuntos (como caracteres chineses e cirílicos), mas é considerada uma boa prática usar apenas letras A-z, números e sublinhados (pois há complicações no suporte de outros caracteres).

TIPOS DE DADOS ESCALARES (BÁSICOS)

O PHP diferencia três **tipos de dados escalares** que mantêm texto, números e valores booleanos.

TIPO DE DADO DE STRING

Os programadores chamam uma parte de texto de **string**. O tipo de dados string pode consistir em letras, números e outros caracteres, mas é usado para representar texto.

`$name = 'Ivy';`

As strings ficam sempre entre aspas simples ou duplas. A aspa de abertura deve corresponder à de fechamento.

- ✅ `$name = 'Ivy';`
- ✅ `$name = "Ivy";`
- ❌ `$name = "Ivy';`
- ❌ `$name = 'Ivy";`

TIPO DE DADO NUMÉRICO

Os tipos de dados numéricos permitem realizar operações matemáticas com valores que eles mantêm, como adição ou multiplicação.

`$price = 5;`

Os números não são escritos entre aspas. Se você os colocar entre aspas, eles poderão ser tratados como strings, em vez de números.

O PHP tem dois tipos de dados numéricos:

int representa inteiros (ex.: 275).

float mantém números de ponto flutuante, que representam frações (ex: 2,75).

TIPO DE DADO BOOLEANO

O tipo de dado booleano pode ter apenas um destes dois valores: true ou false. Esses valores são comuns na maioria das linguagens de programação.

`$logged_in = true;`

true e false devem ser escritos com letra minúscula e não ficam entre aspas. De início, os valores booleanos parecem abstratos, mas muitas coisas podem ser representadas com true ou false, como:

- Um visitante fez login?
- Ele concordou com os termos e as condições?
- Um produto se qualifica para o envio gratuito?

TIPO DE DADO NULL

O PHP também tem um tipo de dado chamado null, que pode ter apenas o valor null. Isso indica que o valor não foi especificado para uma variável.

MANIPULAÇÃO DE TIPOS

Nas páginas 60-61, veremos como o interpretador PHP pode converter um valor de um tipo de dado em outro (ex: uma string em um número).

ATUALIZANDO UM VALOR EM UMA VARIÁVEL

É possível mudar ou sobregravar o valor armazenado em uma variável atribuindo-lhe um novo valor. Isso é feito do mesmo modo como um valor é atribuído a uma variável quando ela é criada.

1. A variável $name é **inicializada**. Isso significa que ela é declarada e atribuída a um valor inicial, que será usado se a variável não for atualizada posteriormente na página.

O valor inicial é Guest e deve ser escrito entre aspas, pois é texto.

2. A variável $name é atribuída a um novo valor Ivy.

3. A variável $price mantém o preço de um pacote de doce.

Em seguida, você pode ver o HTML que será retornado para o navegador do visitante. No HTML:

4. O nome é escrito na página com o comando echo. Ele mostra o valor atualizado que foi atribuído à variável $name na Etapa 2.

5. O custo do doce é escrito na página.

`section _ a/c01/updating-variables.php` **PHP**

```php
<?php
$name  = 'Guest';
$name  = 'Ivy';
$price = 5;
?>
<!DOCTYPE html>
<html>
  <head>
    <title>Updating Variables</title>
    <link rel="stylesheet" href="css/styles.css">
  </head>
  <body>
    <h1>The Candy Store</h1>
    <h2>Welcome <?php echo $name; ?></h2>
    <p>The cost of your candy is
      $<?php echo $price; ?> per pack.</p>
  </body>
</html>
```

RESULTADO

The Candy Store
WELCOME IVY
The cost of your candy is $5 per pack.

EXPERIMENTE: na Etapa 2, mude o valor da variável $name para manter seu nome. Salve o arquivo e atualize a página no navegador. Seu nome será exibido.

EXPERIMENTE: adicione uma nova linha após a Etapa 2 e defina a variável $name para manter outro nome. Salve o arquivo e atualize a página. O novo nome será mostrado.

ARRAYS

Uma variável também pode manter um **array**, que armazena uma série de valores afins. Os arrays são conhecidos como um **tipo de dado composto** porque podem armazenar mais de um valor.

Um array é como um contêiner que mantém um conjunto de variáveis afins. Cada item no array se chama **elemento**. Do mesmo modo como uma variável usa um nome para representar um valor, cada elemento em um array tem:

- Uma **chave**, que age como o nome da variável.
- Um **valor**, que é o dado que o nome representa.

O PHP tem dois tipos de array:

- Nos **arrays associativos**, a chave de cada elemento é um nome que descreve os dados que ele representa.
- Nos **arrays indexados**, a chave de cada elemento é um número conhecido como **número do índice**.

ARRAY ASSOCIATIVO

O array abaixo é para manter dados que representam um membro do site. Sempre que o array for usado, os nomes utilizados nas chaves (que descrevem os dados armazenados em cada elemento do array) continuarão iguais.

```
                CHAVE    VALOR
$member  =    name    => Ivy       ├ ELEMENTO
              age     => 32        ├ ELEMENTO
              country => Italy     ├ ELEMENTO
```

Nos dois exemplos, cada valor armazenado no array é um tipo de dado escalar (uma parte individual do dado).

Na página 44, veja exemplos de arrays em que um elemento do array mantém outro array.

ARRAY INDEXADO

O array abaixo é para manter uma lista de compras. Listas assim podem manter um número diferente de elementos sempre que são usadas. A chave não usa um nome para descrever cada item na lista, mas um número do índice (que é um inteiro e inicia em 0).

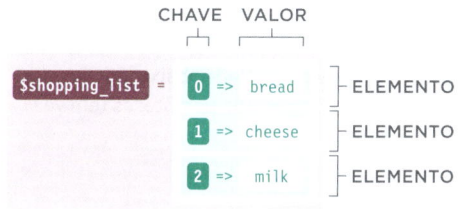

```
                    CHAVE  VALOR
$shopping_list  =    0  => bread    ├ ELEMENTO
                     1  => cheese   ├ ELEMENTO
                     2  => milk     ├ ELEMENTO
```

NOTA: os números do índice iniciam em 0, não em 1. O primeiro elemento na lista tem um número de índice 0. O segundo elemento é identificado pelo número de índice 1, e daí por diante. O número de índice costuma ser usado para descrever a ordem dos itens na lista.

ARRAYS ASSOCIATIVOS

Para criar um array associativo, dê a cada elemento (ou item) no array uma **chave** que descreve os dados que ele mantém.

Para armazenar um array associativo, use:
- Um nome de variável que descreve o conjunto de valores que o array manterá.
- O operador de atribuição.
- Colchetes para criar o array.

Entre chaves ou parênteses, use:
- O nome da chave entre aspas.
- O operador de seta dupla =>.
- O valor desse elemento (pode strings entre aspas; números e booleanos, não pode).
- Uma vírgula após cada elemento.

```
          VARIÁVEL    CRIAR ARRAY
             |            |
          $member   =   [
             'name'     => 'Ivy',
             'age'      => 32,
             'country'  => 'Italy',
          ];    |           |         |
               CHAVE    OPERADOR    VALOR
```

Um array associativo também pode ser criado usando a sintaxe mostrada abaixo, com a palavra `array` seguida de parênteses (em vez de colchetes).

```
$member = array(
  'name'    => 'Ivy',
  'age'     => 32,
  'country' => 'Italy',
);
```

Para acessar um elemento no array associativo, use:
- O nome da variável que mantém o array.
- Seguido por colchetes e aspas.
- A chave do elemento que você deseja recuperar.

```
VARIÁVEL   CHAVE
   |         |
 $member['name'] ;
```

CRIANDO E ACESSANDO ARRAYS ASSOCIATIVOS

PHP   section _ a/c01/associative-arrays.php

```php
<?php
$nutrition = [
    'fat'   => 16,
    'sugar' => 51,
    'salt'  => 6.3,
];
?>
<!DOCTYPE html>
<html>
    <head> ... </head>
    <body>
        <h1>The Candy Store</h1>
        <h2>Nutrition (per 100g)</h2>
        <p>Fat:   <?php echo $nutrition['fat']; ?>%</p>
        <p>Sugar: <?php echo $nutrition['sugar']; ?>%</p>
        <p>Salt:  <?php echo $nutrition['salt']; ?>%</p>
    </body>
</html>
```

RESULTADO

The Candy Store
NUTRITION (PER 100G)
Fat: 16%
Sugar: 51%
Salt: 6.3%

1. Neste exemplo, um array associativo é criado e armazenado em uma variável chamada $nutrition.

O array é criado entre colchetes e tem três elementos (cada um tem um par de chave/valor). O operador => atribui valores a cada uma das chaves.

2. Para exibir os dados armazenados no array, use:

- O comando `echo` para indicar que o valor a seguir deve ser escrito na página web.
- Seguido pelo nome da variável que mantém o array.
- E então por colchetes e aspas, com o nome da chave que você deseja acessar.

Por exemplo, para escrever o conteúdo sugar na página, use:

`echo $nutrition['sugar'];`

EXPERIMENTE: na Etapa 1, mude os valores do array. Forneça a chave:

- fat com um valor 42.
- sugar com um valor 60.
- salt com um valor 3.5.

Salve e atualize a página para ver os valores atualizados.

EXPERIMENTE: na Etapa 1, adicione outro elemento ao array. Use a chave protein e atribua um valor 2.6 a ela. Então, na Etapa 2, mostre o valor protein na página.

VARIÁVEIS, EXPRESSÕES E OPERADORES

ARRAYS INDEXADOS

Quando um array é criado, se uma chave não for fornecida para cada elemento, o interpretador PHP atribuirá um número chamado **número do índice**. Esses números iniciam em zero (0), não em (1).

Para armazenar um array indexado em uma variável, use:

- Um nome da variável que descreve o conjunto de valores que o array manterá.
- O operador de atribuição.
- Colchetes para criar o array.

Entre colchetes ou parênteses, use:

- A lista de valores que o array deve manter (strings com aspas, números e booleanos sem).
- Uma vírgula após cada valor.

Cada elemento será atribuído a um número do índice.

```
                      OPERADOR DE
                       ATRIBUIÇÃO
         VARIÁVEL          |            VALORES
$shopping_list = ['bread', 'cheese', 'milk',];
```

Acima, bread seria atribuído ao número do índice 0, cheese a 1 e milk a 2. Números do índice são usados para indiciar a ordem dos itens listados no array.

Um array indexado também pode ser criado usando a sintaxe mostrada abaixo, com a palavra array seguida por parênteses (não colchetes).

```
$shopping_list = array('bread',
                       'cheese',
                       'milk');
```

Cada valor adicionado ao array pode estar na mesma linha ou em uma nova linha (como mostrado acima).

Para acessar os itens em um array indexado, use:

- O nome da variável que mantém o array.
- Seguido por colchetes (sem aspas).
- O número de índice do item que você deseja acessar (entre colchetes).

O código abaixo obtém o terceiro item no array, portanto, neste exemplo, obteria o valor milk.

```
   VARIÁVEL    NÚMERO DO ÍNDICE
$shopping_list [2] ;
```

CRIANDO E ACESSANDO ARRAYS INDEXADOS

PHP — section_a/c01/indexed-arrays.php

```php
<?php
$best_sellers = ['Chocolate', 'Mints', 'Fudge',
    'Bubble gum', 'Toffee', 'Jelly beans',];
?>
<!DOCTYPE html>
<html>
  <head> ... </head>
  <body>
    <h1>The Candy Store</h1>
    <h2>Best Sellers</h2>
    <ul>
      <li><?php echo $best_sellers[0]; ?></li>
      <li><?php echo $best_sellers[1]; ?></li>
      <li><?php echo $best_sellers[2]; ?></li>
    </ul>
  </body>
</html>
```

RESULTADO

The Candy Store
BEST SELLERS
- Chocolate
- Mints
- Fudge

1. Este exemplo começa criando uma variável chamada $best_sellers. Seu valor é um array que mantém uma lista dos itens mais vendidos no site.

O array é criado usando colchetes e os itens são adicionados ao array entre esses colchetes. Como os itens no array são texto, ficam entre aspas (números e booleanos não ficariam entre aspas). Cada item é seguido por uma vírgula.

2. Os três itens mais vendidos são escritos na página:

- O comando echo indica que o valor seguinte deve ser escrito.
- Seguido pelo nome da variável que mantém o array.
- E então os colchetes que mantém o número de índice do item que você deseja recuperar. Lembre-se de que os números do índice iniciam em 0, não em 1.

EXPERIMENTE: na Etapa 1, adicione Licorice ao array após Fudge. Na Etapa 2, adicione o quarto e o quinto itens ao array.

VARIÁVEIS, EXPRESSÕES E OPERADORES

ATUALIZANDO OS ARRAYS

Depois que um array for criado, adicione novos itens ou atualize o valor para qualquer elemento nele.

Para atualizar um valor armazenado em um array associativo, use:
- O nome da variável que mantém o array.
- Seguido por colchetes.
- O nome da chave entre aspas.
- Um operador de atribuição.
- O novo valor que ele deve manter.

```
$member['name'] = 'Tom';
```
VARIÁVEL CHAVE NOVO VALOR

Para adicionar um novo item a um array associativo, faça exatamente como o exemplo acima, mas use um novo nome da chave (não um já usado no array).

Aspas são colocadas no nome da chave quando essa é uma string, pois elas indicam um tipo de dado de string.

QUAL TIPO DE ARRAY USAR

Os arrays associativos são melhores quando você:
- Sabe exatamente qual informação o array manterá. Isso é necessário para fornecer um nome da chave a cada elemento.
- Precisa obter partes dos dados que usam um nome da chave.

Para atualizar um valor armazenado em um array indexado, use:
- O nome da variável que mantém o array.
- Seguido por colchetes.
- O número do índice (sem aspas).
- Um operador de atribuição.
- O novo valor que ele deve manter.

```
$shopping_list[2] = 'butter';
```
VARIÁVEL NÚMERO DO ÍNDICE NOVO VALOR

Você verá como adicionar itens aos arrays indexados na página 220. O processo é diferente porque é possível especificar a posição do novo item no array.

Aspas não são colocadas nos números do índice porque os tipos de dado numérico não têm aspas.

Os arrays indexados são úteis quando você:
- Não sabe quantas partes de dados serão armazenadas no array (os números do índice aumentam conforme mais itens são adicionados à lista).
- Deseja armazenar uma série de valores em uma ordem específica.

ALTERANDO OS VALORES ARMAZENADOS NOS ARRAYS

PHP   section_a/c01/updating-arrays.php

```php
<?php
$nutrition = [
    'fat'   => 38,
    'sugar' => 51,
    'salt'  => 0.25,
];
$nutrition['fat']   = 36;
$nutrition['fiber'] = 2.1;
?>
<!DOCTYPE html>
<html>
  <head> ... </head>
  <body>
    <h1>The Candy Store</h1>
    <h2>Nutrition (per 100g)</h2>
    <p>Fat:   <?php echo $nutrition['fat']; ?>%</p>
    <p>Sugar: <?php echo $nutrition['sugar']; ?>%</p>
    <p>Salt:  <?php echo $nutrition['salt']; ?>%</p>
    <p>Fiber: <?php echo $nutrition['fiber']; ?>%</p>
  </body>
</html>
```

RESULTADO

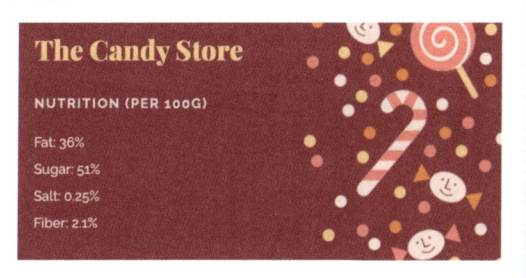

The Candy Store

NUTRITION (PER 100G)

Fat: 36%
Sugar: 51%
Salt: 0.25%
Fiber: 2.1%

1. Este exemplo começa armazenando um array em uma variável chamada `$nutrition`.

   As chaves e os valores que compõem cada elemento no array não precisam estar em uma nova linha (como mostrado aqui), mas facilita ler se estiverem.

2. O valor armazenado para o conteúdo fat é atualizado de 38 para 36.

3. Um novo elemento é adicionado ao array. A chave é `fiber` e seu valor é 2.1.

4. Os valores no array são escritos na página.

EXPERIMENTE: após a Etapa 3, adicione outra chave para `protein` e atribua um valor 7.3 a ela.

VARIÁVEIS, EXPRESSÕES E OPERADORES

ARMAZENANDO ARRAYS EM UM ARRAY

O valor de qualquer elemento em um array pode ser outro array. Quando todo elemento de um array mantém outro array, isso se chama **array multidimensional** e pode ser usado para representar os dados vistos em tabelas.

Há vezes em que você precisa armazenar um conjunto afim de valores em um elemento do array (por exemplo, ao representar os dados que podem ser vistos tradicionalmente em tabelas). Considere a tabela à direita com três membros, suas idades e seus países.

NAME	AGE	COUNTRY
Ivy	32	UK
Emi	24	Japan
Luke	47	USA

Cada linha da tabela (cada membro) pode ser representada usando um elemento de um array indexado. Então, cada elemento pode manter um array associativo armazenando o nome, a idade e o país de cada membro.

Os números de índice do array indexado são atribuídos automaticamente pelo interpretador PHP. A vírgula após cada array associativo indica o fim do valor desse elemento.

```
$members = [
    ['name' => 'Ivy',  'age' => 32, 'country' => 'UK',],
    ['name' => 'Emi',  'age' => 24, 'country' => 'Japan',],
    ['name' => 'Luke', 'age' => 47, 'country' => 'USA',],
];
```

Para obter o array que mantém dados sobre Emi, use:

- O nome da variável que mantém o array indexado.
- O número de índice do elemento que você deseja acessar entre colchetes (lembrando que os arrays indexados iniciam em 0 e os números não ficam entre aspas).

`$members[1];`

Para obter a idade de Luke, use:

- O nome da variável que mantém o array indexado.
- O número de índice do elemento que mantém o array de dados sobre Luke, entre colchetes.
- A chave do elemento que você deseja acessar no array sobre Luke em um segundo conjunto de colchetes (como a chave é uma string, use aspas).

`$members[2]['age'];`

ARRAYS MULTIDIMENSIONAIS

```
PHP                    section _ a/c01/multidimensional-arrays.php

<?php
$offers = [
    ['name' => 'Toffee', 'price' => 5, 'stock' => 120,],
    ['name' => 'Mints',  'price' => 3, 'stock' => 66,],
    ['name' => 'Fudge',  'price' => 4, 'stock' => 97,],
];
?>
<!DOCTYPE html>
<html>
  <head>
  <body> ... </head>
    <h1>The Candy Store</h1>
    <h2>Offers</h2>
    <p><?php echo $offers[0]['name']; ?> -
    $<?php echo $offers[0]['price']; ?> </p>
    <p><?php echo $offers[1]['name']; ?> -
    $<?php echo $offers[1]['price']; ?> </p>
    <p><?php echo $offers[2]['name']; ?> -
    $<?php echo $offers[2]['price']; ?> </p>
  </body>
</html>
```

RESULTADO

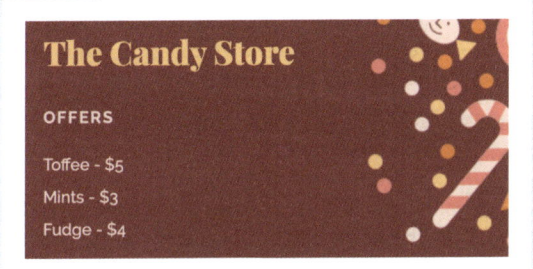

The Candy Store

OFFERS

Toffee - $5
Mints - $3
Fudge - $4

1. Este exemplo começa armazenando um array indexado em uma variável chamada $offers.

Cada elemento no array armazena um array associativo que mantém o nome, o preço e o nível de estoque de um item da oferta.

2. O nome do primeiro produto é escrito (o número de índice do primeiro produto é 0).

3. O preço do primeiro produto é escrito.

4. O nome e o preço do segundo produto são escritos.

5. O nome e o preço do terceiro produto são escritos.

EXPERIMENTE: na Etapa 1, adicione outro produto com o nome Chocolate ao array. Defina o preço para 2 e atribua um nível de estoque 83. Após a Etapa 5, escreva o nome e o preço do novo produto que acabou de adicionar.

No próximo capítulo, você verá como um loop pode ser usado para escrever o nome e o preço de cada produto no array $offers, não importando quantos produtos o array tenha.

VARIÁVEIS, EXPRESSÕES E OPERADORES

ATALHO PARA ECHO

Quando um bloco PHP for usado apenas para escrever um valor no navegador, utilize um atalho em vez de `<?php echo ?>`.

Em vez de escrever `<?php echo $name; ?>` use o atalho `<?= $name ?>`. Essa é a única vez em que não precisará usar o delimitador de abertura `<?php` completo.

Você *não* precisa de:
- Letras php na tag de abertura.
- Comando echo.
- Ponto e vírgula antes da tag de fechamento.

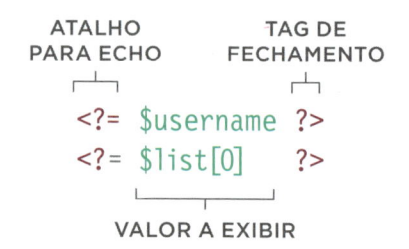

```
<?= $username ?>
<?= $list[0]  ?>
```

ATALHO PARA ECHO · TAG DE FECHAMENTO · VALOR A EXIBIR

Em muitos exemplos nos capítulos deste livro você verá que cada arquivo PHP tem duas partes:
- Primeiro, o código PHP armazena valores em variáveis ou arrays (também pode realizar tarefas com os dados mantidos).
- Então, o código HTML que é retornado para o navegador. Essa segunda parte da página mostrará os valores armazenados nas variáveis usando a sintaxe de atalho mostrada acima.

Se você iniciar cada página criando os valores que a página precisará exibir e armazená-los em variáveis, isso ajudará a criar uma separação clara entre o código PHP que roda no servidor e o código HTML que o visitante acabará vendo.

A segunda parte do arquivo, onde a página HTML é criada, deve usar o mínimo possível de código PHP. Nos primeiros exemplos, o código PHP nessa parte da página escreverá apenas os valores armazenados em variáveis no HTML.

USANDO O ATALHO PARA ECHO

PHP section_a/c01/echo-shorthand.php

```php
<?php
$name      = 'Ivy';
$favorites = ['Chocolate', 'Toffee', 'Fudge',];
?>
<!DOCTYPE html>
<html>
  <head>
    <title>Echo Shorthand</title>
    <link rel="stylesheet" href="css/styles.css">
  </head>
  <body>
    <h1>The Candy Store</h1>
    <h2>Welcome <?= $name ?></h2>
    <p>Your favorite type of candy is:
       <?= $favorites[0] ?>.</p>
  </body>
</html>
```

① ② ③ ④

RESULTADO

The Candy Store
WELCOME IVY
Your favorite type of candy is: Chocolate.

Neste exemplo, é possível ver que duas variáveis diferentes foram criadas e atribuídas a valores no topo da página antes de o HTML iniciar:

1. $name mantém o nome de um membro do site. É texto, portanto fica entre aspas.
2. $favorites mantém um array dos tipos favoritos de doce do membro.
3. O nome é escrito na página usando o atalho do comando echo.
4. O tipo favorito de doce do membro é escrito na página usando o atalho do comando echo.

EXPERIMENTE: na Etapa 1, mude o valor armazenado na variável $name para seu nome. Na Etapa 2, adicione seu tipo de doce favorito ao início do array. Salve o arquivo e atualize a página no navegador. Você verá o conteúdo mudar.

VARIÁVEIS, EXPRESSÕES E OPERADORES   47

EXPRESSÕES E OPERADORES

Dois (ou mais) valores costumam ser usados para criar um novo. **Expressões** consistem em uma ou mais construções **avaliadas como** (resultando em) um único valor. Elas usam **operadores** para criar um valor.

A matemática básica (adição, subtração, multiplicação e divisão) usa dois valores para criar um novo. A expressão a seguir multiplica o número 3 por 5 para criar um valor 15:

`3 * 5`

Programadores dizem que as expressões são **avaliadas** como um único valor. Abaixo, o novo valor criado é armazenado em uma variável chamada `$total`:

`$total = 3 * 5`

Os símbolos + - * / = se chamam **operadores**.

Você pode unir duas ou mais strings para criar uma parte de texto maior usando um operador de string chamado **operador de concatenação**. A seguinte expressão une os valores `'Hi '` e `'Ivy'` para criar uma string.

`$greeting = 'Hi ' . 'Ivy';`

A união dessas duas strings é avaliada em um único valor `Hi Ivy`, armazenado na variável chamada `$greeting`.

No resto do capítulo você encontrará os operadores apresentados à direita.

OPERADORES ARITMÉTICOS
páginas 50-51

Os operadores aritméticos permitem trabalhar com números, realizando tarefas como adição, subtração, multiplicação e divisão.

Por exemplo, se alguém comprasse 3 pacotes de doce e cada pacote custasse US$5, você poderia usar um operador de multiplicação para calcular o custo total dos três pacotes de doce.

OPERADORES DE STRING
páginas 52-53

Os operadores de string permitem trabalhar com texto. Dois operadores de string são usados para combinar diferentes partes de texto em uma única string.

Por exemplo, se você tivesse o nome de um membro armazenado em uma variável e o sobrenome armazenado em uma segunda variável, poderia unir as duas para criar o nome completo.

OPERADORES DE COMPARAÇÃO
páginas 54-55 e 58

Como o nome sugere, os operadores de comparação *comparam* dois valores e retornam um valor booleano true ou false.

Por exemplo, se você pegar os números 3 e 5, poderá compará-los para ver se:

- 3 é maior que 5 (false).
- 3 é igual a 5 (false).
- 3 é menor que 5 (true).

Também pode comparar strings para ver se um valor é maior ou menor que outro:

- 'Apple' é maior que 'Banana' (false).
- 'A' é igual a 'B' (false).
- 'A' é menor que 'B' (true).

OPERADORES LÓGICOS
páginas 56-57 e 59

Os operadores lógicos and, or e not trabalham com dois valores: true ou false. Para entender, considere as duas perguntas a seguir; ambas podem ser respondidas com true ou false:

O tempo está quente? Está ensolarado?

- O operador and verifica se o tempo está quente e (**and**) ensolarado.
- O operador or verifica se o tempo está quente ou (**or**) ensolarado.
- O operador not pode verificar se a resposta para apenas uma das perguntas por vez não (**not**) é true. Por exemplo, não está ensolarado?

Cada resultado é um valor true ou false.

OPERADORES ARITMÉTICOS

O PHP permite usar os seguintes operadores aritméticos. Podem ser usados com números ou variáveis que armazenam números.

NOME	OPERADOR	FINALIDADE	EXEMPLO	RESULTADO
Adição	+	Soma um valor a outro	10 + 5	15
Subtração	-	Subtrai um valor de outro	10 - 5	5
Multiplicação	*	Multiplica dois valores (NOTA: é um asterisco, não a letra x)	10 * 5	50
Divisão	/	Divide dois valores	10 / 5	2
Módulo	%	Divide dois valores e retorna o resto	10 % 3	1
Exponenciação	**	Eleva um valor à potência do outro	10 ** 5	100000
Incremento	++	Adiciona um ao número e retorna o novo valor	$i = 10; $i++;	11
Decremento	--	Subtrai um e retorna o novo valor	$i = 10; $i--;	9

ORDEM DA EXECUÇÃO

Você pode realizar várias operações aritméticas em uma única expressão, mas é importante entender a ordem na qual o resultado será calculado: a multiplicação e a divisão são feitas *antes* da adição e da subtração.

Isso pode afetar o número que você espera ver. Por exemplo, os números aqui são calculados da esquerda para a direita. O resultado é 16:

$total = 2 + 4 + 10;

Mas, a seguir, o resultado é 42 (não 60):

$total = 2 + 4 * 10;

Os parênteses permitem indicar qual cálculo você deseja realizado primeiro; portanto, o seguinte resulta em um total 60:

$total = (2 + 4) * 10;

Os parênteses indicam que 2 é somado a 4 *antes* de ser multiplicado por 10.

USANDO OPERADORES ARITMÉTICOS

```
PHP                              section_a/c01/arithmetic-operators.php
<?php
① $items     = 3;
② $cost      = 5;
③ $subtotal  = $cost * $items;
④ $tax       = ($subtotal / 100) * 20;
⑤ $total     = $subtotal + $tax;
?>
<!DOCTYPE html>
  <html>
    <head> ... </head>
    <body>
      <h1>The Candy Store</h1>
      <h2>Shopping Cart</h2>
⑥     <p>Items: <?= $items ?></p>
      <p>Cost per pack: $<?= $cost ?></p>
      <p>Subtotal: $<?= $subtotal ?></p>
      <p>Tax: $<?= $tax ?></p>
      <p>Total: $<?= $total ?></p>
    </body>
</html>
```

RESULTADO

The Candy Store
SHOPPING CART
Items: 3
Cost per pack: $5
Subtotal: $15
Tax: $3
Total: $18

Este exemplo mostra como os operadores matemáticos são usados com números para calcular o custo de um pedido. Primeiro, são criadas duas variáveis para armazenar:

1. O número total de itens pedidos ($items).

2. O custo de cada pacote de doce ($cost).

Em seguida, são feitos cálculos e os resultados são armazenados nas variáveis antes de o HTML ser criado. Isso ajuda a separar o código PHP do conteúdo HTML.

3. O custo do pedido é calculado multiplicando o número de itens pelo custo de um pacote de doce.

4. Precisam ser adicionados 20% de imposto. Para tanto, o subtotal é dividido por 100 (fica entre parênteses para assegurar que será calculado primeiro). Depois, o resultado é multiplicado por 20.

5. Por fim, o imposto é adicionado ao subtotal para fazer o custo total.

6. Os resultados armazenados nas variáveis são escritos na página HTML.

EXPERIMENTE: mude o custo dos itens na Etapa 1 e a quantidade na Etapa 2.

OPERADORES DE STRING

Talvez você precise unir duas ou mais strings para criar um valor. O processo de união delas se chama **concatenação**.

OPERADOR DE CONCATENAÇÃO

O operador de concatenação é um ponto. Ele une o valor em uma string ao valor em outra. No exemplo abaixo, a variável chamada $name manteria a string `'Ivy Stone'`:

```
$forename = 'Ivy';
$surname  = 'Stone';
$name     = $forename . ' ' . $surname;
```

Note que é adicionado um espaço entre as variáveis $forename e $surname; se não houvesse um espaço, a variável $name manteria o valor IvyStone.

Você pode concatenar quantas strings quiser em uma declaração, contanto que o operador de concatenação seja usado entre cada string.

OPERADOR DE ATRIBUIÇÃO DE CONCATENAÇÃO

Se você quiser anexar texto a uma variável existente, poderá usar o operador de atribuição de concatenação. Considere-o como um atalho para criar uma string atualizada:

```
$greeting = 'Hello ';
$greeting .= 'Ivy';
```

Aqui, a string `'Hello '` é armazenada em uma variável chamada $greeting. Na próxima linha, o operador de atribuição de concatenação adiciona a string `'Ivy'` ao final do valor mantido pela variável $greeting.

Agora, a variável $greeting mantém o valor `'Hello Ivy'`. Como pode ser visto, ele usa uma linha de código a menos em relação ao exemplo à esquerda.

É possível unir strings armazenadas em variáveis sem um operador de concatenação. Se um valor for atribuído com aspas duplas (em vez de aspas simples), o interpretador PHP substituirá os nomes da variável com aspas duplas pelos valores que eles contém.

Abaixo, $name manteria o valor Ivy Stone.

```
$name = "$forename $surname";
```

UNINDO STRINGS

PHP section_a/c01/string-operator.php

```php
<?php
$prefix  = 'Thank you';
$name    = 'Ivy';
$message = $prefix . ', ' . $name;
?>
<!DOCTYPE html>
<html>
  <head>
    <title>String Operator</title>
    <link rel="stylesheet" href="css/styles.css">
  </head>
  <body>
    <h1>The Candy Store</h1>
    <h2><?= $name ?>'s Order</h2>
    <p><?= $message ?></p>
  </body>
</html>
```

① ② ③

RESULTADO

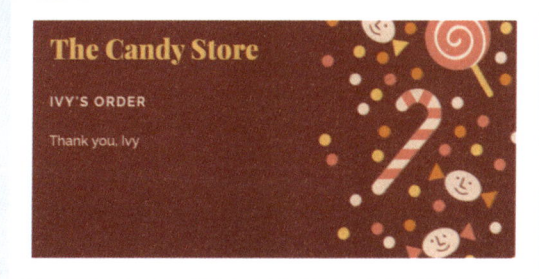

The Candy Store
IVY'S ORDER
Thank you, Ivy

Este exemplo exibirá uma mensagem personalizada.

1. Primeiro, uma variável chamada `$prefix` é criada para armazenar o início da mensagem para o visitante. Ela mantém as palavras 'Thank you'.

2. Uma segunda variável é criada para armazenar o nome do visitante. A variável se chama `$name` e o visitante é Ivy.

3. A mensagem pessoal é criada concatenando (ou unindo) três valores e armazenando o novo valor em uma variável chamada `$message`:

   - Primeiro, o valor armazenado em `$prefix` é adicionado à `$message`.
   - Depois, são acrescentados a vírgula e o espaço.
   - Enfim, o valor armazenado em `$name` é adicionado.

EXPERIMENTE: na Etapa 2, mude o valor armazenado em `$name` para seu nome.

EXPERIMENTE: na Etapa 3, atribua o valor da variável `$message` usando aspas duplas (e nenhum operador de concatenação):

`$message = "$prefix $name";`

VARIÁVEIS, EXPRESSÕES E OPERADORES

OPERADORES DE COMPARAÇÃO

Os operadores de comparação permitem comparar dois ou mais valores. Eles resultam em um valor booleano `true` ou `false`.

==
É IGUAL A

Esse operador compara dois valores para ver se eles são iguais.

`'Hello' == 'Hello'` resulta em `true` porque *são* a mesma coisa.
`'Hello' == 'Goodbye'` resulta em `false` porque *não* são iguais.

!= OU <>
É DIFERENTE DE

Esses operadores comparam dois valores para ver se eles *não* são iguais.

`'Hello' != 'Hello'` resulta em `false` porque *são* a mesma coisa.
`'Hello' != 'Goodbye'` resulta em `true` porque *não* são iguais.

Os operadores acima permitem que o interpretador PHP determine se dois valores são ou não equivalentes. Os operadores abaixo são mais restritos porque verificam o valor e o tipo de dado.

Os operadores acima tratariam 3 (um inteiro) como equivalente a 3.0 (ponto flutuante). Os operadores abaixo, não (as páginas 60-61 mostram como 0 pode ser tratado como um valor booleano `false` e 1 como `true`).

===
É IDÊNTICO A

Esse operador compara dois valores para verificar se o valor e o tipo de dado são iguais.

`'3' === 3` resulta em `false` porque *não* são o mesmo tipo de dado.
`'3' === '3'` resulta em `true` porque *são* o mesmo tipo de dado e de valor.

!==
NÃO É IDÊNTICO A

Esse operador compara dois valores para verificar se o valor e o tipo de dado *não* são iguais.

`3.0 !== 3` resulta em `true` porque *não* são o mesmo tipo de dado.
`3.0 !== 3.0` resulta em `false` porque *são* o mesmo tipo de dado e valor.

Se você usar `echo` para escrever o valor de um booleano na página, `true` mostrará 1 e `false` não exibirá nada.

< E >

MENOR QUE e MAIOR QUE

`<` verifica se o valor à esquerda é menor que o valor à direita.

`4 < 3` resulta em `false`   `3 < 4` resulta em `true`

`>` verifica se o valor à esquerda é maior que o valor à direita.

`z > a` resulta em `true`   `a > z` resulta em `false`

<= E >=

MENOR OU IGUAL A e MAIOR OU IGUAL A

`<=` verifica se o valor à esquerda é menor ou igual ao valor à direita.

`4 <= 3` resulta em `false`   `3 <= 4` resulta em `true`

`>=` verifica se o valor à esquerda é maior ou igual ao valor à direita.

`z >= a` resulta em `true`   `z >= z` resulta em `true`

<=>

OPERADOR DE COMPARAÇÃO COMBINADA

O operador de comparação combinada compara os valores à esquerda e à direita e resulta em:

0 se ambos os valores são iguais.
1 se o valor à esquerda é maior.
-1 se o valor à direita é maior.

Esse operador foi introduzido no PHP 7 (e não funciona nas versões anteriores do PHP).

`1 <=> 1`   resulta em: 0.
`2 <=> 1`   resulta em: 1.
`2 <=> 3`   resulta em: -1.

OPERADORES LÓGICOS

Os operadores de comparação resultam em um valor true ou false. Os operadores lógicos podem ser usados com muitos operadores de comparação para comparar os resultados de várias expressões.

Nesta linha de código, há três expressões, cada uma determinando um valor true ou false.

A expressão 1 (à esquerda) e a expressão 2 (à direita) usam operadores de comparação e ambas resultam em um valor false.

A expressão 3 usa um operador lógico (não um operador de comparação).

O operador lógico and (&&) verifica para saber se *ambas* as expressões (qualquer lado) retornam true. Nesse caso, não; portanto, a expressão inteira será avaliada como um valor false.

As expressões 1 e 2 são avaliadas antes de 3.

Cada expressão foi colocada em seu próprio conjunto de parênteses. Isso ajuda a mostrar que o código em cada conjunto deve ser avaliado como um único valor. Funciona sem parênteses, mas dificulta a leitura.

Cinco é menor que dois? false
EXPRESSÃO 1

OPERADOR LÓGICO

Dois é maior ou igual a três? false
EXPRESSÃO 2

((5 < 2) && (2 >= 3))

EXPRESSÃO 3

Expressão 1 e expressão 2 são avaliadas como true? false

&&
AND LÓGICO

Esse operador testa mais de uma condição.

`((2 < 5) && (3 >= 2))` resulta em um valor `true`.

Se ambas as expressões são avaliadas como `true`, a expressão retorna `true`.

Se um dos resultados é `false`, a expressão resulta em `false`.

`true && true` é `true`.
`true && false` é `false`.
`false && true` é `false`.
`false && false` é `false`.

Use a palavra `and` em vez de dois símbolos &.

AVALIAÇÃO CURTA

As expressões lógicas são avaliadas da esquerda para a direita. Assim que a primeira expressão é avaliada e o interpretador PHP conhece o operador lógico, pode não precisar avaliar a segunda condição, como pode ser visto nos exemplos à direita.

||
OR LÓGICO

Esse operador testa pelo menos uma condição.

`((2 < 5) || (2 < 1))` resulta em um valor `true`.

Se uma expressão é avaliada como `true`, a expressão retorna `true`. Se ambas resultam em `false`, a expressão resulta em `false`.

`true || true` é `true`.
`true || false` é `true`.
`false || true` é `true`.
`false || false` é `false`.

Use a palavra `or` em vez de dois caracteres |.

`((5 < 2) && (2 >= 2))`
        ↑

Foi encontrado um valor `false`.

Não há motivos para continuar testando a segunda condição porque ela não pode resultar em um valor `true`.

!
NOT LÓGICO

Esse operador pega um valor booleano e o nega.

`!(2 < 1)` resulta em um valor `true`.

A parte ! nega uma expressão. Se é `false` (sem ! antes), resulta em `true`. Se a declaração é `true`, resulta em `false`.

`!true` resulta em `false`.
`!false` resulta em `true`.

Você *não pode* usar a palavra `not` em vez do ponto de exclamação.

`((2 < 5) || (2 >= 2))`
        ↑

Foi encontrado um valor `true`.

Não há motivos para continuar testando a segunda condição porque pelo menos um dos valores é `true`.

USANDO OPERADORES DE COMPARAÇÃO

1. São criadas três variáveis:
   - A primeira mantém o tipo de doce que um cliente deseja.
   - A segunda mostra que há 5 pacotes em estoque.
   - A terceira mostra que o cliente deseja 8 pacotes.

2. Um operador de comparação verifica se a quantidade desejada é menor ou igual à quantidade em estoque. O resultado é armazenado em uma variável chamada $can_buy.

3. Dificilmente você escreverá um booleano na página (como mostrado aqui). É mais provável que o valor seja usado na lógica condicional, vista no próximo capítulo. Mas é importante ver o que é obtido quando você tenta escrever um valor booleano como este; se o valor for:
   - true, a página mostrará 1.
   - false, ela não mostrará nada.

EXPERIMENTE: na Etapa 1, troque os valores em $stock e $wanted. O valor em $can_buy mudará.

Na página 75, você aprenderá a mostrar diferentes mensagens quando o resultado de uma expressão que usa um operador de comparação é true ou false.

```
section_a/c01/comparison-operators.php                    PHP
<?php
$item    = 'Chocolate';
①  $stock   = 5;
$wanted  = 8;
②  $can_buy = ($wanted <= $stock);
?>
<!DOCTYPE html>
<html>
  <head> ... </head>
  <body>
    <h1>The Candy Store</h1>
    <h2>Shopping Cart</h2>
    <p>Item:    <?= $item ?></p>
    <p>Stock:   <?= $stock ?></p>
    <p>Wanted:  <?= $wanted ?></p>
③  <p>Can buy: <?= $can_buy ?></p>
  </body>
</html>
```

RESULTADO

The Candy Store

SHOPPING CART

Item: Chocolate
Stock: 5
Wanted: 8
Can buy:

VARIÁVEIS, EXPRESSÕES E OPERADORES

USANDO OPERADORES LÓGICOS

```
PHP                                    section_a/c01/logical-operators.php

<?php
$item     = 'Chocolate';
$stock    = 5;
$wanted   = 3;
$deliver  = true;
$can_buy  = (($wanted <= $stock) && ($deliver == true));
?>
<!DOCTYPE html>
<html>
  <head> ... </head>
  <body>
    <h1>The Candy Store</h1>
    <h2>Shopping Cart</h2>
    <p>Item:     <?= $item ?></p>
    <p>Stock:    <?= $stock ?></p>
    <p>Ordered:  <?= $wanted ?></p>
    <p>Can buy:  <?= $can_buy ?></p>
  </body>
</html>
```

(1) `$wanted = 3;`
(2) `$deliver = true;`
(3) `$can_buy = (($wanted <= $stock) && ($deliver == true));`

RESULTADO

The Candy Store
SHOPPING CART
Item: Chocolate
Stock: 5
Wanted: 3
Can buy: 1

Este exemplo se baseia na página à esquerda.

1. O cliente deseja apenas 3 pacotes de doce.

2. Uma variável chamada `$deliver` é adicionada; ela armazena um valor booleano para indicar se uma entrega pode ou não ser feita.

3. Uma expressão usa dois operadores de comparação:
   - O primeiro verifica que há itens suficientes em estoque.
   - O segundo verifica se o item pode ser entregue.

Um operador lógico && testa se os dois operadores resultam em `true`. Em caso afirmativo, o valor de `$can_buy` será `true` e a página exibirá o número 1.

Se os dois resultados não resultarem em `true`, `$can_buy` manterá um valor `false` e nada será mostrado.

EXPERIMENTE: na Etapa 1, troque os valores em `$stock` e `$wanted`. O valor em `$can_buy` mudará.

Na página 75, você aprenderá como mostrar mensagens diferentes quando uma expressão retorna `true` ou `false`.

VARIÁVEIS, EXPRESSÕES E OPERADORES

MANIPULAÇÃO DE TIPOS: CONVERTENDO TIPOS DE DADOS

O interpretador PHP pode converter um valor de um tipo de dado em outro. Isso é conhecido como **manipulação de tipos** e pode levar a resultados inesperados.

O PHP é conhecido como uma linguagem **fracamente tipada** porque, quando você cria uma variável, não precisa especificar o tipo de dado do valor que ela manterá. Abaixo, a variável $title mantém uma string e um inteiro:

```
$title = 'Ten';   // String
$title = 10;      // Inteiro
```

A abordagem do PHP pode ser comparada com as linguagens de programação **estritamente tipadas** (como C++ ou C#), em que os programadores precisam especificar o tipo de dado que cada variável manterá quando for declarada.

Quando o interpretador PHP encontra um valor que não usa o tipo de dado que ele espera receber, pode tentar converter o valor no tipo esperado. É um processo chamado de **manipulação de tipos**.

A manipulação pode causar confusão porque o interpretador pode gerar resultados surpreendentes ou erros. Por exemplo, o operador de adição abaixo soma dois valores. O número 1 é um inteiro, mas 2 é uma string porque tem aspas.

```
$total = 1 + '2';
```

Nesse caso, o interpretador PHP tentará converter automaticamente a string em um número para que possa fazer o cálculo. Como resultado, a variável $total manterá o número 3. Na página à direita, você pode ver as regras que especificam como um valor é convertido de um tipo de dado em outro. Há exemplos para demonstrar a manipulação de tipos em: http://notes.re/php/type-juggling [conteúdo em inglês].

Quando o tipo de dado para um valor muda para um tipo diferente, os programadores dizem que o tipo de dado do valor sofreu **coerção** de um tipo em outro. A manipulação de tipos é conhecida como **coerção implícita** porque é o interpretador PHP que realiza a coerção.

Quando um programador muda explicitamente o tipo de dado de um valor usando código, isso é conhecido como **coerção explícita** porque o interpretador PHP foi informado explicitamente para mudar o tipo de dado.

NÚMEROS

Quando o interpretador PHP espera dois números, pode fazer uma operação matemática neles.

Abaixo, veja o que acontece quando:

- Uma string é somada a um número.
- Um booleano é somado a um número.

NÚMERO + STRING	TRATADO	RESULTADO	DESCRIÇÃO
1 + '1'	1 + 1	2 (int)	A string mantém um inteiro válido. Tratada como inteiro.
1 + '1.2'	1 + 1.2	2.2 (float)	A string mantém um float. Tratada como ponto flutuante.
1 + '1.2e+3'	1 + 1200	1201 (float)	A string mantém um float usando e (expoente de 10). Tratada como ponto flutuante.
1 + '5star'	1 + 5	6 (int)	A string mantém um inteiro seguido de outros caracteres. O número é tratado como inteiro. Os caracteres seguintes são ignorados.
1 + '3.5star'	1 + 3.5	4.5 (float)	A string mantém um float seguido de outros caracteres. O número é tratado como ponto flutuante. Os caracteres seguintes são ignorados.
1 + 'star9'	1 + 0	1 (int)	A string inicia com qualquer coisa diferente de um inteiro ou float. É tratada como o número 0.

NÚMERO + BOOL	TRATADO	RESULTADO	DESCRIÇÃO
1 + true	1 + 1	2 (int)	O true booleano é tratado como o inteiro 1.
1 + false	1 + 0	1 (int)	O false booleano é tratado como o inteiro 0.

STRINGS

Quando o interpretador PHP tentar concatenar duas strings, ele seguirá essas regras.

Abaixo, veja o que acontece quando o PHP:

- Concatena uma string com um número.
- Concatena uma string com um booleano.

STRING . NÚMERO	TRATADO	RESULTADO	DESCRIÇÃO
'Hi ' . 1	'Hi ' . '1'	Hi 1 (string)	O inteiro é tratado como string.
'Hi ' . 1.23	'Hi ' . '1.23'	Hi 1.23 (string)	Float é tratado como string.

STRING . BOOL	TRATADO	RESULTADO	DESCRIÇÃO
'Hi ' . true	'Hi ' . '1'	Hi 1 (string)	O true booleano tratado como um inteiro 1.
'Hi ' . false	'Hi ' . ''	Hi (string)	O false booleano tratado como uma string vazia.

BOOLEANOS

Quando o interpretador PHP espera um valor booleano, todos os valores mostrados na tabela à direita são tratados como false.

Qualquer outro valor é tratado como true (qualquer texto, número diferente de 0 ou o valor booleano true).

VALOR	TIPO DE DADO	TRATADO
false	Booleano	false
0	Inteiro	false
0.0	Ponto flutuante	false
'0'	String com valor 0	false
''	String vazia	false
array[]	Array vazio	false
null	Nulo	false

VARIÁVEIS, EXPRESSÕES E OPERADORES

The Candy Store

MULTI-BUY OFFER

Hello, Ivy.

Buy 5 packs of Chocolate for $20
(usual price $25)

Save $5

PÁGINA PHP BÁSICA

Este exemplo reúne várias técnicas vistas neste capítulo.

O arquivo PHP cria uma página HTML que informa aos visitantes sobre um desconto disponível quando eles compram vários pacotes de doce.

Você verá como:

- Armazenar informações em variáveis e arrays.
- Usar o operador de concatenação para unir texto em variáveis a fim de criar uma saudação personalizada para um visitante.
- Usar operadores aritméticos para fazer cálculos que determinam os preços mostrados na página.
- Escrever novos valores que foram criados pelo interpretador PHP no conteúdo HTML da página.

E, mais, se os valores armazenados nas variáveis forem atualizados, então a página refletirá automaticamente os novos produtos e preços.

VARIÁVEIS, EXPRESSÕES E OPERADORES

PROCESSANDO E EXIBINDO DADOS

Quando você começa a escrever arquivos PHP, eles costumam ter uma combinação dos códigos HTML e PHP. É uma boa prática separar o máximo possível esses códigos:

- Comece usando o PHP para criar os valores que serão exibidos na página HTML e armazene esses valores em variáveis (à direita, está acima da linha horizontal pontilhada).
- Então, a parte inferior da página pode focar o conteúdo HTML. O código PHP deve ser usado apenas nessa parte da página para exibir os valores que foram armazenados nas variáveis (à direita, está abaixo da linha horizontal pontilhada).

Examinando o código PHP a seguir:

1. Este exemplo começa declarando uma variável para manter o nome de usuário do visitante. Ela se chama $username porque um nome da variável sempre deve iniciar com um cifrão, seguido de um nome que descreve o tipo de dado que ela mantém.
2. Uma variável $greeting é declarada a fim de manter uma saudação para o visitante. Ela usa o operador de string para unir a string Hello e o nome do visitante.
3. Uma variável chamada $offer é criada para manter os detalhes de um item em uma oferta especial. Seu valor é um array com quatro elementos:
   - O item na oferta.
   - A quantidade que ele deve comprar.
   - O preço normal por pacote (sem desconto).
   - O preço com desconto por pacote.

O primeiro elemento, que descreve o item em oferta, usa um tipo de dado string. Os outros valores são inteiros.

4. Uma variável chamada $usual _ price é criada. Seu valor é o custo dos itens sem desconto. É calculado multiplicando os dois valores armazenados no array: a quantidade e o preço.
5. Uma variável chamada $offer _ price é criada. Seu valor é o custo dos itens com desconto aplicado. É calculado multiplicando a quantidade e o preço descontado armazenados no array.
6. Uma variável chamada $saving é criada para manter a economia total do cliente, que é calculada subtraindo o valor armazenado na variável $offer _ price (criada na Etapa 5) do valor armazenado em $usual _ price (criada na Etapa 4).

A segunda metade da página (abaixo da linha horizontal pontilhada) criará o HTML que é retornado para o navegador. Inicia com a declaração DOCTYPE do HTML. O PHP só é usado para escrever os valores armazenados nas variáveis nas etapas anteriores:

7. A saudação, que é a palavra Hello seguida do nome do visitante, é escrita na página usando o atalho do comando echo.
8. A economia total, armazenada na variável $saving (criada na Etapa 6), é mostrada em um círculo amarelo. A CSS é usada para colocar esse círculo no canto superior direito da janela do navegador.
9. Um parágrafo explica os detalhes da oferta. Ele mostra a quantidade de doce que o visitante deve comprar e o nome do doce.
10. Após, vem o preço com desconto armazenado em $offer _ price e o preço normal em $usual _ price.

```
PHP                                                    section_a/c01/example.php
```

```php
    <?php
①   $username = 'Ivy';                          // Variável para manter username

②   $greeting = 'Hello, ' . $username . '.';    //  Saudação é 'Olá, ' + username

    $offer = [                                  // Cria array manter manter oferta
        'item'     => 'Chocolate',              // Item em oferta
③       'qty'      => 5,                        // Quantidade a comprar
        'price'    => 5,                        // Preço normal por pacote
        'discount' => 4,                        // Preço da oferta por pacote
    ];

④   $usual_price  = $offer['qty'] * $offer['price'];    // Preço normal total
⑤   $offer_price  = $offer['qty'] * $offer['discount']; // Preço da oferta total
⑥   $saving       = $usual_price - $offer_price;        // Economia total
    ?>
```

```html
    <!DOCTYPE html>
    <html>
      <head>
        <title>The Candy Store</title>
        <link rel="stylesheet" href="css/styles.css">
      </head>
      <body>
        <h1>The Candy Store</h1>

        <h2>Multi-buy Offer</h2>

⑦       <p><?= $greeting ?></p>

⑧       <p class="sticker">Save $<?= $saving ?></p>

⑨       <p>Buy <?= $offer['qty'] ?> packs of <?= $offer['item'] ?>
⑩          for $<?= $offer_price ?><br>(usual price $<?= $usual_price ?>)</p>
      </body>
    </html>
```

EXPERIMENTE: na Etapa 1, mude o nome de usuário para seu nome.

Na Etapa 2, atualize a saudação mostrada ao visitante para exibir `Hi` (em vez de `Hello`).

Na Etapa 3, atualize o número de pacotes de doce na chave qty do array `$offer` para 3.

Na Etapa 3, atualize o preço do doce para 6.

VARIÁVEIS, EXPRESSÕES E OPERADORES

RESUMO
VARIÁVEIS, EXPRESSÕES E OPERADORES

› As variáveis armazenam dados que variam sempre que um script é executado.

› Os tipos de dados escalares mantêm texto, números inteiros, números de ponto flutuante e valores booleanos `true` ou `false`.

› Um array é um tipo de dado composto, usado para armazenar um conjunto de valores afins.

› Cada item em um array se chama elemento. Os elementos em um array associativo têm chave e valor. Os elementos em um array indexado têm número de índice e valor.

› Os operadores de string unem (concatenam) texto em strings.

› Os operadores matemáticos fazem cálculo usando números.

› Os operadores de comparação comparam dois valores para saber se um é igual, maior ou menor que o outro.

› Os operadores lógicos podem combinar os resultados de várias expressões usando `and`, `or` e `not`.

2
ESTRUTURAS DE CONTROLE

Este capítulo mostra como informar ao interpretador PHP para executar ou não um bloco de código, quando repetir um conjunto de declarações e quando incluir o código de outro arquivo.

Há três modos de controlar quando o interpretador PHP executará declarações em um arquivo PHP:

- **Sequência:** o interpretador PHP executa as declarações na ordem em que são escritas. Linha 1, linha 2, linha 3 etc. até chegar na última linha. Todos os exemplos vistos até agora neste livro executaram o código em sequência.

- **Seleção:** o interpretador PHP usa uma condição para verificar se um código será ou não executado. Por exemplo, a condição poderia ser: "O usuário fez login?" Se a resposta for "não", ele pode mostrar um link para a página de login. Se a resposta for "sim", pode mostrar um link para a página de perfil do usuário. Os programadores chamam essas instruções de **declarações condicionais** porque selecionam qual conjunto de declarações executar com base em uma condição.

- **Repetição/iteração:** o interpretador PHP pode repetir o mesmo conjunto de código várias vezes. Por exemplo, se um array tivesse uma lista de compras, as mesmas instruções poderiam ser executadas para cada item na lista (se ela contém 1 ou 100 itens). **Loops** são usados para repetir os conjuntos de declarações.

Quando você muda a ordem na qual as declarações são executadas, está mudando o **fluxo de controle**.

Neste capítulo, você também aprenderá como usar **arquivos de inclusão** para manter o código usado por várias páginas. Esse método permite incluir um arquivo em várias páginas, em vez de repetir o mesmo código diversas vezes em cada arquivo.

The Candy Store

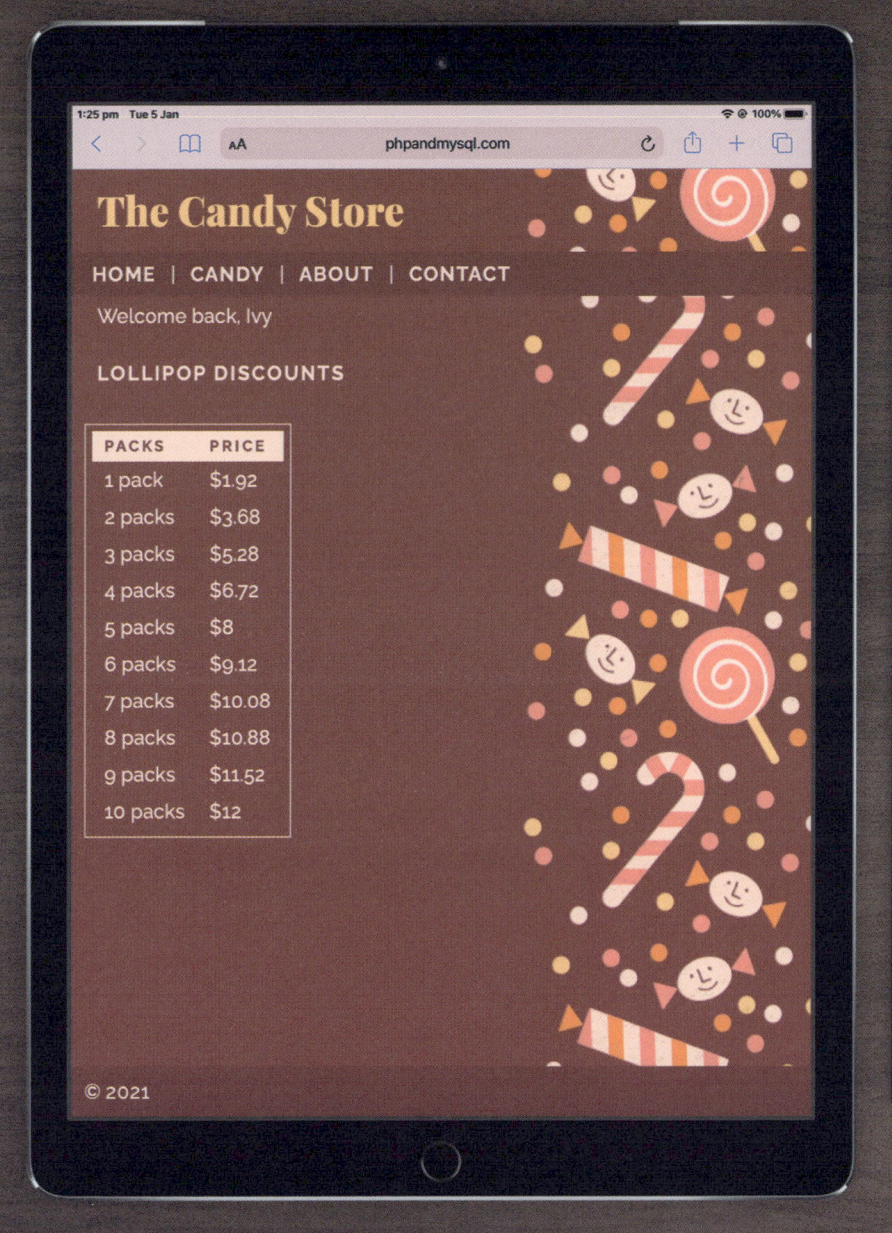

HOME | CANDY | ABOUT | CONTACT

Welcome back, Ivy

LOLLIPOP DISCOUNTS

PACKS	PRICE
1 pack	$1.92
2 packs	$3.68
3 packs	$5.28
4 packs	$6.72
5 packs	$8
6 packs	$9.12
7 packs	$10.08
8 packs	$10.88
9 packs	$11.52
10 packs	$12

© 2021

DECLARAÇÕES CONDICIONAIS

As **declarações condicionais** testam uma **condição** a fim de determinar se é para executar ou não um bloco de código. Seria como dizer: "Se essa situação for true, realize a tarefa 1 (opcionalmente, se não, realize a tarefa 2)."

Algumas tarefas são realizadas apenas se uma **condição** é atendida. Considere um site em que os usuários podem fazer login. Se o usuário:

- *fez* o login, é mostrado um link para sua página de perfil.
- *não* fez o login, é mostrado um link para a página de login.

Aqui, a condição seria *"O usuário fez o login?"*, e é usada para determinar qual link mostrar.

Condições são expressões que sempre resultam em um valor `true` ou `false`. Elas costumam usar operadores de comparação (veja as páginas 54-55) para comparar dois valores.

Se uma variável chamada `$logged_in` armazenar um valor `true` quando um usuário faz login e `false` quando não faz, o seguinte agirá como uma condição:

`($logged_in === true)`

Se a condição resulta em um valor:

- `true`, pode executar as declarações que mostram um link para a página de perfil do usuário.
- `false`, pode executar as declarações que mostram um link para a página de login.

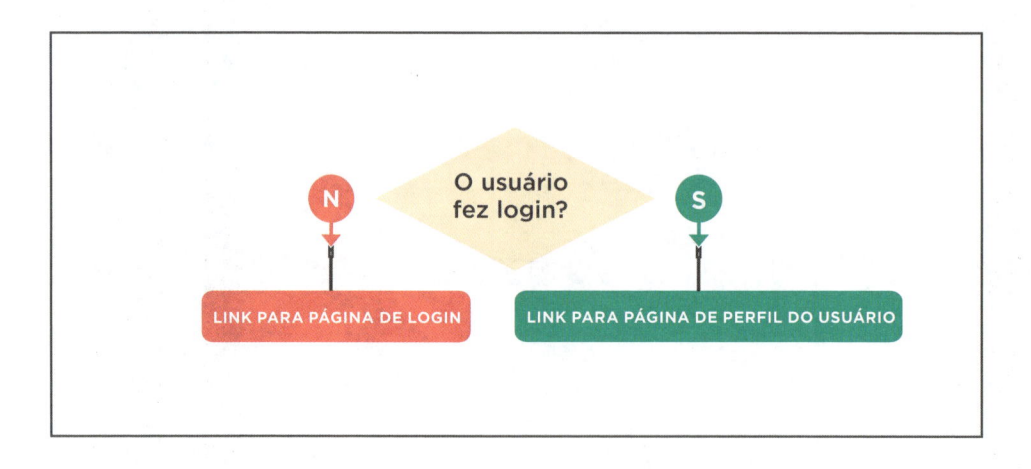

IF
Uma declaração `if` só executa um conjunto de declarações se uma condição é atendida. As declarações que devem ser usadas se a condição é atendida ficam entre chaves. Se a condição *não é* atendida, as declarações entre chaves são puladas e o interpretador PHP vai para a próxima linha de código.

página 74

```
if ($logged_in === true) {
    // Declarações a executar se condição
    // é atendida
}
```

IF... ELSE
Uma declaração `if... else` verifica uma condição. Se retorna `true`, o primeiro conjunto de declarações é executado. Se não, o segundo é. Você também conhecerá o operador ternário que fornece um atalho para uma declaração `if... else`.

páginas 75-77

```
if ($logged_in === true) {
    // Declarações a executar se condição
    // é atendida
} else {
    // Declarações a executar se condição não
    // é atendida
}
```

IF... ELSEIF...
Em uma declaração `if... elseif`, se a primeira condição não é atendida, adicione uma segunda condição. As declarações após a segunda condição apenas são executadas se a segunda condição é atendida.

Forneça um conjunto-padrão de declarações a executar se nenhuma condição for atendida usando a opção `else`.

página 78

```
if ($logged_in === true) {
    // Declarações a executar se a condição 1
    // é atendida
} elseif ($time > 12) {
    // Declarações a executar se a condição 2
    // é atendida
} else {
    // Declarações a executar se a condição 2
    // é atendida
}
```

SWITCH
Uma declaração `switch` não depende de uma condição; especifique uma variável e forneça opções que combinariam com o valor na variável.

Se nenhuma opção combinar, um conjunto-padrão de declarações poderá ser executado.

Se não há nenhum padrão *nem* correspondência, o interpretador PHP vai para a próxima linha após a declaração `switch`.

página 79

```
switch ($option) {
    case 'option_1':
        // As declarações a executar ficam aqui
        break;
    case 'option_2':
        // As declarações a executar ficam aqui
        break;
    default:
        // As declarações a executar ficam aqui
}
```

MATCH
O PHP 8 adicionou a expressão `match` (uma variação da declaração `switch`). Se uma combinação exata para uma variável é encontrada (tem o mesmo valor *e* o mesmo tipo de dado da variável), então uma expressão é executada e o valor que ela cria é retornado. Você pode especificar várias opções em uma linha, além de fornecer um padrão para quando nenhum valor corresponde. Mas, se não houver correspondência *nem* padrão, causará um erro.

página 80

```
result = match($option) {
    'option_1'             => // Expressão,
    'option_2', 'option_3' => // Expressão,
    'default'              => // Expressão,
};
```

ESTRUTURAS DE CONTROLE

AS CHAVES FORMAM BLOCOS DE CÓDIGO

O PHP usa chaves para delimitar um conjunto afim de declarações. As chaves e as declarações formam um **bloco de código**.

INICIAR BLOCO DE CÓDIGO

{

```
// As chaves indicam
// o início e o fim de
// um bloco de código.
```

}

TERMINAR BLOCO DE CÓDIGO

As chaves permitem que o interpretador PHP saiba onde um bloco de código começa e onde ele termina:

- Uma chave esquerda sinaliza o início de um bloco de código.
- Uma chave direita sinaliza o fim do bloco.

Não há limites para quantas declarações podem aparecer entre as chaves de um bloco de código.

Os blocos de código permitem que o interpretador PHP execute, pule ou repita as declarações contidas.

Não deve haver ponto e vírgula após a chave de fechamento } no fim de um bloco de código porque esses blocos indicam apenas onde um conjunto de declarações afins inicia e termina; o bloco de código em si não é uma instrução que o interpretador PHP executa.

ESTRUTURA DAS DECLARAÇÕES CONDICIONAIS

Uma **condição** sempre resulta, ou é **avaliada**, em um valor booleano **true** ou **false**. O resultado determina qual bloco de código é executado.

A condição abaixo verifica se o valor na variável **$logged_in** é **true**:

- Se é, a condição resulta em um valor **true**.
- Se não é, a condição resulta em um valor **false**.

```
         CONDIÇÃO A TESTAR
if ($logged_in === true) {
   $link = '<a href="member.php">My Profile</a>';
         CÓDIGO A EXECUTAR SE O VALOR É TRUE
} else {
   $link = '<a href="login.php">Login</a>';
         CÓDIGO A EXECUTAR SE O VALOR É FALSE
}
```

Quando o resultado da condição é **true**, o primeiro bloco de código é executado. O interpretador PHP ignora a palavra-chave **else** e pula o segundo bloco. Em seguida, ele vai para a primeira linha de código após a declaração condicional.

Quando o resultado da condição é **false**, o interpretador PHP pula o primeiro bloco de código e vai para a palavra-chave **else**. Então, executa as instruções no bloco de código seguinte. Depois, vai para a primeira linha de código após a declaração condicional.

ESTRUTURAS DE CONTROLE

USANDO DECLARAÇÕES IF...

Este exemplo mostra uma saudação personalizada se o visitante tiver efetuado o login. Começa criando duas variáveis e armazenando valores nelas:

1. $name mantém o nome do visitante.

2. A variável **$greeting** é **inicializada**; isso significa que ela recebe um valor inicial que será usado se não for atualizada nas Etapas 3 e 4. A saudação mostra `Hello`.

3. Uma declaração if usa uma condição para verificar se a variável $name *não* é uma string vazia. Se a variável *não* está vazia, então o bloco de código subsequente é executado.

4. O valor na variável $greeting é atualizado para exibir `Welcome back`, seguido do nome do visitante.

5. O valor armazenado em $greeting é escrito na página.

EXPERIMENTE: na Etapa 1, mude o valor da variável $name para armazenar uma string vazia. Atualize a página e a saudação mostrará `Hello`.

NOTA: uma condição pode conter apenas um nome da variável, como:

```
if ($name) {
  $greeting = 'Hi, ' + $name;
}
```

```
section_a/c02/if-statement.php                          PHP

<?php
① $name     = 'Ivy';
② $greeting = 'Hello';

③ if ($name !== '') {
④     $greeting = 'Welcome back, ' . $name;
  }
?>
<!DOCTYPE html>
<html>
  <head> ... </head>
  <body>
    <h1>The Candy Store</h1>
⑤    <h2><?= $greeting ?></h2>
  </body>
</html>
```

RESULTADO

The Candy Store

WELCOME BACK, IVY

Essa condição verificaria se o valor armazenado na variável $name seria tratado como `true` após a manipulação de tipos ter ocorrido.

Como visto nas páginas 60-61, uma string que mantém texto, ou um número diferente de 0, seria tratada como um valor `true`.

USANDO DECLARAÇÕES IF... ELSE

```
PHP                              section_a/c02/if-else-statement.php
       <?php
①      $stock = 5;

②      if ($stock > 0) {
③          $message = 'In stock';
④      } else {
⑤          $message = 'Sold out';
       }
       ?>
       <!DOCTYPE html>
       <html>
         <head> ... </head>
         <body>
           <h1>The Candy Store</h1>
           <h2>Chocolate</h2>
⑥          <p><?= $message ?></p>
         </body>
       </html>
```

RESULTADO

The Candy Store
CHOCOLATE
In stock

Este exemplo verifica o nível do estoque de um item e exibe a mensagem correspondente.

1. Uma variável chamada `$stock` mantém o número de itens em estoque.

2. Uma declaração `if` usa uma condição para verificar se a quantidade mantida em `$stock` é maior que 0.

3. Se a condição resulta em `true`, uma variável chamada `$message` recebe um valor In stock. O interpretador PHP pula a palavra-chave `else` e o bloco de código subsequente.

4. Se a condição na Etapa 2 retorna `false`, a palavra-chave `else` pede ao interpretador PHP para executar o bloco de código seguinte.

5. Uma variável chamada `$message` recebe um valor Sold out.

6. O valor armazenado na variável `$message` é escrito na página.

EXPERIMENTE: na Etapa 1, mude o valor armazenado em `$stock` para 0.

Na Etapa 5, mude a mensagem para More stock coming soon.

ESTRUTURAS DE CONTROLE

OPERADORES TERNÁRIOS

Os operadores ternários verificam uma condição, então fornecem um valor para usar se a condição resulta em true e outro valor se ela resulta em false. Em geral, são usados como uma versão de atalho da declaração if... else.

À direita, a condição da declaração if... else verifica se a idade do usuário é menor que 16.

Se a condição resulta em:

- true, então $child recebe um valor true.
- false, então $child recebe um valor false.

A seguir, veja como um operador ternário faz isso apenas em uma linha de código.

```
if ($age < 16) {
    $child = true;
} else {
    $child = false;
}
```

```
$child = $age < 16 ? true : false;
```

CONDIÇÃO — $age < 16
PONTO DE INTERROGAÇÃO — ?
TRUE — true
DOIS PONTOS — :
FALSE — false

RESULTADO ARMAZENADO NA VARIÁVEL — $child
OPERADOR TERNÁRIO — $age < 16 ? true : false

Um ponto de interrogação separa a condição sendo testada dos valores que serão usados.

Dois-pontos separam o valor retornado se a condição resulta em true e o valor retornado se a condição resulta em false.

Aqui, o resultado retornado pelo operador ternário é armazenado em uma variável chamada $child.

Algumas vezes parênteses são colocados na condição (veja a página à direita) para mostrar que ela resultará em um único valor, mas eles não são obrigatórios.

ESTRUTURAS DE CONTROLE

USANDO OPERADORES TERNÁRIOS

```
PHP                                section _ a/c02/ternary-operator.php

        <?php
①       $stock = 5;

②       $message = ($stock > 0) ? 'In stock' : 'Sold out';
        ?>
        <!DOCTYPE html>
        <html>
          <head> ... </head>
          <body>
            <h1>The Candy Store</h1>
            <h2>Chocolate</h2>
③           <p><?= $message ?></p>
          </body>
        </html>
```

RESULTADO

Este exemplo replica o anterior, mas usa um operador ternário (em vez de uma declaração if... else).

1. Uma variável chamada $stock mantém o número de itens em estoque.

2. Um operador ternário é usado para atribuir um valor à variável chamada $message. A condição verifica se o valor em $stock é maior que 0. Se a condição é avaliada como:

   - true, então In stock é armazenada em $message.
   - false, então Sold out é armazenada em $message.

3. O valor armazenado na variável $message é escrito na página.

EXPERIMENTE: na Etapa 1, mude o valor armazenado em $stock para 0.

Na Etapa 2, mude a mensagem para More stock coming soon.

ESTRUTURAS DE CONTROLE

USANDO DECLARAÇÕES IF... ELSEIF...

Este exemplo se baseia nos exemplos anteriores.

1. Uma variável chamada `$ordered` indica o número de itens que a loja comprou para repor o estoque.

2. Uma declaração `if` usa uma condição para verificar se o valor em `$stock` é maior que 0. Se for, uma variável chamada `$message` manterá `In stock` e o interpretador PHP irá para o final da declaração `if... elseif`.

3. Se a primeira condição não é atendida, uma declaração `elseif...` usa uma segunda condição para verificar se o valor em `$ordered` é maior que 0. Se for, a variável chamada `$message` manterá `Coming soon` e o interpretador PHP irá para o fim da declaração `if... elseif`.

4. Se nenhuma condição resultou em um valor `true`, o interpretador PHP executa a cláusula `else` e o bloco de código seguinte, que armazena a mensagem `Sold out` na variável `$message`.

5. O valor armazenado em `$message` é escrito na página.

section _ a/c02/if-else-if-statement.php   PHP

```php
<?php
$stock   = 5;
$ordered = 3;
if ($stock > 0) {
    $message = 'In stock';
} elseif ($ordered > 0) {
    $message = 'Coming soon';
} else {
    $message = 'Sold out';
}
?>
<!DOCTYPE html>
<html>
  <head> ... </head>
  <body>
    <h1>The Candy Store</h1>
    <h2>Chocolate</h2>
    <p><?= $message ?></p>
  </body>
</html>
```

RESULTADO

The Candy Store
CHOCOLATE
In stock

EXPERIMENTE: na Etapa 1, mude o valor na variável `$stock` para 0.

Quando atualizar a página, a mensagem deverá mostrar `Coming soon`.

USANDO DECLARAÇÕES SWITCH

```
PHP                              section_a/c02/switch-statement.php

    <?php
①   $day = 'Monday';

②   switch ($day) {
③       case 'Monday':
④           $offer = '20% off chocolates';
⑤           break;
③       case 'Tuesday':
④           $offer = '20% off mints';
⑤           break;
⑥       default:
            $offer = 'Buy three packs, get one free';
    }
    ?>
    <!DOCTYPE html>
    <html>
        <head> ... </head>
        <body>
            <h1>The Candy Store</h1>
            <h2>Offers on <?= $day; ?></h2>
⑦           <p><?= $offer ?></p>
        </body>
    </html>
```

RESULTADO

The Candy Store
OFFERS ON MONDAY
20% off chocolates

1. Uma variável chamada $day é definida para manter um dia da semana.

2. A declaração `switch` inicia com o comando `switch` e um nome da variável entre parênteses. A variável mantém o que é conhecido como **valor de troca**.

Isso é seguido por um par de chaves com opções que podem corresponder ao valor de troca.

3. Veja as opções:
   - Iniciar com a palavra `case`.
   - Seguida de um valor.
   - Então, dois-pontos.

4. Se o valor de troca combina com uma opção, as declarações seguintes são executadas (elas definem valores para uma variável chamada `$offer`).

5. `break` informa ao interpretador PHP para ir ao fim da declaração `switch`.

6. A última opção é `default`. Ela é seguida por declarações a executar, caso nenhuma das opções anteriores combine (não há `break` após a opção `default`).

7. O valor em `$offer` é mostrado.

EXPERIMENTE: na Etapa 1, mude o valor para Wednesday. Após a Etapa 5, adicione uma opção à declaração `switch` para Wednesday.

ESTRUTURAS DE CONTROLE

USANDO EXPRESSÕES MATCH

NOTA: este exemplo funciona apenas com o PHP 8+.

1. Uma variável chamada $day é definida para manter um dia da semana.

2. Uma expressão match é usada para atribuir um valor à variável $offer. Ela inicia com a palavra match, seguida de parênteses contendo o nome de uma variável, e então uma chave de abertura.

3. As chaves contêm divisões que iniciam com valores que são verificados para saber se correspondem ao valor armazenado na variável $day.

Se for encontrada uma correspondência, a expressão à direita do operador de seta dupla será executada.

Cada divisão pode executar apenas uma expressão e termina com vírgula. E mais, note que a expressão match usa uma comparação de tipos restrita; ela não fará a manipulação de tipos.

4. A última divisão usa o valor default seguido de uma expressão a executar se não há correspondências (se não existe nenhuma correspondência nem divisão default, um erro é gerado).

5. O valor em $offer é mostrado.

section _ a/c02/match.php — PHP

```php
<?php
$day = 'Monday';

$offer = match($day) {
    'Monday'             => '20% off chocolates',
    'Saturday', 'Sunday' => '20% off mints',
    default              => '10% off your entire order',
}
?>
<!DOCTYPE html>
<html>
  <head> ... </head>
  <body>
    <h1>            </h1>
    <h2>Offers on <?= $day ?></h2>
    <p><?= $offer ?></p>
  </body>
</html>
```

RESULTADO

The Candy Store
OFFERS ON MONDAY
20% off chocolates

EXPERIMENTE: na Etapa 1, mude o valor para Tuesday. Na Etapa 3, adicione uma oferta à expressão match para Tuesday.

EXPERIMENTE: na Etapa 1, mude o valor para Wednesday. Então, remova a opção default. Você deverá ver um erro.

LOOPS

Os loops permitem escrever um conjunto de instruções uma vez e repeti-las um número fixo de vezes ou até uma condição ser atendida.

Se você deseja que uma pessoa faça a mesma tarefa dez vezes, em vez de escrever as mesmas instruções dez vezes, pode escrevê-las uma vez e pedir para repetir a tarefa dez vezes. No PHP, os loops permitem:

- Escrever declarações para realizar uma tarefa uma vez em um par de chaves que criam um bloco de código.
- Usar uma condição para determinar se é para executar ou não as declarações (como a declaração `if` na página 74). Se a condição retorna `true`, o bloco de código é executado; se a condição retorna `false`, não é.
- Assim que as declarações são executadas, a condição é testada de novo. Se retorna `true`, as declarações são repetidas e, então, a condição é testada de novo.

Quando a condição retorna `false`, o interpretador vai para a linha de código *após* o loop.

A fim de realizar uma tarefa dez vezes, você poderia usar uma variável para agir como contador, fornecer um valor 1 e então:

1. Verificar se o valor no contador é menor que 10.
2. Se for, as declarações no bloco de código serão executadas.
3. O valor armazenado no contador é aumentado em 1.
4. O interpretador PHP volta para a Etapa 1.

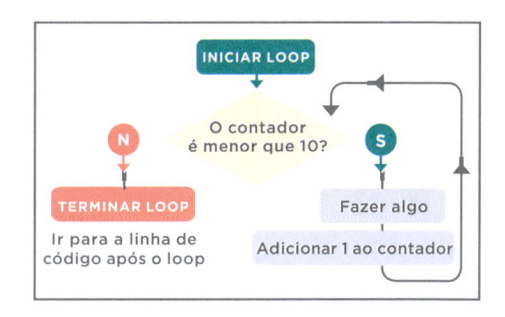

WHILE   páginas 82-83

Um loop `while` repete as declarações no loop contanto que uma condição resulte no valor `true`.

LOOPS DO... WHILE   páginas 84-85

Um loop `do... while` é como o `while`, exceto que a condição é verificada *após* o grupo de declarações ser executado. Ou seja, as declarações serão executadas pelo menos uma vez, mesmo que a condição seja avaliada como `false`.

LOOPS FOR   páginas 86-89

Um loop `for` permite repetir o bloco de código um número específico de vezes. A condição é seguida por instruções que criam o contador e atualizam o contador sempre que o loop é processado.

LOOPS FOREACH   páginas 90-93

Um loop `foreach` percorre cada elemento em um array e repete a mesma série de declarações para cada um deles (também pode trabalhar com propriedades de objetos, como visto no Capítulo 4).

ESTRUTURAS DE CONTROLE

LOOPS WHILE

Um loop `while` verifica uma condição; se retorna `true`, um bloco de código é executado. Então, a condição é verificada de novo; se retorna `true`, o bloco de código é executado novamente. O loop repete até a condição retornar `false`.

TIPO DE LOOP
Todos os loops iniciam com uma palavra-chave que informa ao interpretador PHP qual loop é usado. Um **loop while** inicia com a palavra-chave `while`.

CONDIÇÃO
A condição verifica os valores no código (abaixo ela verifica se o valor na variável `$counter` é menor que 10). Se é avaliada como `true`, as declarações entre chaves são executadas.

DECLARAÇÕES A EXECUTAR
As declarações que realizam a tarefa que será repetida ficam entre chaves. Os loops repetem o código entre chaves até a condição retornar `false`.

```
while ($counter < 10) {
    echo $counter;
    $counter++;
}
```

PALAVRA-CHAVE WHILE — CONDIÇÃO — CHAVE DE ABERTURA
AUMENTAR CONTADOR EM 1
CHAVE DE FECHAMENTO

O exemplo acima informa:

Contanto que o valor na variável `$counter` seja menor que 10, repita as instruções entre chaves.

O código entre chaves:
1. Escreve o valor armazenado na variável `$counter`.
2. Soma 1 ao valor em `$counter` usando o operador `++`.

Se `$counter` tivesse o valor 1 quando o código iniciou, exibiria 123456789 (pois escreve o conteúdo de `$counter` até chegar a 10).

ESTRUTURAS DE CONTROLE

USANDO LOOPS WHILE

```
PHP                              section_a/c02/while-loop.php
    <?php
①   $counter = 1;
②   $packs   = 5;
③   $price   = 1.99;
    ?>
    ...
    <h2>Prices for Multiple Packs</h2>
    <p>
      <?php
④     while ($counter <= $packs) {
⑤         echo $counter;
⑥         echo ' packs cost $';
⑦         echo $price * $counter;
⑧         echo '<br>';
⑨         $counter++;
      }
      ?>
    </p>
```

RESULTADO

The Candy Store
PRICES FOR MULTIPLE PACKS
1 packs cost $1.99
2 packs cost $3.98
3 packs cost $5.97
4 packs cost $7.96
5 packs cost $9.95

EXPERIMENTE: na Etapa 2, aumente o número de pacotes para 10.

EXPERIMENTE: na Etapa 4, mude o operador para < ao invés de <=.

Este exemplo mostra quanto custam vários pacotes de doce.

1. Uma variável chamada `$counter` é definida para manter o valor 1.
2. `$packs` mantém o número de pacotes para mostrar os preços.
3. `$price` é o custo por pacote.
4. O loop `while` começa com uma condição. Ele verifica se o valor de `$counter` é menor ou igual ao valor armazenado em `$packs`. Se for, as declarações entre chaves serão executadas.
5. O número no contador é escrito.
6. O texto `packs cost $` é mostrado (a página 100 mostra como usar `pack` no singular para 1 pacote).
7. O valor em `$price` é multiplicado pelo valor em `$counter` e escrito.
8. É adicionada uma quebra de linha.
9. O número em `$counter` é aumentado em 1 usando o operador de incremento (veja a página 50).

Após a Etapa 9, o interpretador PHP verifica a condição na Etapa 4 de novo. Ele repete o processo até a condição retornar `false`.

ESTRUTURAS DE CONTROLE

LOOPS DO WHILE

Um loop do while executa um conjunto de declarações entre chaves *antes* de verificar a condição, portanto o bloco de código sempre é executado pelo menos uma vez.

TIPO DE LOOP
Um **loop do while** inicia com a palavra-chave do. A palavra-chave while aparece após a chave de fechamento que mantém as declarações a executar.

DECLARAÇÕES A EXECUTAR
As declarações que precisam ser repetidas são colocadas entre chaves. São executadas pelo menos uma vez porque a condição vem após as chaves.

CONDIÇÃO
A condição verifica os valores atuais no código. Se é avaliada como true, o interpretador PHP volta ao início do loop e repete as declarações.

```
do {
    echo $counter;
    $counter++;
} while ($counter < 10);
```

PALAVRA-CHAVE DO — CHAVE DE ABERTURA
CHAVE DE FECHAMENTO — PALAVRA-CHAVE WHILE — CONDIÇÃO

As declarações nesse loop escrevem o valor na variável $counter e adicionam 1 a esse número usando o operador ++.

As declarações são executadas antes da condição; portanto, sempre escreverão o valor em $counter e adicionarão 1 a ele pelo menos uma vez.

Se $counter tivesse um valor 3, esse código escreveria 3456789.

Se $counter tivesse um valor 1, escreveria 123456789.

USANDO LOOPS DO WHILE

PHP section_a/c02/do-while-loop.php

```php
<?php
$packs = 5;
$price = 1.99;
?>
...
<h2>Prices for Multiple Packs</h2>
<p>
    <?php
    do {
        echo $packs;
        echo ' packs cost $';
        echo $price * $packs;
        echo '<br>';
        $packs--;
    } while ($packs > 0);
    ?>
</p>
```

(1) $packs = 5; $price = 1.99;
(2) do {
(3) echo $packs; echo ' packs cost $';
(4) echo $price * $packs;
(5) $packs--;
(6) } while ($packs > 0);

RESULTADO

The Candy Store
PRICES FOR MULTIPLE PACKS
5 packs cost $9.95
4 packs cost $7.96
3 packs cost $5.97
2 packs cost $3.98
1 packs cost $1.99

EXPERIMENTE: na Etapa 1, mude o valor em $packs para 10 e o valor armazenado em $price para 2.99.

NOTA: não há um ponto e vírgula após a chave de fechamento (antes da palavra-chave while), mas há um após a condição.

Neste exemplo, o código entre chaves é executado antes de a condição ser verificada; portanto, o bloco de código é executado pelo menos uma vez, mesmo que a condição retorne `false`.

1. Duas variáveis são configuradas. O número de pacotes de doce é armazenado em `$packs`. O preço por pacote é armazenado em `$price`.

2. O loop `do while` inicia com a palavra-chave do e uma chave de abertura. O bloco de código vem antes da condição, ou seja, é executado uma vez, com a condição sendo atendida ou não.

3. O número de pacotes (armazenado em `$packs`) é escrito, seguido das palavras `packs cost $` (a página 100 mostra como usar `pack` no singular para 1 pacote).

4. O custo é escrito multiplicando `$packs` por `$price`. Isso é seguido por uma quebra de linha.

5. O número armazenado em `$packs` é reduzido em um usando o operador de decremento `--`.

6. O bloco de código termina com uma chave de fechamento. Isso é seguido pela palavra-chave `while`, e então pela condição. A condição verifica se o número armazenado em `$packs` é maior que 0.

ESTRUTURAS DE CONTROLE

LOOPS FOR

Um loop for repete um conjunto de declarações por um número específico de vezes. Para tanto, ele cria um contador e o atualiza sempre que o loop é executado.

TIPO DE LOOP
Um **loop for** inicia com a palavra-chave for.

CONDIÇÃO
Em um loop for, a condição fica ao lado do código para criar e atualizar o contador. Isso é detalhado na página à direita.

DECLARAÇÕES A EXECUTAR
As declarações que realizam a tarefa que deve ser repetida ficam entre chaves. Elas são executadas um número fixo de vezes.

```
for ($i = 0; $i < 10; $i++) {
    echo $i;
}
```

PALAVRA-CHAVE FOR

CONDIÇÃO E EXPRESSÕES
(a página à direita mostra como funciona)

CHAVE DE ABERTURA

CÓDIGO A EXECUTAR DURANTE O LOOP

CHAVE DE FECHAMENTO

O nome da variável $i ou $index normalmente é usado para um contador.

A declaração entre chaves escreve o valor armazenado em $i.

Nesse caso, escreveria:
0123456789

OS LOOPS FOR USAM TRÊS EXPRESSÕES

O loop for precisa de duas expressões extras além da condição. Uma cria um contador e a outra o atualiza.

EXPRESSÃO 1:
INICIALIZAÇÃO
Essa expressão é executada apenas uma vez; na primeira vez o loop é executado. Ela cria a variável para o contador e define seu valor para 0.

EXPRESSÃO 2:
CONDIÇÃO
A segunda expressão é a condição. As declarações no loop for serão repetidas até a condição retornar false.

EXPRESSÃO 3:
ATUALIZAÇÃO
Assim que as declarações entre chaves são executadas, a terceira expressão adiciona 1 ao número armazenado no contador.

```
( $i = 0;   $i < 10 ;   $i++ )
  INICIALIZAÇÃO   CONDIÇÃO      ATUALIZAÇÃO
```

No exemplo acima, a variável chamada $i é usada como um contador. Ela recebe um valor inicial 0.

A condição verifica se o valor mantido em $i é menor que 10. Contanto que seja, as declarações no bloco de código são executadas.

Em vez de usar o número 10, isso poderia ser uma variável que mantém um valor, por exemplo, $i < $max;

Sempre que o loop é executado, o contador é atualizado usando o operador de incremento ++ para adicionar 1 ao valor armazenado em $i.

ESTRUTURAS DE CONTROLE

USANDO LOOPS FOR

Este exemplo usa um loop for para repetir uma tarefa dez vezes.

1. Uma variável chamada $price armazena o custo de um pacote de doce.

2. A palavra-chave for indica o tipo de loop, seguida de três expressões entre parênteses:

   - Expressão um: $i = 1;
     Isso inicializa o contador com o valor 1.
   - Expressão dois: $i <= 10;
     É a condição. Informa que o código deve repetir, contanto que o valor no contador seja menor ou igual a 10.
   - Expressão três: $i++
     Isso aumenta o número no contador em 1 sempre que o loop é executado.

3. As chaves mantêm as declarações usadas sempre que o loop é executado. Como antes, escreve o número de pacotes (o valor armazenado no contador) e o preço (o valor no contador multiplicado pelo valor em $price).

Após a execução das declarações entre as chaves, a terceira expressão (na Etapa 2) atualiza o contador aumentando em 1 o número armazenado em $i.

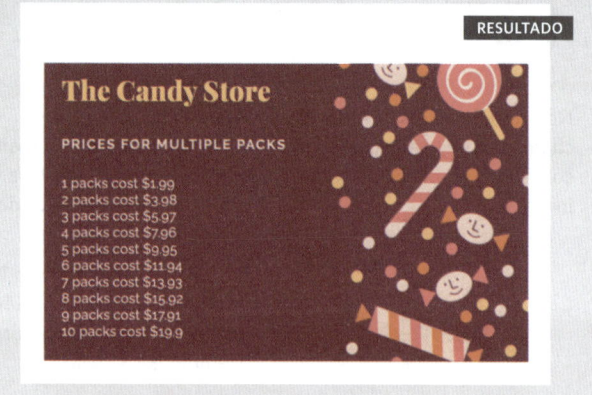

```
section _ a/c02/for-loop.php                    PHP

<?php
① $price = 1.99;
?>
...
<h2>Prices for Multiple Packs</h2>
<p>
  <?php
② for ($i = 1; $i <= 10; $i++) {
      echo $i;
      echo ' packs cost $';
③     echo $price * $i;
      echo '<br>';
  }
  ?>
</p>
```

RESULTADO

The Candy Store

PRICES FOR MULTIPLE PACKS

1 packs cost $1.99
2 packs cost $3.98
3 packs cost $5.97
4 packs cost $7.96
5 packs cost $9.95
6 packs cost $11.94
7 packs cost $13.93
8 packs cost $15.92
9 packs cost $17.91
10 packs cost $19.9

EXPERIMENTE: na Etapa 1, aumente o preço de 1.99 para 2.99.

EXPERIMENTE: na Etapa 2, faça o loop repetir 20 vezes.

```
PHP                          section_a/c02/for-loop-higher-counter.php

    <?php
①   $price = 1.99;
    ?>
    ...
    <h2>Prices for Large Orders</h2>
    <p>
      <?php
②     for ($i = 10; $i <= 100; $i = $i + 10) {
③         echo $i;
          echo ' packs cost $';
          echo $price * $i;
          echo '<br>';
      }
      ?>
    </p>
```

Este exemplo mostra os descontos ao comprar vários pacotes de doce.

1. Uma variável armazena o preço de um pacote de doce.

2. A palavra-chave for indica o tipo de loop, seguida de três expressões entre parênteses:

   - Expressão um: `$i = 10;` Isso inicializa o contador com um valor 10.
   - Expressão dois: `$i <= 100;` É a condição. Indica que o código deve repetir, contanto que o valor no contador seja menor ou igual a 100.
   - Expressão três: `$i = $i + 10` Isso aumenta o valor no contador em 10 sempre que o loop é executado.

3. As chaves mantêm as declarações que são executadas sempre que o loop roda. São as mesmas do exemplo anterior.

EXPERIMENTE: na Etapa 2, atualize a condição a fim de mostrar os preços para até 200 pacotes de doce.

RESULTADO

The Candy Store
PRICES FOR LARGE ORDERS
10 packs cost $19.9
20 packs cost $39.8
30 packs cost $59.7
40 packs cost $79.6
50 packs cost $99.5
60 packs cost $119.4
70 packs cost $139.3
80 packs cost $159.2
90 packs cost $179.1
100 packs cost $199

Na página 216, você aprenderá a formatar os números para que eles mostrem duas casas decimais, refletindo como os preços são escritos normalmente.

ESTRUTURAS DE CONTROLE

LOOPS FOREACH

Um loop **foreach** é para trabalhar com tipos de dados compostos, como arrays. Ele percorre cada elemento no array, um por um, e executa o mesmo bloco de código para cada elemento.

Os tipos de dados compostos, como arrays, mantêm uma série de elementos afins. Cada elemento é composto por um par de chave/valor. Em um array associativo, a chave é uma string. Em um array indexado, a chave é um número do índice.

Um loop **foreach** percorre cada elemento em um array, um por um. Ele executa as declarações no bloco de código e, então, vai para o próximo elemento.

Sempre que o bloco de código é executado, você pode acessar a chave e o valor do elemento atual no array e usá-los dentro do bloco. Para tanto, especifique entre parênteses após a palavra-chave **foreach**:

- O nome da variável que mantém o array.
- Um nome da variável para representar a chave atual.
- Um nome da variável para representar o valor atual.

TIPO DE LOOP
Um **loop foreach** inicia com a palavra-chave **foreach**.

NOMES DA VARIÁVEL
Os parênteses contêm três nomes da variável (detalhados na página à direita).

DECLARAÇÕES A EXECUTAR
As declarações que realizam a tarefa que será repetida ficam entre chaves.

```
foreach ($array as $key => $value) {
    echo $key;
    echo ' - $';
    echo $value;
}
```

- PALAVRA-CHAVE
- NOME DA VARIÁVEL QUE MANTÉM O ARRAY
- NOME DA VARIÁVEL DA CHAVE
- NOME DA VARIÁVEL DO VALOR

Há três declarações entre chaves. Elas escrevem:
- A chave.
- Um traço ou um cifrão.
- O valor do elemento.

Se você quiser usar apenas os valores do array, poderá omitir a chave:

```
foreach ($array as $value) {
    // As declarações ficam aqui
}
```

Como as mesmas declarações foram repetidas para cada elemento no array, o interpretador PHP vai para a próxima linha de código após o loop.

Abaixo, $products armazena um array de nomes do produto e de preços.

Um loop foreach consegue mostrar um nome e um preço para cada item.

O loop funciona não importando quantos itens o array mantém.

$products = ['toffee' => 2.99, 'mints' => 1.99, 'fudge' => 3.40,];

VARIÁVEL | CHAVE | VALOR | CHAVE | VALOR | CHAVE | VALOR

No exemplo abaixo, o loop inicia com a palavra-chave foreach.

Então, entre parênteses:

- $products é o nome da variável que mantém o array.
- É seguido da palavra-chave as.

- $item é o nome da variável que manterá a **chave** do elemento atual no array.
- É seguido de um operador de seta dupla.
- $price é o nome da variável que manterá o **valor** do elemento atual no array.

No bloco de código, os nomes das variáveis $item e $price serão usados para representar a chave e o valor do elemento atual no array. Primeiro, o nome do produto (armazenado em $item) é escrito, seguido de um cifrão ou de um traço, então o preço (armazenado em $price).

PALAVRA-CHAVE AS | OPERADOR DE SETA DUPLA
VARIÁVEL QUE MANTÉM O ARRAY | NOME DA VARIÁVEL DA CHAVE | NOME DA VARIÁVEL DO VALOR

```
foreach ($products as $item => $price) {
    echo $item;
    echo ' - $';
    echo $price;
}
```

Os loops normalmente são usados na parte da página que gera o HTML (veja a próxima página).

Quando o são, a primeira e a última linha do loop acima podem ser colocadas em seus próprios blocos de código.

Os dados nas chaves e nos valores do array podem ser escritos usando o atalho para echo.

```
<?php foreach ($products as $item => $price) { ?>
  <li>
    <b><?= $item ?></b> - $<?= $price ?>
  </li>
<?php } ?>
```

ESTRUTURAS DE CONTROLE

LOOP EM CHAVES E VALORES

Este exemplo mostra uma tabela com nomes e preços dos produtos armazenados em um array.

1. Uma variável chamada `$products` armazena um array associativo que mantém uma lista de produtos junto com os preços.
2. Na parte HTML da página, um cabeçalho e o início da tabela HTML são escritos.
3. Um loop `foreach` é criado. Entre parênteses após a palavra-chave `foreach`, veja:

   - `$products` — o nome da variável que mantém o array.
   - A palavra-chave as.
   - `$item` — o nome da variável usado para representar a chave do elemento atual no array.
   - O operador de seta dupla.
   - `$price` — o nome da variável usado para representar o valor do elemento atual no array.

   Isso é seguido por uma chave de abertura para iniciar um bloco de código.

4. Uma linha da tabela é escrita para cada elemento no array, mostrando seu nome e preço.
5. O bloco de código é fechado.

EXPERIMENTE: na Etapa 1, adicione mais dois itens ao array.

section_a/c02/foreach-loop.php — PHP

```php
<?php
$products = [
    'Toffee' => 2.99,
    'Mints'  => 1.99,
    'Fudge'  => 3.49,
];
?>
...
<h2>Price List</h2>
<table>
  <tr>
    <th>Item</th>
    <th>Price</th>
  </tr>
  <?php foreach ($products as $item => $price) { ?>
    <tr>
      <td><?= $item ?></td>
      <td>$<?= $price ?></td>
    </tr>
  <?php } ?>
</table> ...
```

RESULTADO

The Candy Store

PRICE LIST

ITEM	PRICE
Toffee	$2.99
Mints	$1.99
Fudge	$3.49

PHP section_a/c02/foreach-loop-just-accessing-values.php

```php
<?php
$best_sellers = ['Toffee', 'Mints', 'Fudge',];
?>
...
<h2>Best Sellers</h2>
<?php foreach ($best_sellers as $product) { ?>
  <p><?= $product ?></p>
<?php } ?>
```

RESULTADO

Em um array indexado, os números do índice costumam representar a ordem dos itens no array.

Um loop `foreach` pode ser usado para escrever os valores nesta ordem:

1. A variável `$best_sellers` mantém um array indexado representando os produtos mais vendidos.

2. Um loop `foreach` é usado para exibir as melhores vendas. Após a palavra-chave `foreach`, entre parênteses, você verá:
   - `$best_sellers` — o nome da variável que mantém o array.
   - A palavra-chave `as`.
   - `$product` — o nome da variável que será usada para representar o valor do elemento atual no array.
   - Não há nenhuma variável para o nome da chave (o número do índice).

Em seguida, há uma chave de abertura para iniciar um bloco de código.

3. O valor do elemento atual é mostrado nas tags `<p>`.

4. O bloco de código é fechado.

EXPERIMENTE: na Etapa 1, adicione mais dois itens ao array. Então, nas Etapas 2 e 3, mude o nome da variável de `$product` para `$candy`.

ESTRUTURAS DE CONTROLE

USANDO ARQUIVOS DE INCLUSÃO PARA REPETIR O CÓDIGO

A maioria dos sites precisa repetir um código idêntico em várias páginas. Por exemplo, o cabeçalho e o rodapé, em geral, são iguais em todas as páginas. Os **arquivos de inclusão** evitam repetir as mesmas linhas de código em diversos arquivos.

Em vez de duplicar o código do cabeçalho do site em todas as páginas, é possível:

- Colocar o código do cabeçalho em um arquivo PHP separado, conhecido como arquivo de inclusão.
- Usar a declaração `include` do PHP para adicionar esse código a toda página que usa o cabeçalho.

Quando o interpretador PHP encontra uma declaração `include`, ele obtém o conteúdo do arquivo de inclusão e executa esse código como se ele estivesse onde a declaração `include` é usada.

Abaixo à esquerda, um arquivo chamado `candy.php` inclui dois arquivos:

- `header.php` contém o cabeçalho do site.
- `footer.php` contém o rodapé do site.

Entre as duas declarações `include` fica o conteúdo principal da página. Usar arquivos de inclusão:

- Evita duplicar ou repetir o mesmo código.
- É mais fácil manter o código porque, quando um arquivo de inclusão é alterado, toda página que ele usa é atualizada.

candy.php
```
<?php include 'includes/header.php'; ?>

<h1>The Candy Store</h1>
<h2>Welcome</h2>
<p>A wide selection of delicious candy
   handmade in our kitchen... </p>

<?php include 'includes/footer.php'; ?>
```

includes/header.php
```
<h1>The Candy Store</h1>
<nav>
  <a href="index.php">Home</a> |
  <a href="candy.php">Candy</a> |
  <a href="about.php">About</a> |
  <a href="contact.php">Contact</a>
</nav>
```

includes/footer.php
```
<footer>
  &copy; <?php echo date('Y')?>
</footer>
```

ESTRUTURAS DE CONTROLE

ARQUIVOS COM INCLUDE E REQUIRE

Quatro palavras-chave podem ser usadas para incluir um código do arquivo de inclusão. Cada uma se comporta um pouco diferente, mas usa a mesma sintaxe.

A palavra-chave `include` pede ao interpretador PHP para obter outro arquivo no servidor e tratá-lo como se o conteúdo do arquivo estivesse escrito onde a declaração `include` está escrita.

É seguida pelo caminho para o arquivo escrito entre aspas (às vezes você vê o nome de arquivo e as aspas entre parênteses, mas não são necessários). O arquivo de inclusão deve usar a extensão de arquivo `.php`.

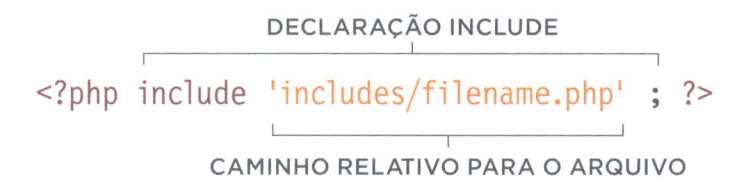

```
            DECLARAÇÃO INCLUDE
<?php include 'includes/filename.php' ; ?>
         CAMINHO RELATIVO PARA O ARQUIVO
```

include/require

As palavras-chave `include` e `require` adicionam o código do arquivo cujo caminho vem após a palavra.

A diferença entre elas é como o interpretador PHP se comporta se o arquivo incluído não pode ser encontrado ou lido:

- `include` — o interpretador gera um erro, mas continua tentando processar o resto da página.
- `require` — o interpretador gera um erro e para de tentar processar o resto da página.

include_once/require_once

As palavras-chave `include_once` e `require_once` fazem exatamente o mesmo trabalho de `include` e `require`, mas asseguram que o interpretador PHP inclua o código apenas uma vez em determinada página.

Assim que um arquivo for incluído na página usando as palavras-chave `include_once` e `require_once`, se a página usar as mesmas palavras-chave para incluir o mesmo arquivo, ele não será incluído uma segunda vez.

O interpretador PHP usa recursos extras para verificar se o arquivo já foi incluído, portanto essas opções só devem ser usadas quando há um risco de duplicação.

CRIANDO ARQUIVOS DE INCLUSÃO

Esta página mostra dois arquivos de inclusão:

- `header.php` contém a marcação HTML de abertura, o nome do site e a navegação que aparece no topo de todas as páginas do site.
- `footer.php` contém um aviso de copyright com o ano atual e o HTML de fechamento de cada página.

Os dois arquivos usam a extensão `.php`. Isso assegura que o código PHP será executado no interpretador PHP.

Os arquivos de inclusão costumam ser armazenados em uma pasta chamada `includes` (como mostrado nesses dois arquivos).

Como o exemplo mostra, se você tivesse que atualizar a navegação, precisaria apenas atualizar `header.php` e ele atualizaria automaticamente cada página que incluísse o arquivo.

NOTA: os links em `header.php` são usados para demonstrar como criar uma barra de navegação; o código baixado não tem páginas correspondentes para cada link.

section _ a/c02/includes/header.php   PHP

```
<!DOCTYPE html>
<html>
  <head>
    <title>The Candy Store</title>
    <link rel="stylesheet" href="css/styles.css" />
  </head>
  <body>
    <h1>The Candy Store</h1>
    <nav>
      <a href="index.php">Home</a> |
      <a href="candy.php">Candy</a> |
      <a href="about.php">About</a> |
      <a href="contact.php">Contact</a>
    </nav>
```

section _ a/c02/includes/footer.php   PHP

```
    <footer>&copy; <?php echo date('Y')?></footer>
  </body>
</html>
```

Se a última linha de um arquivo de inclusão é uma declaração PHP, a tag PHP `?>` de fechamento costuma ser omitida porque os espaços após tal tag podem resultar em um espaço em branco indesejado no navegador. Também pode fazer com que os cabeçalhos HTTP (veja as páginas 180-182) sejam enviados para o navegador muito cedo.

Você também pode ver uma linha em branco no fim do arquivo de inclusão. Às vezes, ela é adicionada para ajudar as ferramentas usadas a analisar alterações entre as diferentes versões de um arquivo (que costumam ser utilizadas pelas equipes de desenvolvimento e nos repositórios de código, como o GitHub).

USANDO ARQUIVOS DE INCLUSÃO

```
PHP                         section_a/c02/include-and-require-files.php
    <?php
    $stock = 25;

    if ($stock >= 10) {
        $message = 'Good availability';
    }
①  if ($stock > 0 && $stock < 10) {
        $message = 'Low stock';
    }
    if ($stock == 0) {
        $message = 'Out of stock';
    }
    ?>

②  <?php require_once 'includes/header.php'; ?>

③  <h2>Chocolate</h2>
    <p><?= $message ?></p>

④  <?php include 'includes/footer.php'; ?>
```

RESULTADO

Essa página usa os arquivos de inclusão na página à esquerda.

1. A página inicia criando uma mensagem sobre os níveis de estoque e armazenando-a em uma variável chamada `$message`. Se o nível do estoque é:

   - Maior ou igual a 10, a mensagem é `Good availability`.
   - Entre 1 e 9, a mensagem é `Low stock`.
   - 0, informa `Out of stock`.

2. A parte HTML da página começa incluindo o arquivo do cabeçalho (que contém o código usado no topo de toda página).

A declaração `require_once` indica que o arquivo deve ser incluído apenas uma vez. Ele é colocado onde o cabeçalho seria exibido e o interpretador PHP o trata como se esse código fosse copiado e colocado lá.

3. Depois vem o conteúdo da página, que mostra a mensagem do nível do estoque.

4. A declaração `include` pede ao interpretador PHP para adicionar o código do arquivo `footer.php`.

EXPERIMENTE: adicione um novo link à navegação em `header.php`.

ESTRUTURAS DE CONTROLE

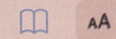

The Candy Store

HOME | CANDY | ABOUT | CONTACT

Welcome back, Ivy

LOLLIPOP DISCOUNTS

PACKS	PRICE
1 pack	$1.92
2 packs	$3.68
3 packs	$5.28
4 packs	$6.72
5 packs	$8
6 packs	$9.12
7 packs	$10.08
8 packs	$10.88
9 packs	$11.52
10 packs	$12

© 2021

EXEMPLO

Este exemplo mostra uma saudação, seguida dos descontos aplicáveis quando um cliente compra vários pacotes de doce. Ele usa várias técnicas apresentadas neste capítulo.

- Uma variável armazena o nome do visitante.
- Um operador condicional cria uma saudação para o visitante.
- Um loop `for` é usado para criar um array indexado que mantém os preços com desconto na oferta quando os clientes compram vários pacotes de doce.
- O cabeçalho e o rodapé da página residem em arquivos de inclusão.
- Um loop `foreach` é usado para exibir os preços com desconto a partir do array. Há 4% de desconto para um pacote, 8% para dois pacotes, 12% para três pacotes etc.
- Um operador ternário assegura que a página exiba a palavra `pack` ao mostrar o preço de um pacote de doce ou a palavra `packs` ao mostrar o preço de vários pacotes.

EXEMPLO

O arquivo começa criando os valores a mostrar na página e armazenando-os em variáveis:

1. Uma variável chamada $name mantém o nome do usuário.

2. A variável $greeting é inicializada; ela armazena a mensagem Hello, que pode ser mostrada a qualquer pessoa.

3. A condição de uma declaração if verifica se a variável $name tem um valor.

4. Se tem, o valor em $greeting é atualizado para manter uma mensagem pessoal usando o nome do visitante.

5. O nome de um produto fica em $product.

6. O custo de um pacote fica em $cost.

7. Um loop for cria um array para armazenar os preços de vários pacotes de doce. O contador representa o número de pacotes de doce. Entre parênteses:

   - O contador é definido para 1 (representando 1 pacote de doce).
   - A condição verifica se o contador é menor ou igual a 10 (representando 10 pacotes).
   - O contador aumenta sempre que o loop é executado.

Dentro do loop:

8. A variável $subtotal contém o preço de um pacote individual multiplicado pelo contador (que representa o número atual de pacotes).

9. A variável $discount contém o desconto ao comprar esse número de pacotes. É calculada dividindo o custo por 100 e multiplicando esse valor pelo número no contador multiplicado por 4.

10. A variável $totals mantém um array; a chave é o valor atual no contador (representando o número de pacotes) e o valor é o preço desse número de pacotes menos o desconto.

11. O loop for é fechado.

Na parte da página que gera o HTML retornado para o navegador:

12. O cabeçalho da página é incluído com a palavra-chave require porque ela é necessária para o resto da página ser exibida corretamente (o arquivo do cabeçalho foi mostrado na página 96).

13. A saudação é escrita na página.

14. O nome do produto é escrito na página.

15. Uma tabela HTML é criada e cabeçalhos da coluna são adicionados à primeira linha dela.

16. Um loop foreach é usado para exibir os dados armazenados no array criado nas Etapas 7-11. Uma nova linha de dados é adicionada à tabela para cada elemento nesse array. Entre parênteses:

    - O array a usar é armazenado em uma variável chamada $totals.
    - A chave é armazenada em uma variável $quantity.
    - O valor é armazenado em uma variável $price.

17. A chave desse elemento do array é escrita (é o número de pacotes de doce).

18. O texto pack é escrito. A condição de um operador ternário verifica se o valor em $quantity é 1. Se é, nada é adicionado. Se é um valor diferente de 1, é adicionado um s (para mostrar packs ao invés de pack no singular).

19. É escrito o preço dessa quantidade de doce (com desconto).

20. O loop foreach é fechado.

21. O rodapé da página é incluído usando a palavra-chave include (o rodapé foi mostrado na página 96).

EXPERIMENTE: na Etapa 6, mude o valor em $cost para 10. Na Etapa 7, atualize o loop para ser executado 20 vezes, mostrando os preços para até 20 pacotes de doce.

```php
<?php
$name = 'Ivy';                                  // Armazena o nome (name) do usuário

$greeting = 'Hello';                            // Cria um valor inicial para a saudação
if ($name) {                                    // Se a variável $name possui um valor
    $greeting = 'Welcome back, ' . $name;       // Cria uma saudação personalizada
}

$product = 'Lollipop';                          // Nome do produto
$cost    = 2;                                   // Custo de um único pacote

for ($i = 1; $i <= 10; $i++) {
    $subtotal  = $cost * $i;                    // Total para esta quantidade
    $discount  = ($subtotal / 100) * ($i * 4);  // Desconto para esta quantidade
    $totals[$i] = $subtotal - $discount;        // Adiciona o preço com desconto
}                                               // à matriz indexada
?>

<?php require 'includes/header.php'; ?>

  <p><?= $greeting ?></p>
  <h2><?= $product ?> Discounts</h2>
  <table>
    <tr>
      <th>Packs</th>
      <th>Price</th>
    </tr>
    <?php foreach ($totals as $quantity => $price) { ?>
    <tr>
      <td>
        <?= $quantity ?>
        pack<?= ($quantity === 1) ? '' : 's'; ?>
      </td>
      <td>
        $<?= $price ?>
      </td>
    </tr>
    <?php } ?>
  </table>

<?php include 'includes/footer.php' ?>
```

RESUMO
ESTRUTURAS DE CONTROLE

> Chaves podem ser usadas em torno de um grupo de declarações afins para formar um bloco de código.

> As declarações condicionais usam uma condição a fim de determinar se é para executar ou não as declarações em um bloco de código.

> As condições resultam em um valor **true** ou **false**.

> Há cinco tipos de declarações condicionais: `if`, `if… else`, `if… elseif`, `switch` e `match`.

> Os loops permitem repetir o mesmo bloco de código várias vezes contanto que uma condição permaneça sendo **true**.

> Há quatro tipos de loops: `while`, `do… while`, `for` e `foreach`.

> Os arquivos de inclusão armazenam o código que será usado em várias páginas para não ser necessário duplicá-lo.

3
FUNÇÕES

Uma única página da web geralmente realiza muitas tarefas. As funções organizam seu código agrupando as declarações requeridas para realizar uma tarefa individual.

Uma página PHP pode ter centenas de linhas de código e realizar várias tarefas distintas. Portanto, é importante que o código seja organizado com cuidado para que você (e outras pessoas) possa entender com facilidade o que está fazendo.

No último capítulo, você viu que os blocos de código ajudam a organizar seu código colocando um conjunto de declarações afins entre chaves. Essas chaves informam ao interpretador PHP onde o conjunto começa e termina, ou seja, um bloco de código pode ser pulado (usando declarações condicionais) ou repetido (usando loops).

Uma função agrupa todas as declarações requeridas para realizar uma tarefa individual dentro de um bloco de código e dá ao bloco o **nome da função** que descreve a tarefa realizada (o que ajuda a encontrar o código que faz uma tarefa individual). A chave de abertura informa ao interpretador PHP onde as declarações para realizar a tarefa iniciam e a chave de fechamento correspondente mostra onde terminam.

Quando o interpretador PHP encontra uma função, ele não executa o código de imediato. Ele espera até outra declaração na página PHP **chamar** a função usando seu nome para dizer que a tarefa precisa ser feita; só então ele executará as declarações no bloco de código. Você também pode pedir ao interpretador PHP para usar a função várias vezes sem repetir as mesmas linhas de código quando precisa realizar a tarefa mais de uma vez.

The Candy Store

STOCK CONTROL

PRODUCT	STOCK	RE-ORDER	TOTAL VALUE	TAX DUE
Toffee	12	No	$36	$7.2
Mints	26	No	$52	$10.4
Fudge	8	Yes	$32	$6.4

FUNÇÕES

USANDO FUNÇÕES

Cada tarefa que uma página PHP realiza pode requerer muitas declarações PHP. As declarações necessárias para realizar uma tarefa individual podem ser armazenadas em uma função, e então ser chamadas quando for necessário.

DEFININDO E CHAMANDO UMA FUNÇÃO
Veja as páginas 108-111

Uma função é criada recebendo um nome que descreve a tarefa realizada. Depois vêm as declarações requeridas para realizar a tarefa em um bloco de código. Os programadores chamam isso de **definição da função**.

Quando a página precisa realizar a tarefa, o nome da função é usado para pedir ao interpretador PHP para executar as declarações nesse bloco de código. Os programadores se referem a isso como **chamar** a função.

OBTENDO DADOS DAS FUNÇÕES
Veja as páginas 112-113

Quando uma função realizou sua tarefa, normalmente ela **retorna** um valor para indicar o resultado da tarefa feita. Por exemplo:

- Se uma função fosse usada para fazer o login de um usuário no site, a função poderia retornar true quando ele acessa com sucesso e false quando não.
- Se uma função for usada para calcular o custo total de um pedido, ela retornará esse total.

DEFININDO FUNÇÕES QUE PRECISAM DE DADOS
Veja as páginas 114-116

Em geral, as funções precisam de informação para realizar sua tarefa.

Se a tarefa é fazer o login de um usuário, a função pode precisar de duas partes de dados: o e-mail do usuário e a senha.

Parâmetros são como nomes da variável que representam cada parte dos dados que a função precisa para realizar sua tarefa. Os valores reais usados quando a função é chamada são conhecidos como **argumentos**.

As funções deste capítulo realizam tarefas muito simples para explicar como criar uma função e mostrar por que são usadas. Nos capítulos posteriores, as funções serão usadas para realizar tarefas mais complicadas.

COMO AS VARIÁVEIS TRABALHAM COM FUNÇÕES

Veja as páginas 118-121

O código dentro da função não pode acessar as variáveis declaradas fora dela. Portanto, qualquer dado do qual a função precisa deve ser passado para a função usando um parâmetro.

Do mesmo modo, as variáveis declaradas em uma função não podem ser acessadas pelo código fora da função. Por isso, uma função costuma ser projetada a fim de retornar um valor para o código que a chamou (após a função ser executada).

ESPECIFICANDO TIPOS DE DADOS

Veja as páginas 124-127

As **declarações do tipo** informam ao interpretador PHP o tipo de dado que você espera ser:

- Passado para uma função (como argumento).
- Retornado de uma função.

Usar declarações do tipo ajuda a assegurar que a função receberá os dados que pode usar para realizar sua tarefa. Elas também ajudam a rastrear problemas no código quando ele não funciona como o esperado.

VALORES OPCIONAIS E PADRÃO

Veja as páginas 130-131

Ao criar uma função, você pode especificar que um ou mais parâmetros (partes da informação que ela precisa para realizar sua tarefa) são opcionais e não precisam ser especificados.

Quando você indica que um parâmetro é opcional, deve fornecer um valor-padrão para ele. É um valor que o script deve usar quando a função é chamada sem um valor para esse parâmetro.

DEFININDO E CHAMANDO UMA FUNÇÃO

Uma **definição da função** armazena as declarações que realizam uma tarefa entre chaves para formar um bloco de código e lhes fornece um nome para descrever a tarefa. Então, a função é **chamada** quando a tarefa precisa ser realizada.

Para definir (ou criar) uma função, use:

- A palavra-chave `function` (isso indica que você está definindo uma nova função).
- Um nome que descreva a tarefa que a função realiza seguido por parênteses.
- Chaves a fim de manter o código para realizar a tarefa.

Não há ponto e vírgula após a chave de fechamento.

A função abaixo contém duas declarações:

- A primeira armazena o ano atual em uma variável chamada `$year` (veja como funciona no Capítulo 8).
- A segunda escreve um aviso de copyright na página usando o valor armazenado na variável `$year`.

Quando você define uma função, o código não é executado, é apenas armazenado na definição da função para uso posterior.

```
          PALAVRA-CHAVE        NOME
          ┌──────┐      ┌──────────────┐
          function write_copyright_notice()
CHAVE DE ABERTURA ── {
              $year = date('Y') ;
              echo '&copy; ' . $year ;
CHAVE DE FECHAMENTO ── }
```

Quando precisar realizar uma tarefa definida em uma função, especifique o nome da função seguido de parênteses. Isso informa ao interpretador PHP que você deseja executar as declarações na função.

É possível chamar a mesma função quantas vezes você quiser no mesmo arquivo PHP. Assim que uma função realizou sua tarefa, o interpretador vai para a linha de código após a que chamou a função.

```
              NOME
     ┌──────────────────┐
     write_copyright_notice();
```

FUNÇÕES BÁSICAS

PHP   section _ a/c03/basic-functions.php

```php
<?php
function write_logo()
{
    echo '<img src="img/logo.png" alt="Logo">';
}
function write_copyright_notice()
{
    $year = date('Y');
    echo '&copy; ' . $year;
}
?> ...
    <header>
        <h1><?php write_logo(); ?> The Candy Store</h1>
    </header>
    <article>
        <h2>Welcome to the Candy Store</h2>
    </article>
    <footer>
        <?php write_logo(); ?>
        <?php write_copyright_notice(); ?>
    </footer>
```

RESULTADO

Esta página usa duas funções. A primeira exibe uma logo e a outra cria o aviso de copyright.

1. A função `write_logo()` é definida.
2. Entre chaves, uma declaração exibe a logo.
3. Uma função chamada `write_copyright_notice()` é definida. As chaves contêm duas declarações.
4. O ano atual é armazenado em uma variável chamada `$year` (saiba como isso funciona no Capítulo 8).
5. O símbolo de copyright © é escrito na página seguido do ano.
6. A primeira função é chamada para adicionar uma logo ao topo da página.
7. A mesma função é chamada para adicionar uma logo ao rodapé.
8. A segunda função é chamada para adicionar o aviso de copyright no rodapé da página.

EXPERIMENTE: após a Etapa 5, dentro da função, escreva o nome da empresa (The Candy Store) após o aviso de copyright.

NEM SEMPRE O CÓDIGO É EXECUTADO EM SEQUÊNCIA

Uma definição da função armazena as declarações necessárias para realizar uma tarefa. Essas declarações são executadas apenas quando a função é chamada, ou seja, nem sempre o código é executado na mesma ordem em que foi escrito.

Quando as pessoas examinam o código PHP pela primeira vez, é comum acharem que as declarações serão executadas na ordem em que são escritas. Na prática, o interpretador PHP pode executar as declarações em uma ordem muito diferente.

Diversas vezes as funções são vistas perto do topo de uma página PHP (se a página também declara as variáveis no topo, normalmente elas vêm antes das definições da função).

Então, as funções são chamadas posteriormente no código, onde a tarefa precisa ser realizada.

Como se pode ver nessas duas páginas, embora as funções possam ser escritas perto do topo, uma definição da função apenas *armazena* as declarações em um bloco de código (e nomeia a função para identificar o que ela faz). O interpretador PHP não executa esse código até a função ser chamada. Isso pode significar que as declarações são executadas em uma ordem muito diferente da qual aparecem no código.

```php
<?php
① function write_logo()
   {
②      echo '<img src="img/logo.png" alt="Logo" />';
   }

③ function write_copyright_notice()
   {
④      $year = date('Y');        // Obtém e armazena o ano corrente
⑤      echo '&copy; ' . $year;   // Escreve nota de copyright
   }
?>
<!DOCTYPE html>
<html>
  <header>
⑥    <h1><?php write_logo(); ?> The Candy Store</h1>
  </header>
  <article>
    <p>Welcome to The Candy Store</p>
  </article>
  <footer>
⑦    <?php write_logo(); ?>
⑧    <?php write_copyright_notice(); ?>
  <footer>
</html>
```

A página à esquerda mostra o exemplo da página anterior. Abaixo, você pode ver a ordem na qual as declarações são executadas. A primeira linha que o interpretador PHP realmente executa está na Etapa 6.

ETAPA	O QUE O INTERPRETADOR FAZ
6	A primeira linha a ser executada é a Etapa 6, que chama a função write_logo().
1, 2	O interpretador PHP vai para a Etapa 1, na qual a função foi definida, e então executa a Etapa 2.
6	Quando a função é executada, o interpretador retorna para a linha de código que chamou a função.
7	Agora vai para a próxima linha do código PHP. A Etapa 7 chama de novo a função write_logo().
1, 2	O interpretador PHP vai para a Etapa 1, na qual a função foi definida, e então executa a Etapa 2.
7	Quando a função é executada, o interpretador retorna para a linha de código que chamou a função.
8	Agora vai para a próxima linha do código PHP. A Etapa 8 chama a função write_copyright_notice().
3, 4, 5	Vai para a Etapa 3, na qual a função foi declarada, e então executa as Etapas 4 e 5.
8	Assim que a função termina, volta para a linha que a chamou.

Você pode ver uma função sendo chamada **antes** de ser definida, mas é melhor definir as funções antes de chamá-las.

Se várias páginas precisarem usar as mesmas funções, as definições da função poderão ser armazenadas em um arquivo de inclusão.

OBTENDO DADOS DAS FUNÇÕES

Em geral, as funções são usadas para criar novos valores. Esses valores podem ser retornados para a declaração que chamou a função usando a palavra-chave **return**.

Raramente as funções escrevem os dados direto na página (como no exemplo anterior). É mais comum que uma função crie um novo valor e o retorne para a declaração que a chamou. Para retornar um valor, use a palavra-chave **return** seguida do valor que você quer retornar.

A função abaixo é parecida com aquelas nas quatro páginas anteriores, mas cria um aviso de copyright e o armazena em uma variável chamada $message. Então, retorna o valor armazenado na variável $message (em vez de escrever o HTML direto na página).

```
function create_copyright_notice()
{
    $year    = date('Y') ;
    $message = '&copy; ' . $year ;
    return $message;
}
```
PALAVRA-CHAVE   VALOR A RETORNAR

Quando uma função retornar um valor e você quiser exibir esse dado na página, use o comando **echo** (ou o atalho para **echo**) e, então, chame a função.

É uma prática recomendada retornar um valor a partir de uma função e escrever isso na página, em vez de usar um comando **echo** dentro da função.

```
<?= create_copyright_notice()?>
```

Também é possível armazenar o valor que foi retornado a partir da função em uma variável.

Para tanto, use o nome da variável seguido do operador de atribuição e, então, chame a função.

```
$copyright_notice = create_copyright_notice();
```

FUNÇÕES QUE RETORNAM UM VALOR

```
PHP                    section_a/c03/functions-with-return-values.php

     <?php
①    function create_logo()
     {
②        return '<img src="img/logo.png" alt="Logo" />';
     }

③    function create_copyright_notice()
     {
④        $year    = date('Y');
⑤        $message = '&copy; ' . $year;
⑥        return $message;
     }
     ?> ...
       <header>
⑦         <h1><?= create_logo() ?>The Candy Store</h1>
       </header>
       <article>
           <h2>Welcome to The Candy Store</h2>
       </article>
       <footer>
⑧         <?= create_logo() ?>
⑨         <?= create_copyright_notice() ?>
       </footer>
```

RESULTADO

Neste exemplo, as funções são adaptadas para retornar valores.

1. create_logo() é definida.

2. A palavra-chave return é usada, seguida do HTML necessário para criar a imagem.

3. create_copyright_notice() é definida. Entre chaves existem três declarações que:

4. Obtêm o ano atual e o armazena em uma variável chamada $year.

5. Criam uma variável chamada $message e armazenam o símbolo de copyright © seguido do ano atual nela.

6. Retornam o valor armazenado na variável $message.

7. A primeira função é chamada e o valor retornado é escrito na página usando o atalho para echo.

8. A primeira função é chamada de novo para repetir a logo.

9. A segunda função é chamada e o valor retornado é escrito na página usando o atalho para echo.

EXPERIMENTE: na Etapa 5, adicione o nome da empresa à variável $message.

DEFININDO FUNÇÕES QUE PRECISAM DE INFORMAÇÃO

Parâmetros são como nomes de variável que representam valores que uma função precisa para realizar sua tarefa. Os valores que o parâmetro representa podem mudar sempre que a função é chamada.

Ao definir uma função, se ela precisa de dados para realizar sua tarefa:

- Liste as partes da informação requeridas.
- Dê a cada uma um nome de variável (começando com $) que descreve o tipo de dado representado.
- Coloque os nomes entre os parênteses que vêm após o nome da função.
- Separe cada nome com vírgula.

São conhecidos como **parâmetros** da função.

Os parâmetros agem como variáveis, mas só podem ser usados pelas declarações nas chaves da definição da função. O código fora da definição não pode acessá-los.

A função `calculate_cost()` abaixo calcula o total quando os usuários compram um ou mais do mesmo item. Para tanto, ele precisa de dois parâmetros:

- `$price` representa o preço de um item
- `$quantity` representa a quantidade desse item

Dentro da função, `$price` e `$quantity` agem como variáveis, representando os valores passados para a função quando ela é chamada.

O código dentro da definição da função calcula o custo total multiplicando o preço pela quantidade. Então esse valor retorna para o código que chamou a função usando a palavra-chave `return`.

PARÂMETROS

```
function calculate_cost ($price, $quantity)
{
    return $price * $quantity;
}
```

OS NOMES DOS PARÂMETROS SÃO USADOS COMO VARIÁVEIS DENTRO DA FUNÇÃO

Quando o interpretador PHP atinge a chave de fechamento, esquece todos os valores armazenados na função. Isso é importante porque uma página pode chamar uma função várias vezes, usando valores diferentes a cada vez.

NOTA: no PHP 8, a definição da função pode adicionar uma vírgula após o último nome do parâmetro (não apenas entre eles), tornando o código mais uniforme. Isso causaria um erro nas versões anteriores do PHP.

CHAMANDO FUNÇÕES QUE PRECISAM DE INFORMAÇÃO

Ao chamar uma função com parâmetros, o valor de cada parâmetro é especificado entre parênteses após o nome da função. Os valores usados ao chamar uma função são conhecidos como **argumentos**.

ARGUMENTOS COMO VALORES

Abaixo, quando a função `calculate_cost()` é chamada, ela recebe os valores que deve usar.

Os valores são fornecidos na mesma ordem em que os parâmetros foram especificados na definição da função.

O número 3 é usado para o preço do item, e o número 5 para a quantidade comprada. Portanto, `calculate_cost()` retornará o número 15 e esse valor será armazenado em uma variável chamada `$total`.

```
$total = calculate_cost(3, 5);
```

ARGUMENTOS COMO VARIÁVEIS

Desta vez, quando `calculate_cost()` é chamada, ela usa nomes da variável, não valores:

- `$cost` representa o preço do item.
- `$units` representa a quantidade comprada.

Se os nomes da variável são usados como argumentos, esses nomes não precisam corresponder aos nomes do parâmetro.

Quando a função abaixo for chamada, o interpretador PHP enviará os valores armazenados nas variáveis `$cost` e `$units` para a função.

Na função, esses valores são representados pelos nomes dos parâmetros `$price` e `$quantity` (eles foram especificados entre parênteses na primeira linha da definição da função).

```
$cost  = 4;
$units = 6;
$total = calculate_cost($cost, $units);
```

PARÂMETROS VERSUS ARGUMENTOS

As pessoas costumam usar os termos parâmetro e argumento alternadamente, mas há uma diferença sutil. Na página à esquerda, quando a função é definida, você pode ver os nomes `$price` e `$quantity`. Entre as chaves da função, essas palavras agem como variáveis. Esses nomes são **parâmetros**.

Nesta página, quando a função é chamada, o código especifica os números que serão usados para fazer o cálculo ou as variáveis que mantêm os números. Esses valores passados para o código (a informação necessária para calcular o custo desse tipo de doce em particular) se chamam **argumentos**.

UMA FUNÇÃO USANDO PARÂMETROS

1. `calculate_total()` é definida no topo da página. Ela calcula o total quando alguém compra um ou mais do mesmo item, então adiciona 20% de imposto sobre vendas. Ela precisa de duas partes de dados, portanto tem dois parâmetros:
   - `$price` representa o preço do item individual.
   - `$quantity` representa o número de unidades do item sendo comprado.

2. Na definição da função, uma variável chamada `$cost` armazena o custo do número requerido de unidades. Isso é calculado multiplicando o valor armazenado em `$price` pelo valor em `$quantity`.

3. Em seguida, o imposto sobre vendas devido para os itens é armazenado em uma variável chamada `$tax`. É calculado multiplicando o valor `$cost` (criado na Etapa 2) por 0.2.

4. Para obter o total, os valores em `$cost` e `$tax` são somados.

5. O total é retornado da função para o código que a chamou.

6. A função é chamada três vezes. A cada vez, usa preços e quantidades diferentes, e o valor retornado da função é escrito na página.

`section_a/c03/function-with-parameters.php` — PHP

```php
<?php
function calculate_total($price, $quantity)
{
    $cost  = $price * $quantity;
    $tax   = $cost * (20 / 100);
    $total = $cost + $tax;
    return $total;
}
?> ...
<h1>The Candy Store</h1>
<p>Mints: $<?= calculate_total(2, 5) ?></p>
<p>Toffee: $<?= calculate_total(3, 5) ?></p>
<p>Fudge: $<?= calculate_total(5, 4) ?></p>
```

RESULTADO

The Candy Store
Mints: $12
Toffee: $18
Fudge: $24

EXPERIMENTE: na Etapa 6, chame a função de novo para mostrar o preço de 4 pacotes de chiclete a $1.50 cada.

NOMEANDO FUNÇÕES

O nome de uma função deve descrever claramente a tarefa que ela realiza. Em geral, é composto por uma palavra para descrever o que ela faz e o tipo de informação com o qual ela trabalha ou retorna.

As regras para os nomes da função são as mesmas das variáveis. Elas devem iniciar com uma letra, seguida de qualquer combinação de letras, números ou sublinhados. Não é possível ter duas funções com o mesmo nome na mesma página PHP.

Para ajudar a criar um nome que descreva a tarefa realizada pela função, você:

- Informa o que a função faz (ex.: calculate, get ou update).
- Segue com o tipo de informação que ela retorna ou processa (ex.: date, total ou message).

Neste livro, todos os nomes de função têm letras minúsculas. Se o nome da função requer mais de uma palavra, use um sublinhado (você verá funções que usam diferentes regras de nomenclatura; o importante é usar uma estratégia consistente em todo o projeto).

Veja abaixo dois exemplos de nomes descritivos de função já vistos neste capítulo:

- calculate_total() — *calcula* o custo *total* dos itens para venda.
- create_copyright_notice() — *cria* um *aviso de copyright*.

O QUE FAZ
calculate_total()
DADOS RETORNADOS

O QUE FAZ
create_copyright_notice()
DADOS RETORNADOS

ESCOPO

Quando uma função é chamada, o código é executado em seu próprio **escopo**; não é possível acessar nem atualizar os valores armazenados nas variáveis fora da função.

O código em uma função é executado independentemente do resto da página.

- Qualquer informação que uma função precisa para seu trabalho deve ser passada a ela usando parâmetros. Eles agem como variáveis dentro da função.
- Quando a função é chamada, as declarações nela podem criar variáveis e fornecer valores.
- Então, a função pode retornar um valor para o código que a chamou.
- Quando a função é executada, quaisquer parâmetros e variáveis criados na função são destruídos.

Como o código na função é executado separadamente do resto da página:

- A função não pode acessar nem atualizar as variáveis fora dela (por isso, as informações são passadas como parâmetros).
- O código subsequente não pode acessar as variáveis criadas dentro da função porque elas são destruídas assim que a função termina seu trabalho.

Os programadores dizem que sempre que uma função é chamada, o interpretador PHP executa o código para essa função no **escopo local**. O código fora da função na parte principal da página está no **escopo global**.

A posição na qual a variável é declarada, no escopo local ou global, determina se outro código pode acessá-la ou não.

No diagrama abaixo, existem duas variáveis chamadas $tax; cada uma é executada em um escopo diferente:

A: a primeira variável chamada $tax é criada no escopo global (fora da função)

B: a segunda variável $tax é criada dentro da definição da função, no escopo local.

```
<?php
$tax = 20;
function calculate_total($price, $quantity)
{
    $cost  = $price * $quantity;
    $tax   = $cost * (20 / 100);
    $total = $cost + $tax;
    return $total;
}
?>
```

ESCOPO: ● GLOBAL ● LOCAL

O ideal é que duas variáveis não compartilhem um nome no mesmo script, mas isso mostra como elas são tratadas de modo totalmente independente uma da outra.

DEMONSTRANDO O ESCOPO

PHP	section _ a/c03/global-and-local-scope.php

```php
    <?php
①   $tax = '20';

②   function calculate_total($price, $quantity)
    {
③       $cost  = $price * $quantity;
④       $tax   = $cost  * (20 / 100);
⑤       $total = $cost  + $tax;
⑥       return $total;
    }
    ?> ...
    <h1>The Candy Store</h1>
    <p>Mints: $<?= calculate_total(2, 5) ?></p>
⑦   <p>Toffee: $<?= calculate_total(3, 5) ?></p>
    <p>Fudge: $<?= calculate_total(5, 4) ?></p>
⑧   <p>Prices include tax at: <?= $tax ?>%</p>
```

RESULTADO

The Candy Store
Mints: $12
Toffee: $18
Fudge: $24
Prices include tax at: 20%

EXPERIMENTE: na Etapa 1, mude a alíquota para 25. Isso mudará o imposto exibido na parte inferior da página, mas não os totais escritos na Etapa 7.

Os totais na Etapa 7 continuam iguais porque uma alíquota de 20% é usada na Etapa 4 na função. Isso mostra como duas variáveis chamadas $tax trabalham de modo independente.

1. Uma variável chamada $tax é declarada no escopo global para que possa ser usada por qualquer código fora da função.

2. A função calculate_total() é definida. Ela precisa do preço e da quantidade de um item. As variáveis criadas dentro dessa função estão no escopo local.

3. O custo é calculado multiplicando o preço do item pela quantidade requerida. O resultado é armazenado na variável $cost.

4. O imposto a pagar é calculado multiplicando $cost pela alíquota (20 divididos por 100). O resultado é armazenado em uma variável chamada $tax.
Nota: Isso não sobrescreve o valor armazenado na variável $tax criada na Etapa 1.

5. Para obter o total, o valor em $cost é adicionado ao valor armazenado em $tax na Etapa 4.

6. O total é retornado. Quando a função for executada, o interpretador PHP excluirá todos os parâmetros e todas as variáveis criadas na função.

7. A função é chamada três vezes, com novos valores a cada vez.

8. O valor armazenado em $tax (no escopo global na Etapa 1) é exibido.

FUNÇÕES

VARIÁVEIS GLOBAIS E ESTÁTICAS

Em casos limitados, o código em uma função pode ter permissão para acessar ou atualizar uma variável global, e pode ser pedido para lembrar um valor armazenado em uma variável na função após tal função terminar de executar.

ACESSANDO OU ATUALIZANDO VARIÁVEIS GLOBAIS DENTRO DE UMA FUNÇÃO

O código dentro de uma função pode acessar ou atualizar um valor armazenado na variável que foi declarada no escopo global, caso seja informado ao interpretador PHP que ele pode acessá-la.

No início do bloco de código da função (antes de a variável ser usada), adicione a palavra-chave `global` seguida do nome da variável. Isso permite que o código na função acesse ou atualize seu valor.

É uma prática recomendada passar valores para uma função usando parâmetros, mas a capacidade de fazer isso é mencionada aqui porque é possível ver o código que acessa uma variável global usando essa técnica.

```
global $cost;
```
PALAVRA-CHAVE   VARIÁVEL

MANTENDO UM VALOR NA FUNÇÃO APÓS ELA SER EXECUTADA

Quando uma função termina de executar, em geral exclui qualquer variável local que foi criada dentro dela.

Pode ser pedido ao interpretador PHP para lembrar um valor armazenado em uma variável que foi criada em uma função, caso tal variável seja criada como uma **variável estática**.

Para criar uma variável estática, use:

- A palavra-chave `static`.
- Seguida por um nome de variável.
- Então, um valor inicial que ela deve guardar na primeira vez em que a função é chamada.

Quando a função terminar de ser executada, essa variável e o valor que ela armazena não serão excluídos (mas estão disponíveis apenas para o código dentro da função).

```
static $quantity = 10;
```
PALAVRA-CHAVE   VARIÁVEL   VALOR INICIAL

ACESSANDO VARIÁVEIS FORA DE UMA FUNÇÃO

```
PHP                    section _ a/c03/global-and-static-variables.php

      <?php
①     $tax_rate = 0.2;

②     function calculate_running_total($price, $quantity)
      {
③         global $tax_rate;
④         static $running_total = 0;
⑤         $total = $price * $quantity;
⑥         $tax   = $total * $tax_rate;
⑦         $running_total = $running_total + $total + $tax;
⑧         return $running_total;
      }
      ?> ...
      <h1>The Candy Store</h1>
      <table>
        <tr><th>Item</th><th>Price</th><th>Qty</th>
            <th>Running total</th></tr>
        <tr><td>Mints:</td><td>   </td><td>5</td>
⑨           <td>$<?= calculate_running_total(2, 5); ?></td></tr>
        <tr><td>Toffee:</td><td>$3</td><td>5</td>
            <td>$<?= calculate_running_total(3, 5); ?></td></tr>
        <tr><td>Fudge:</td><td>$5</td><td>4</td>
            <td>$<?= calculate_running_total(5, 4); ?></td></tr>
      </table>
```

RESULTADO

ITEM	PRICE	QTY	RUNNING TOTAL
Mints:	$2	5	$12
Toffee:	$3	5	$30
Fudge:	$5	4	$54

1. Uma variável chamada $tax_rate é criada no escopo global.

2. calculate_running_total() cria um total acumulado.

3. A palavra-chave global permite que a função acesse/atualize o valor na variável $tax_rate global.

4. A palavra-chave static informa que a variável $running_total, e o seu valor, não devem ser excluídos quando a função terminar de executar (ela obtém um valor inicial 0 quando criada).

5. $total contém o preço de um produto multiplicado pela quantidade que o cliente deseja.

6. $tax contém a quantidade do imposto a pagar sobre esses itens usando o valor na variável $tax_rate global criada na Etapa 1.

7. $running_total contém:
   - O valor em $running_total.
   - Mais o valor em $total.
   - Mais o valor em $tax.

8. O valor em $running_total é retornado, mas não é excluído porque é uma variável estática.

9. A função é chamada três vezes. A cada vez o total do item é adicionado ao total anterior.

FUNÇÕES E TIPOS DE DADOS COMPOSTOS

Os tipos de dados compostos (como arrays) podem armazenar diversos valores. As funções podem aceitar um tipo de dado composto como argumento e retornar um tipo de dado composto a partir da função.

USANDO UM TIPO DE DADO COMPOSTO COMO ARGUMENTO

Ao definir uma função, parâmetros podem ser escritos para que possam aceitar um tipo de dado escalar ou composto:

- Os tipos de dados escalares contêm um dado: string, número ou booleano.
- Os tipos de dados compostos podem armazenar várias partes do dado. Você viu os arrays no Capítulo 1 e aprenderá sobre outro tipo de dado composto, chamado objetos, no Capítulo 4.

Na página à direita, veja um exemplo em que um array com três taxas de câmbio diferentes é passado para a função como um único parâmetro.

USANDO UM TIPO DE DADO COMPOSTO COMO VALOR DE RETORNO

Uma função deve realizar apenas uma tarefa (não várias), mas uma tarefa individual pode gerar mais de um valor que precisa ser retornado.

Se você deseja retornar mais de um valor a partir de uma função, deve criar um array ou um objeto na função e, então, retorná-lo. Isso ocorre porque uma função só pode retornar um valor escalar ou composto.

Assim que o interpretador PHP executa uma declaração que começa com a palavra-chave `return`, ele para de executar o código na função e volta para linha de código que a chamou (mesmo que existam mais declarações na definição da função que não foram executadas).

Na página à direita, a função `calculate_prices()` calcula três preços para um item em três moedas e retorna os preços como um array.

FUNÇÕES

ACEITANDO E RETORNANDO DIVERSOS VALORES

```
PHP                     section_a/c03/functions-with-multiple-values.php

    <?php
①   $us_price = 4;
    $rates = [
        'uk' => 0.81,
②       'eu' => 0.93,
        'jp' => 113.21,
    ];
③   function calculate_prices($usd, $exchange_rates)
    {
        $prices = [
            'pound' => $usd * $exchange_rates['uk'],
④           'euro'  => $usd * $exchange_rates['eu'],
            'yen'   => $usd * $exchange_rates['jp'],
        ];
⑤       return $prices;
    }
⑥   $global_prices = calculate_prices($us_price, $rates);
    ?> ...
    <h2>Chocolates</h2>
⑦   <p>US $<?= $us_price ?></p>
    <p>(UK &pound; <?= $global_prices['pound'] ?> |
⑧       EU &euro;  <?= $global_prices['euro']  ?> |
        JP &yen;   <?= $global_prices['yen']   ?>)</p>
```

RESULTADO

1. A variável $us_price contém o preço em dólar norte-americano do item.

2. A variável $rates armazena um array associativo de três taxas de câmbio.

3. A função calculate_prices() calcula os preços de um item em três moedas e, então, retorna os preços como um array. Ela tem dois parâmetros: o preço em dólar norte-americano e o array que mantém as taxas de câmbio.

4. Um array é criado e armazenado em uma variável chamada $prices. O primeiro elemento contém o preço em libras esterlinas, que é calculado multiplicando o preço do dólar pela taxa de câmbio para o Reino Unido. Então, os preços da UE e do Japão são adicionados ao array.

5. A função retorna o array contendo os três preços novos.

6. A função é chamada e o array retornado é armazenado na variável $global_prices.

7. O preço em dólar é escrito usando a variável da Etapa 1.

8. Também são exibidos os outros preços do array criado na Etapa 6.

EXPERIMENTE: adicione uma taxa de câmbio para o dólar australiano a 1.32.

FUNÇÕES

DECLARAÇÕES COM TIPO DE ARGUMENTO E DE RETORNO

Ao definir uma função, você pode especificar qual tipo de dado cada argumento deve ser e qual tipo a função deve retornar.

Algumas tarefas requerem dados em um tipo específico. Por exemplo, as funções que fazem cálculo requerem números como argumentos e as funções que processam texto precisam de strings.

Uma definição da função pode especificar os tipos de dados que cada parâmetro espera e o tipo que a função deve retornar. Isso ajuda os programadores porque a primeira linha da definição da função mostra claramente qual tipo de dado cada argumento deve ser e qual tipo a função deve retornar.

Abaixo, na primeira linha da definição da função:

- Entre parênteses, um **tipo de argumento** é especificado antes do nome de cada parâmetro para indicar o tipo de dado que o argumento deve usar.
- Depois dos parênteses, há dois-pontos seguidos de um **tipo de retorno** para indicar o tipo de dado que a função retornará.

Aqui, os dois argumentos e o valor retornado devem ser um inteiro.

```
function calculate_total( int $price, int $quantity ): int
{
    return $price * $quantity;
}
```

TIPO DE ARGUMENTO: `int $price`
TIPO DE ARGUMENTO: `int $quantity`
TIPO DE RETORNO: `int`
PARÂMETROS
DOIS-PONTOS

A tabela à direita mostra os tipos de dados usados nas declarações com argumento e tipo de retorno. O PHP 8 adicionou:

- **Tipos de união** para especificar que um tipo de argumento ou retorno pode ser um no conjunto de tipos. Cada tipo é separado pelo símbolo |. Por exemplo, `int|float` indica um inteiro ou um ponto flutuante.
- **Mixed**, que indica um tipo de argumento ou retorno que pode ser de qualquer tipo de dado (isso se chama **pseudotipo** porque as variáveis não podem ter esse tipo).

TIPO DADO	DESCRIÇÃO
`string`	String
`int`	Inteiro
`float`	Número de ponto flutuante (decimal)
`bool`	Booleano (true ou `false`/0 ou 1)
`array`	Array
`className`	Classe do objeto (veja o Capítulo 4)
`mixed`	Uma combinação dos tipos de dados acima (PHP 8)

USANDO DECLARAÇÕES DO TIPO

`PHP` section_a/c03/type-declarations.php

```php
<?php
$price    = 4;
$quantity = 3;

function calculate_total(int $price, int $quantity): int
{
    return $price * $quantity;
}

$total = calculate_total($price, $quantity);
?>
<h1>The Candy Store</h1>
<h2>Chocolates</h2>
<p>Total $<?= $total ?></p>
```

`RESULTADO`

The Candy Store
CHOCOLATES
Total $12

NOTA: se um argumento ou tipo de retorno pode ser nulo (em vez de um valor), você pode usar um ponto de interrogação antes do tipo.

Por exemplo, ?int indica que o valor será inteiro ou null. No PHP 8, também é possível usar um tipo de união int|null.

1. Neste exemplo, a primeira linha da definição da função especifica:

- As declarações do tipo de argumento para os parâmetros `$price` e `$quantity`, mostrando que seus valores devem ser inteiros.
- Uma declaração do tipo de retorno para mostrar que a função deve retornar um inteiro.

As declarações do tipo não afetam a operação deste exemplo; indicam apenas qual tipo de dado os argumentos e os tipos de retorno devem ser. A próxima página mostra como fazer esses valores usarem os tipos de dados corretos.

EXPERIMENTE: mude o valor armazenado na variável `$price` para ser uma string, em vez de um inteiro, como:

`$price = '1';`

Ao atualizar a página, você deverá ver o mesmo resultado porque precisa ativar os tipos restritos (veja na próxima página).

EXPERIMENTE: se você estiver rodando o PHP 8, use os tipos de união para indicar que os valores podem ser inteiros ou números de ponto flutuante.

FUNÇÕES

ATIVANDO OS TIPOS RESTRITOS

Quando uma definição da função tiver declarações do argumento e/ou do tipo de retorno, peça ao interpretador PHP para gerar um erro se uma função é chamada usando o tipo de dado errado ou se retorna o tipo errado.

Quando os argumentos de uma função são o tipo de dado escalar errado, o interpretador PHP pode tentar convertê-los no tipo de dado que espera receber.

Por exemplo, para ajudar a processar os dados, o interpretador PHP pode converter:

- A string '1' no inteiro 1.
- Um valor booleano true em um inteiro 1.
- Um valor booleano false em um inteiro 0.
- Um inteiro 1 em um valor booleano true.
- Um inteiro 0 em um valor booleano false.

Exemplos de manipulação do tipo foram apresentados nas páginas 60-61.

Peça ao interpretador PHP para ativar os **tipos restritos** para que ele gere um erro se uma função:

- É chamada usando um argumento com o tipo de dado errado (quando uma declaração do tipo de argumento foi usada).
- Retorna um valor com o tipo de dado errado (quando a declaração do tipo de retorno foi fornecida).

Os erros gerados podem ajudar a rastrear a origem do problema no código PHP, mas é preciso pedir ao interpretador PHP para verificar os tipos na página que **chama** a função usando a construção declare abaixo.

Essa **deve** ser a primeira declaração na página e só ativa os tipos restritos para as funções chamadas *nessa* página.

TIPOS RESTRITOS   ATIVADOS

```
declare( strict_types = 1 );
```

Você aprenderá sobre o tratamento de erros e solução de problemas no Capítulo 10, mas pode ter notado que existem vários arquivos chamados .htaccess no código de download. Eles controlam as configurações do servidor da web, por exemplo, se é para informar ou não os erros na página HTML que o servidor da web retorna para o navegador. Se você não conseguir ver esses arquivos, é porque os sistemas operacionais os tratam como arquivos ocultos (veja a página 196).

Por vezes, as definições da função são colocadas em um arquivo de inclusão para que possam ser chamadas por várias páginas de um site (como será visto no Capítulo 6). Os tipos restritos não precisam ser ativados em um arquivo que só contém definições da função, mas devem ser nas páginas que **chamam** as funções, caso você queira que o interpretador PHP gere um erro quando o tipo de dado errado é usado.

USANDO TIPOS RESTRITOS

PHP section_a/c03/strict-types.php

```php
<?php
① declare(strict_types = 1);

② $price    = 4;
  $quantity = 3;

③ function calculate_total(int $price, int $quantity): int
  {
④     return $price * $quantity;
  }
⑤ $total = calculate_total($price, $quantity);
?>
<h1>The Candy Store</h1>
<h2>Chocolates</h2>
⑥ <p>Total $<?= $total ?></p>
```

RESULTADO

The Candy Store
CHOCOLATES
Total $12

EXPERIMENTE: na Etapa 2, defina o valor da variável $price para uma string:

$price = '4';

Quando atualizar a página, deverá ver uma mensagem de erro.

EXPERIMENTE: se estiver rodando o PHP 8, na Etapa 2 use 4.5 para o preço e na Etapa 3 use os tipos de união para especificar que os argumentos e os valores de retorno podem ser int ou float.

Este exemplo é quase igual ao da página anterior, mas os tipos restritos são ativados na primeira declaração para mostrar um erro, caso os argumentos ou o valor de retorno seja do tipo de dado errado.

1. A construção declare ativa os tipos restritos para a página.

2. Duas variáveis são declaradas para manter um preço e uma quantidade.

3. A função calculate_total() é definida:

   - As declarações do tipo de argumento indicam que os dois parâmetros esperam inteiros.
   - A declaração do tipo de retorno especifica que a função retorna um inteiro.

4. A função multiplica o preço pela quantidade e retorna esse valor.

5. A função é chamada usando as variáveis criadas na Etapa 2 e o resultado retornado é armazenado em uma variável chamada $total.

6. O total é escrito.

DIVERSAS DECLARAÇÕES RETURN

As funções podem retornar diferentes valores dependendo do resultado da declaração condicional dentro da função.

Uma função pode usar declarações condicionais para determinar qual valor deve ser retornado. A função abaixo retorna diferentes mensagens dependendo do valor passado como argumento.

Assim que uma função processa uma declaração return, o interpretador PHP volta para a linha de código que chamou a função. Nenhuma declaração subsequente nessa função é executada.

A função abaixo tem três declarações return.

1. Uma condição verifica se o valor no parâmetro $stock é 10 ou mais. Se for, a primeira declaração return é processada e nenhuma declaração subsequente na função é executada.

2. Se o valor é maior que 0 e menor que 10, a segunda declaração return é processada e nenhum código subsequente na função é executado.

3. Se a função ainda está em execução, $stock deve manter um valor 0 para que a declaração return final seja processada.

```php
function get_stock_message($stock)
{
    if ($stock >= 10) {
        return 'Good availability';
    }
    if ($stock > 0 && $stock < 10) {
        return 'Low stock';
    }
    return 'Out of stock';
}
```

① ② ③

USANDO VÁRIOS RETURNS EM UMA FUNÇÃO

PHP — section_a/c03/multiple-return-statements.php

```php
<?php
① $stock = 25;

② function get_stock_message($stock)
  {
③     if ($stock >= 10) {
          return 'Good availability';
      }
④     if ($stock > 0 && $stock < 10) {
          return 'Low stock';
      }
⑤     return 'Out of stock';
  }
?>
<h1>The Candy Store</h1>
<h2>Chocolates</h2>
⑥ <p><?= get_stock_message($stock) ?></p>
```

RESULTADO

The Candy Store
CHOCOLATES
Good availability

1. A variável $stock mantém o nível do estoque.

2. A função get_stock_message() verifica o nível do estoque e retorna uma das três mensagens a seguir.

3. Uma declaração condicional verifica se o estoque é maior ou igual a 10. Se é, a primeira declaração return é processada. Ela retorna a mensagem Good availability e nenhum outro código na função é executado.

4. Se o estoque não fosse 10 ou mais, a função ainda estaria em execução e a próxima condição verificaria se o estoque é maior que 0 e menor que 10. Se é, a segunda declaração return é processada. Ela retorna a mensagem Low stock e nenhum outro código na função é executado.

5. Se a função ainda está em execução, pode não haver nenhum estoque. Portanto, a declaração return final retorna uma mensagem mostrando Out of stock.

6. A função é chamada e o valor retornado é escrito na página.

EXPERIMENTE: na Etapa 1, mude o nível do estoque para 8. Você deverá ver a mensagem Low stock.

FUNÇÕES

PARÂMETROS OPCIONAIS E VALORES-PADRÃO

Você pode tornar opcional um parâmetro da função. Para tanto, forneça um valor-padrão a usar quando um valor não é fornecido. Em geral, os parâmetros opcionais aparecem após os parâmetros obrigatórios.

Algumas tarefas podem ter informações opcionais. Esses dados não são *necessários* para a função fazer seu trabalho, mas um valor *pode* ser fornecido quando a função é chamada.

Para tornar opcional um parâmetro, forneça a ele um **valor-padrão**, que é usado quando a função é chamada sem fornecer um valor para esse parâmetro.

O valor-padrão é fornecido após o nome do parâmetro na definição da função. A sintaxe é a mesma, como se você estivesse atribuindo um valor a uma variável.

A função abaixo é chamada usando dois argumentos, portanto o parâmetro final usaria o valor-padrão 0.

Os parâmetros opcionais ficam *após* os parâmetros obrigatórios porque, até o PHP 8, ao chamar uma função, os argumentos tinham que estar na ordem na qual os parâmetros foram listados na definição da função.

Você aprenderá sobre os parâmetros nomeados do PHP 8 em seguida, mas é possível que os desenvolvedores continuem colocando os parâmetros opcionais após os obrigatórios.

```php
function calculate_cost($cost, $quantity, $discount = 0)
{
    $cost = $cost * $quantity;
    return $cost - $discount;
}

$cost = calculate_cost(5, 3);
```

`$discount = 0` → OPCIONAL

Ao documentar como funciona uma função, qualquer parâmetro opcional fica entre colchetes. Ao chamar a função, **não** use colchetes; eles apenas indicam que é opcional.

NOTA: a vírgula antes dos parâmetros opcionais está entre colchetes porque colocar uma vírgula após o último argumento ao chamar uma função causava um erro até o PHP 8 (que permite vírgulas à direita).

`calculate_cost($cost, $quantity[, $discount])`

PARÂMETRO OPCIONAL MOSTRADO ENTRE COLCHETES

USANDO VALORES-PADRÃO PARA PARÂMETROS

```
PHP                section_a/c03/default-values-for-parameters.php

<?php
function calculate_cost($cost, $quantity, $discount = 0)
{
    $cost = $cost * $quantity;
    return $cost - $discount;
}
?>
<h1>The Candy Store</h1>
<h2>Chocolates</h2>
<p>Dark chocolate $<?= calculate_cost(5, 10, 5) ?></p>
<p>Milk chocolate $<?= calculate_cost(3, 4) ?></p>
<p>White chocolate $<?= calculate_cost(4, 15, 20) ?></p>
```

RESULTADO

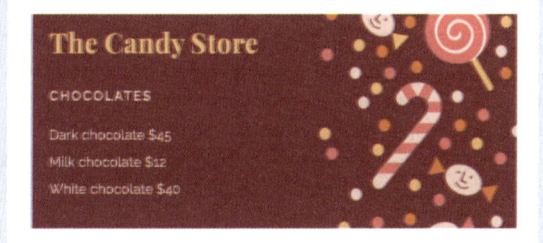

The Candy Store
CHOCOLATES
Dark chocolate $45
Milk chocolate $12
White chocolate $40

1. A função calculate_cost() calcula o custo de um ou mais itens com base em três partes de informação:

   - Custo.
   - Quantidade.
   - Desconto.

   Ao chamar a função, o último argumento é opcional porque o parâmetro recebe um valor-padrão 0. Então, a função é chamada três vezes.

2. Na primeira vez em que é chamada, recebe um custo 5, uma quantidade 10 e um desconto 5. Portanto, a função irá subtrair 5 do total 50 e retornará 45.

3. Na segunda vez, são fornecidos um custo 3 e uma quantidade 4, mas o desconto não é fornecido. Portanto, o valor-padrão 0 é aplicado. Como resultado, a função retorna um custo 12.

4. Na terceira vez, recebe um custo 4, uma quantidade 15 e um desconto 20. Como na Etapa 2, irá subtrair um desconto (desta vez é 20) do custo (que é 60) para retornar um valor 40.

EXPERIMENTE: na Etapa 1, mude o desconto-padrão para 2. Na Etapa 2, mude o desconto para 7.

FUNÇÕES

ARGUMENTOS NOMEADOS

Ao chamar uma função no PHP 8, você pode colocar os nomes dos parâmetros antes dos argumentos, ou seja, os argumentos não precisam estar na mesma ordem em que os nomes dos parâmetros aparecem na definição da função.

Algumas funções têm muitos argumentos. No PHP 8, quando você chama uma função, pode adicionar os nomes dos parâmetros antes dos argumentos. Isso se chama **argumentos nomeados** (ou parâmetros nomeados). Eles:

- Indicam claramente o que faz cada argumento.
- Permitem pular os argumentos opcionais sem fornecer um valor-padrão ou usar aspas vazias (veja abaixo).

A definição da função não muda, apenas o modo como os argumentos são fornecidos quando ela é chamada. O exemplo na página à direita tem quatro parâmetros:

- $cost (obrigatório) é o custo do item.
- $quantity (obrigatório) é o número do item.
- $discount (opcional) é o desconto.
- $tax (opcional) é a porcentagem do imposto a pagar.

Ao chamar uma função sem argumentos nomeados, os argumentos *devem* aparecer na mesma ordem dos parâmetros na definição da função:

A fim de usar o padrão para $discount e especificar um valor para $tax, você deve especificar o valor-padrão ou usar aspas vazias como o argumento porque o parâmetro $discount vem antes de $tax.

calculate_cost(5, 10, 0, 5);   *or*   calculate_cost(5, 10, '', 5);

Ao usar argumentos nomeados, o nome é separado do argumento com dois-pontos e os argumentos podem estar em qualquer ordem.

Se um argumento deve usar seu valor-padrão (especificado na definição da função), você não precisa fornecer um valor para ele ou usar aspas vazias:

calculate_cost(quantity: 10, cost: 5, tax: 5);

Argumentos sem nomes do parâmetro podem aparecer antes dos argumentos nomeados se eles são exibidos na mesma ordem dos parâmetros na definição da função.

Abaixo, os dois primeiros valores serão usados para o custo e a quantidade. Em seguida, o imposto é fornecido e o valor para o desconto não é especificado.

calculate_cost(5, 10, tax: 5);

FUNÇÕES

USANDO ARGUMENTOS NOMEADOS

PHP — section_a/c03/named-arguments-in-php-8.php

```php
<?php
function calculate_cost($cost, $quantity, $discount = 0, $tax = 20,)
{
    $cost = $cost * $quantity;
    $tax  = $cost * ($tax / 100);
    return ($cost + $tax) - $discount;
}
?>
<h1>The Candy Store</h1>
<h2>Chocolates</h2>
<p>Dark chocolate $<?= calculate_cost(quantity: 10, cost: 5, tax: 5, discount: 2); ?></p>
<p>Milk chocolate $<?= calculate_cost(quantity: 10, cost: 5, tax: 5); ?></p>
<p>White chocolate $<?= calculate_cost(5, 10, tax: 5); ?></p>
```

1. A função calculate_cost() calcula o custo de um ou mais itens com base em quatro partes de informação:

   - Custo (obrigatório).
   - Quantidade (obrigatório).
   - Desconto (opcional — padrão 0).
   - Imposto (opcional — padrão 20%).

Como este exemplo usa o PHP 8, uma **vírgula à direita** pode ser adicionada após o último parâmetro na definição da função (não apenas entre os parâmetros). Isso melhora a uniformidade no código (porque uma vírgula pode aparecer após cada parâmetro).

Após a função ser definida, ela é chamada três vezes.

RESULTADO

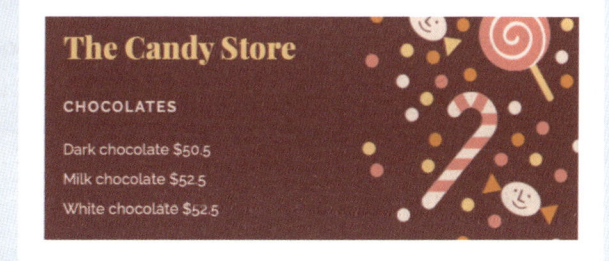

The Candy Store
CHOCOLATES
Dark chocolate $50.5
Milk chocolate $52.5
White chocolate $52.5

2. A função é chamada com quatro argumentos nomeados. Como são nomeados, eles podem aparecer em qualquer ordem.

3. Os argumentos nomeados são usados para o custo, a quantidade e o imposto. O desconto-padrão será usado.

4. Os dois primeiros valores não usam argumentos nomeados, portanto são usados para os dois primeiros parâmetros ($cost e $quantity). Nenhum valor é dado para $discount, então o argumento final deve ser nomeado para ele ser usado para o parâmetro $tax.

FUNÇÕES

COMO ESCREVER A FUNÇÃO

A seguir veja as quatro etapas que lhe ajudarão a escrever funções.

1: DESCREVA A TAREFA DE FORMA SUCINTA

Use uma combinação do que ela faz (exemplo, get, calculate, update ou save) seguida pelo tipo de dado com o qual ela trabalha. Isso será o nome da função.

O nome da função nunca muda.

2: QUAIS DADOS SÃO NECESSÁRIOS PARA REALIZAR A TAREFA?

Cada parte do dado se torna um parâmetro.

Os valores passados para o parâmetro (os argumentos) podem mudar sempre que a função é chamada.

3: QUAIS INSTRUÇÕES DEVEM SER SEGUIDAS PARA REALIZAR A TAREFA?

As instruções serão representadas usando declarações entre chaves.

As instruções a serem seguidas serão sempre as mesmas cada vez que a função é chamada.

4: QUAL É O RESULTADO ESPERADO?

Isso será o valor retornado da função. É uma prática recomendada que uma função retorne um valor. Se você realizar uma tarefa que não calcula um novo valor nem recupera uma informação, então a função normalmente retornará **true** ou **false** para indicar se ela funcionou ou não.

O valor retornado pode mudar sempre que a função recebe novos valores com os quais trabalha.

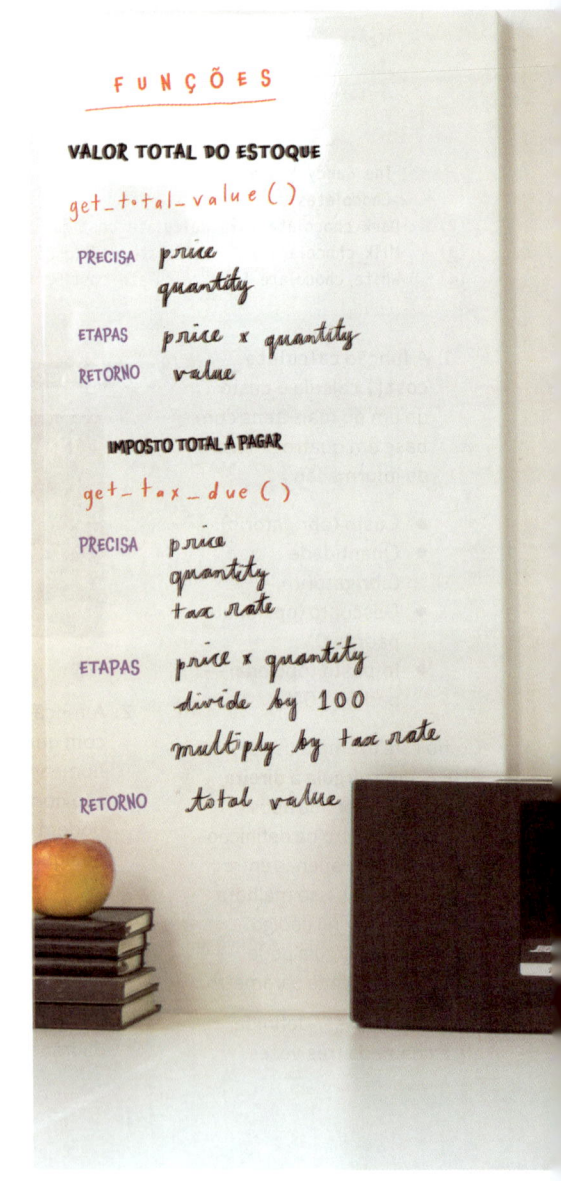

FUNÇÕES

VALOR TOTAL DO ESTOQUE

get_total_value ( )

PRECISA price
         quantity

ETAPAS   price x quantity

RETORNO value

IMPOSTO TOTAL A PAGAR

get_tax_due ( )

PRECISA price
         quantity
         tax rate

ETAPAS   price x quantity
         divide by 100
         multiply by tax rate

RETORNO total value

POR QUE USAR FUNÇÕES?

Há benefícios em escrever o código para realizar uma tarefa como uma função.

REUTILIZAÇÃO
Como visto várias vezes neste capítulo, se uma página precisa realizar a mesma tarefa diversas vezes (como calcular o custo dos itens), então você só precisa escrever o código para realizar a tarefa uma vez. Quando a página precisa realizar a tarefa, ela chama a função e fornece os valores necessários para fazer seu trabalho.

MANUTENÇÃO
Se você acha que as instruções necessárias para realizar uma tarefa mudam, então só precisa mudar o código na definição da função (não precisa fazer alterações sempre que a tarefa é realizada). Assim que a definição da função é atualizada, sempre que a função for chamada, ela usará o código atualizado.

ORGANIZAÇÃO
Colocando o código que realiza cada tarefa em uma função, fica mais fácil encontrar todas as declarações requeridas para realizar a tarefa.

TESTABILIDADE
Dividindo seu código nas tarefas individuais que ele realiza, é possível testar cada tarefa individual separadamente, facilitando isolar os problemas.

DOCUMENTANDO AS FUNÇÕES

Em geral, os programadores precisam usar funções que eles não escreveram; por exemplo, ao trabalhar em um grande site em uma equipe de programadores. A documentação os ajuda a saber como usar essas funções.

Para usar uma função em sua página PHP, você não precisa entender como as declarações que aparecem entre chaves realizam a tarefa, só precisa saber:

- O que a função deve fazer.
- O nome da função.
- Os parâmetros requeridos.
- O que ela deve retornar.

Na página à direita, é possível ver uma página do site PHP.net. É a home page oficial do PHP e hospeda a documentação da linguagem. Será um recurso muito útil para você durante a aprendizagem da linguagem.

A página à direita mostra uma função que determina quantos caracteres existem em uma string. Essa página é um exemplo típico de como as funções são documentadas. Normalmente você verá:

1. O nome da função e a descrição.
2. A sintaxe para chamar a função e usar seus parâmetros (argumentos e tipos de retorno podem ser mostrados).
3. Uma descrição de seus parâmetros.
4. Qual(is) valor(es) a função retornará.
5. Um exemplo de como você pode usar a função.

É importante diferenciar os dois tipos de função:

- **Funções definidas pelo usuário** são as definidas em um arquivo PHP por um programador que usa a linguagem PHP (todas as funções neste capítulo são definidas pelo usuário).
- **Funções predefinidas** são definidas pelas pessoas que criam a linguagem PHP e suas definições são implementadas no interpretador PHP. Isso significa que qualquer pessoa pode chamar essas funções sem incluir a definição da função em uma página.

As funções predefinidas desempenham tarefas que os programadores normalmente precisam realizar ao escrever o código PHP. Portanto, elas evitam que os desenvolvedores tenham que escrever seu próprio código para executar tais tarefas, fazendo a mesma coisa sempre. Você aprenderá mais sobre as funções predefinidas no Capítulo 5.

① # strlen

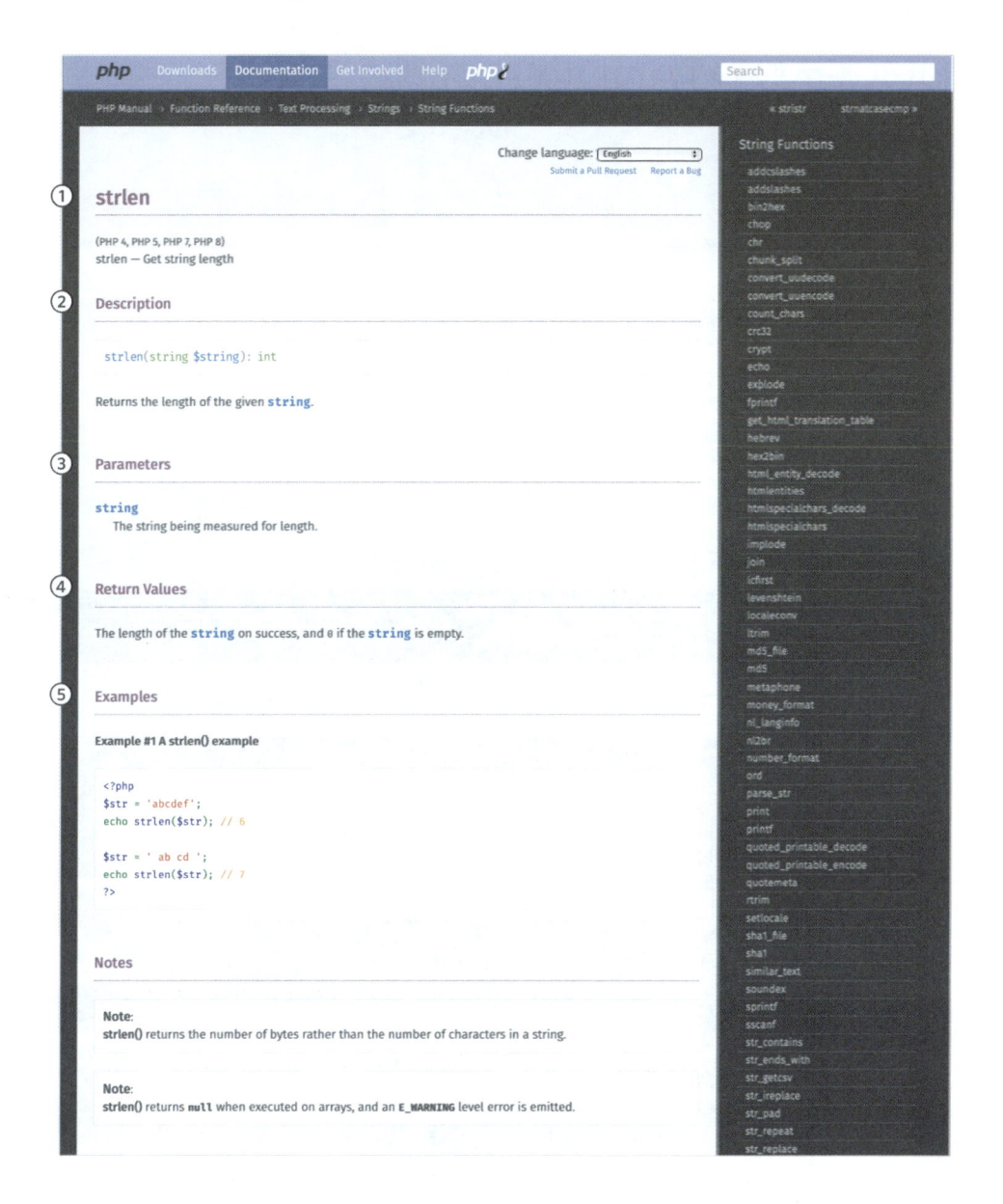

(PHP 4, PHP 5, PHP 7, PHP 8)
strlen — Get string length

② ## Description

```
strlen(string $string): int
```

Returns the length of the given **string**.

③ ## Parameters

string
    The string being measured for length.

④ ## Return Values

The length of the **string** on success, and 0 if the **string** is empty.

⑤ ## Examples

Example #1 A strlen() example

```php
<?php
$str = 'abcdef';
echo strlen($str); // 6

$str = ' ab cd ';
echo strlen($str); // 7
?>
```

Notes

Note:
strlen() returns the number of bytes rather than the number of characters in a string.

Note:
strlen() returns **null** when executed on arrays, and an **E_WARNING** level error is emitted.

String Functions

- addcslashes
- addslashes
- bin2hex
- chop
- chr
- chunk_split
- convert_uudecode
- convert_uuencode
- count_chars
- crc32
- crypt
- echo
- explode
- fprintf
- get_html_translation_table
- hebrev
- hex2bin
- html_entity_decode
- htmlentities
- htmlspecialchars_decode
- htmlspecialchars
- implode
- join
- lcfirst
- levenshtein
- localeconv
- ltrim
- md5_file
- md5
- metaphone
- money_format
- nl_langinfo
- nl2br
- number_format
- ord
- parse_str
- print
- printf
- quoted_printable_decode
- quoted_printable_encode
- quotemeta
- rtrim
- setlocale
- sha1_file
- sha1
- similar_text
- soundex
- sprintf
- sscanf
- str_contains
- str_ends_with
- str_getcsv
- str_ireplace
- str_pad
- str_repeat
- str_replace

The Candy Store

STOCK CONTROL

PRODUCT	STOCK	RE-ORDER	TOTAL VALUE	TAX DUE
Toffee	12	No	$36	$7.2
Mints	26	No	$52	$10.4
Fudge	8	Yes	$32	$6.4

EXEMPLO

Este exemplo mostra uma página para monitorar os níveis de estoque em uma loja de doces.

Um array associativo é criado para manter os nomes dos produtos que a loja vende e os níveis de estoque de cada um. Esses valores são mostrados nas duas primeiras colunas da tabela.

Então, são criadas três funções para gerar os valores mostrados nas três colunas seguintes:

- A primeira função examina os níveis do estoque e cria uma mensagem indicando se mais estoque deve ou não ser pedido.
- A segunda calcula o valor total do estoque para cada item vendido.
- A terceira calcula quanto será o imposto a pagar quando todo o estoque restante foi vendido.

FUNÇÕES

```
section_a/c03/example.php                                          PHP

    <?php
①   declare(strict_types = 1);
    $candy = [
        'Toffee' => ['price' => 3.00, 'stock' => 12],
②       'Mints'  => ['price' => 2.00, 'stock' => 26],
        'Fudge'  => ['price' => 4.00, 'stock' => 8],
    ];
③   $tax = 20;

④   function get_reorder_message(int $stock): string
    {
⑤       return ($stock < 10) ? 'Yes' : 'No';
    }

⑥   function get_total_value(float $price, int $quantity): float
    {
⑦       return $price * $quantity;
    }

⑧   function get_tax_due(float $price, int $quantity, int $tax = 0): float
    {
⑨       return ($price * $quantity) * ($tax / 100);
    }
    ?>
```

1. Os tipos restritos são ativados.

2. É criado um array multidimensional (veja as páginas 44-45), que é armazenado em uma variável chamada $candy:
   - As chaves são os nomes dos tipos de doce vendidos.
   - Os valores são os arrays que mantêm o preço e o nível de estoque disponíveis desse produto.

3. Uma variável global é declarada para manter a alíquota.

4. Uma função chamada get_reorder_message() é definida. Ela tem um parâmetro, o nível de estoque atual de um produto (int). E retorna uma mensagem (string), mostrando se o item deve ser novamente pedido ou não.

5. Um operador ternário é usado para retornar uma mensagem. A condição verifica se o nível de estoque é menor que 10:
   - Se for, a função retorna Yes.
   - Do contrário, a função retorna No.

6. Uma função chamada get_total_value() é definida. Ela tem dois parâmetros:
   - Preço do produto (float).
   - Quantidade disponível do produto (int).

   Ela retorna um float indicando o valor total do estoque para esse produto (aqui, int também é um número válido).

7. A função retorna o preço do produto multiplicado pela quantidade de estoque disponível.

8. Uma função chamada get_tax_due() é definida. Ela tem três parâmetros:
   - Preço do produto (float).
   - Quantidade do produto disponível (int).
   - Alíquota como porcentagem com um padrão 0% (int).

   Retorna um float, indicando a quantidade total do imposto a pagar quando os produtos são vendidos.

```
<!DOCTYPE html>
<html>
  <head> ... </head>
  <body>
    <h1>The Candy Store</h1>
    <h2>Stock Control</h2>
    <table>
      <tr>
        <th>Candy</th><th>Stock</th><th>Re-order</th><th>Total value</th><th>Tax due</th>
      </tr>
      <?php foreach ($candy as $product_name => $data) { ?>
        <tr>
          <td><?= $product_name ?></td>
          <td><?= $data['stock'] ?></td>
          <td><?= get_reorder_message($data['stock']) ?></td>
          <td>$<?= get_total_value($data['price'], $data['stock']) ?></td>
          <td>$<?= get_tax_due($data['price'], $data['stock'], $tax) ?></td>
        </tr>
      <?php } ?>
    </table>
  </body>
</html>
```

⑩ ⑪ ⑫ ⑬ ⑭ ⑮ ⑯

9. O imposto total a pagar é retornado. Para calcular isso, o valor total do estoque (preço de um item multiplicado pela quantidade disponível) é multiplicado pela porcentagem do imposto (a alíquota dividida por 100).

10. Um loop `foreach` percorre os produtos no array armazenado em `$candy`. Entre parênteses:

    - `$candy` é a variável que armazena o array da Etapa 2.
    - `$product_name` é o nome da variável que manterá a chave para o elemento atual do array (o nome do produto: `toffee`, `mints` ou `fudge`).
    - `$data` é a variável que representará o valor do elemento atual. É o array que armazena o preço e o nível de estoque do produto.

11. É criada uma linha da tabela, e o nome do produto que o loop processa atualmente é escrito em um elemento `<td>`.

12. `$data` guarda um array contendo o preço e o nível de estoque do produto; esse nível é escrito na próxima célula da tabela.

13. A função `get_reorder_message()` é chamada. O nível do estoque é passado como um argumento. O valor retornado é mostrado na tabela.

14. A função `get_total_value()` é chamada. O primeiro parâmetro é o preço do produto. O segundo é a quantidade disponível. O valor retornado será escrito na tabela.

15. A função `get_tax_due()` é chamada. O primeiro parâmetro é o preço do produto. O segundo é a quantidade disponível. O terceiro é a alíquota armazenada na Etapa 3. O valor retornado será escrito na tabela.

16. A chave de fechamento termina o bloco de código e o loop repete para cada elemento do array.

FUNÇÕES

RESUMO
FUNÇÕES

- As definições da função dão um nome à função e usam um bloco de código a fim de armazenar as declarações para realizar uma tarefa.

- Chamar uma função informa ao interpretador PHP para executar essas declarações a fim de realizar a tarefa.

- A palavra-chave **return** retorna os dados de uma função.

- Parâmetros representam os dados que uma função precisa para realizar sua tarefa. Os nomes dos parâmetros agem como variáveis na função.

- Quando uma função é executada, os parâmetros e qualquer variável declarada na função são excluídos.

- Quando uma função é chamada, os valores usados para os parâmetros são conhecidos como argumentos.

- As declarações do tipo especificam o tipo de dados para os argumentos.

- Os tipos de retorno especificam o tipo de dado que uma função retorna.

- Se um parâmetro é opcional, ele recebe um valor-padrão.

4
OBJETOS E CLASSES

Os objetos agrupam um conjunto de variáveis e de funções que representam coisas do dia a dia, como reportagens, produtos para venda ou usuários de um site.

- No Capítulo 2, abordamos como as variáveis podem armazenar partes individuais de informação. Quando uma variável é usada em um objeto, é chamada de **propriedade** do objeto.

- No Capítulo 3, discutimos como as funções podem representar uma tarefa que seu código precisa realizar. Quando uma função é usada em um objeto, é chamada de **método** do objeto.

Muitas vezes, os sites precisam representar múltiplas versões das mesmas coisas. Um site de notícias publicará muitas reportagens, uma loja venderá muitos produtos e um site que permite que usuários se registrem terá muitos membros. Cada uma dessas coisas pode ser representada no código usando um **objeto**.

O PHP usa algo chamado **classe** como um template [modelo] para criar objetos que representam um tipo de coisa. Por exemplo, pode usar uma classe para criar objetos que representam produtos e outra classe para criar objetos que representam membros. Cada objeto criado usando uma classe recebe automaticamente as propriedades e os métodos definidos nessa classe.

Objetos e classes ajudam a organizar seu código e facilitam o entendimento. Outro motivo importante para aprender como os objetos trabalham: o interpretador PHP tem vários objetos predefinidos que você aprenderá na Seção B deste livro.

As primeiras páginas deste capítulo apresentam os conceitos por trás dos objetos e como eles são usados. Em seguida, você aprenderá o código requerido para criar e usar objetos e classes.

OBJETOS E CLASSES

SITES COMO MODELOS

Modelos são representações das coisas no mundo à nossa volta. Os programadores criam modelos usando dados, então usam o código para realizar tarefas que manipulam os dados armazenados nesses modelos.

Os sites usam dados para criar modelos que representam coisas do dia a dia.
Os programadores costumam se referir a essas coisas como diferentes **tipos de objetos**. Exemplos:

- Pessoas (como clientes ou membros do site).
- Produtos ou serviços que os visitantes podem comprar (como livros, carros, contas de banco ou assinaturas de TV).
- Documentos impressos por tradição (como reportagens, calendários ou tíquetes).

Por exemplo, um banco pode precisar de certos dados para representar cada cliente:

- Nome.
- Sobrenome.
- E-mail.
- Senha.

Ele precisaria das mesmas informações sobre cada pessoa, mas os nomes, os e-mails e as senhas de cada cliente seriam diferentes.

Também precisaria conhecer as mesmas partes sobre toda conta do banco, mas os valores usados para representar cada conta seriam diferentes. Exemplo:

- Número da conta.
- Tipo da conta.
- Saldo.

O banco pode realizar tarefas usando esses dados. Por exemplo, as tarefas feitas em uma conta do banco poderiam incluir:

- Verificar o saldo.
- Fazer um depósito.
- Sacar dinheiro.

Tarefas como essas obtêm ou atualizam os dados mantidos em variáveis. Por exemplo, se você sacar dinheiro ou fizer um depósito, mudará o saldo da conta. Do mesmo modo, as tarefas relacionadas a um cliente poderiam incluir:

- Autenticar um usuário (confirmar se ele é realmente quem diz ser), verificando se o e-mail e a senha fornecidos correspondem aos dados armazenados para ele.
- Obter o nome completo (combinando nome e sobrenome).

Um **objeto** agrupa todas:

- As variáveis que armazenam os dados necessários para criar um modelo de um conceito, como um cliente ou uma conta.
- As funções que representam as tarefas que o tipo de objeto pode realizar.

Se você remover a foto à direita, ainda poderá dizer muito examinando as informações nos boxes: os tipos de objetos, os dados necessários para representar cada um e as tarefas que os objetos podem realizar.

TIPO DE OBJETO: CLIENTE	
DADOS	**VALOR**
forename	Ivy
surname	Stone
email	ivy@eg.link
password	$2y$10$MAdTTCA0Mi0whewg...
TAREFA	**FINALIDADE**
get full name	Recuperar nome completo
authenticate	Verificar e-mail e senha corresp.

TIPO DE OBJETO: CONTA	
DADOS	**VALOR**
number	20489446
type	Corrente
balance	1.000,00
TAREFA	**FINALIDADE**
deposit	Deposit. dinheiro
withdraw	Sacar dinheiro
get balance	Recuperar saldo

Os boxes de informação mostram dois tipos de objetos: **cliente** e **conta**. Para cada tipo de objeto, o site deve fazer duas coisas:

1. **Armazenar as partes dos dados usadas para representá-los**

   As partes individuais dos dados armazenadas são iguais para cada cliente ou conta; os valores que representam o cliente ou a conta diferem.

2. **Realizar as mesmas tarefas com esse tipo de objeto**

   Você pode realizar as mesmas tarefas com cada cliente e cada conta.

   Essas tarefas podem acessar ou mudar os dados armazenados para cada cliente ou conta. Por exemplo, quando for feito um depósito em uma conta, o valor que representa o saldo da conta será atualizado.

OBJETOS E CLASSES

PROPRIEDADES E MÉTODOS

Em um objeto, as variáveis se chamam **propriedades** e as funções são **métodos**. As propriedades armazenam os dados necessários para criar o modelo de um conceito. Os métodos representam as tarefas que o tipo de objeto pode realizar.

VARIÁVEIS:
AS PROPRIEDADES DE UM OBJETO

No Capítulo 1, você viu que as variáveis podem armazenar dados que mudam sempre que uma página é solicitada. Quando as variáveis são usadas dentro de um objeto, são chamadas de propriedades do objeto.

Ao criar um objeto, um programador deve decidir quais dados ele precisa conhecer sobre esse tipo de objeto para o site fazer seu trabalho.

Por exemplo, se objetos são usados para representar clientes, cada objeto-cliente terá:

- As *mesmas* propriedades para manter o nome, o sobrenome, o e-mail e a senha.
- Valores *diferentes* para representar cada cliente.

Se você usa um objeto para representar uma conta, cada objeto-conta também teria:

- As *mesmas* propriedades para manter o número da conta, o tipo da conta e o saldo.
- Valores *diferentes* para representar cada conta.

As propriedades do objeto são um conjunto de variáveis que descrevem as *características* individuais que esses objetos têm em comum. São os valores armazenados para cada propriedade que diferenciam um objeto de outro.

FUNÇÕES:
OS MÉTODOS DE UM OBJETO

No Capítulo 3, vimos que o PHP pode agrupar todas as declarações requeridas para realizar uma tarefa em uma função. Quando as funções são usadas dentro de um objeto, são chamadas de métodos do objeto.

Ao criar um objeto, um programador decide quais tarefas os usuários do site podem realizar com cada tipo de objeto. Em geral, essas tarefas:

- Fazem perguntas que informam algo sobre o objeto usando os dados armazenados em suas propriedades.
- Mudam os valores armazenados em uma ou mais propriedades do objeto.

As tarefas que você pode realizar com uma conta (fazer um depósito, sacar dinheiro ou verificar o saldo) são aplicáveis a todas as contas. Portanto, todos os objetos que representam uma conta têm os mesmos métodos.

Assim como você precisará realizar as mesmas tarefas para todo cliente (autenticá--lo, obter o nome completo). Logo, todo objeto que representa um cliente teria os mesmos métodos.

À direita, é possível ver um diagrama parecido com o da página anterior, mas desta vez ele mostra os nomes da propriedade e do método para dois objetos-cliente e dois objetos-conta.

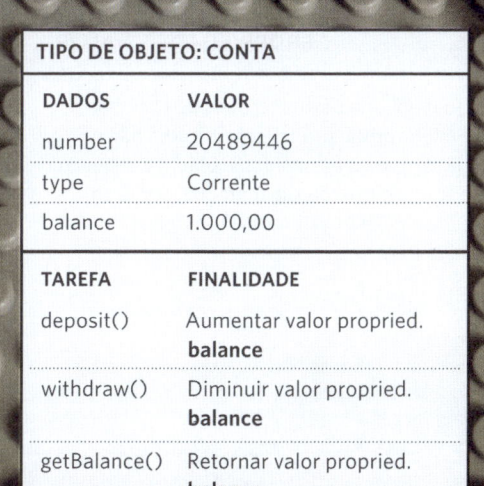

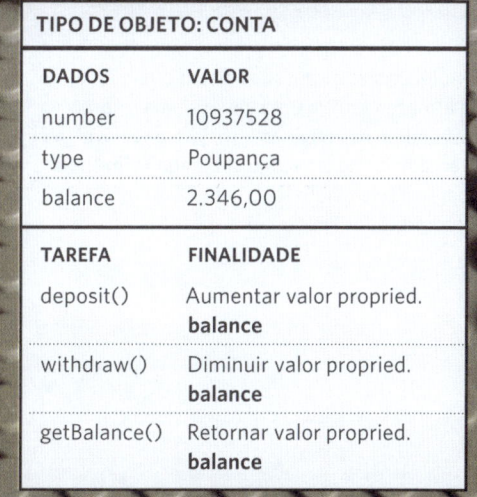

TIPO DE OBJETO: CLIENTE	
DADOS	VALOR
forename	Ivy
surname	Stone
email	ivy@eg.link
password	$2y$10$MAdTTCA0Mi0whewg...
TAREFA	FINALIDADE
getFullName()	Retornar valores das propriedades **forename** e **surname**
authenticate()	Verificar e-mail e senha corresp.

TIPO DE OBJETO: CLIENTE	
DADOS	VALOR
forename	Emiko
surname	Ito
email	emi@eg.link
password	$2y$10$NN5HEAD3atarECjRiir...
TAREFA	FINALIDADE
getFullName()	Retornar valores das propriedades **forename** e **surname**
authenticate()	Verificar **e-mail** e **senha** corresp.

TIPO DE OBJETO: CONTA	
DADOS	VALOR
number	20489446
type	Corrente
balance	1.000,00
TAREFA	FINALIDADE
deposit()	Aumentar valor propried. **balance**
withdraw()	Diminuir valor propried. **balance**
getBalance()	Retornar valor propried. **balance**

TIPO DE OBJETO: CONTA	
DADOS	VALOR
number	10937528
type	Poupança
balance	2.346,00
TAREFA	FINALIDADE
deposit()	Aumentar valor propried. **balance**
withdraw()	Diminuir valor propried. **balance**
getBalance()	Retornar valor propried. **balance**

OBJETOS E CLASSES

TIPO DE DADO DO OBJETO

Objeto é um exemplo de tipo de dado composto porque pode armazenar diversos valores.

Como visto, o PHP tem diferentes tipos de dados:

- Os dados escalares mantêm valores individuais — strings, inteiros, pontos flutuantes, booleanos.
- Os dados compostos mantêm diversos valores — arrays e objetos.

Abaixo, você pode ver dois diagramas de objetos que representam um cliente e sua conta.

Uma variável que mantém um objeto pode ser nomeada como qualquer outra (com letras minúsculas e sublinhado para separar cada palavra quando o nome tem várias palavras). Por exemplo:

- Uma variável $customer poderia armazenar um objeto que representa um cliente.
- Uma variável $account poderia armazenar um objeto que representa uma conta.

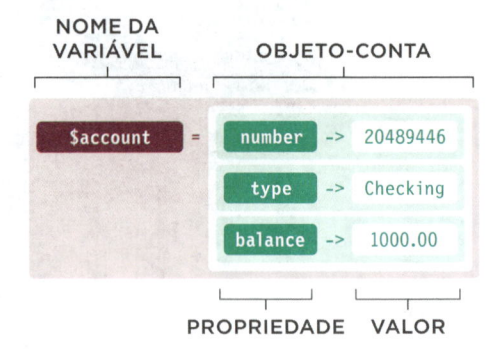

NOME DA VARIÁVEL — OBJETO-CLIENTE

$customer =
- forename => Ivy
- surname => Stone
- email => ivy@eg.link
- password => $2y$10$MAdT...

PROPRIEDADE   VALOR

NOME DA VARIÁVEL — OBJETO-CONTA

$account =
- number => 20489446
- type => Checking
- balance => 1000.00

PROPRIEDADE   VALOR

Muitas vezes as pessoas dizem que um objeto é armazenado *em* uma variável, mas, como aprendido nas páginas 530-531, a variável, na verdade, armazena algo chamado **referência** para onde o objeto foi criado na memória do interpretador PHP.

Quando uma página termina de executar e o interpretador PHP retorna uma página HTML para o navegador, o objeto é esquecido (removendo-o de sua memória, como se esquecesse os valores armazenados nas variáveis).

CLASSES SÃO TEMPLATES PARA CRIAR OBJETOS

Para criar objetos, use um template chamado **classe**. Definir a classe especifica os nomes das propriedades e os métodos que um tipo de objeto tem.

Definir a classe estabelece:

- Os nomes das propriedades que descrevem os dados que você precisa armazenar para um tipo de objeto.
- Os métodos que definem as tarefas que podem ser realizadas com esse tipo de objeto.

Sempre que você cria um objeto com uma classe:

- Fornece valores para as propriedades (valores que diferenciam um objeto de outro).
- O objeto obtém automaticamente todos os métodos definidos na classe.

Cada objeto individual criado usando a classe é referido como uma **instância** dessa classe.

Por exemplo, se você criasse um objeto para representar uma conta no banco (como foi mostrado neste capítulo), forneceria os valores para as seguintes propriedades:

- `$number`.
- `$type`.
- `$balance`.

E obteria automaticamente estes métodos:

- `deposit()`.
- `withdraw()`.
- `getBalance()`.

Alguns programadores usam os termos classe e objeto alternadamente, mas, a rigor, uma classe é um template usado para criar um objeto.

COMO CRIAR E USAR OBJETOS

Abaixo, você pode ver as etapas necessárias para aprender a criar e a usar classes e objetos.

DEFININDO UMA CLASSE COMO TEMPLATE PARA UM OBJETO
Veja a página 154

Classe é um template usado para criar um tipo de objeto.

A classe define:

- As propriedades que armazenam os dados usados para representar esse tipo de objeto.
- Os métodos que contêm declarações para realizar as tarefas que o tipo de objeto pode fazer.

Uma nova classe é criada para cada tipo de objeto com o qual o site precisa lidar.

CRIANDO UM OBJETO E ARMAZENANDO-O EM UMA VARIÁVEL
Veja a página 155

Um objeto é criado:

- Especificando o nome da classe que deve ser usada como template.
- Fornecendo valores para suas propriedades.

O objeto obterá automaticamente os métodos definidos na classe.

Quando um objeto é criado, em geral é armazenado em uma variável para que possa ser usado pelo resto do código na página.

DEFININDO E ACESSANDO OS VALORES DA PROPRIEDADE
Veja as páginas 156-157

Assim que um objeto é criado, é possível:

- Definir valores para suas propriedades.
- Acessar os valores armazenados em suas propriedades e usá-los no resto do código na página.

Toda instância de um objeto armazenará valores diferentes em suas propriedades porque representa uma instância diferente desse tipo de objeto (como um cliente ou uma conta diferente).

OBJETOS E CLASSES

DEFININDO E CHAMANDO MÉTODOS DE UM OBJETO

Veja as páginas 158-159

Um método define as declarações necessárias para realizar uma tarefa que um tipo de objeto é capaz de fazer. São escritos como as definições da função, mas residem dentro da classe. Em geral, também retornam um valor, como as funções.

Quando o método de um objeto for chamado, normalmente ele precisará acessar ou atualizar os valores armazenados nas propriedades desse objeto.

O PHP tem uma variável especial chamada `$this` que permite aos métodos trabalharem com os valores armazenados nas propriedades *deste* [this] objeto.

ATRIBUINDO VALORES DA PROPRIEDADE AO CRIAR OBJETOS

Veja as páginas 160-163

Em vez de criar um objeto e então definir os valores para cada uma de suas propriedades individualmente, crie um objeto e atribua valores às propriedades em uma única linha de código. Para tanto, é adicionado à classe algo chamado de função **construtora**.

No PHP 8, uma função construtora também pode definir as propriedades de um objeto (portanto, você não precisa defini-las antes de definir os valores em uma função construtora).

CONTROLANDO QUAL CÓDIGO PODE ACESSAR AS PROPRIEDADES

Veja as páginas 164-165

Por vezes, você não deseja permitir que as páginas PHP acessem ou atualizem as propriedades de um objeto diretamente. Em vez disso, é possível criar métodos para obter ou atualizar os valores armazenados nessas propriedades.

Por exemplo, pode ocultar a propriedade `balance` de um objeto-conta, então usar os métodos `getBalance()`, `deposit()` e `withdraw()` para trabalhar com o valor armazenado nessa propriedade.

OBJETOS E CLASSES

CLASSES: TEMPLATES PARA OBJETOS

Quando uma **definição da classe** é criada, as propriedades e os métodos que um objeto terá são armazenados entre chaves.

Uma definição da classe usa:
- A palavra-chave `class`.
- Um nome que descreve o tipo de objeto criado. O nome deve usar o padrão UpperCamelCase em que a primeira letra de cada palavra começa com letra maiúscula (não use sublinhados).
- Um par de chaves para criar um bloco de código. As chaves mostram onde a classe inicia/termina. Cada chave inicia em uma nova linha.
- **NOTA:** não há ponto e vírgula após a chave de fechamento que termina a definição da classe.

Entre as chaves da classe, as propriedades desse tipo de objeto são listadas usando:
- Uma palavra-chave de visibilidade (veja a página 164). Abaixo, a palavra-chave `public` é usada.
- O tipo de dado que a propriedade armazenará (foi adicionado no PHP 7.4 e é opcional).
- O nome da propriedade iniciado por $.

Os métodos usam a mesma sintaxe das definições da função, mas são precedidos por uma palavra-chave de visibilidade (página 164); os métodos abaixo usam `public`.

```php
class Account
{
    public int    $number;
    public string $type;
    public float  $balance;

    public function deposit(float $amount): float
    {
        // Código para depositar dinheiro aqui
    }
    public function withdraw(float $amount): float
    {
        // Código para sacar dinheiro aqui
    }
}
```

PROPRIEDADES

MÉTODOS

CRIANDO UM OBJETO COM UMA CLASSE

Para criar um objeto, use a palavra-chave new seguida do nome da classe e de parênteses.

Para criar o objeto, use:

- A palavra-chave new.
- O nome da classe que será um template para o objeto.
- Parênteses. Eles podem conter os nomes dos parâmetros (como uma função tem parâmetros entre parênteses). Eles passam os dados para o objeto quando ele é criado.

Como visto na página 150, uma referência para um objeto costuma ser armazenada em uma variável para que possa ser usada pelo resto do código em uma página PHP. Para fazer isso:

- Crie uma variável para armazenar o objeto; o nome deve descrever o tipo de objeto armazenado.
- Adicione o operador de atribuição =.
- Crie o objeto (como descrito à esquerda).

```
$account = new Account();
```

NOME DA VARIÁVEL — `$account`
OPERADOR DE ATRIBUIÇÃO — `=`
PALAVRA-CHAVE NEW — `new`
NOME DA CLASSE (TIPO DE OBJETO) — `Account()`

No exemplo acima, a variável $account armazenaria uma referência para um objeto criado usando a classe Account mostrada na página à esquerda.

Teria três propriedades: $number, $type e $balance. Nenhuma teria valores ainda. Você verá como atribuir seus valores na próxima página.

O objeto também teria automaticamente os dois métodos que estavam na definição da classe.

Para criar um segundo objeto que representa outra conta, você faria o que foi mostrado acima, mas com um nome da variável diferente (pois o segundo objeto anularia o primeiro).

A definição da classe deve estar em qualquer página que cria um objeto usando a classe. Se uma definição da classe é usada por mais de uma página, é colocada em um arquivo separado, que pode ser incluído em ambas as páginas. Esse arquivo recebe o mesmo nome da classe (por exemplo, Account.php).

PROPRIEDADES PARA ACESSO E ATUALIZAÇÃO

Você acessa e atualiza as propriedades de um objeto como faz nas variáveis. Se um objeto é armazenado em uma variável, especifique primeiro o nome da variável, então use o operador de objeto para especificar a propriedade com a qual deseja trabalhar.

ACESSANDO AS PROPRIEDADES

Para acessar um valor armazenado em uma propriedade, use:

- O nome da variável que mantém o objeto.
- O operador de objeto -> sem espaço.
- O nome da propriedade (note que o nome da propriedade não inicia com o símbolo $ aqui).

O operador de objeto indica que a propriedade à direita do operador pertence ao objeto armazenado na variável à esquerda.

O código abaixo mostra como exibir o valor do saldo da conta na página.

CONFIGURANDO E ATUALIZANDO AS PROPRIEDADES

Para atualizar o valor armazenado em uma propriedade, use:

- O nome da variável que contém o objeto.
- O operador de objeto -> sem espaço em nenhum dos lados.
- O nome da propriedade que quer atualizar.
- O operador de atribuição =.
- O novo valor (se o valor é uma string, fica entre aspas; números e booleanos, não).

Se você tentar definir o valor de uma propriedade que não estava na definição da classe, a propriedade será adicionada a esse objeto (não seria adicionada a nenhum outro objeto criado usando a classe).

```
                  OBJETO  PROPRIEDADE
              echo $account->balance ;
                          |
                      OPERADOR
                      DE OBJETO
```

```
  OBJETO   PROPRIEDADE         VALOR
$account -> number    =  20148896 ;
$account -> type      =  'Checking' ;
$account -> balance   =  1000.00 ;
          |                  |
      OPERADOR           OPERADOR
      DE OBJETO          DE ATRIBUIÇÃO
```

Se o tipo de dado de uma propriedade foi definido na classe e você tentar acessar a propriedade antes de ser atribuído um valor, o interpretador PHP irá gerar um erro que pode parar a execução da página.

Como verá na página 161, é possível especificar valores-padrão para as propriedades no método __construct(). Isso assegura que cada propriedade tenha um valor quando o objeto é criado usando a classe.

USANDO OBJETOS E PROPRIEDADES

```
section_a/c04/objects-and-properties.php
```

```php
<?php
class Customer
{
    public string $forename;
    public string $surname;
    public string $email;
    public string $password;
}

class Account
{
    public int    $number;
    public string $type;
    public float  $balance;
}

$customer = new Customer();
$account  = new Account();
$customer->email   = 'ivy@eg.link';
$account->balance  = 1000.00;
?>
<?php include 'includes/header.php'; ?>
<p>Email: <?= $customer->email ?></p>
<p>Balance: $<?= $account->balance ?></p>
<?php include 'includes/footer.php'; ?>
```

RESULTADO

NEO BANK
Email: ivy@eg.link
Balance: $1000

1. A classe **Customer** e suas propriedades são definidas.
2. A classe **Account** e suas propriedades são definidas.
3. Uma instância da classe **Customer** é criada e o objeto é armazenado em uma variável **$customer**.
4. Uma instância da classe **Account** é criada e o objeto é armazenado em uma variável **$account**.
5. A propriedade **email** do objeto **Customer** recebe um valor.
6. A propriedade **balance** do objeto **Account** recebe um valor.
7. Um arquivo de inclusão adiciona um cabeçalho à página.
8. As duas propriedades definidas são exibidas.
9. Um arquivo de inclusão adiciona as tags HTML necessárias para fechar a página.

EXPERIMENTE: após a Etapa 5, defina o nome e o sobrenome do cliente no objeto **Customer**.

Então, na Etapa 8, exiba o nome antes do e-mail.

DEFININDO E CHAMANDO MÉTODOS

Método é uma função escrita dentro de uma definição da classe. Para chamar um método, use o nome da variável que mantém o objeto, o operador de objeto e, então, o nome do método.

DEFININDO UM MÉTODO

Para adicionar um método a uma classe, use uma palavra-chave de visibilidade (veja a página 164 — public é usado abaixo), seguida de uma definição da função. Se um método precisar acessar ou atualizar uma propriedade do objeto, use:

- Uma variável especial chamada $this (conhecida como **pseudovariável**) para indicar que você deseja acessar uma propriedade *deste* [this] objeto.
- O operador de objeto ->.
- O nome da propriedade que você quer acessar.

O método deposit() abaixo tem um parâmetro $amount. Quando o método é chamado, o valor usado para $amount é adicionado ao valor na propriedade balance e o novo valor em balance é retornado.

CHAMANDO UM MÉTODO

Para chamar um método, use:

- O nome da variável que mantém o objeto.
- O operador de objeto ->.
- O nome do método.
- Argumentos para os parâmetros do método.

O exemplo abaixo deposita $50 na conta. O método deposit() (mostrado na coluna à esquerda) adiciona essa quantidade ao valor na propriedade balance; então retorna o novo saldo.

O comando echo é usado para escrever o novo saldo na página.

```
class Account
{
  public int     $number;
  public string  $type;
  public float   $balance;

  public function deposit($amount)
  {
    $this->balance += $amount;
    return $this->balance;
  }
}
```

$this **PSEUDOVARIÁVEL**

```
echo $account->deposit( 50.00 );
```

OBJETO: $account
NOME DO MÉTODO: deposit
OPERADOR DE OBJETO: ->
ARGUMENTO: 50.00

USANDO MÉTODOS DE OBJETOS

```php
<?php
class Account
{
    public int    $number;
    public string $type;
    public float  $balance;

    public function deposit(float $amount): float
    {
        $this->balance += $amount;
        return $this->balance;
    }
    public function withdraw(float $amount): float
    {
        $this->balance -= $amount;
        return $this->balance;
    }
}

$account = new Account();
$account->balance = 100.00;
?>
<?php include 'includes/header.php'; ?>
<p><?= $account->deposit(50.00) ?></p>
<?php include 'includes/footer.php'; ?>
```

section _ a/c04/objects-and-methods.php

RESULTADO

NEO BANK
$150

1. Defina a classe **Account** e suas propriedades (como na página 157).

2. Adicione o método **deposit()**. O parâmetro **$amount** é a quantia adicionada ao saldo.

3. A quantia passada para a função é adicionada ao valor armazenado na propriedade **balance**:
   - **$this->balance** obtém a propriedade **balance** *deste* [this] objeto.
   - **+=** adiciona o valor em **$amount** ao saldo.

4. O novo valor armazenado na propriedade **balance** é retornado.

5. **withdraw()** faz o mesmo que **deposit()**, mas subtrai uma quantia do saldo.

6. Um objeto é criado usando a classe **Account** e é armazenado em uma variável **$account**.

7. A propriedade **balance** do objeto é definida para 100.00.

8. O método **deposit()** é chamado adicionando $50.00 à conta. Ele retorna o saldo atualizado e esse valor é escrito na página com o atalho para **echo**.

EXPERIMENTE: após a Etapa 8, use **withdraw()** para sacar $75.

MÉTODO CONSTRUTOR

O método _ _ construct() é conhecido como **construtor**. Ele é executado automaticamente quando uma classe é usada para criar um objeto.

Se você adiciona um método chamado _ _ construct() a uma definição da classe (o nome deve iniciar com **dois** sublinhados), as declarações dentro do método são executadas automaticamente quando a classe é usada para criar um objeto.

Um método _ _ construct() pode ser usado para permitir criar um objeto e adicionar valores às suas propriedades em uma linha de código, em vez de criar o objeto e, então, definir cada propriedade individualmente usando uma declaração separada (como visto nas páginas 156-157).

Abaixo, um objeto é criado usando a classe Account e é armazenado em uma variável $account. Quando o objeto é criado, o interpretador PHP examina a classe para obter um método chamado _ _ construct().

Os argumentos entre parênteses após o nome da classe são passados para o método _ _ construct() (como mostrado na página à direita). Dentro do método _ _ construct(), esses valores são usados para definir as propriedades do objeto.

```
                                VALORES USADOS
         VARIÁVEL  NOME DA CLASSE  PARA CRIAR UM OBJETO
$account = new Account(20148896, 'Checking', 1000.00);
                       NÚMERO DA CONTA  TIPO DE CONTA  SALDO
```

NOTA: não comece o nome de suas próprias funções com dois sublinhados; essa convenção de nomenclatura é usada apenas para o que o PHP chama de **métodos mágicos**.

Os métodos mágicos são chamados automaticamente pelo interpretador PHP; você não precisa chamá-los em seu próprio código.

Abaixo, o método __construct() da classe Account tem três parâmetros: $type, $number e $balance, que correspondem às suas propriedades.

As três declarações no método __construct() obtêm valores nos parâmetros e usam tais valores para definir as propriedades do objeto.

Como visto na página 158, a pseudovariável $this permite acessar ou atualizar as propriedades *deste* [this] objeto.

Se um objeto fosse criado usando o código na página à esquerda, o método __construct() mostrado abaixo seria executado automaticamente e forneceria ao:

- Parâmetro $number o valor 20148896.
- Parâmetro $type o valor 'Checking'.
- Parâmetro $balance o valor 100.00.

No exemplo da próxima página, você verá como especificar valores-padrão para qualquer uma dessas propriedades.

```
class Account
{
    public int     $number;
    public string  $type;
    public float   $balance;

    public function __construct($number, $type, $balance)
    {
        $this->number  = $number;
        $this->type    = $type;
        $this->balance = $balance;
    }

    function deposit($amount) {...}
    function withdraw($amount) {...}
    function getBalance() {...}
}
```

O PHP 8 adiciona um modo mais simples de escrever as definições da classe permitindo declarar as propriedades para uma classe entre os parênteses do método __construct().

Quando um objeto é criado usando a classe, os argumentos fornecidos ao construtor são atribuídos automaticamente como valores para essas propriedades. Isso se chama **promoção da propriedade do construtor**.

Se uma propriedade é opcional, um valor-padrão pode ser fornecido (veja a propriedade $balance à direita) e esse valor será usado se um argumento não for especificado.

```
class Account
{
    public function __construct(
        public int     $number,
        public string  $type,
        public float   $balance = 0.00,
    ) {}

    function deposit($amount) {...}
    function withdraw($amount) {...}
    function getBalance() {...}
}
```

OBJETOS E CLASSES

USANDO CONSTRUTORES COM UMA CLASSE

1. A página PHP começa ativando os tipos restritos porque declarações de tipo foram adicionadas aos métodos (veja as páginas 126-127).

2. O nome da classe e suas propriedades são definidos.

3. O método __construct() da página anterior é adicionado para definir os valores das propriedades. As declarações do tipo do argumento são adicionadas aos parâmetros. Se um saldo não for fornecido ao criar o objeto, um valor-padrão 0.00 será adicionado.

4. Os métodos deposit() e withdraw() atualizam os valores armazenados na propriedade balance. Eles recebem o argumento e retornam as declarações do tipo float (quando o tipo do dado é float, um int pode ser usado sem causar erro).

section_a/c04/constructor-methods.php — PHP

```php
<?php
① declare(strict_types = 1);
   class Account
   {
②      public int    $number;
        public string $type;
        public float  $balance;

③      public function __construct(int $number, string $type, float $balance = 0.00)
        {
            $this->number  = $number;
            $this->type    = $type;
            $this->balance = $balance;
        }

        public function deposit(float $amount): float
        {
            $this->balance += $amount;
            return $this->balance;
        }
④
        public function withdraw(float $amount): float
        {
            $this->balance -= $amount;
            return $this->balance;
        }
   }
```

```
PHP                                section _a/c04/constructor-methods.php

⑤  $checking = new Account(43161176, 'Checking', 32.00);
   $savings  = new Account(20148896, 'Savings', 756.00);
   ?>

   <?php include 'includes/header.php'; ?>
   <h2>Account Balances</h2>
   <table>
     <tr>
       <th>Date</th>
⑥     <th><?= $checking->type ?></th>
       <th><?= $savings->type ?></th>
     </tr>
     <tr>
       <td>23 June</td>
⑦     <td>$<?= $checking->balance ?></td>
       <td>$<?= $savings->balance ?></td>
     </tr>
     <tr>
       <td>24 June</td>
⑧     <td>$<?= $checking->withdraw(5.00) ?></td>
       <td>$<?= $savings->withdraw(100.00) ?></td>
     </tr>
     <tr>
       <td>25 June</td>
⑨     <td>$<?= $checking->withdraw(5.00) ?></td>
       <td>$<?= $savings->deposit(300.00) ?></td>
     </tr>
   </table>
   <?php include 'includes/footer.php'; ?>
```

RESULTADO

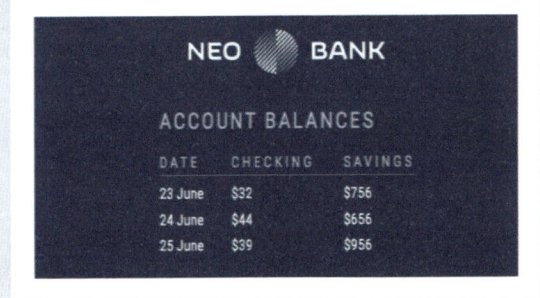

NEO BANK

ACCOUNT BALANCES

DATE	CHECKING	SAVINGS
23 June	$32	$756
24 June	$44	$656
25 June	$39	$956

5. Dois objetos são criados para representar uma conta-corrente e uma conta poupança.

O construtor atribui os valores entre parênteses às propriedades de cada objeto.

6. Uma tabela HTML é desenhada na página. A primeira linha mostra cabeçalhos usando a propriedade `type` dos dois objetos. Para acessar uma propriedade, use:

- O nome da variável que mantém o objeto.
- O operador do objeto.
- O nome da propriedade.

7. A próxima linha da tabela mostra a propriedade `balance` dos objetos.

8. Na terceira linha da tabela, o saldo de cada conta é atualizado por meio da chamada aos métodos `deposit()` ou `withdraw()`.

Esses métodos retornam o novo valor da propriedade `balance` e isso é escrito na página. Para chamar um método use:

- O nome da variável que armazena o objeto.
- O operador do objeto.
- O nome do método com seus argumentos entre parênteses.

9. Na quarta linha da tabela, a etapa anterior é repetida usando diferentes valores.

EXPERIMENTE: na Etapa 6, crie um objeto para representar uma conta de juros altos.

Nas Etapas 7-9, adicione linhas para mostrar o saldo sendo atualizado.

OBJETOS E CLASSES

VISIBILIDADE DE PROPRIEDADES E MÉTODOS

É possível evitar que o código fora de um objeto obtenha ou defina os valores armazenados nas propriedades dentro dele, assim como é possível evitar que ele chame seus métodos.

As propriedades e os métodos de uma classe se chamam **membros** de uma classe. Você pode especificar se o código fora de um objeto criado usando essa classe consegue:

- Acessar ou atualizar o valor armazenado em uma propriedade.
- Chamar um método.

Isso é feito definindo a **visibilidade** quando uma propriedade é declarada ou um método é definido.

Até este momento no capítulo, todos os nomes de propriedades e de métodos foram precedidos pela palavra public, ou seja, qualquer outro código pode trabalhar com as propriedades e os métodos do objeto.

Há vezes em que você só deseja permitir que o código dentro do objeto acesse ou atualize as propriedades ou chame os métodos desse objeto. Para tanto, mude a palavra public para protected.

Por exemplo, a classe Account tem uma propriedade chamada balance. Se ela é declarada usando a palavra-chave de visibilidade public, qualquer código que cria um objeto usando essa classe pode obter ou atualizar o valor nessa propriedade.

Para evitar que outro código atualize o valor armazenado na propriedade balance, sua visibilidade pode ser definida para protected. Se você tentar acessar uma propriedade protected usando um código fora da classe, o interpretador PHP irá gerar um erro.

Se o código fora do objeto precisar obter o valor armazenado em uma propriedade protected, adicione um método à classe que retorna seu valor. Esse método seria conhecido como **getter** (porque obtém um valor).

No exemplo à direita, um novo método chamado getBalance() é adicionado à classe Account; seu trabalho é retornar o valor armazenado na propriedade $balance.

Para atualizar o valor armazenado em uma propriedade protected, adicione um método à classe que atualize seu valor. Isso é conhecido como **setter** (porque define [set] um valor).

Os métodos deposit() e withdraw() na classe Account já são usados para atualizar o valor armazenado na propriedade $balance.

Essas alterações asseguram que o saldo seja atualizado apenas pelos métodos deposit() ou withdraw(). Ele não poderia ser atualizado por nenhum outro código.

Se você não especifica a visibilidade de uma propriedade ou de um método na definição da classe, o padrão é public, mas informar explicitamente se a propriedade ou o método é public ou protected é considerado uma prática recomendada e facilita a compreensão do código.

Existe também outra definição de visibilidade chamada private, que é usada no código orientado a objetos mais avançado. Está fora do escopo do livro para iniciantes. Essas configurações também se chamam **modificadores de acesso**.

USANDO GETTERS E SETTERS

`PHP` section _ a/c04/getters-and-setters.php

```php
<?php
declare(strict_types = 1);

class Account {
    public    int    $number;
    public    string $type;
    protected float  $balance;

    public function __construct() {...}
    public function deposit() {...}
    public function withdraw() {...}

    public function getBalance(): float
    {
        return $this->balance;
    }
}

$account = new Account(20148896, 'Savings', 80.00);
?>

<?php include 'includes/header.php'; ?>
<h2><?= $account->type ?> Account</h2>
<p>Previous balance: $<?= $account->getBalance() ?></p>
<p>New balance: $<?= $account->deposit(35.00) ?></p>
<?php include 'includes/footer.php'; ?>
```

① ② ③ ④ ⑤ ⑥ ⑦

`RESULTADO`

SAVINGS ACCOUNT

Previous balance: $80

New balance: $115

1. A propriedade `balance` antes era `public` e agora mudou para `protected` para não ser visível fora da classe.

2. Os métodos `deposit()` e `withdraw()` existentes agem como setters para atualizar o saldo (o código para eles é igual ao do exemplo anterior).

3. Um getter chamado `getBalance()` é adicionado à classe para obter o valor da propriedade `balance` protegida, caso ela precise ser exibida.

4. Um objeto é criado usando a classe `Account` e é armazenado na variável `$account`.

5. O tipo de conta é mostrado. Como essa propriedade é `public`, pode ser acessada diretamente.

6. O método `getBalance()` é chamado para exibir o valor na propriedade `$balance`.

7. O método `deposit()` é chamado. Ele adiciona $35 à propriedade `$balance`. Esse método também retorna o novo saldo para que ele possa ser escrito na página.

EXPERIMENTE: após a Etapa 6, use o método `withdraw()` para tirar $50 da conta.

ARMAZENANDO UM ARRAY NA PROPRIEDADE DE UM OBJETO

A propriedade de um objeto pode armazenar um array. Elementos individuais do array podem ser acessados usando a sintaxe do array.

As propriedades dos objetos vistas até então armazenavam tipos de dados escalares (strings, números e booleanos). A propriedade de um objeto também pode armazenar um tipo de dado composto, como um array. Abaixo, um objeto Account é armazenado em uma variável chamada $account e sua propriedade number é definida.

O valor atribuído à propriedade number é um array associativo que mantém dois valores separados:

- Um número da conta.
- Um número de encaminhamento (conhecido como código de ordenação ou BSB em alguns países).

```
$account->number = ['account_number' => 12345678 ,
                    'routing_number' => 987654321 ,];
```

OBJETO: `$account`
PROPRIEDADE: `number`
O VALOR É UM ARRAY

Para acessar um valor armazenado como um array na propriedade number de um objeto, use:

- O nome da variável que contém o objeto.
- O operador do objeto.
- O nome da propriedade que contém o array.
- A chave do item no array que você deseja acessar.

Abaixo, o número da conta e o número de encaminhamento armazenados como um array associativo na propriedade number do objeto Account são recuperados usando seus nomes da chave e escritos na página com o comando echo (se o array fosse indexado, a chave seria o número de índice do elemento que você queria acessar).

```
echo $account->number['account_number'] ;
echo $account->number['routing_number'] ;
```

OBJETO: `$account`
PROPRIEDADE: `number`
CHAVE: `'account_number'` / `'routing_number'`

USANDO UM ARRAY NA PROPRIEDADE DE UM OBJETO

```php
section_a/c04/array-in-object.php

<?php
declare(strict_types = 1);

class Account {...}
// Como na p. 165, mas a propriedade number é
// um array que não é do tipo int
// Cria um array para armazenar na propriedade
$numbers = ['account_number' => 12345678,
            'routing_number' => 987654321,];

// Cria uma instância da classe e configura suas propriedades
$account = new Account($numbers, 'Savings', 10.00);
?>
<?php include 'includes/header.php'; ?>
<h2><?= $account->type ?> account</h2>
Account <?= $account->number['account_number'] ?><br>
Routing <?= $account->number['routing_number'] ?>
<?php include 'includes/footer.php'; ?>
```

Neste exemplo, um objeto é criado para representar uma conta. Os números da conta e de encaminhamento serão armazenados na propriedade $number.

1. A classe Account é igual à do exemplo anterior na página 165, mas a declaração do tipo do argumento para o parâmetro $number no método __construct() indica que o valor será um array.

2. Uma variável chamada $numbers é declarada. Ela contém um array associativo com duas chaves:
   - account_number
   - routing_number

3. Um objeto é criado usando a classe Account. O primeiro argumento é a variável $numbers criada na Etapa 2. Isso atribui o array à propriedade $number do objeto.

4. O tipo da conta é escrito na página.

5. O número da conta é mostrado.

6. O número de encaminhamento é exibido.

EXPERIMENTE: na Etapa 2, mude os números da conta e de encaminhamento.

OBJETOS E CLASSES

ARMAZENANDO UM OBJETO NA PROPRIEDADE DE UM OBJETO

A propriedade de um objeto pode armazenar outro objeto. Então é possível acessar ou atualizar as propriedades individuais dos dois objetos e chamar seus métodos.

Na página anterior, você viu que uma propriedade do objeto pode armazenar um array. Também é possível armazenar outro objeto na propriedade de um objeto.

Abaixo, o valor atribuído à propriedade $number é um novo objeto criado com a classe AccountNumber (na página à direita).

A classe AccountNumber é um template para um objeto que representa os números da conta. Ela tem duas propriedades:

- $accountNumber contém o número da conta.
- $routingNumber contém o número de encaminhamento (conhecido como código de ordenação ou BSB em alguns países).

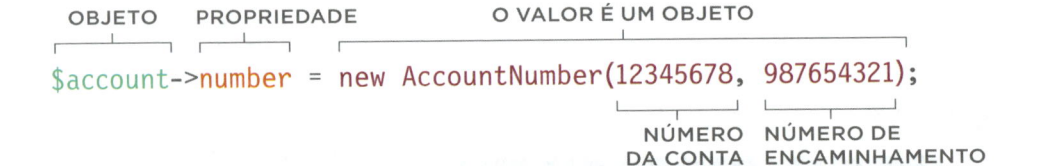

```
         OBJETO   PROPRIEDADE        O VALOR É UM OBJETO
$account->number = new AccountNumber(12345678, 987654321);
                                     NÚMERO    NÚMERO DE
                                     DA CONTA  ENCAMINHAMENTO
```

Para acessar uma propriedade ou um método a partir do objeto armazenado na propriedade $number do objeto, use:

- O nome da variável que mantém o objeto Account.
- O operador do objeto.
- O nome da propriedade que armazena os números da conta.
- O operador do objeto (para acessar o objeto).
- A propriedade ou o método que você deseja usar.

Abaixo, a variável $account mantém o objeto que representa a conta no banco.

Sua propriedade $number armazena um segundo objeto criado usando a classe AccountNumber.

Suas propriedades, $accountNumber e $routingNumber, são escritas usando o comando echo.

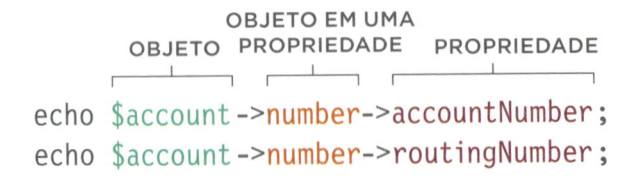

```
                OBJETO EM UMA
         OBJETO PROPRIEDADE   PROPRIEDADE
echo $account->number->accountNumber;
echo $account->number->routingNumber;
```

USANDO UM OBJETO COMO A PROPRIEDADE DE UM OBJETO

```php
PHP                              section _ a/c04/object-in-object.php

<?php
declare(strict_types = 1);
① class Account {...}
// Como na p. 165, mas o tipo de dado da propriedade
// number
// É o nome da classe AccountNumber
  class AccountNumber
  {
②     public int $accountNumber;
      public int $routingNumber;

      public function __construct(int $accountNumber,
                                  int $routingNumber)
③     {
          $this->accountNumber = $accountNumber;
          $this->routingNumber = $routingNumber;
      }
  }
④ $numbers = new AccountNumber(12345678, 987654321);
⑤ $account = new Account($numbers, 'Savings', 10.00);
?>
<?php include 'includes/header.php';?>
⑥ <h2><?= $account->type ?> Account</h2>
⑦ Account <?= $account->number->accountNumber ?><br>
⑧ Routing <?= $account->number->routingNumber ?>
<?php include 'includes/footer.php'; ?>
```

RESULTADO

SAVINGS ACCOUNT
Account 12345678
Routing 987654321

1. A classe Account é igual à do exemplo na página 165, exceto que a declaração do tipo do argumento para o parâmetro $number no método __construct() mostra que o valor desse parâmetro deve ser um objeto criado usando a classe AccountNumber.

2. Uma definição da classe é adicionada à classe AccountNumber. Ela tem duas propriedades públicas:
   - $accountNumber.
   - $routingNumber.

3. Um método do construtor é usado para atribuir valores a essas propriedades quando um objeto é criado usando a classe.

4. Um objeto é criado com a classe AccountNumber e é armazenado em uma variável chamada $numbers.

5. Um objeto é criado para representar uma conta usando a classe Account. O primeiro argumento é a variável que contém o objeto representando os números da conta.

6. O tipo da conta é escrito no cabeçalho da página.

7. O número da conta é exibido.

8. O número do encaminhamento é mostrado.

BENEFÍCIOS DE USAR OBJETOS

O uso de objetos ajuda a organizar seu código, evita repetir o mesmo código em páginas diferentes e facilita manter e compartilhar.

MELHOR ORGANIZAÇÃO

Se uma página PHP tem centenas de linhas de código, uma após a outra, pode ser difícil descobrir o que cada linha faz.

Agrupar as variáveis e as funções usadas para representar um conceito, como um cliente ou a conta dele, em uma classe ajuda a manter todo o código afim em um lugar.

Quando objetos são criados usando uma classe, os programadores podem examinar a definição da classe para ver:

- Quais dados estão disponíveis em suas propriedades.
- Quais tarefas podem ser realizadas usando seus métodos.

Como verá no exemplo final deste capítulo, mostrado na próxima página, as definições da classe costumam ser armazenadas em arquivos separados (chamados **arquivos de classe**). Isso facilita encontrar o código para uma classe.

MELHOR REUTILIZAÇÃO

Pode haver várias páginas de um site que precisam representar as mesmas coisas; por exemplo, diversas páginas podem representar um cliente ou um membro do site.

Em vez de cada página repetir as declarações da variável (para armazenar os dados que representam o cliente) e as definições da função (para representar as tarefas que podem ser realizadas), uma definição da classe pode ser usada como um template para criar um objeto que as representa.

Qualquer página que precise representar um cliente pode incluir o arquivo de classe na página e criar um objeto usando essa definição da classe como template.

Por vezes os programadores se referem a isso como **Don't Repeat Yourself** [Não Se Repita] ou **Princípio DRY**. Segundo esse princípio, se você acaba repetindo o código, deve verificar se a função ou o método de um objeto poderia ser usado ou não para realizar a tarefa.

Os programadores também se referem ao **princípio da responsabilidade única**, que indica que toda função ou método deve ter uma única responsabilidade (em vez de realizar várias tarefas). Isso ajuda a maximizar a reutilização do código e facilita o entendimento.

MAIS FÁCIL DE MANTER

Uma organização cuidadosa do código e a maximização de sua reutilização facilitam mantê-lo. Por exemplo:

- Se você precisa armazenar algumas informações extras sobre os clientes do site, pode adicionar uma propriedade à definição da classe que representa os clientes e essas informações ficarão disponíveis em todo objeto que representa um cliente.
- Se for necessário mudar como um programa realiza uma tarefa específica (como os juros são calculados para uma conta), só precisa atualizar o código em uma classe e ele atualizará todo objeto criado usando tal classe.

MAIS FÁCIL DE COMPARTILHAR O CÓDIGO

Se você pensa em como uma classe é escrita, contanto que saiba seu nome, as propriedades e os métodos que ela tem, não precisa saber como ela consegue realizar todas as tarefas. Só precisa saber:

- Como criar um objeto usando essa classe.
- Quais dados pode obter de suas propriedades.
- Quais tarefas consegue realizar com seus métodos.

Isso ajuda programadores que trabalham em equipe, porque programadores diferentes podem ser responsáveis por diferentes definições da classe.

Na próxima seção do livro, você verá que o interpretador PHP tem muitas funções e classes predefinidas que ajudam a criar páginas da web. Não é preciso saber como elas realizam suas tarefas, apenas saber como usá-las.

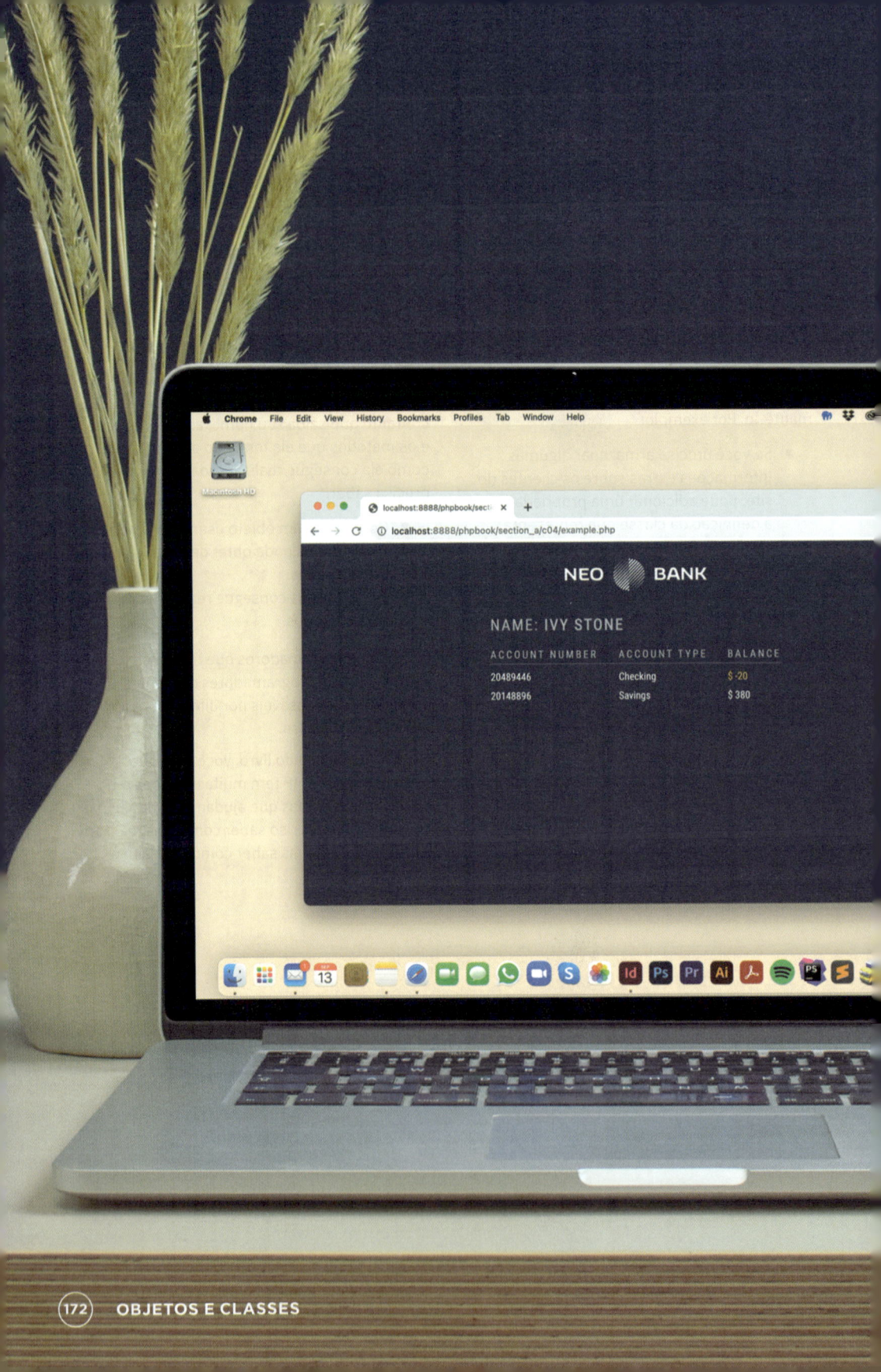

172 OBJETOS E CLASSES

EXEMPLO

Este exemplo mostrará as informações do usuário e os saldos bancários para um cliente com várias contas.

São usadas duas definições da classe:

- Uma classe `Customer` é usada para criar um objeto que representa um cliente do banco.
- Uma classe `Account` é usada para criar objetos que representam as diferentes contas que cada cliente tem.

As classes ficarão em dois arquivos separados chamados `Customer.php` e `Account.php`, e esses arquivos serão armazenados em uma pasta `classes`.

Qualquer página que usa classes para criar um objeto incluirá as definições da classe, assim como o cabeçalho e o rodapé das páginas foram incluídos em cada página.

Na página mostrada à esquerda:

- Um objeto `Customer` será criado usando a classe `Customer`.
- Uma nova propriedade chamada `$accounts` será adicionada à classe `Customer`.
- A propriedade `$accounts` manterá um array.
- Esse array armazenará dois objetos `Account` que representam os dois tipos de conta que o cliente tem (criadas com a nova classe `Account`)

Isso mostra como criar uma hierarquia de objetos, em que um objeto contém outro.

A página mostra o nome do cliente e usa um loop `foreach` para percorrer cada conta que o cliente tem. No loop, o número da conta, o tipo e o saldo de cada conta serão exibidos.

Uma declaração condicional verifica se o usuário está no negativo e, se estiver, exibe o saldo em laranja, não em branco.

OBJETOS E CLASSES

EXEMPLO

```php
section_a/c04/classes/Account.php                                    PHP

<?php
① class Account { ... } // Veja p. 165
```

```php
section_a/c04/classes/Customer.php                                   PHP

<?php
class Customer
{
    public   string $forename;
    public   string $surname;
    public   string $email;
    private  string $password;
②   public   array  $accounts;

    function __construct(string $forename, string $surname, string $email,
③                       string $password, array $accounts)
    {
        $this->forename = $forename;
        $this->surname  = $surname;
        $this->email    = $email;
        $this->password = $password;
④       $this->accounts = $accounts;
    }
    function getFullName()
⑤   {
        return $this->forename . ' ' . $this->surname;
    }
}
```

As duas definições da classe são criadas em Account.php e Customer.php, e são armazenadas em uma pasta classes. As classes podem ser incluídas em qualquer página que precise criar esse tipo de objeto usando uma declaração de inclusão do PHP (veja a Etapa 6).

1. A classe Account foi criada nas páginas 162-167.

2. A classe Customer se baseia na classe da página 157. A nova propriedade $accounts mantém um array de objetos; cada objeto representa uma das contas do cliente.

3+4. A propriedade $accounts é adicionada ao método do construtor.

5. Um novo método retorna o nome completo do cliente.

6. A página que mostrará as contas do usuário inclui as definições das classes Account e Customer necessárias para criar esses objetos.

7. Um array indexado é criado e armazenado em uma variável chamada $accounts. Ela contém dois objetos criados usando a classe Account. Cada objeto representa uma das contas no banco do cliente.

OBJETOS E CLASSES

```
<?php
include 'classes/Account.php';
include 'classes/Customer.php';

$accounts = [new Account(20489446, 'Checking', -20),
             new Account(20148896, 'Savings', 380),];

$customer = new Customer('Ivy', 'Stone', 'ivy@eg.link', 'Jup!t3r2684', $accounts);
?>
<?php include 'includes/header.php'; ?>
<h2>Name: <b><?= $customer->getFullName() ?></b></h2>

<table>
  <tr>
    <th>Account Number</th>
    <th>Account Type</th>
    <th>Balance</th>
  </tr>
  <?php foreach ($customer->accounts as $account) { ?>
    <tr>
      <td><?= $account->number ?></td>
      <td><?= $account->type ?></td>
      <?php if ($account->getBalance() >= 0) { ?>
        <td class="credit">
      <?php } else { ?>
        <td class="overdrawn">
      <?php } ?>
        $ <?= $account->getBalance() ?></td>
    </tr>
  <?php } ?>

</table>
<?php include 'includes/footer.php'; ?>
```

8. Um novo objeto Customer é criado para representar o cliente e é armazenado em uma variável $customer. O argumento final é o array das contas criadas na Etapa 7.

9. O novo método getFullName() do objeto Customer retorna o nome completo do cliente, que é mostrado no cabeçalho.

10. Um loop foreach percorre o array armazenado na propriedade $accounts do objeto Customer. No loop, cada conta é mantida em uma variável chamada $account.

11. O número da conta e o tipo são escritos na página.

12. Uma declaração if verifica se o saldo é 0 ou mais.

13. Se é, um elemento <td> é criado com a classe credit.

14. Se não é, fica em um elemento <td> com uma classe chamada overdrawn.

15. O saldo é escrito.

EXPERIMENTE: na Etapa 7, adicione uma terceira conta ao array.

OBJETOS E CLASSES

RESUMO
OBJETOS E CLASSES

› Os objetos agrupam variáveis e funções que representam algo do mundo à nossa volta.

› Em um objeto, as variáveis se chamam propriedades e as funções, métodos.

› Uma classe é usada como template para criar objetos.

› As definições da classe configuram as propriedades e os métodos que cada objeto criado com essa classe terá.

› O método _ _ **construct()** é executado quando um objeto é criado. Ele pode ser usado para colocar valores nas propriedades.

› **$this** acessa uma propriedade ou um método *deste* [this] objeto.

› As propriedades podem ser declaradas como **public** (podem ser acessadas pelo código fora do objeto) ou **protected** (podem ser usadas apenas pelo código dentro do objeto).

› Classes e objetos ajudam a organizar, reutilizar, manter e compartilhar o código com mais eficiência.

B
PÁGINAS DINÂMICAS DA WEB

Esta seção mostra como usar o PHP para criar páginas dinâmicas da web. São páginas nas quais o conteúdo que os usuários veem pode mudar sem a alteração manual do arquivo pelo programador.

A seção A apresentou a sintaxe da linguagem PHP. Ela mostrou como:

- Variáveis e arrays armazenam dados.
- Operadores criam um valor a partir de várias partes da informação.
- Condições e loops determinam quando o código é executado.
- Funções e classes agrupam declarações afins.

Nesta seção, você apenderá como aplicar esses conceitos básicos para criar páginas dinâmicas da web. No nível básico, um computador é uma máquina programada para:

- Aceitar dados conhecidos como **entrada**.
- **Processar** esses dados e realizar tarefas com eles.
- Criar, então, uma **saída** que os usuários podem ver ou ouvir.
- **Armazenar** opcionalmente os dados para uso posterior.

As páginas PHP que você aprenderá a escrever nesta seção são como programas básicos; elas podem aceitar a entrada de um navegador da web, processar os dados e, então, usá--los para produzir uma página HTML adaptada a um visitante individual. Você aprenderá a:

- Usar um conjunto de funções e de classes que fazem parte do PHP.
- Coletar e processar os dados enviados dos navegadores.
- Trabalhar com imagens e outros arquivos que os usuário podem fazer upload.
- Armazenar dados sobre os visitantes do site usando cookies e sessões.
- Lidar com erros e solucionar problemas no código.

Para ler esta seção, é preciso entender como o interpretador PHP lida com as solicitações e como responder a elas.

Para lidar com as solicitações da página, os servidores seguem as regras definidas em protocolos e esquemas de codificação:

SOLICITAÇÕES E RESPOSTAS HTTP

Protocolo de Transferência de Hipertexto (HTTP) é um conjunto de regras que controla como os navegadores e os servidores se comunicam. Por isso, as URLs do site iniciam com `http://` ou `https://`. O HTTP especifica quais dados:

- Os navegadores enviam para um servidor quando um arquivo é solicitado.
- Os servidores enviam para o navegador quando respondem com o arquivo solicitado.

ESQUEMAS DE CODIFICAÇÃO

Os computadores representam o texto, as imagens e o áudio usando dados binários, compostos por uma série de 0s e 1s.

Esquemas de codificação são regras que os computadores usam para converter o que você vê e ouve em 0s e 1s que o computador processa. Se você não sabe como informar ao PHP qual esquema de codificação usar, ele pode não processar ou exibir os dados corretamente.

O interpretador PHP tem várias ferramentas que ajudam a criar páginas dinâmicas da web:

ARRAYS, FUNÇÕES, CLASSES

O interpretador PHP vem com conjuntos de:

- **Arrays superglobais**: são os arrays criados sempre que um arquivo é solicitado.
- **Funções predefinidas**: que realizam tarefas que os programadores precisam fazer normalmente.
- **Classes predefinidas**: para criar objetos que representam coisas com as quais os programadores precisam lidar em geral.

MENSAGENS DE ERRO

O interpretador PHP cria **mensagens de erro** quando encontra um problema; aprender a ler essas mensagens lhe ajudará a corrigir os problemas no código.

CONFIGURAÇÕES

Como muitas partes do software, o interpretador PHP e o servidor da web têm configurações que você pode controlar. Você verá como mudar as configurações nessas partes do software usando arquivos de texto.

SOLICITAÇÕES E RESPOSTAS HTTP

Protocolo de Transferência de Hipertexto (HTTP) é um conjunto de regras que especificam como os navegadores devem **solicitar** as páginas e como os servidores devem formatar a **resposta**. É bom entender quais dados são enviados em cada etapa.

Quando um navegador da web **solicita** uma página PHP, a barra de endereço do navegador mostra uma URL que especifica como ele pode encontrar tal página. Cada URL tem:

- Um **protocolo** (para as páginas da web é HTTP ou HTTPS).
- Um **host** (o servidor para o qual enviar a solicitação).
- Um **caminho** que identifica o arquivo solicitado.
- Uma **string de consulta** opcional com dados extras que a página pode precisar.

PROTOCOLO HOST CAMINHO STRING DE CONSULTA
http:// eg.link /year.php ?year=2021
NOME VALOR

Quando uma string de consulta é adicionada ao final de uma URL, cada parte do dado enviada é como uma variável; ela tem um:

- **Nome** que descreve os dados enviados. O nome é igual sempre que a URL é usada.
- **Valor** para essa parte do dado. O valor pode mudar sempre que a página é solicitada.

Quando um navegador solicita uma página da web, ele também envia **cabeçalhos de solicitação HTTP** ao servidor. Eles não são mostrados na janela principal do navegador (como a URL), mas podem ser exibidos nas ferramentas do navegador que vêm com a maioria dos navegadores (veja a tela abaixo).

Os cabeçalhos contêm dados que o servidor pode achar úteis e também são parecidos com uma variável; eles têm um:

- **Nome** que descreve quais dados são enviados. O nome é igual sempre que uma URL é usada.
- **Valor** para essa parte do dado.

Os cabeçalhos na captura de tela abaixo mostram:

- O idioma do visitante (inglês aqui). Nos sites com vários idiomas, isso poderia ser usado para selecionar o idioma correto do visitante.
- Que a solicitação do usuário veio de outra página da web, junto com a URL dessa página.
- O navegador é o Chrome em um Mac, rodando um OSX. Isso poderia ser usado para determinar se é para enviar o visitante a uma versão desktop/móvel do site.

IDIOMA →
SOLICITAÇÃO DA PÁGINA VEM DE →
NAVEGADOR →

× Headers Preview Response Initiator Timing
▼ Request Headers   View source
Accept-Language: en-GB,en-US;q=0.9,en;q=0.8
Referer: http://localhost:8888/phpbook/section_b/intro/index.php
User-Agent: Mozilla/5.0 (Macintosh; Intel Mac OS X 10_15_7) AppleWebKit/537.36 (KHTML, like Gecko) Chrome/93.0.4577.63 Safari/537.36

Quando o servidor da web recebe uma solicitação para uma página PHP, ele **responde**:

- Localizando o arquivo PHP solicitado na URL.
- Obtendo o interpretador PHP para processar qualquer código PHP que o arquivo PHP contém.
- Retornando uma página HTML para o navegador que solicitou a página.

Quando o servidor retorna a página HTML para o navegador, também envia **cabeçalhos de resposta HTTP**, que contêm os dados que o navegador pode precisar saber sobre o arquivo sendo retornado. Como os cabeçalhos de solicitação, cada cabeçalho de resposta tem nome e valor (como uma variável), que podem ser exibidos nas ferramentas do desenvolvedor do navegador. Na captura abaixo, o servidor envia os cabeçalhos da resposta HTTP que informam ao navegador:

- O tipo de mídia do arquivo e o esquema de codificação usado (para que ele exiba o arquivo corretamente).
- Data e hora em que o arquivo foi enviado.
- Tipo do servidor da web usado para enviar o arquivo.

Esses cabeçalhos podem ser atualizados usando:

- As configurações do interpretador PHP (veja as páginas 196-199).
- Uma função predefinida `header()` (veja as páginas 226-227).

Quando um navegador recebe o arquivo HTML, ele é mostrado como qualquer página HTML.

O servidor também retorna duas partes de dado para indicar se a solicitação teve ou não êxito:

- Um **código de status** de três dígitos para o software interpretar.
- Uma **frase do motivo** para as pessoas lerem.

Para as solicitações bem-sucedidas, o código de status é 200 e a frase do motivo é OK. Se um servidor não consegue encontrar um arquivo, o código é 404 e o motivo é Not found. Ao navegar a web, você pode ter visto uma tela como esta, indicando que uma página não foi encontrada.

A tabela abaixo mostra os códigos de status mais comuns e os motivos. Códigos como 301 (moved permanently) e 404 (not found) ajudam os mecanismos de pesquisa a indexar os sites quando eles encontram links para as páginas excluídas ou movidas para uma nova URL.

CÓD STATUS	FRASE DO MOTIVO
200	OK
301	Moved permanently [movido permanentemente]
307	Temporary redirect [redirecionado temporariamente]
403	Forbidden [proibido]
404	Not found [não localizado]
500	Internal server error [erro interno do servidor]

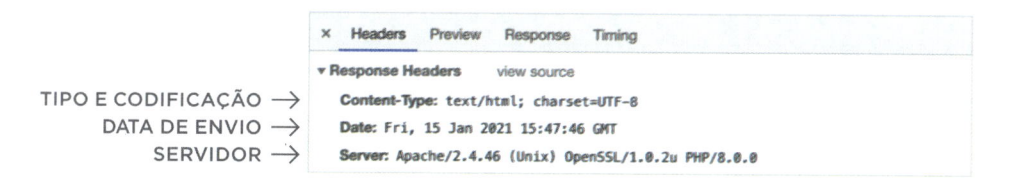

TIPO E CODIFICAÇÃO →
DATA DE ENVIO →
SERVIDOR →

COMO OS DADOS SÃO ENVIADOS USANDO HTTP GET E POST

O HTTP especifica dois modos de os navegadores enviarem dados para o servidor. O HTTP GET coloca dados na string de consulta no final da URL. O HTTP POST adiciona dados aos cabeçalhos HTTP.

Ao enviar dados para uma página da web via **HTTP GET**, o navegador coloca os dados em uma string de consulta e os adiciona ao final da URL da página. Um ponto de interrogação separa a URL da página e a string de consulta.

Uma string de consulta pode manter vários pares de nome/valor. Um sinal de igual separa cada nome de seu valor. Para enviar mais de um par, separe cada um com o símbolo & [ampersand ou E comercial].

```
                              STRING DE CONSULTA
http://eg.link/hotel.php?location=Paris&year=2021
                          NOME    VALOR  NOME VALOR
```

Ao enviar dados via **HTTP POST**, o navegador adiciona pares extras de nome/valor aos cabeçalhos de solicitação HTTP. O navegador pode enviar vários pares para o servidor com cada solicitação.

Os cabeçalhos não são mostrados na janela principal do navegador, mas você pode vê-los nas ferramentas do desenvolvedor que vêm com a maioria dos navegadores. Abaixo, é possível ver três cabeçalhos e seus valores correspondentes.

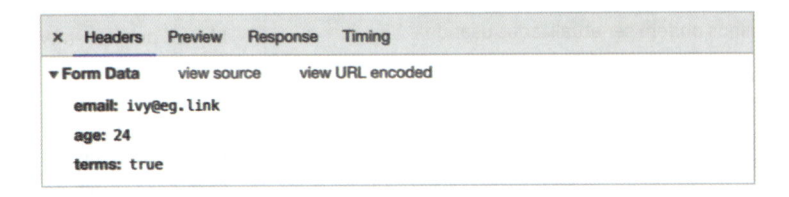

```
× Headers   Preview   Response   Timing
▼ Form Data   view source    view URL encoded
    email: ivy@eg.link
    age: 24
    terms: true
```

COMO OS DADOS SÃO ENVIADOS A PARTIR DE LINKS E DE FORMULÁRIOS

O HTML usa links e formulários para enviar dados adicionais ao servidor ao mesmo tempo em que solicita uma página.

Um link pode usar uma string de consulta para enviar dados extras ao servidor. Em geral, os dados na string de consulta dizem ao servidor para obter informações específicas e exibir esses dados na página retornada.

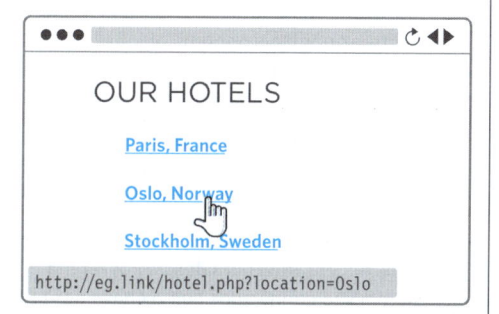

Os formulários têm entradas que permitem aos usuários inserir texto ou números, selecionar um item numa lista de opções ou marcar uma caixa de seleção. Os dados do formulário podem ser adicionados à string de consulta ou enviados nos cabeçalhos HTTP.

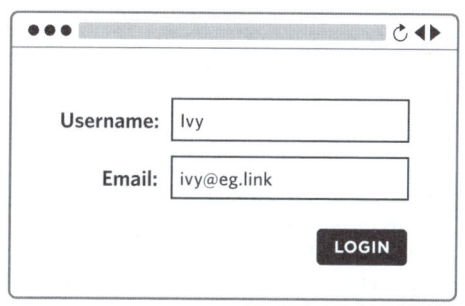

OUR HOTELS

Paris, France

Oslo, Norway

Stockholm, Sweden

http://eg.link/hotel.php?location=Oslo

Username: Ivy

Email: ivy@eg.link

LOGIN

Em geral, o HTTP GET é usado quando um navegador deseja obter informações do servidor e elas seriam iguais para todo visitante no site. Por exemplo, quando ele:

- Clica em links para exibir informações específicas.
- Insere um termo de pesquisa em um formulário.

Por vezes, os programadores se referem a esse tipo de solicitação como **interação segura** porque o usuário não é responsável pela tarefa que ele realiza (por exemplo, ele não concorda com os termos e as condições, ou com a compra de um produto).

Normalmente, o HTTP POST é usado quando um usuário envia (ou posta) informações para o servidor que o identifica ou é usado para atualizar os dados armazenados sobre o usuário no servidor. Por exemplo, quando ele:

- Faz login em sua conta pessoal.
- Compra um produto.
- Assina um serviço.
- Concorda com os termos e as condições.

Nessas situações, o usuário pode ser responsabilizado por suas ações porque deve preencher o formulário e, então, enviá-lo.

ASSEGURANDO OS DADOS ENVIADOS PARA OU DE UM SERVIDOR

Quando dados confidenciais são enviados entre navegador e servidor, eles devem ser criptografados. A **criptografia** codifica os dados para que eles não possam ser lidos. A **descriptografia** retorna os dados a um formato que pode ser lido.

Quando os dados são enviados na internet, eles podem viajar em diferentes redes, passando por muitos roteadores e servidores até chegar ao seu destino. Durante a jornada, terceiros não autorizados podem acessar os dados e tentar lê-los.

Qualquer site que coleta informações sobre seus membros, ou exibe seus dados pessoais em uma página, tem a responsabilidade de garantir que os dados sejam transferidos em segurança entre navegador e servidor.

Para enviar dados em segurança entre eles, os sites usam um **Protocolo de Transferência de Hipertexto Seguro (HTTPS)**. O HTTPS adiciona regras extras ao HTTP que controlam como os dados devem ser enviados em segurança entre navegadores e servidores.

Para enviar dados em segurança na internet, eles devem estar criptografados. Isso envolve alterar os dados para que, mesmo que sejam interceptados durante sua jornada, as pessoas não consigam lê-los.

As mensagens são criptografadas substituindo os caracteres originais por um conjunto diferente de caracteres. Isso é feito com um conjunto de regras conhecido como **cifra**.

O destinatário da mensagem precisa decifrá-la para que seja legível de novo. Para descriptografar a mensagem, o destinatário precisa saber como ela foi criptografada.

Os dados necessários para descriptografar a mensagem são conhecidos como **chave** porque "desbloqueiam" a mensagem.

1. Quando o usuário envia um formulário, o navegador criptografa os dados.

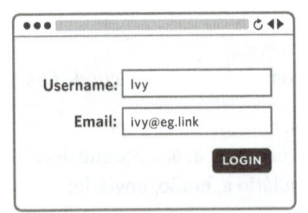

2. Em trânsito, os dados criptografados não podem ser lidos.

3. O servidor usa uma chave para descriptografar os dados.

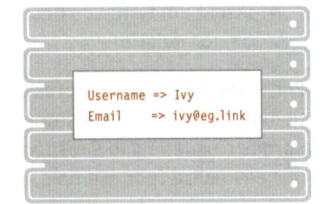

Para criptografar e descriptografar os dados enviados entre navegadores e servidores usando HTTPS, deve ser instalado um **certificado** no servidor da web. Ele informa ao navegador como criptografar as informações enviadas ao servidor.

Para obter um certificado e o instalar em um servidor da web, siga estas três etapas:

1. Crie uma **solicitação de assinatura de certificado** (CSR). Ela é gerada pelo servidor da web no site em que reside. Lembra uma série de caracteres aleatórios.
2. Adquira um certificado em uma empresa chamada **autoridade de certificação** (CA). Ela pede uma solicitação de assinatura do certificado e informações sobre o site e seu proprietário. As CAs têm uma taxa anual para o certificado. Uma lista popular de autoridades de certificação é mostrada em http://notes.re/certificate-authorities/ [conteúdo em inglês].
3. Instale o certificado (que é um arquivo de texto) no servidor no qual o site roda.

NOTA: nem sempre os certificados são emitidos de imediato; portanto, devem ser obtidos antes que um site fique ativo.

Historicamente, HTTPS usava dois protocolos diferentes (conjunto de regras) para adicionar a criptografia às solicitações e às respostas enviadas usando HTTP:

- **Camada de Soquete Seguro (SSL).**
- **Segurança da Camada de Transporte (TLS).**

Ao desenvolver um site localmente usando MAMP ou XAMPP, é possível configurar o servidor da web para rodar usando HTTPS sem adquirir um certificado. Veja instruções sobre como fazer isso em http://notes.re/local-certificates/ [conteúdo em inglês]. Para obter uma CSR e instalar um certificado nos servidores da empresa que hospeda, verifique seus arquivos de suporte.

Com um certificado instalado no servidor da web, se um navegador solicita uma URL para o site usando https:// em vez de http://:

- O navegador criptografa a solicitação e os cabeçalhos de solicitação HTTP.
- O servidor criptografa a página retornada e os cabeçalhos de resposta HTTP.

Quando https:// é usado, os navegadores costumam exibir um ícone de cadeado na barra de endereço.

Muitas vezes, as pessoas usam os termos SSL e TLS de modo alternado, mas tecnicamente são diferentes.

Considere a TLS como uma versão mais recente da SSL. A TLS é o protocolo que você deve usar em seu site.

PÁGINAS DINÂMICAS DA WEB

ESQUEMAS DE CODIFICAÇÃO

Os computadores representam texto, imagens e áudio usando **dados binários** compostos por uma série de 0s e 1s. Os **esquemas de codificação** convertem o que você vê ou ouve em 0s e 1s que o computador processa.

Entender o papel dos esquemas de codificação é importante porque, se um computador usar o esquema errado para converter dados binários em texto, as imagens e os áudios que você vê e ouve, os dados não serão exibidos/reproduzidos corretamente.

Todos os dados que um computador processa e armazena são representados com **bits (dígitos binários)**. Um bit é 0 ou 1. Portanto, tudo no computador (letras digitadas, imagens vistas, áudio ouvido) é representado em 0s e 1s. Abaixo, veja o equivalente binário de cada letra na palavra HELLO:

H	E	L	L	O
01001000	01000101	00101100	00101100	01001111

Como visto, até os dados simples requerem muitos bits. Uma série de oito bits se chama **byte**.

Os esquemas de codificação são regras que um computador usa para converter texto, imagens e áudio em dados binários (combinações de 0s e 1s) que o computador processa e armazena.

- Ao digitar texto, fazer upload de imagens, ou gravar áudio, é usado um esquema de codificação para converter o conteúdo em 0s e 1s.
- Quando o computador mostra texto e imagens, ou reproduz um arquivo de áudio, ele usa um esquema de codificação para converter 0s e 1s no que você vê ou ouve.

Os **esquemas de codificação de imagem** especificam como representar as imagens com bits. As imagens de computador são compostas por quadrados chamados pixels. Abaixo é possível ver como um ícone de coração básico em preto e branco pode ser representando usando 0s e 1s. Todo quadrado branco é representado por 0 e todo preto é representado por 1.

0	1	1	1	0	1	1	1	0
1	0	0	0	1	0	0	0	1
1	0	0	0	0	0	0	0	1
1	0	0	0	0	0	0	0	1
0	1	0	0	0	0	0	1	0
0	0	1	0	0	0	1	0	0
0	0	0	1	0	1	0	0	0
0	0	0	0	1	0	0	0	0

Para recriar imagens coloridas, o computador precisa saber qual cor é cada pixel, o que requer mais dados. Formatos de imagem diferentes (como GIF, JPEG, PNG e WebP) usam esquemas de codificação diferentes para representar a cor de cada pixel usando 0s e 1s.

Para manipular a imagem, um computador pode mudar os dados armazenados para cada pixel. Por exemplo, um filtro poderia ser usado para escurecer ou clarear cada pixel da imagem ou uma imagem poderia ser cortada removendo os pixels das bordas.

Os **esquemas de codificação de caracteres** especificam como representar texto usando bits. Alguns esquemas de codificação suportam mais caracteres que outros. Quanto mais caracteres um esquema suporta, mais bytes de dados ele precisa para lidar com esses caracteres.

Ao criar um site a fim de ter suporte para um público internacional, use um esquema de codificação de caracteres que inclua os caracteres usados pelos idiomas das pessoas que visitam seu site.

ASCII

O ASCII é o primeiro esquema de codificação que usa 7 bits de dados para representar cada caractere.

Uma desvantagem do ASCII é que existem apenas 128 combinações possíveis de 0 e 1 usando 7 dígitos binários; portanto, não há combinações suficientes para suportar todos os caracteres usados em todos os idiomas. Na verdade, o ASCII suporta apenas 95 caracteres de texto.

ISO 8859-1

O ISO 8859-1 usa 8 bits (1 byte) de dados para representar cada caractere. O bit extra de dados significa que há combinações suficientes de 0 e 1 para representar os mesmos caracteres do ASCII, assim como os caracteres com acento usados nos idiomas da Europa Ocidental. Mas ele não suporta os idiomas que usam conjuntos de caracteres diferentes, como chinês, japonês ou russo.

UTF-8

O UTF-8 representa todos os caracteres de cada idioma, então é o melhor esquema para se usar ao criar sites.

Para suportar esses idiomas, o UTF-8 precisa de até quatro bytes de dados para representar cada caracteres (quatro conjuntos de oito combinações de 0 e 1). Os caracteres representados com mais de um byte de dados são conhecidos como **caracteres multibytes**. Por exemplo, veja abaixo os equivalentes binários para três símbolos de moeda diferentes:

SÍMB.	BINÁRIO	BYTES
$	00100100	1
£	11000010 10100011	2
€	11100010 10000010 10101100	3

É importante entender como funcionam os esquemas de codificação de caracteres porque eles:

- Precisam ser especificados em vários lugares.
- Afetam quais caracteres você pode usar.
- Determinam quais funções predefinidas podem ser usadas.

FUNÇÕES PREDEFINIDAS

Algumas funções predefinidas do interpretador PHP têm um parâmetro usado para especificar o esquema de codificação do caractere utilizado.

Também existem algumas funções predefinidas que trabalham com um esquema de codificação específico. Por exemplo, o PHP tem uma função que conta o número de caracteres em uma string. Essa função foi adicionada ao PHP quando o esquema-padrão era o ISO 8859-1 e a função trabalhava contando o número de bytes que uma string usa (pois cada caractere usava 1 byte de dado). Quando o PHP começou a suportar o UTF-8, essa função gerava resultados imprecisos porque cada caractere podia usar mais de um byte. Assim, uma nova função predefinida foi adicionada para contar os caracteres multibytes.

CONFIGURAÇÕES DO PHP

Quando o interpretador PHP cria uma página para retornar para o navegador, ele informa o esquema de codificação de caracteres usado para exibir os dados corretamente. O interpretador tem configurações que especificam o esquema usado para criar as páginas HTML retornadas e, se o esquema não estiver definido corretamente, o navegador pode mostrar um símbolo ❓ para os caracteres que ele não entende (ou não mostrar nada).

EDITORES DE CÓDIGO

Como os próprios arquivos PHP são texto, em geral os editores de texto permitem especificar o esquema de codificação que ele deve usar para salvar os arquivos PHP. O link a seguir mostra como definir o esquema e alguns editores de código populares: http://notes.re/editors/set-encoding [conteúdo em inglês]. Se você vir uma opção com UTF-8 sem BOM, deve selecioná-la.

Na Seção C, também verá que o BD precisa saber o esquema de codificação que um site usa.

KIT DE FERRAMENTAS PREDEFINIDO DOS INTERPRETADORES PHP

Nesta seção do livro, você encontrará as ferramentas predefinidas no interpretador PHP para ajudar a criar páginas dinâmicas da web.

Você viu que o interpretador PHP é uma parte do software que roda no servidor da web.

Ao abrir um software no desktop ou no notebook (como um processador de texto ou um software de edição de imagem), existe uma interface gráfica do usuário (GUI). Barras de ferramentas e opções de menu na GUI são usadas para realizar as tarefas planejadas para o software fazer, e os resultados são mostrados na tela.

O interpretador PHP não tem uma GUI. E, sim, um conjunto de arrays, funções e classes predefinidos que o código PHP nos arquivos PHP pode usar para realizar as tarefas que ele precisa normalmente ao processar os dados e criar páginas HTML para retornar para o navegador.

O interpretador PHP também usa arquivos de texto para permitir o controle de opções e de preferências, e registrar qualquer erro que possa ocorrer.

ARRAYS SUPERGLOBAIS

páginas 190-191

Sempre que um navegador solicita uma página PHP, o interpretador PHP cria um conjunto de arrays chamado **arrays superglobais**, que mantêm os dados que podem ser acessados e usados pelo código PHP nessa página.

Os superglobais são arrays associativos, portanto você precisa saber:

- Quais arrays são chamados.
- As chaves em cada array.
- O que cada uma das chaves armazena.

Assim que o interpretador PHP cria a página HTML e a retorna para o navegador, os dados nesses arrays são esquecidos porque se aplicam apenas à solicitação individual da página.

Na próxima vez em que o arquivo for executado, ele conseguirá acessar um conjunto de arrays superglobais com dados relacionados à *tal* solicitação específica.

FUNÇÕES PREDEFINIDAS

páginas 192-193 e Capítulo 5

As **funções predefinidas** podem ser comparadas com os comandos encontrados nos menus do software que tem uma GUI. Por exemplo, uma função pesquisa uma string buscando caracteres e os substitui por outros caracteres, como a função para localizar e substituir de um processador de texto. Em vez de usar um item de menu na GUI, você chama a função no código PHP.

No Capítulo 3, você viu como criar uma definição da função e chamar a função. É possível chamar as funções predefinidas do mesmo modo, mas você não inclui tal definição na página porque ela está predefinida no interpretador PHP.

Para usar as funções predefinidas, é preciso saber:

- O nome da função.
- O(s) parâmetro(s) requerido(s).
- O valor retornado (ou o que é exibido na página).

CLASSES PREDEFINIDAS
páginas 318-327

As **classes predefinidas** são usadas para criar objetos que representam coisas com as quais os programadores costumam lidar. Por exemplo, a classe `DateTime` é usada para criar objetos que representam datas e horas. A classe tem propriedades e métodos que permitem trabalhar com as datas e as horas que um objeto criado com ela representa.

No Capítulo 4, você viu como escrever definições da classe e usá-las para criar objetos. Você não inclui essa definição em uma página ao criar um objeto usando uma classe predefinida, pois ela está embutida no interpretador PHP.

Para usar classes predefinidas, é preciso saber como criar um objeto usando essa classe e qual(is):

- Propriedades ele tem.
- Métodos ele tem.
- Parâmetros cada método tem.
- Valor cada método retorna.

MENSAGENS DE ERRO
páginas 194-195 e Capítulo 10

Se o interpretador PHP encontrar erros no código que está tentando executar, irá gerar uma mensagem de erro.

Quando um site está sendo desenvolvido, as mensagens de erro devem ser exibidas na página que o interpretador retorna para o navegador. Isso permite que os desenvolvedores vejam imediatamente qualquer erro que ocorra quando tentam executar a página.

Quando um site é ativado, os erros devem ser ocultados dos visitantes. Como os desenvolvedores não podem ver os erros quando eles ocorrem em tempo real (não podem espiar sobre os ombros de cada usuário), as mensagens de erro são salvas em um arquivo de texto chamado **arquivo de log**, que é armazenado no servidor. Então os desenvolvedores verificam esses arquivos para ver se algum erro encontrado escapou quando o site estava sendo desenvolvido.

CONFIGURAÇÕES
páginas 196-199

Muitas vezes o software para desktop tem opções de menu que ativam janelas que permitem aos usuários controlar as preferências ou as opções para operação do software. Por exemplo, as configurações de um processador de texto podem permitir que o usuário selecione o tamanho do papel ou o idioma-padrão de um documento.

Como o interpretador PHP e o servidor da web não têm uma GUI, eles usam arquivos de texto para controlar várias configurações. Por exemplo, há configurações que controlam se o interpretador PHP deve mostrar mensagens de erro na tela ou salvá-las em um arquivo de log, e onde o arquivo de log de erros deve residir no servidor.

Esses arquivos de texto podem ser editados a partir do mesmo editor de código usado para criar as páginas PHP.

PÁGINAS DINÂMICAS DA WEB

ARRAYS SUPERGLOBAIS

O array superglobal $_SERVER é um exemplo do que o interpretador PHP cria sempre que uma página é solicitada. Cada array superglobal tem dados que o código PHP da página pode usar.

Todos os arrays superglobais são associativos. Você precisa saber o nome do array, as chaves que cada array tem e os dados que eles armazenam.

Abaixo, veja o que o array superglobal $_SERVER armazena. Ele contém dados sobre:

- Navegador (enviados nos cabeçalhos HTTP).
- Tipo da solicitação HTTP (GET ou POST).
- URL solicitada.
- Local do arquivo no servidor.

Os dados que os arrays superglobais armazenam são recuperados do mesmo modo como qualquer array associativo é acessado. Para armazenar o endereço IP do navegador do usuário em uma variável $ip você usaria o seguinte:

ARRAY SUPERGLOBAL

$ip = $_SERVER['REMOTE_ADDR'];

CHAVE

CHAVE	FINALIDADE
$_SERVER['REMOTE_ADDR']	Endereço IP do navegador
$_SERVER['HTTP_USER_AGENT']	Tipo de navegador usado para solicitar a página
$_SERVER['HTTP_REFERER']	Se o visitante acessou a página via link, um navegador pode enviar a URL da página que tem um link para ela. Nem todos os navegadores enviam esses dados
$_SERVER['REQUEST_METHOD']	O tipo da solicitação HTTP: GET ou POST
$_SERVER['HTTPS']	Apenas adicionada ao array se a página acessou usando HTTPS; do contrário, seu valor é true
$_SERVER['HTTP_HOST']	O nome de host (pode ser nome de domínio, endereço IP ou localhost)
$_SERVER['REQUEST_URI']	A URI (*após* o nome de host) usada para solicitar a página
$_SERVER['QUERY_STRING']	Qualquer dado na string de consulta
$_SERVER['SCRIPT_NAME']	O caminho da pasta-raiz do documento até o arquivo executado atualmente
$_SERVER['SCRIPT_FILENAME']	O caminho da raiz do sistema de arquivos até o arquivo executado atualmente
$_SERVER['DOCUMENT_ROOT']	O caminho da raiz do sistema de arquivos até a raiz do documento do arquivo executado

A diferença entre a raiz do documento e a raiz do sistema de arquivos é descrita em http://notes.re/php/filepaths [conteúdo em inglês].

DADOS NO ARRAY SUPERGLOBAL $_SERVER

Cada elemento do array superglobal $ _ SERVER armazena uma parte diferente de informação sobre a solicitação ou o arquivo solicitado.

Abaixo, os valores individuais armazenados no array superglobal $ _ SERVER são escritos selecionando os dados nas diferentes chaves do array.

PHP — section _ b/intro/server-superglobal.php

```
<table>
  <tr><th colspan="2" class="title">Data About Browser Sent in HTTP Headers  </th></tr>
  <tr><th>Browser's IP address    </th><td><?= $_SERVER['REMOTE_ADDR'] ?>      </td></tr>
  <tr><th>Type of browser         </th><td><?= $_SERVER['HTTP_USER_AGENT'] ?></td></tr>
  <tr><th colspan="2" class="title">HTTP Request  </th></tr>
  <tr><th>Host name               </th><td><?= $_SERVER['HTTP_HOST'] ?>        </td></tr>
  <tr><th>URI after host name     </th><td><?= $_SERVER['REQUEST_URI'] ?>      </td></tr>
  <tr><th>Query string            </th><td><?= $_SERVER['QUERY_STRING'] ?>     </td></tr>
  <tr><th>HTTP request method     </th><td><?= $_SERVER['REQUEST_METHOD'] ?>   </td></tr>
  <tr><th colspan="2" class="title">Location of the File Being Executed  </th></tr>
  <tr><th>Document root           </th><td><?= $_SERVER['DOCUMENT_ROOT'] ?>    </td></tr>
  <tr><th>Path from document root</th><td><?= $_SERVER['SCRIPT_NAME'] ?>      </td></tr>
  <tr><th>Absolute path           </th><td><?= $_SERVER['SCRIPT_FILENAME'] ?></td></tr>
</table>
```

RESULTADO

DATA ABOUT BROWSER SENT IN HTTP HEADERS	
BROWSER'S IP ADDRESS	::1
TYPE OF BROWSER	Mozilla/5.0 (Macintosh; Intel Mac OS X 10_15_7) AppleWebKit/605.1.15 (KHTML, like Gecko) Version/14.0.2 Safari/605.1.15
HTTP REQUEST	
HOST NAME	localhost:8888
URI AFTER HOST NAME	/phpbook/section_b/intro/server-superglobal.php
QUERY STRING	
HTTP REQUEST METHOD	GET
LOCATION OF THE FILE BEING EXECUTED	
DOCUMENT ROOT	/Users/Jon/Sites/localhost
PATH FROM DOCUMENT ROOT	/phpbook/section_b/intro/server-superglobal.php
ABSOLUTE PATH	/Users/Jon/Sites/localhost/phpbook/section_b/intro/server-superglobal.php

FUNÇÕES PREDEFINIDAS MOSTRANDO DADOS DA VARIÁVEL

`var_dump()` é um exemplo de função predefinida do PHP. É usada ao desenvolver sites para verificar qual(is) valor(es) uma variável mantém e qual é o tipo de dado.

Para usar (ou chamar) uma função predefinida, você só precisa saber seu nome, seus parâmetros e quais valores ela retornará ou exibirá na página.

`var_dump()` tem um parâmetro: um nome da variável. Ela não retorna um valor; mostra os valores armazenados na variável na página HTML criada.

```
var_dump($variable);
```

Se a variável contém um array, ela mostra a palavra `array` e o número de elementos no array entre parênteses.

Se a variável contém um valor escalar (string, número ou inteiro), ela mostra o tipo de dado e o valor.

Se o valor é uma string, o número de caracteres na string é mostrado entre parênteses após o tipo de dado.

TIPO DE DADO | COMPRIMENTO | VALOR

`string(3) "Ivy"`

Então, entre chaves, mostra a chave, o tipo de dado do valor e o valor de cada elemento.

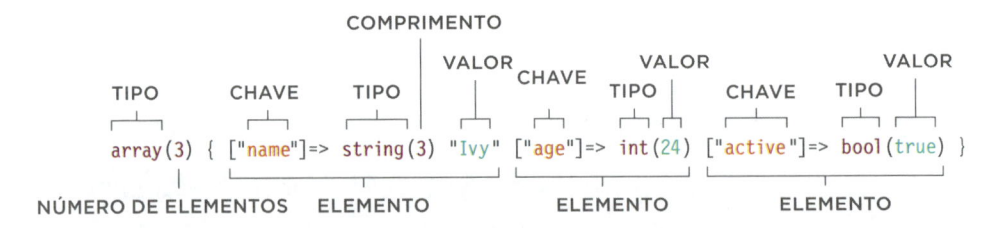

TIPO | CHAVE | TIPO | COMPRIMENTO VALOR | CHAVE | TIPO VALOR | CHAVE | TIPO VALOR

`array(3) { ["name"]=> string(3) "Ivy" ["age"]=> int(24) ["active"]=> bool(true) }`

NÚMERO DE ELEMENTOS | ELEMENTO | ELEMENTO | ELEMENTO

Se a variável contém um objeto, ela mostra a palavra `object`, o nome da classe e o número de propriedades.

Para cada propriedade, mostra o nome, o tipo de dado do valor e o valor (os métodos não são mostrados).

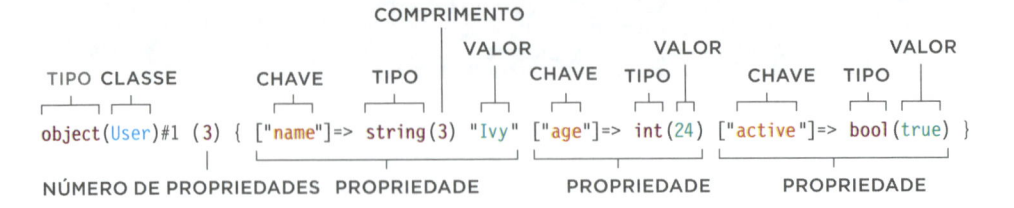

TIPO CLASSE | CHAVE | TIPO | COMPRIMENTO VALOR | CHAVE | TIPO VALOR | CHAVE | TIPO VALOR

`object(User)#1 (3) { ["name"]=> string(3) "Ivy" ["age"]=> int(24) ["active"]=> bool(true) }`

NÚMERO DE PROPRIEDADES | PROPRIEDADE | PROPRIEDADE | PROPRIEDADE

MOSTRANDO O CONTEÚDO DA VARIÁVEL

PHP — section_b/intro/var-dump.php

```php
<?php
$username    = 'Ivy';

$user_array = [
    'name'   => 'Ivy',
    'age'    => 24,
    'active' => true,
];

class User
{
    public $name;
    public $age;
    public $active;
    public function __construct($name, $age, $active) {
        $this->name   = $name;
        $this->age    = $age;
        $this->active = $active;
    }
}

$user_object = new User('Ivy', 24, true);
?>
...
<p>Scalar:  <?php var_dump($username); ?></p>
<p>Array:   <?php var_dump($user_array); ?></p>
<p>Object:  <?php var_dump($user_object); ?></p>
```

RESULTADO

```
Scalar: string(3) "Ivy"
Array: array(3) { ["name"]=> string(3) "Ivy" ["age"]=> int(24) ["active"]=> bool(true) }
Object: object(User)#1 (3) { ["name"]=> string(3) "Ivy" ["age"]=> int(24) ["active"]=> bool(true) }
```

Este exemplo cria variáveis para armazenar um valor escalar, um array e um objeto, então usa `var_dump()` para mostrar o que cada variável contém.

1. Uma variável `$username` armazena o nome de um membro do site como string.

2. Um array é armazenado em uma variável `$user_array`. O array armazena o nome e a idade do membro, e se ele está ativo.

3. Uma classe User é criada a fim de agir como um template (modelo) para objetos que representam os membros de um site. Ela tem três propriedades: nome do usuário, idade e se ele está ativo ou não.

4. Um objeto é criado usando a classe User e é armazenado em uma variável chamada `$user_object`.

5. Os valores armazenados nas variáveis são exibidos usando a função `var_dump()`.

NOTA: se você adicionar as tags HTML <pre> em cada bloco PHP, isso distribuirá os dados exibidos em linhas separadas, facilitando a leitura.

```
<pre>
<?php var_dump($username) ?>
</pre>
```

PÁGINAS DINÂMICAS DA WEB

MENSAGENS DE ERRO

Quando há um problema no código PHP, o interpretador PHP gera mensagens de erro que ajudam a corrigir quaisquer erros.

Se o interpretador PHP encontra um problema no código em execução, ele gera uma mensagem de erro. Há dois modos de exibir as mensagens:

- Mostrar no HTML enviado ao navegador.
- Salvar em um arquivo de texto conhecido como **log de erro**.

Cada mensagem de erro contém quatro partes de dados que ajudam a localizar o problema para corrigi-lo:

- O **nível do erro** (ou severidade; os níveis são descritos na tabela abaixo).
- Uma descrição do erro.
- O arquivo com o erro.
- O número da linha na qual o erro foi encontrado.

Ao desenvolver um site, mensagens de erro devem ser mostradas nas páginas HTML que o interpretador PHP retorna para o navegador para que o desenvolvedor possa vê-las imediatamente. Quando um site está ativo, elas devem ser salvas em um log de erro (um arquivo de texto no servidor); elas não devem ser mostradas aos visitantes. Você saberá como alterar essa configuração nas páginas 352-353.

O código desta seção do livro exibe erros na página HTML. Se você experimentar os exercícios que seguem muitos dos exemplos nesta seção, não ficará desanimado se vir mensagens de erro. As mensagens ajudam a descobrir onde há problemas no código e como corrigi-los. Você aprenderá mais sobre o tratamento de erros no Capítulo 10.

NÍVEL DO ERRO	DESCRIÇÃO DO ERRO	ARQUIVO PHP	NÚMERO DA LINHA
Error:	description goes here	in test.php	on line 21

NÍVEL	DESCRIÇÃO
PARSE	Os erros na sintaxe do código PHP impedem que o interpretador PHP tente executar a página
FATAL	Um erro no código PHP que para a execução de outro código (após o erro)
WARNING	Algo que *provavelmente* causará um problema, mas o interpretador tenta executar o resto da página
NOTICE	Algo que *poderia* indicar um problema, mas o interpretador tenta executar o resto da página
DEPRECATED	Código PHP que provavelmente será removido das futuras versões do PHP
STRICT	Código PHP que poderia ser escrito de um modo melhor e pensado a longo prazo

EXEMPLOS DE MENSAGENS DE ERRO

As mensagens de erro podem parecer enigmáticas à primeira vista, mas as informações que elas contêm ajudam a descobrir o erro em seu código.

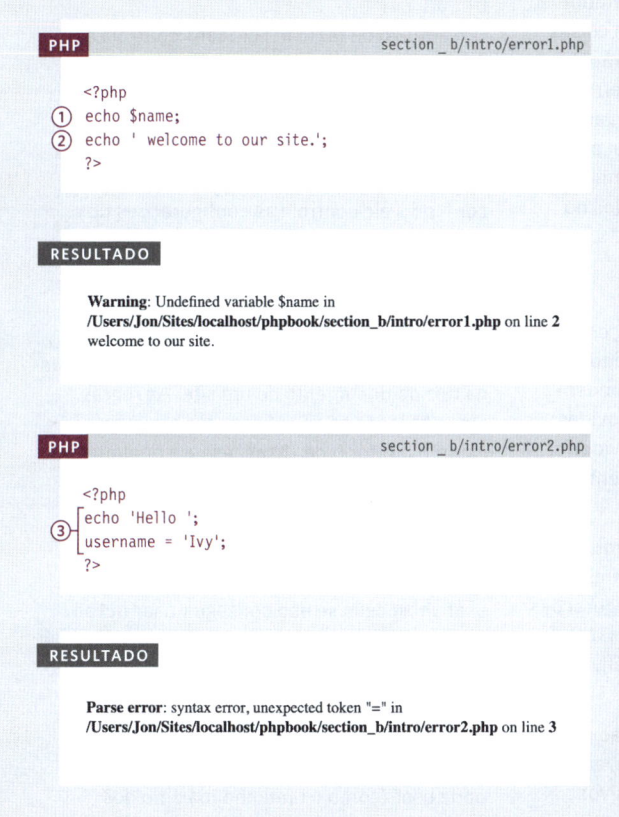

PHP — section_b/intro/error1.php

```php
<?php
echo $name;
echo ' welcome to our site.';
?>
```
① ②

RESULTADO

Warning: Undefined variable $name in /Users/Jon/Sites/localhost/phpbook/section_b/intro/error1.php on line **2**
welcome to our site.

PHP — section_b/intro/error2.php

```php
<?php
echo 'Hello ';
username = 'Ivy';
?>
```
③

RESULTADO

Parse error: syntax error, unexpected token "=" in /Users/Jon/Sites/localhost/phpbook/section_b/intro/error2.php on line 3

1. A página tenta escrever uma variável que não foi criada. Um aviso informa que há `Undefined variable $name` em error1.php na linha 2. Como o nível do erro é warning, o interpretador continua a executar.

(Até o PHP 7.4, esse erro gerava uma nota, não um aviso.)

2. A página escreve o texto `welcome to our site` (que você pode ver na última linha do box resultado).

3. A declaração `echo` escreveria a palavra `Hello`, mas a próxima linha gera um erro de análise (parse) que impede o interpretador PHP de executar qualquer código na página.

O erro é causado pela ausência do símbolo $ no início da variável $username.

Você aprenderá mais sobre solução de problemas e mensagens de erro no Capítulo 10.

PÁGINAS DINÂMICAS DA WEB

CONFIGURAÇÕES E OPÇÕES DO INTERPRETADOR PHP

As configurações e as preferências do software em um desktop são normalmente controladas via menu na interface do usuário (IU). As configurações do interpretador PHP e do servidor da web Apache são controladas usando arquivos de texto.

O servidor da web Apache e o interpretador PHP têm configurações que controlam coisas como a codificação de caracteres padrão usada, se é para exibir mensagens de erro aos usuários caso exista um problema, e quanta memória uma página da web individual pode consumir. Os arquivos usados para controlar essas configurações podem ser editados no editor do código.

php.ini

Um arquivo de texto chamado php.ini controla as configurações-padrão do interpretador PHP. As configurações nesse arquivo podem ser alteradas, mas não devem ser removidas. Assim que alterações são feitas, o servidor da web deve ser reiniciado para que elas entrem em vigor.

Para saber onde está localizado seu arquivo php.ini, o PHP tem uma função predefinida chamada phpinfo(). Ela exibe as configurações do interpretador PHP em uma tabela HTML (vista à direita). O caminho para o arquivo php.ini está na primeira tabela ao lado.

Algumas empresas de hospedagem não dão acesso ao arquivo php.ini porque, em geral, ele controla como todos os arquivos PHP são executados no servidor da web (portanto, afetariam outros sites no mesmo servidor). Se você não tiver acesso ao php.ini, use .htaccess para controlar muitas configurações iguais.

Se um arquivo precisar de configurações diferentes para outros arquivos PHP no servidor da web, uma função PHP predefinida ini_set() pode ser usada para anular algumas configurações no php.ini.

httpd.conf

Um arquivo de texto httpd.conf controla as configurações-padrão do servidor da web Apache. Várias delas se sobrepõem no php.ini e o Apache deve ser reiniciado para as alterações entrarem em vigor. Nem sempre os hosts dão acesso aos clientes para o httpd.conf, pois ele controla as configurações do servidor da web inteiro.

.htaccess

O Apache permite que os usuários adicionem arquivos .htaccess a qualquer pasta na raiz do documento de um site. As regras em .htaccess só se aplicam aos arquivos no mesmo diretório de .htaccess e a qualquer pasta-filha, e elas anularão as configurações em httpd.conf e php.ini.

As alterações em .htaccess entram em vigor assim que o arquivo é salvo. Mas você só deve usar .htaccess se não conseguir usar httpd.conf ou php.ini para realizar a tarefa, pois é mais lento que mudar as configurações-padrão.

A maioria das empresas de hospedagem permite criar arquivos .htaccess, mas elas podem limitar as configurações que você pode usar (como o tamanho máximo dos arquivos carregados).

Os Sistemas Operacionais (SOs) tratam os arquivos .htaccess como ocultos; portanto, talvez você precise pedir ao gerenciador de arquivos ou ao programa FTP para exibi-los. Saiba mais sobre os arquivos ocultos em http://notes.re/hidden_files [conteúdo em inglês].

O código deste livro usa vários arquivos .htaccess para que os diferentes capítulos possam ter configurações variadas.

EXIBINDO AS CONFIGURAÇÕES DO INTERPRETADOR PHP

Como a maioria dos softwares, o interpretador PHP tem configurações (ou preferências) que controlam seu funcionamento. A função predefinida `phpinfo()` exibe tabelas que mostram as configurações que você pode alterar e seus valores atuais.

PHP — section_b/intro/phpinfo.php
```
<?php phpinfo(); ?>
```

RESULTADO

A função `phpinfo()` cria um longo conjunto de tabelas que mostram as configurações para o interpretador PHP e seus valores-padrão. Essas configurações afetam todo arquivo PHP que o interpretador executa.

Os arquivos de texto descritos na página à esquerda podem ser usados para mudar essas configurações.

A tabela abaixo descreve algumas configurações que você precisa saber controlar nesta seção. Elas podem ser encontradas abaixo do cabeçalho *Core*, salvo indicação.

CONFIGURAÇÃO	DESCRIÇÃO
`default_charset`	Codificação de caracteres padrão (deve estar definida para UTF-8)
`display_errors`	Ativa/desativa os erros de uma página HTML. `On` para desenvolvimento. `Off` quando o site fica ativo
`log_errors`	Ativa/desativa salvar os erros em um arquivo de log. `On` quando o site fica ativo
`error_log`	Caminho para o arquivo de log no qual os erros podem ser gravados quando o site fica ativo
`error_reporting`	Quais erros devem ser registrados (a configuração `E_ALL` mostra todos os erros)
`upload_max_filesize`	O tamanho máximo de um arquivo que um navegador pode fazer upload no servidor
`max_execution_time`	O número máximo de segundos que um script pode ser executado antes de o interpretador PHP pará-lo
`date.timezone`	Fuso horário padrão usado pelo servidor e mostrado sob o cabeçalho Date

PÁGINAS DINÂMICAS DA WEB

MUDANDO AS CONFIGURAÇÕES DO INTERPRETADOR: php.ini

php.ini é um arquivo que permite editar as configurações do interpretador PHP. Você deve editar apenas os valores que ele usa; não exclua nenhuma configuração.

O arquivo `php.ini` é longo, pois contém todas as configurações do interpretador PHP. Ele também tem muitos comentários para explicar as configurações. Qualquer coisa após ponto e vírgula é um comentário.

As configurações são controladas usando **diretivas**, que são como variáveis. Apenas edite os valores das diretivas (não exclua nada). Para encontrar a configuração que você deseja controlar, abra o arquivo e pesquise.

Para ter uma lista completa das diretivas, veja http://php.net/manual/en/ini.list.php [conteúdo em inglês].

Cada diretiva inicia em uma nova linha e é composta de:

- Uma opção para mudar.
- Um operador de atribuição.
- O valor que ela deve ter.

Quando o valor é um(a):

- String — coloque-o entre aspas.
- Número — não use aspas.
- Booleano — não use aspas.

```
date.timezone   = "Europe/Rome"
display_errors  = On
```

OPÇÃO   VALOR

php.ini (não incluído nos arquivos de download dos exemplos de código deste livro) — PHP

```
; A selection of the values that can be changed in the php.ini file with comments
default_charset        = "UTF-8"      ; Default character set used
display_errors         = On           ; Whether or not to show errors on screen
log_errors             = On           ; Write errors to a log file
error_reporting        = E_ALL        ; Show all errors
upload_max_filesize    = 32M          ; Max size of a file that can be uploaded
post_max_size          = 32M          ; Max amount of data sent via HTTP POST
max_execution_time     = 30           ; Max execution time of each script, in seconds
memory_limit           = 128M         ; Max amount of memory a script may consume
date.timezone          = "Europe/Rome" ; Default timezone
```

MUDANDO AS CONFIGURAÇÕES DO SERVIDOR: .htaccess

Os arquivos .htaccess podem ser adicionados a qualquer diretório em um servidor da web Apache. Ele anulará as configurações do interpretador PHP para os arquivos na pasta, além de afetar as pastas-filhas e os arquivos que elas contêm.

Um arquivo .htaccess só precisa conter as configurações que você deseja anular no php.ini. As configurações usam os mesmos nomes e valores daquelas no php.ini, exceto que são precedidas por:

- php_flag se o valor da diretiva for um booleano (representando uma configuração que pode estar ativada ou desativada).
- php_value se há mais de duas opções (números, locais ou esquemas de codificação).

Os comentários iniciam com # e devem aparecer em uma nova linha (não na mesma linha da diretiva).

O arquivo .htaccess abaixo está incluído no código baixado deste livro. Ele assegura que os erros sejam mostrados nas páginas HTML em muitos exemplos.

Se você não o vir (ou parecer acinzentado), é porque os SOs o tratam como um arquivo oculto.

Para aprender a exibir os arquivos ocultos, veja http://notes.re/hidden_files [conteúdo em inglês].

O arquivo .htaccess também pode controlar as opções do servidor da web Apache que o php.ini não pode.

```
php_value  date.timezone    "Europe/London"
php_flag   display_errors   On
```

TIPO — OPÇÃO — VALOR

PHP   section_b/intro/.htaccess

```
# exemplo de arquivo .htaccess nos códigos de exemplo (opções descritas no exemplo php.ini)
php_value  default_charset       "UTF-8"
php_flag   display_errors        On
php_flag   log_errors            Off
php_value  error_reporting       -1
php_value  upload_max_filesize   32M
php_value  post_max_size         32M
php_value  max_execution_time    30
php_value  memory_limit          128M
php_value  date.timezone         "Europe/London"
```

NESTA SEÇÃO
PÁGINAS DINÂMICAS DA WEB

5 FUNÇÕES PREDEFINIDAS

Cada função predefinida do PHP realiza uma tarefa específica que os programadores normalmente precisam fazer ao trabalhar com dados. As funções predefinidas são apresentadas primeiro porque são usadas em cada capítulo no resto do livro.

6 OBTENDO DADOS EM NAVEGADORES

Esse capítulo mostra como o interpretador PHP pode acessar os dados enviados de um navegador, verificar se os dados que a página precisa foram fornecidos e se estão no formato certo. Você também aprende a garantir que os dados fornecidos pelos visitantes sejam seguros para exibir em uma página.

7 IMAGENS E ARQUIVOS

Se você permite que os usuários enviem imagens ou outros arquivos para um site, precisa saber como o interpretador PHP lida com tais arquivos. Esse capítulo também mostra como realizar tarefas, como redimensionar imagens e criar versões de imagens menores, conhecidas como miniaturas.

8 DATAS E HORAS

Datas e horas são escritas de muitos modos diferentes, portanto é preciso saber como o PHP pode ajudar a formatar isso com consistência. Você também aprenderá a realizar tarefas comuns, como representar um intervalo de tempo e lidar com eventos recorrentes.

9 COOKIES E SESSÕES

Esse capítulo mostra como arquivos de texto, chamados cookies, podem ser salvos no navegador de um usuário para armazenar informações sobre o visitante. Ele também mostra como as sessões podem ser usadas para armazenar informações sobre o servidor da web por um curto período de tempo (como uma única visita ao site).

10 TRATAMENTO DE ERROS

Todos cometem erros ao escrever código, e isso faz o interpretador PHP gerar mensagens de erro. Esse capítulo mostra como ler tais mensagens, assim como as técnicas que o ajudam a encontrar e a resolver os erros no código.

5
FUNÇÕES PREDEFINIDAS

Este capítulo apresenta um conjunto de funções predefinidas no interpretador PHP. Cada função realiza uma tarefa específica.

As definições da função para as funções predefinidas estão embutidas no interpretador PHP, ou seja, não precisam ser incluídas em uma página PHP antes de serem chamadas. Elas foram projetadas para realizar tarefas que os desenvolvedores da web normalmente precisam fazer ao criar páginas dinâmicas da web e evita que eles tenham que escrever suas próprias funções para essa finalidade.

Para chamar uma função predefinida, é preciso saber seu nome, quais parâmetros ela tem e quais dados retornará. Portanto, este capítulo tem várias tabelas que mostram os nomes da função e os parâmetros, seguidos das descrições das funções e de quais valores elas retornam.

O primeiro conjunto de funções é agrupado em termos de tipos de dados com os quais elas costumam trabalhar: strings, números e arrays. Posteriormente neste capítulo, você também verá:

- Como criar constantes (que são como variáveis cujos valores não podem mudar assim que definidos).
- Uma função usada para controlar os cabeçalhos HTTP enviados de volta para o navegador quando o interpretador PHP retorna uma página que foi solicitada.
- Um conjunto de funções que permitem obter informações sobre os arquivos no servidor.

As funções neste capítulo serão usadas no resto do livro.

FUNÇÕES PREDEFINIDAS

MAIÚSCULAS E MINÚSCULAS, VERIFICANDO O COMPRIMENTO

Estas funções transformam texto em caracteres maiúsculos ou minúsculos, e contam o número de caracteres ou palavras na string.

As funções a seguir são para trabalhar com texto (tipo de dado string). Elas têm uma string como argumento, atualizam-na e retornam a string modificada.

Por exemplo, a função strtolower() pega uma string e converte todo o texto em letras minúsculas. Então, retorna o valor atualizado.

MUDANDO OS CARACTERES EM LETRAS MAIÚSCULAS OU MINÚSCULAS

FUNÇÃO	DESCRIÇÃO
strtolower($string)	Retorna uma string com todos os caracteres minúsculos
strtoupper($string)	Retorna uma string com todos os caracteres maiúsculos
ucwords($string)	Retorna uma string com a primeira letra de cada palavra em maiúsculo

CONTANDO CARACTERES E PALAVRAS

FUNÇÃO	DESCRIÇÃO
strlen($string)	Retorna o número de caracteres na string. Espaços e pontuação contam como caracteres. (veja também mb_strlen() nas páginas 210-211 para os caracteres multibytes)
str_word_count($string)	Retorna o número de palavras na string

CONVERTENDO MAIÚSCULAS E MINÚSCULAS, CONTANDO CARACTERES

PHP — section_b/c05/case-and-character-count.php

```php
<?php
① $text = 'Home sweet home';
?>
<?php include 'includes/header.php'; ?>
<p>
    <b>Lowercase:</b>
②   <?= strtolower($text) ?><br>
    <b>Uppercase:</b>
③   <?= strtoupper($text) ?><br>
    <b>Uppercase first letter:</b>
④   <?= ucwords($text) ?><br>
    <b>Character count:</b>
⑤   <?= strlen($text) ?><br>
    <b>Word count:</b>
⑥   <?= str_word_count($text) ?>
</p>
<?php include 'includes/footer.php'; ?>
```

RESULTADO

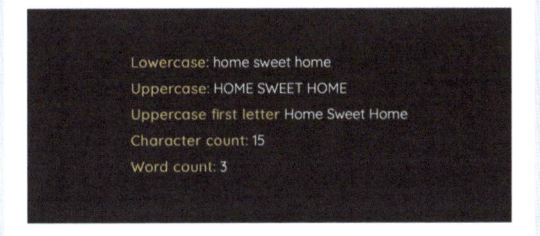

```
Lowercase: home sweet home
Uppercase: HOME SWEET HOME
Uppercase first letter: Home Sweet Home
Character count: 15
Word count: 3
```

1. Uma string mostrando Home sweet home é armazenada em uma variável $text. Será usada como um argumento quando cada função for chamada.

2. A função strtolower() é chamada. A função converte o texto em letras minúsculas e retorna esse valor. O valor que a função retorna é escrito na página usando o atalho do comando echo.

3. A função strtoupper() retorna a string em letras minúsculas.

4. A função ucwords() retorna a string com a primeira letra de cada palavra em maiúsculo.

5. A função strlen() conta quantos caracteres existem na string e retorna esse número.

6. str_word_count() conta o número de palavras na string e retorna esse número.

EXPERIMENTE: na Etapa 1, mude a string para mostrar PHP e MySQL, então salve o arquivo e atualize a página.

LOCALIZANDO CARACTERES NA STRING

Estas funções buscam um ou mais caracteres na string. Se encontram uma correspondência, retornam a posição dele. Se nenhuma correspondência é encontrada, retornam `false`.

Cada caractere na string tem uma **posição**; um número que inicia em 0. Portanto, o primeiro está na posição 0, o segundo na posição 1 etc.

H	o	m	e		s	w	e	e	t		h	o	m	e
0	1	2	3	4	5	6	7	8	9	10	11	12	13	14

Ao buscar um conjunto de caracteres dentro da string, esses caracteres se chamam **substring**.

Algumas funções **diferenciam as letras maiúsculas e minúsculas**. Assim, uma correspondência só é encontrada se a string e a substring têm a mesma combinação de caracteres maiúsculos e minúsculos.

FUNÇÃO	DESCRIÇÃO
strpos($string, $substring [, $offset])	Retorna a posição da primeira correspondência da substring (maiúsculas e minúsculas). Se offset é usado, a string é avaliada apenas após essa posição do caractere
stripos($string, $substring [, $offset])	Versão sem diferenciar letras maiúsculas e minúsculas de strpos()
strrpos($string, $substring [, $offset])	Retorna a posição da última correspondência da substring (maiúsculas e minúsculas)
strripos($string, $substring [, $offset])	Versão sem diferenciar letras maiúsculas e minúsculas de strrpos()
strstr($string, $substring)	Retorna o texto da primeira ocorrência da substring (inclusive a substring) até o final da string (maiúsculas e minúsculas)
stristr($string, $substring)	Versão sem diferenciar maiúsculas de minúsculas de strstr()
substr($string, $offset [, $characters])	Retorna os caracteres da posição especificada em $offset até o final da string. Se o parâmetro $characters é usado, especifica o número de caracteres a retornar após $offset. Para ter mais opções, veja http://notes.re/php/substr (conteúdo em inglês)
* str_contains ($string, $substring)	Verifica se há uma substring na string e retorna true/false
* str_starts_with ($string, $substring)	Verifica se a string inicia com uma substring e retorna true/false
* str_ends_with ($string, $substring)	Verifica se a string termina com uma substring e retorna true/false

As três últimas funções, com asterisco, foram adicionadas no PHP 8; todas diferenciam as letras maiúsculas e minúsculas.

NOTA: os parâmetros opcionais são mostrados entre colchetes. As funções para os caracteres multibytes estão na página 210.

FUNÇÕES PREDEFINIDAS

VERIFICANDO OS CARACTERES NA STRING

PHP — section_b/c05/finding-characters.php

```php
<?php
① $text = 'Home sweet home';
?> ...
<b>First match (case-sensitive):</b>
② <?= strpos($text, 'ho') ?><br>
<b>First match (not case-sensitive):</b>
③ <?= stripos($text, 'me', 5) ?><br>
<b>Last match (case-sensitive):</b>
④ <?= strrpos($text, 'Ho') ?><br>
<b>Last match (not case-sensitive):</b>
⑤ <?= strripos($text, 'Ho') ?><br>
<b>Text after first match (case-sensitive):</b>
⑥ <?= strstr($text, 'ho') ?><br>
<b>Text after first match (not case-sensitive):</b>
⑦ <?= stristr($text, 'ho') ?><br>
<b>Text between two positions:</b>
⑧ <?= substr($text, 5, 5) ?><br>
```

RESULTADO

```
First match (case-sensitive): 11
First match (not case-sensitive): 13
Last match (case-sensitive): 0
Last match (not case-sensitive): 11
Text after first match (case-sensitive): home
Text after first match (not case-sensitive): Home sweet home
Text between two positions: sweet
```

EXPERIMENTE: na Etapa 1, mude a string para mostrar Home and family.

Na Etapa 8, use substr() para retornar a palavra and.

1. A string Home sweet home é armazenada em $text.

2. A função strpos() é chamada para procurar a primeira vez em que a substring ho aparece na string. Ela retorna 11.

3. A função stripos() é chamada para encontrar a primeira vez em que a substring me aparece após a posição 5. Ela retorna 13.

4. A função strrpos() é chamada para encontrar a última vez em que a substring Ho é encontrada. Ela retorna 0 porque diferencia maiúsculas e minúsculas.

5. A função strripos() é chamada para encontrar a última vez em que a substring Ho é encontrada. Ela retorna 11 porque não diferencia maiúsculas e minúsculas.

6. A função strstr() é chamada para obter o texto na primeira ocorrência da substring ho. Ela retorna home.

7. A função stristr() é chamada para obter o texto na primeira ocorrência de ho. Ela retorna Home sweet home porque não diferencia maiúsculas e minúsculas.

8. A função substr() é chamada e retorna cinco caracteres, iniciando com o caractere na quinta posição.

FUNÇÕES PREDEFINIDAS

REMOVENDO E SUBSTITUINDO CARACTERES

Estas funções podem remover caracteres específicos (inclusive espaço em branco), substituir caracteres (como uma ferramenta para localizar e substituir) e repetir uma string certo número de vezes.

As funções **trim** removem os caracteres de uma string. Elas podem verificar caracteres específicos no início e/ou no final da string, e excluí-los se presentes.

Se você não especifica os caracteres a remover, as funções trim removem qualquer espaço em branco encontrado no início e/ou no final da string, inclusive espaços, tabulações, mudanças e avanços de linha (quebras simples).

As funções **replace** buscam caracteres em uma string. Se é encontrada uma correspondência, substitui os caracteres por novos. Repete a string um número fixo de vezes.

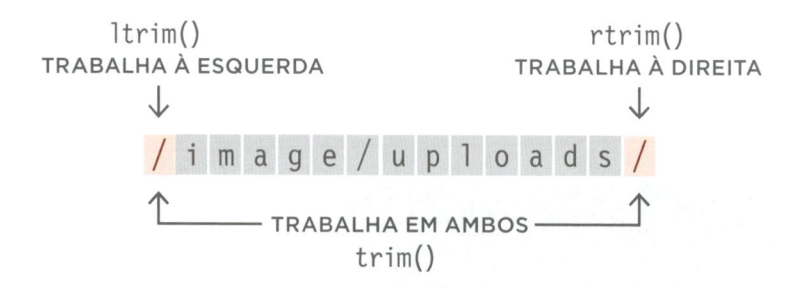

```
        ltrim()                           rtrim()
  TRABALHA À ESQUERDA              TRABALHA À DIREITA
          ↓                                 ↓
         / i m a g e / u p l o a d s /
          ↑                                 ↑
          └───────── TRABALHA EM AMBOS ─────┘
                        trim()
```

FUNÇÃO	DESCRIÇÃO
ltrim(*$string*[, *$delete*])	Remove o espaço em branco à esquerda da string. Se especificada, $delete fornece um conjunto de caracteres que devem ser removidos, caso estejam no início da string. Leva em conta maiúsculas e minúsculas
rtrim(*$string*[, *$delete*])	Remove o espaço em branco à direita da string
trim(*$string*[, *$delete*])	Remove espaço em branco à esquerda e à direita da string
str_replace(*$old*, *$new*, *$string*)	Substitui a substring $old por uma em $new (diferencia maiúsculas e minúsculas)
str_ireplace(*$old*, *$new*, *$string*)	Substitui a substring $old por uma em $new (não diferencia maiúsculas e minúsculas)
str_repeat(*$string*, *$repeats*)	Repete a string um número específico de vezes

SUBSTITUINDO CARACTERES NA STRING

```
PHP                section_b/c05/removing-and-replacing-characters.php

   <?php
①  $text = '/images/uploads/';
   ?> ...
   <b>Remove '/' from both ends:</b><br>
②  <?= trim($text, '/') ?> <br>
   <b>Remove '/' from the left of the string:</b><br>
③  <?= ltrim($text, '/') ?><br>
   <b>Remove 's/' from the right of the string:</b><br>
④  <?= rtrim($text, 's/') ?><br>
   <b>Replace 'images' with 'img':</b><br>
⑤  <?= str_replace('images', 'img', $text) ?><br>
   <b>As above but case-insensitive:</b><br>
⑥  <?= str_ireplace('IMAGES', 'img', $text) ?><br>
   <b>Repeat the string:</b><br>
⑦  <?= str_repeat($text, 2) ?></p>
```

RESULTADO

```
Remove '/' from both ends:
images/uploads
Remove '/' from the left of the string:
images/uploads/
Remove 's/' from the right of the string:
/images/upload
Replace 'images' with 'img':
/img/uploads/
As above but case-insensitive:
/img/uploads/
Repeat the string:
/images/uploads//images/uploads/
```

1. O caminho '/images/uploads/' é uma string armazenada em uma variável $text.

2. A função trim() retorna a string com / removida à esquerda e à direita do texto.

3. A função ltrim() retorna a string com / removida à esquerda.

4. A função rtrim() retorna a string com s/ removidos à direita.

5. A função str_replace() retorna a string com as letras images substituídas por img. Leva em conta maiúsculas e minúsculas.

6. A função str_ireplace() retorna a string com as letras IMAGES substituídas por img. A pesquisa da substring não diferencia maiúsculas e minúsculas, portanto encontraria IMAGES e images, substituindo ambas por img.

7. A função str_repeat() retorna a string com todos os caracteres repetidos duas vezes.

EXPERIMENTE: na Etapa 1, adicione um espaço antes e após o caminho do arquivo, então atualize a página. As barras / não serão removidas nas Etapas 2, 3 ou 4 porque existe um espaço antes ou depois delas.

FUNÇÕES PREDEFINIDAS

FUNÇÕES DA STRING MULTIBYTES

Algumas funções de string vistas até agora retornam o resultado errado se são usadas com caracteres multibytes. As funções de string multibytes abaixo suportam todos os caracteres em UTF-8.

Quando o texto é codificado usando UTF-8, alguns caracteres usam mais de um byte de dado. Por exemplo, o símbolo £ usa dois bytes e € usa três.

Se você usa caracteres multibytes como argumentos para algumas funções de string, eles podem produzir um resultado incorreto (exemplos de resultados imprecisos são mostrados na página à direita).

As funções de string multibytes mostradas abaixo têm os mesmos nomes das funções vistas até o momento neste capítulo, mas são precedidas pelos caracteres mb_.

Algumas funções de string não têm um equivalente multibyte, por exemplo, trim() e str_replace(). Elas funcionam com UTF-8 contanto que ele tenha sido definido como a codificação de caracteres padrão nos arquivos php.ini ou .htaccess.

FUNÇÃO	DESCRIÇÃO
mb_strtoupper(*$string*)	Retorna a string com todos os caracteres maiúsculos
mb_strtolower(*$string*)	Retorna a string com todos os caracteres minúsculos
mb_strlen(*$string*)	Retorna o número de caracteres na string
mb_strpos(*$string*, *$substring*[, *$offset*])	Retorna a posição da primeira casa em que a substring se encontra (maiúsculas e minúsculas). Se *$offset* é especificado, verifica apenas *após* essa posição do caractere
mb_stripos(*$string*, *$substring*[, *$offset*])	Versão sem letras maiúsculas e minúsculas de mb_strpos()
mb_strrpos(*$string*, *$substring*[, *$offset*])	Retorna a posição da última correspondência da substring (maiúsculas e minúsculas)
mb_strripos(*$string*, *$substring*[, *$offset*])	Versão sem letras maiúsculas e minúsculas de mb_strrpos()
mb_strstr(*$string*, *$substring*)	Retorna o texto da primeira ocorrência da substring (inclusive a substring) até o final da string (maiúsculas e minúsculas)
mb_stristr(*$string*, *$substring*)	Versão sem maiúsculas e minúsculas de mb_strstr()
mb_substr(*$string*, *$start*[, *$characters*])	Retorna os caracteres da posição especificada em *$start* até o final da string. Se *$characters* é especificado, retorna esse número de caracteres após *$start*

USANDO FUNÇÕES DE STRING MULTIBYTES

PHP   section_b/c05/multibyte-string-functions.php

```php
<?php
① $text = 'Total: £444';
   ?> ...
   <b>Character count using <code>strlen()</code>:</b>
② <?= strlen($text) ?> <br>
   <b>Character count using <code>mb_strlen()</code>:</b>
③ <?= mb_strlen($text) ?><br>
   <b>First match of 444 <code>strpos()</code>:</b>
④ <?= strpos($text, '444') ?><br>
   <b>First match of 444 <code>mb_strpos()</code>:</b>
⑤ <?= mb_strpos($text, '444') ?><br>
```

RESULTADO

```
Character count using strlen(): 12
Character count using mb_strlen(): 11
First match of 444 strpos(): 9
First match of 444 mb_strpos(): 8
```

Este exemplo usa funções de string com o símbolo £, que o UTF-8 precisa de dois bytes de dados para codificar.

1. Uma string é criada usando o símbolo £ e armazenada em $text. Ela tem 11 caracteres de comprimento.

2. A função strlen() trabalha contando o número de bytes requeridos para representar uma string, não o número de caracteres na string. Por isso informa que existem 12 caracteres na string, (não 11).

3. A função mb_strlen() leva em conta a codificação que o interpretador PHP usa e exibe o número correto de caracteres na string como 11.

4. A função strpos() encontra a primeira posição de 444. A posição é calculada usando o número de bytes antes da substring encontrada (não o número de caracteres). Ela retorna 9 ao invés de 8.

5. mb_strpos() encontra a primeira posição de 444, retornando corretamente o número 8.

EXPERIMENTE: na Etapa 1, mude o símbolo £ na string para €.

FUNÇÕES PREDEFINIDAS

EXPRESSÕES REGULARES

Números do cartão de crédito, CEPs e telefones usam padrões específicos de caracteres. As expressões regulares descrevem um padrão de caracteres e o PHP tem funções predefinidas para verificar se esses padrões existem em uma string.

As expressões regulares ficam entre duas barras. O padrão na expressão abaixo descreve:

[A-z] Letras de A-z (maiúscula/minúscula).
{3,9} ocorrendo entre 3 e 9 vezes.

/[A-z]{3,9}/

Se a expressão fosse usada para verificar a string Thomas was 1st!, o interpretador PHP encontraria a **primeira** vez em que há uma sequência de 3-9 caracteres que usam as letras de A-z maiúsculas e minúsculas. Esses caracteres são destacados abaixo:

Thomas was 1st!

A sintaxe das expressões regulares pode ser bem complexa e há livros inteiros sobre como escrevê-las, mas estas páginas mostram o básico.

A tabela abaixo mostra como combinar caracteres específicos, um intervalo deles e os caracteres no início ou no final de uma string:

EXPRESSÃO	DESCRIÇÃO	EXEMPLO
/1st/	Corresponde aos caracteres 1st	Thomas was 1st!
/[abcde]/	Se os caracteres estão entre colchetes, correspondem a qualquer letra; isso corresponde a qualquer letra a, b, c, d ou e	Thomas was 1st!
/[K-Z]/	Um hífen entre colchetes cria um intervalo de caracteres a corresponder Isso corresponde a qualquer caractere maiúsculo entre K e Z	Thomas was 1st!
/[a-e]/	Corresponde a qualquer caractere minúsculo entre a e e	Thomas was 1st!
/[0-9]/	Corresponde a qualquer número entre 0 e 9	Thomas was 1st!
/[A-z0-9]/	Corresponde a qualquer letra de A-z maiúscula ou minúscula, ou número de 0-9	Thomas was 1st!
/^[A-Z]/	Um circunflexo ^ no início de um padrão indica que a string deve iniciar com esses caracteres; isso corresponde se o primeiro caractere é A-Z	Thomas was 1st!
/1st\!$/	Um cifrão $ no final de um padrão indica que a string deve terminar com os caracteres especificados; isso corresponde se os últimos caracteres são 1st!	Thomas was 1st!
/\s/	Corresponde a um espaço	Thomas was 1st!

Os caracteres a seguir têm um significado especial nas expressões regulares: \ / . | $ ( ) ^ ? { } + *

Para criar um padrão que corresponda a qualquer um dos caracteres, coloque uma **barra invertida** antes do caractere.

EXPRESSÃO	DESCRIÇÃO	EXEMPLO
`/[\!\?\(\)]/`	Corresponde a um ponto de exclamação, de interrogação ou parênteses	`Thomas was 1st!`

Adicione um **quantificador** para especificar quantas vezes um padrão deve aparecer na string.

Os exemplos abaixo encontram os caracteres que ocorrem um número específico de vezes.

EXPRESSÃO	DESCRIÇÃO	EXEMPLO
`/[a-z]+/`	O sinal de mais + indica um ou mais dos caracteres especificados	`Thomas was 1st!`
`/[a-z]{3}/`	Um número entre chaves {} indica o número exato de vezes em que o padrão deve ser encontrado	`Thomas was 1st!`
`/[A-z]{3,5}/`	Dois números separados por vírgula entre chaves {} indicam os números mínimo e máximo de vezes em que o padrão deve ser encontrado	`Thomas was 1st!`
`/[a-z]{3,}/`	Um número e uma vírgula (sem um segundo número) entre chaves é o número mínimo de vezes que o padrão deve ser encontrado	`Thomas was 1st!`

Para buscar uma sequência de padrões, use um padrão seguido de outro.

Abaixo, uma correspondência do primeiro padrão deve ser seguida de uma correspondência do segundo padrão.

EXPRESSÃO	DESCRIÇÃO	EXEMPLO
`/[0-9][a-z]/`	Corresponde a um número de 0-9 seguido de uma letra minúscula de a-z	`Thomas was 1st!`

Colocar parênteses em parte de uma expressão cria um **grupo**. Adicione um quantificador após o grupo para indicar quantas vezes ele deve aparecer.

Se quiser encontrar uma dentre um conjunto de opções, especifique as opções dentro de um grupo e separe cada opção com um caractere |.

EXPRESSÃO	DESCRIÇÃO	EXEMPLO
`/[0-9]([a-z]{2})/`	[0-9] corresponde a qualquer número de 0-9; é seguido de ([a-z]{2}) que coincide com duas letras minúsculas	`Thomas was 1st!`
`/[1-31](st|nd|rd|th)/`	[1-31] corresponde a qualquer número de 1-31 seguido de (st|nd|rd|th) que coincide com st, nd, rd ou th	`Thomas was 1st!`

FUNÇÕES PREDEFINIDAS

FUNÇÕES DA EXPRESSÃO REGULAR

Estas funções verificam se uma string tem um padrão de caracteres descritos por uma expressão regular. Se encontrar uma correspondência, cada uma executará uma tarefa diferente.

A função abaixo usa expressões regulares para buscar um padrão específico de caracteres na string.

Elas realizam tarefas como:

- Verificar se o padrão é encontrado.
- Contar quantas vezes um padrão é encontrado.
- Buscar o padrão de caracteres e substituí-los por um novo conjunto (como o recurso para localizar e substituir em um processador de texto).

Em cada caso, a função tem parâmetros para:

- A expressão regular que descreve o padrão dos caracteres buscados (fica entre aspas porque é uma string).
- A string na qual o padrão é buscado.

A função que substituirá um conjunto de caracteres coincidente por um novo conjunto também precisa saber por quais caracteres substituir.

FUNÇÃO	DESCRIÇÃO
preg_match($regex, $string)	Busca um padrão coincidente em uma string. Retorna 1 se uma correspondência foi encontrada, 0 se não foi, false se ocorreu um erro
preg_match_all($regex, $string)	Busca um padrão coincidente em uma string. Retorna o número de correspondências encontradas (0 se nenhuma foi encontrada) ou false se ocorreu um erro
preg_split($regex, $string)	Busca um padrão coincidente em uma string. Divide a string sempre que uma correspondência é encontrada, então retorna cada parte em um array indexado
preg_replace($regex, $replace, $string)	Substitui os caracteres especificados por uma string alternativa. Lembra uma ferramenta para localizar e substituir em um processador de texto. Retorna a string com os caracteres substituídos ou null se ocorreu um erro. Para excluir caracteres, substitua-os por uma string em branco

NOTA: esses nomes de função iniciam com o prefixo preg (que significa **P**erl **reg**ular expressions ou expressões regulares Perl) porque as expressões regulares que o PHP usa seguem as da linguagem de programação Perl.

USANDO EXPRESSÕES REGULARES

`PHP` section_b/c05/regular-expression-functions.php

```php
<?php
① $text = 'Using PHP\'s regular expression functions';
② $path = 'code/section_b/c05/';

③ $match = preg_match('/PHP/', $text);
④ $path  = preg_split('/\//', $path);
⑤ $text  = preg_replace('/PHP/', '<em>PHP</em>', $text);
?> ...
    <b>Was a match found?</b><br>
⑥ <?= ($match === 1) ? 'Yes' : 'No' ?><br><br>

    <b>Parts of a path:</b><br>
    <?php foreach($path as $part) { ?>
⑦       <?= $part ?><br>
    <?php } ?>

    <b>Updated text:</b><br>
⑧ <?= $text ?>
```

`RESULTADO`

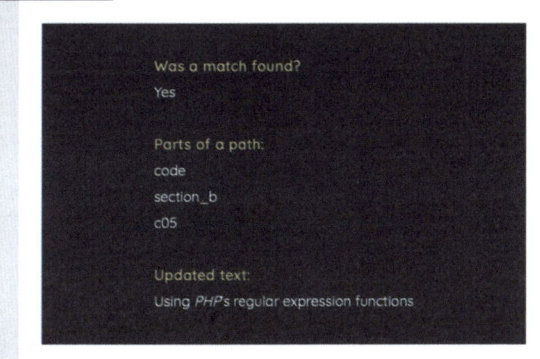

```
Was a match found?
Yes

Parts of a path:
code
section_b
c05

Updated text:
Using PHP's regular expression functions
```

1. O texto é armazenado em uma variável `$text`.

2. Um caminho do arquivo é armazenado na variável `$path`.

3. A função `preg_match()` verifica se a string PHP é encontrada no texto armazenado na variável `$text` na Etapa 1. Se estiver nele, `$match` armazena 1.

4. A função `preg_split()` divide o caminho armazenado na variável `$path` na Etapa 2 sempre que há uma barra e coloca cada parte em um novo elemento do array.

5. A função `preg_replace()` procura as letras PHP no texto armazenado em `$text` na Etapa 1. Se encontra, são substituídas pelas mesmas letras dentro de um elemento `<em>` HTML.

6. É usado um operador ternário para verificar se a variável `$match` contém o valor 1. Em caso afirmativo, a palavra **Yes** é escrita na página. Do contrário, **No** é exibido.

7. Um loop exibe cada elemento no array `$path` em uma nova linha.

8. O texto atualizado e armazenado em `$text` é exibido, com os caracteres PHP entre as tags `<em>`.

FUNÇÕES PREDEFINIDAS

TRABALHANDO COM NÚMEROS

Além dos operadores matemáticos vistos no Capítulo 1, existem funções para as tarefas comuns que os programadores realizam com os números.

FUNÇÃO	DESCRIÇÃO	
round($number, $places, $round)	Arredonda os números de ponto flutuante para cima/baixo: $number é o número a arredondar para cima/baixo. $places é o número de casas decimais para arredondar o número. $round especifica como arredondar os números para cima/baixo:	
	OPÇÃO	FINALIDADE
	PHP_ROUND_HALF_UP	Arredonda para cima (ex.: 3.5 se torna 4)
	PHP_ROUND_HALF_DOWN	Arredonda para baixo (ex: 3.5 se torna 3)
	PHP_ROUND_HALF_EVEN	Arredonda para o par mais próximo
	PHP_ROUND_HALF_ODD	Arredonda para o ímpar mais próximo
ceil($number)	Arredonda um número para cima para o inteiro mais próximo	
floor($number)	Arredonda um número para baixo para o inteiro mais próximo	
mt_rand($min, $max)	Cria um número aleatório entre $min e $max	
rand($min, $max)	A partir do PHP 7.1, rand() ficou igual a mt_rand(). Antes, rand() usava um algoritmo menos aleatório e mais lento	
pow($base, $exponent)	Retorna o valor da potência de um número elevado a um expoente (ex: 34 retornaria 81)	
sqrt($number)	Retorna a raiz quadrada de um número	
is_numeric($number)	Verifica se um valor é um número (inteiro ou flutuante). Retorna true se é um número, false se não	
number_format($number [, $decimals] [, $decimal_point] [, $thousand_separator])	Especifica como um número seria formatado. Se apenas $number é fornecido, é formatado sem decimais e uma vírgula é usada para separar a casa dos milhares (em inglês). $decimals mostra o número dado de casas decimais com ponto separando os decimais e vírgula separando os milhares (em inglês). $decimal_point e $thousand_separator permitem especificar os caracteres usados para separar decimais e milhares. Para usar decimal_point ou thousand_separator você deve usar ambas.	

FUNÇÕES NUMÉRICAS

1. Os números são arredondados de vários modos.

2. Um número aleatório entre 0 e 10 é gerado.

3. 4 à potência de 5 é mostrado.

4. A raiz quadrada de 16 é mostrada.

5. Verifica se o valor é um número (int ou float). Retorna true se é (mostra 1 na página); false se não (nada é mostrado).

6. O número é formatado para 2 casas decimais. Um espaço separa os milhares e uma vírgula separa os decimais.

EXPERIMENTE: na Etapa 2, crie um número aleatório entre 50 e 100.

`PHP` section_b/c05/numeric-functions.php

```
① ⎡<b>Round:</b>                        <?= round(9876.54321) ?><br>
  │<b>Round to 2 decimal places:</b>    <?= round(9876.54321, 2) ?><br>
  │<b>Round half up:</b>                <?= round(1.5, 0, PHP_ROUND_HALF_UP) ?><br>
  │<b>Round half down:</b>              <?= round(1.5, 0, PHP_ROUND_HALF_DOWN) ?><br>
  │<b>Round up:</b>                     <?= ceil(1.23) ?><br>
  ⎣<b>Round down:</b>                   <?= floor(1.23) ?><br>
② <b>Random number:</b>                 <?= mt_rand(0, 10) ?><br>
③ <b>Exponential:</b>                   <?= pow(4, 5) ?><br>
④ <b>Square root:</b>                   <?= sqrt(16) ?><br>
⑤ <b>Is a number:</b>                   <?= is_numeric(123) ?><br>
⑥ <b>Format number:</b>                 <?= number_format(12345.6789, 2, ',', ' ') ?><br>
```

`RESULTADO`

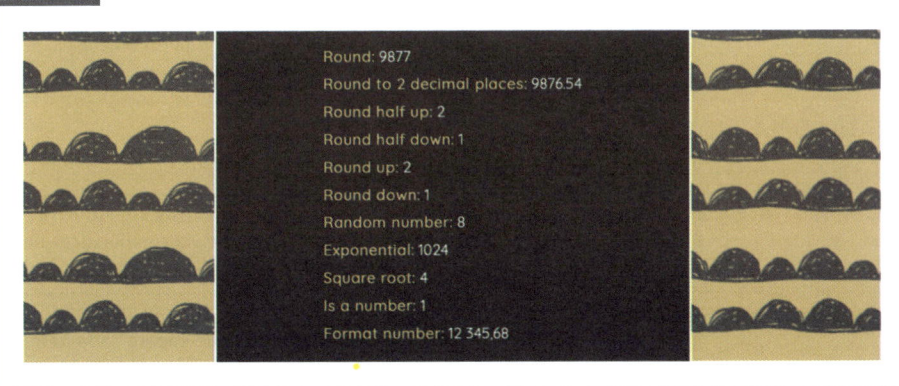

```
Round: 9877
Round to 2 decimal places: 9876.54
Round half up: 2
Round half down: 1
Round up: 2
Round down: 1
Random number: 8
Exponential: 1024
Square root: 4
Is a number: 1
Format number: 12 345,68
```

FUNÇÕES PREDEFINIDAS

TRABALHANDO COM ARRAYS

Estas funções podem pesquisar o conteúdo de um array, contar o número de itens mantidos e selecionar chaves aleatórias. Também podem converter arrays em strings ou strings em arrays.

Como visto, os arrays mantêm um conjunto de pares de chave/valor em uma variável.

Em um array indexado, a chave é um número do índice. Ele indica a posição do item no array.

Um array associativo age mais como uma coleção de variáveis afins. Cada chave é uma string.

OBTENDO INFORMAÇÕES SOBRE UM ARRAY

FUNÇÃO	DESCRIÇÃO
array_key_exists(*$key*, *$array*)	Verifica uma chave no array Retorna true se ela existe, do contrário retorna false
array_search(*$value*, *$array*[, *$strict*])	Pesquisa os valores armazenados no array e retorna a chave da primeira correspondência. Se $strict tem um valor true, indica que a correspondência deve ter o mesmo tipo de dado
in_array(*$value*, *$array*)	Verifica se o valor é um array. Retorna true se é, false se não
count(*$array*)	Retorna o número de itens no array
array_rand(*$array*[, *$number*])	Seleciona o item aleatório no array e retorna sua chave Se um número é especificado como segundo parâmetro, retorna um array contendo esse número de chaves aleatórias

TRANSFORMANDO ARRAYS EM STRINGS E VICE-VERSA

FUNÇÃO	DESCRIÇÃO
implode([*$separator*,]*$array*)	Transforma os valores de um array em string (as chaves não são incluídas). Se você especificar um separador, ele será inserido entre cada valor
explode(*$separator*, *$string*[, *$limit*])	Transforma uma string em um array indexado. O separador é o caractere que separa cada item na string Um limite opcional pode ser usado para definir o número máximo de itens para adicionar ao array

FUNÇÕES DO ARRAY

PHP — section _ b/c05/array-functions.php

```php
<?php
// Cria array de saudações e obtém valor aleatório
$greetings     = ['Hi ', 'Howdy ', 'Hello ', 'Hola ',
                  'Welcome ', 'Ciao ',];
$greeting_key  = array_rand($greetings);
$greeting      = $greetings[$greeting_key];
// Array dos melhores vendedores, contagem dos itens,
// lista dos itens mais vendidos
$bestsellers       = ['notebook', 'pencil', 'ink',];
$bestseller_count  = count($bestsellers);
$bestseller_text   = implode(', ', $bestsellers);
// Array mantendo detalhes do cliente
$customer      = ['forename' => 'Ivy',
                  'surname'  => 'Stone',
                  'email'    => 'ivy@eg.link',];
// Se você tem o nome do cliente, adicione-o à saudação
if (array_key_exists('forename', $customer)) {
    $greeting .= $customer['forename'];
}
?> ...
<h1>Best Sellers</h1>
<p><?= $greeting ?></p>
<p>Our top <?= $bestseller_count ?> items today are:
   <b><?= $bestseller_text ?></b></p>
```

RESULTADO

Best Sellers
Welcome Ivy
Our top 3 items today are: notebook, pencil, ink

1. Um array chamado `$greetings` é criado para manter várias saudações.

2. Uma chave aleatória é selecionada no array e armazenada em uma variável `$greeting_key`.

3. A chave aleatória é usada para selecionar a saudação no array e armazená-la em `$greeting`.

4. Um array dos itens mais vendidos é armazenado em `$bestsellers`.

5. A função `count()` é usada para contar o número de elementos no array; isso é armazenado em `$bestseller_count`.

6. O array é convertido em string usando `implode()`, com vírgula separando cada item. É armazenado em `$bestseller_text`.

7. É criado um array associativo mantendo os detalhes sobre um cliente.

8. `array_key_exists()` verifica se há um valor para o nome do cliente. Se existe, ele é adicionado à `$greeting`.

9. A saudação é escrita.

10. O número de itens mais vendidos e seus nomes são mostrados.

EXPERIMENTE: na Etapa 4, adicione outro item ao array de melhores vendedores.

FUNÇÕES PREDEFINIDAS

ADICIONANDO E REMOVENDO ELEMENTOS NO ARRAY

Estas funções adicionam e removem elementos de um array. Você pode especificar se os novos elementos devem ser adicionados ao início ou ao final do array.

Para adicionar um elemento ao array, especifique o valor a adicionar.

Para remover um elemento do array, especifique apenas a chave dele.

O diagrama mostra as posições dos itens adicionados ou removidos.

FUNÇÃO	DESCRIÇÃO
array_unshift($array, $items)	Adiciona um ou mais itens ao início de um array indexado. Retorna o número de itens no array (para os arrays associativos, veja a página 42)
array_push($array, $items)	Adiciona um ou mais itens ao final de um array indexado Retorna o número de itens no array (para os arrays associativos, veja a página 42)
array_shift($array)	Remove o primeiro item do array. Retorna o valor do item removido.
array_pop($array)	Remove o último item do array. Retorna o valor do item removido.
array_unique($array)	Remove as entradas duplicadas de um array. Retorna o novo array.
array_merge($array1, $array2)	Une dois ou mais arrays e retorna o novo array Se os dois são arrays indexados, os números de índice do novo array iniciam em 0 Você também pode unir dois arrays usando o operador+: $array1 + $array2

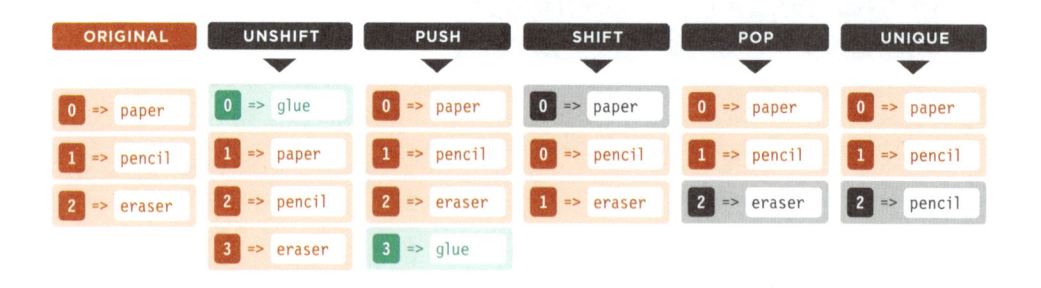

ORIGINAL	UNSHIFT	PUSH	SHIFT	POP	UNIQUE
0 => paper	0 => glue	0 => paper	0 => paper	0 => paper	0 => paper
1 => pencil	1 => paper	1 => pencil	0 => pencil	1 => pencil	1 => pencil
2 => eraser	2 => pencil	2 => eraser	1 => eraser	2 => eraser	2 => pencil
	3 => eraser	3 => glue			

FUNÇÕES PREDEFINIDAS

FUNÇÕES PARA ATUALIZAR O ARRAY

PHP — section_b/c05/array-updating-functions.php

```php
<?php
// Array dos itens sendo pedidos
$order = ['notebook', 'pencil', 'eraser',];
array_unshift($order, 'scissors');    // Adiciona para iniciar
array_pop($order);                     // Remove último
$items = implode(', ', $order);        // Converte em string

// Array de classes
$classes = ['Patchwork' => 'April 12th',
            'Knitting'  => 'May 4th',
            'Lettering' => 'May 18th',];
array_shift($classes);                 // Remove 1º
$new     = ['Origami'  => 'June 5th',
            'Quilting' => 'June 23rd',]; // Novos itens
$classes = array_merge($classes, $new); // Adiciona
?>                                       // ao final
<h1>Order</h1>
<?= $items ?>
<h1>Classes</h1>
<?php foreach($classes as $description => $date) { ?>
    <b><?= $description ?></b> <?= $date ?><br>
<?php } ?>
```

RESULTADO

Order
scissors, notebook, pencil

Classes
Knitting May 4th
Lettering May 18th
Origami June 5th
Quilting June 23rd

1. Um array indexado é criado e armazenado em `$order`.
2. A função `array_unshift()` adiciona um elemento ao início do array. O primeiro parâmetro é o array; o segundo é o item a adicionar (funciona apenas com arrays indexados).
3. A função `array_pop()` remove o último item.
4. O array é convertido em uma string usando `implode()` e armazenado em `$items`. Cada elemento é separado por vírgula e espaço.
5. Um array associativo é criado e armazenado em `$classes`.
6. `array_shift()` remove o primeiro item do array.
7. Outro array associativo é criado para armazenar novos elementos.
8. `array_merge()` é usada para obter o array `$classes` e adicionar os novos itens criados na Etapa 7.
9. `$items` é escrito.
10. Um loop `foreach` escreve as chaves e os valores do array associativo.

EXPERIMENTE: na Etapa 4, separe os itens na string com ponto e vírgula.

FUNÇÕES PREDEFINIDAS

ORDENANDO OS ARRAYS (MUDANDO A ORDEM)

As funções de ordenação mudam a ordem dos itens listados em um array. As listas ascendentes ordenam os itens do valor mais baixo para o mais alto (ex: A-Z ou 0-9). As listas descendentes ordenam os itens do valor mais alto para o mais baixo (ex: Z-A ou 9-0).

ORDENAR POR VALOR E MUDAR CHAVES

Ao ordenar o array usando as funções abaixo, as chaves se tornam números do índice iniciando em 0 (se é um array indexado ou associativo).

O r em `rsort()` significa reverter.

FUNÇÃO	DESCRIÇÃO
`sort($array)`	Ascendente pelo valor
`rsort($array)`	Descendente pelo valor

```
paper  => 2         0 => 1
pencil => 1    ▶    1 => 2
eraser => 3         2 => 3
```

ORDENAR POR VALOR E MANTER CHAVES

Ao ordenar o array usando as funções abaixo, as chaves se movem com os valores.

FUNÇÃO	DESCRIÇÃO
`asort($array)`	Ascendente pelo valor
`arsort($array)`	Descendente pelo valor

```
paper  => 2         pencil => 1
pencil => 1    ▶    paper  => 2
eraser => 3         eraser => 3
```

ORDENAR POR CHAVE E MANTER VALOR

Ao ordenar o array usando as funções abaixo, os valores se movem com as chaves.

FUNÇÃO	DESCRIÇÃO
`ksort($array)`	Ascendente pela chave
`krsort($array)`	Descendente pela chave

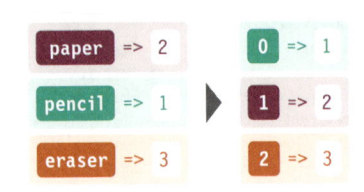

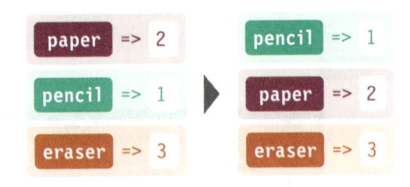

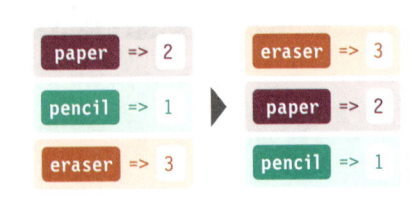

```
paper  => 2         eraser => 3
pencil => 1    ▶    paper  => 2
eraser => 3         pencil => 1
```

FUNÇÕES PARA ORDENAR O ARRAY

```
PHP                        section _b/c05/array-sorting-functions.php
<?php
// Array mantendo pedidos
$order = ['notebook', 'pencil', 'scissors',
          'eraser', 'ink', 'washi tape',];
sort($order);                   // Classificação ascendente
$items = implode(', ', $order); // Converte em texto

// Cria array mantendo classes
$classes = ['Patchwork' => 'April 12th',
            'Knitting'  => 'May 4th',
            'Origami'   => 'June 8th',];
ksort($classes);                // Classifica por chave
?>
<h1>Order</h1>
<?= $items ?>
<h1>Classes</h1>
<?php foreach($classes as $description => $date) { ?>
  <b><?= $description ?></b> <?= $date ?><br>
<?php } ?>
```

RESULTADO

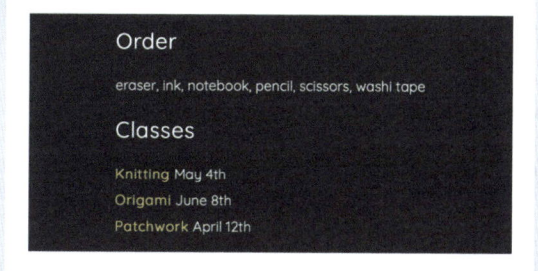

Order
eraser, ink, notebook, pencil, scissors, washi tape

Classes
Knitting May 4th
Origami June 8th
Patchwork April 12th

1. Um array indexado é criado e armazenado em uma variável chamada `$order`.

2. Os valores no array ficam na ordem alfabética ascendente usando `sort()`. Isso fornece a cada item no array um novo número do índice começando em 0.

3. O array é convertido em uma string usando `implode()`. Cada elemento é separado por vírgula seguido de espaço. A string resultante é armazenada em uma variável chamada `$items`.

4. Um array associativo é criado e armazenado em `$classes`.

5. As chaves no array ficam em ordem alfabética usando a função `ksort()` (seus valores se movem junto).

6. A string armazenada em `$items` é escrita.

7. Um loop `foreach` é usado para escrever as chaves e os valores do array `$classes` na página.

EXPERIMENTE: na Etapa 5, inverta a ordem do array que mantém as classes.

FUNÇÕES PREDEFINIDAS

CONSTANTES

Constante é um par nome/valor e age como uma variável. Mas, assim que seu valor é atribuído, ele não pode ser atualizado.

Constante é um par de nome/valor, como uma variável, mas:

- É criada usando a função `define()`.
- Seu valor não pode ser atualizado assim que definido.
- Pode ser acessada em qualquer lugar na página PHP (inclusive dentro das funções).

Seu nome deve descrever o tipo de dado mantido e começar com letra ou sublinhado (não cifrão). Seu valor pode ser um tipo de dado escalar ou um array.

Os parâmetros da função `define()` são:

- O nome da constante, normalmente com letra maiúscula.
- Seu valor; as strings devem ficar entre apóstrofos; números e booleanos, não.
- Um booleano opcional para informar se o nome diferencia ou não letras maiúsculas e minúsculas (`true` se diferencia, `false` se não). Se o terceiro parâmetro não for fornecido, o nome irá diferenciar.

```
define('SITE_NAME', 'Mountain Art Supplies');
```
                NOME   VALOR

As constantes costumam ser usadas para armazenar informações que um site precisa para trabalhar, mas tais valores só mudam quando um site é instalado (na primeira vez, quando vai para um novo servidor, ou o mesmo código é usado para ativar um site diferente).

Uma constante também pode ser criada usando a palavra-chave `const` seguida do nome da constante, do operador de atribuição e do valor que ela deve manter. Essa abordagem pode ser usada para definir uma constante dentro de uma classe (já a função `define()` não pode).

```
const SITE_NAME = 'Mountain Art Supplies';
```
        NOME   VALOR

USANDO CONSTANTES

```
PHP                              section _ b/c05/includes/settings.php
       <?php
①      define('SITE _ NAME', 'Mountain Art Supplies');
②      const ADMIN _ EMAIL = 'admin@eg.link';
```

```
PHP                             section _ b/c05/includes/constants.php
       <?php
③      include 'includes/settings.php';
       include 'includes/header.php';
       ?>

④      <h1>Welcome to <?= SITE _ NAME ?></h1>
⑤      <p>To contact us, email <?= ADMIN _ EMAIL ?></p>

       <?php include 'includes/footer.php'; ?>
```

RESULTADO

MOUNTAIN ART SUPPLIES

Welcome to Mountain Art Supplies

To contact us, email admin@eg.link

Neste exemplo, um arquivo de inclusão chamado `settings.php` criará duas constantes que mantêm informações sobre o site.

1. A função `define()` é usada para criar uma constante `SITE _ NAME`. Seu valor é o nome do site.

2. A palavra-chave `const` é usada para criar uma constante `ADMIN _ EMAIL`. Seu valor é o e-mail do proprietário do site.

O segundo arquivo no exemplo é uma página chamada `constants.php`, que usa os valores nessas duas constantes.

3. O arquivo `settings.php` é incluído para que a página possa acessar as constantes.

4. O atalho do comando `echo` é usado para escrever o conteúdo da contante que mantém o nome do site.

5. O e-mail do proprietário do site é emitido.

FUNÇÕES PREDEFINIDAS

ADICIONANDO OU ATUALIZANDO CABEÇALHOS HTTP

A função `header()` atualiza os cabeçalhos HTTP que o interpretador PHP envia para o navegador. Também pode adicionar novos cabeçalhos. Seu único argumento é o nome do cabeçalho a definir, seguido de dois-pontos e do valor.

Às vezes, os usuários solicitam uma página, mas você precisa enviá-los para outra. Por exemplo, se:

- Não está mais disponível.
- Foi para uma nova URL.
- Faltam os dados necessários.

Nesse caso, `header()` tem um argumento com três partes:

- Nome do cabeçalho Location.
- Dois-pontos.
- A nova URL.

Quando o navegador recebe o cabeçalho Location, ele solicita a nova URL, seguida do comando `exit` para evitar que o interpretador execute mais código PHP (veja à direita).

```
header(' Location : http://www.example.com/ ') ;
```
         CABEÇALHO   NOVA URL

A maioria dos arquivos PHP cria uma HTML para enviar ao navegador, mas o PHP pode ser usado para criar outros tipos de arquivo, como JSON, XML ou CSS.

Para tanto, `header()` precisa de:

- Cabeçalho Content-type.
- Dois-pontos.
- Tipo de mídia do conteúdo.

Isso cria um cabeçalho HTTP que informa ao navegador o tipo de mídia do arquivo. Para saber mais sobre os tipos de mídia, veja http://notes.re/media-types (conteúdo em inglês).

```
header(' Content-type : application/json ') ;
```
         CABEÇALHO   TIPO DE MÍDIA

Os navegadores podem colocar em cache (armazenar) as páginas que os usuários exibiram. Se os usuários solicitarem a página de novo, eles poderão mostrar a página armazenada ao invés de solicitar o arquivo de novo (isso faz a página parecer carregar mais rápido).

Para informar ao navegador por quanto tempo colocar uma página em cache, use:

- Cabeçalho Cache-Control.
- Dois-pontos.
- `max-age=` seguido do número de milissegundos para a página em cache.

ISPs e redes usam **proxies** para colocar em cache as páginas da web. Se as páginas mantêm dados pessoais, após os milissegundos coloque vírgula, espaço e a palavra `private` para impedir um proxy de colocá-los em cache. Se não houver dados pessoais, defina para `public`.

```
header('Cache-Control : max-age=3600, public ') ;
```
         CABEÇALHO   VÁLIDO TEMPO PROXY
                          POR   (MS)

REDIRECIONANDO USUÁRIOS COM CABEÇALHOS HTTP

PHP　　　　　　　　　　　　　　　　section_b/c05/redirect.php

```php
<?php
$logged_in = true;

if ($logged_in == false) {
    header('Location: login.php');
    exit;
}
?>
<?php include 'includes/header.php'; ?>
<h1>Members Area</h1>
<p>Welcome to the members area</p>
<?php include 'includes/footer.php'; ?>
```

(1) (2) (3) (4)

PHP　　　　　　　　　　　　　　　　section_b/c05/login.php

```html
<h1>Login</h1>
<b>You need to log in to view this page.</b>
<p>(You create a full login system in Chapter 16.)</p>
```

RESULTADO

Este exemplo mostra como redirecionar os usuários para outra página usando a função `header()`. Não é possível enviar marcação ou texto para o navegador antes de usar a função `header()`, nem mesmo espaço ou mudança de linha.

1. Uma variável chamada `$logged_in` armazena um valor booleano indicando se o usuário fez login.

2. Em uma declaração if, uma condição verifica se o valor em `$logged_in` é false.

3. Se for `false`, o usuário será redirecionado para a página `login.php` usando a função `header()`.

(Você aprenderá a criar uma área dos membros com uma página de login funcional no Capítulo 16.)

4. Após redirecionar um visitante com a função `header()`, o comando `exit` é usado para impedir que mais código PHP no arquivo seja executado.

Se o valor em `$logged_in` for true, o bloco de código anterior será pulado e o resto da página será exibido.

EXPERIMENTE: na Etapa 1, mude o valor da variável `$logged_in` para false. Então, você será redirecionado para a página de login.

FUNÇÕES PREDEFINIDAS

DADOS SOBRE ARQUIVOS E EXCLUSÃO DE ARQUIVOS

As funções de arquivo têm um caminho do arquivo como parâmetro e retornam informações sobre o arquivo e seu caminho, ou excluem o arquivo.

A tabela abaixo mostra as funções de arquivo. Algumas retornam partes diferentes de um caminho de arquivo; essas partes são descritas no diagrama à direita.

```
                 DIRETÓRIO           NOME-BASE
            /www/htdocs/images/thumbs/ ivy.jpg
                    NOME DO ARQUIVO   EXTENSÃO
```

O PHP também tem constantes predefinidas que armazenam caminhos:

`__FILE__` contém o caminho do arquivo atual.

`__DIR__` contém o diretório do arquivo atual.

FUNÇÃO	DESCRIÇÃO
`file_exists($path)`	Verifica se um arquivo existe. Retorna `true` se existe, `false` se não
`filesize($path)`	Retorna o tamanho do arquivo em bytes
`mime_content_type($path)`	Retorna o tipo de mídia do arquivo (veja http://notes.re/media-types — conteúdo em inglês)
`unlink($path)`	Tenta excluir um arquivo. Retorna `true` se funcionou, `false` do contrário
`pathinfo($path[, $part])`	Retorna parte do caminho do arquivo. Especifique a parte do caminho a recuperar. Se não, retorna um array com quatro chaves

PARTE	DESCRIÇÃO
`PATHINFO_DIRNAME`	Caminho do diretório onde está o arquivo
`PATHINFO_BASENAME`	Nome-base do arquivo
`PATHINFO_FILENAME`	Nome do arquivo (sem extensão)
`PATHINFO_EXTENSION`	Extensão do arquivo

FUNÇÃO	DESCRIÇÃO
`basename($path)`	Retorna o nome-base de um arquivo a partir do caminho
`dirname($path[, $levels])`	Retorna o caminho para o diretório no qual o arquivo está especificado. Se `$levels` é especificado, é o número de diretórios-pai acima
`realpath($path)`	Retorna o caminho absoluto para o arquivo

A diferença entre os caminhos absoluto e relativo é descrita em http://notes.re/paths (em inglês).

OBTENDO INFORMAÇÕES DO ARQUIVO

PHP section_b/c05/files.php

```php
<?php
$path = 'img/logo.png';
?>
<?php include 'includes/header.php'; ?>
<?php if (file_exists($path)) { ?>
  <b>Name:</b>      <?= pathinfo($path, PATHINFO_BASENAME) ?><br>
  <b>Size:</b>      <?= filesize($path) ?> bytes<br>
  <b>Mime type:</b> <?= mime_content_type($path) ?><br>
  <b>Folder:</b>    <?= pathinfo($path, PATHINFO_DIRNAME) ?><br>
<?php } else { ?>
  <p>There is no such file.</p>
<?php } ?>
<?php include 'includes/footer.php'; ?>
```

RESULTADO

1. $path armazena o caminho do arquivo.
2. Uma declaração if usa file_exists() para verificar se o arquivo existe. Se existe, escreve informações sobre ele.
3. pathinfo() mostra o nome do arquivo, inclusive sua extensão (conhecido como nome-base).
4. filesize() mostra o tamanho do arquivo em bytes.
5. mime_content_type() mostra o tipo de mídia do arquivo.
6. pathinfo() mostra a pasta na qual o arquivo está.
7. Se o arquivo não existe, o usuário é informado sobre isso.

EXPERIMENTE: na Etapa 1, mude $path para img/pattern.png. Você verá o novo nome e o tamanho (o tipo mime e a pasta permanecem iguais).

EXPERIMENTE: na Etapa 1, mude $path para img/nologo.png. Como esse arquivo não existe, você deverá ver uma mensagem de erro na Etapa 7.

FUNÇÕES PREDEFINIDAS

RESUMO
FUNÇÕES PREDEFINIDAS

> As funções predefinidas do PHP realizam tarefas que muitos programadores precisam fazer ao criar sites.

> É possível chamar as funções predefinidas como qualquer função, mas não adicione uma definição da função na página.

> As funções de string encontram, contam e substituem caracteres, ou mudam as letras maiúsculas e minúsculas.

> As funções de número arredondam os números, escolhem números aleatórios e realizam funções matemáticas.

> As funções de array adicionam e removem elementos, ordenam o conteúdo do array, verificam chaves ou valores, transformam arrays em strings e vice-versa.

> Constantes são como variáveis, mas o valor não pode ser atualizado uma vez que tenha sido definido.

> A função header() atualiza os cabeçalhos HTTP que são enviados para o navegador (e podem redirecionar os usuários para outra página).

6
OBTENDO DADOS EM NAVEGADORES

Neste capítulo você aprenderá a acessar os dados que os navegadores enviam para o interpretador PHP verificar se estão prontos para uso e se são seguros para exibição nas páginas dinâmicas da web.

Na introdução desta seção, você viu que as páginas HTML têm dois mecanismos para enviar dados ao servidor: adicionando informações a links ou fornecendo formulários para preencher. Também viu como os dados são enviados por HTTP GET (em uma string de consulta) ou HTTP POST (nos cabeçalhos HTTP enviados com cada solicitação da página).

Neste capítulo, você aprenderá a acessar esses dados para que possam ser usados na página. Isso envolve quatro etapas principais:

- **Coletar** cada parte dos dados na string de consulta ou nos cabeçalhos HTTP.
- **Validar** cada parte dos dados para verificar se um valor foi fornecido e se está no formato certo (ex: se uma página precisa de número, verifique se o dado fornecido foi um número, não um texto).
- **Decidir** se a página pode ou não processar os dados que o visitante forneceu. Se não, pode ser necessário que o visitante veja mensagens de erro.
- **Aplicar escape** ou **sanitizar** os dados a fim de ter certeza de que são seguros para usar na página porque certos caracteres podem impedir que uma página seja exibida corretamente ou até mesmo prejudicar o site.

Não existe um modo-padrão de realizar cada uma das quatro etapas; diferentes desenvolvedores usam abordagens variadas. Este capítulo apresenta algumas maneiras de coletar dados e de assegurar que sejam seguros de usar.

OBTENDO DADOS EM NAVEGADORES

QUATRO ETAPAS PARA COLETAR E USAR DADOS

Existem quatro etapas para coletar dados dos visitantes e garantir que eles sejam seguros.

1. COLETAR DADOS

Primeiro, colete os dados que os navegadores enviam para o servidor. Faça isso usando:

- Dois arrays superglobais que o interpretador PHP cria sempre que um arquivo PHP é solicitado.
- Duas funções predefinidas chamadas **funções de filtro**.

Como verá, nem sempre uma página receberá os valores necessários para realizar sua tarefa e isso pode causar um erro.

Se uma parte do dado é opcional, você pode especificar um valor-padrão que a página deve usar, caso ele não seja fornecido.

Se não é opcional e faltam dados, pode ser preciso informar ao visitante que ele não forneceu informações suficientes (veja a próxima etapa).

2. VALIDAR DADOS

Assim que uma página PHP coleta dados em um navegador, normalmente ela **valida** cada parte individual dos dados recebidos para assegurar que não causarão erros quando a página for executada. Isso envolve verificar:

- Se a página tem os dados necessários para realizar sua tarefa. Isso é conhecido como **dados requeridos**.
- Se os dados estão no **formato correto**. Por exemplo, se sua página precisa de um número para fazer um cálculo, você pode verificar se de fato recebeu um número. Ou, se você espera receber um e-mail, pode verificar se o texto está no formato correto para ser um e-mail válido.

O PHP fornece dois modos de validar os dados:

- Escrever suas próprias funções definidas pelo usuário.
- Usar um conjunto de filtros predefinidos com funções de filtro. Cada filtro valida diferentes tipos de dados.

Existem diferentes modos de realizar cada etapa e você verá vários neste capítulo.

3. DECIDIR POR UMA AÇÃO

Assim que uma página coleta e valida todos os valores individuais necessários, ela pode determinar se tem ou não tudo o que precisa para rodar:

- Se todos os dados são válidos, eles podem ser processados.
- Se algum dado for inválido ou estiver ausente, ele não deve ser usado. A página pode mostrar ao usuário uma mensagem de erro.

O processo de exibir erros quando os dados são inválidos é um pouco diferente para formulários e strings de consulta.

- Se os dados do formulário são inválidos, você pode mostrar o formulário de novo com mensagens ao lado de qualquer controle do formulário que forneceu dados inválidos. As mensagens devem informar ao usuário sobre como fornecer dados no formato correto.
- Se uma string de consulta tem dados incorretos, você não deve esperar que os visitantes a editem. Pelo contrário, deve fornecer uma mensagem explicando como o usuário pode solicitar os dados desejados.

4. APLICAR ESCAPE OU SANITIZAR DADOS

Sempre que você exibe dados que um visitante forneceu em uma página, eles precisam ter o **escape aplicado** para verificar se são seguros para exibir. Isso envolve substituir um conjunto de caracteres que os navegadores tratam como código (como os símbolos < e >) por coisas chamadas **entidades**. As entidades pedem ao navegador para exibir esses caracteres (em vez de executá-los como código HTML).

Se você não fizer essa etapa antes de mostrar os dados em uma página, um hacker poderá tentar acessar a página e executar um arquivo JavaScript malicioso.

Se o usuário fornece dados que são usados em uma URL, também é preciso aplicar o escape em qualquer caractere que tenha um significado especial (como barras e pontos de interrogação). Se você não fizer isso, o servidor da web poderá não conseguir processar a URL.

OBTENDO DADOS ENVIADOS POR HTTP GET

Quando dados são adicionados a uma string de consulta no fim da URL, o interpretador PHP adiciona esses dados a um array superglobal chamado $_GET para que o código PHP na página possa acessá-los.

Abaixo, veja um link HTML. Em seu atributo `href`, é possível ver a URL da página à qual o link se conecta.

No fim da URL, existe uma string de consulta que mantém dois pares de nome/valor enviados para o servidor quando o visitante clica no link.

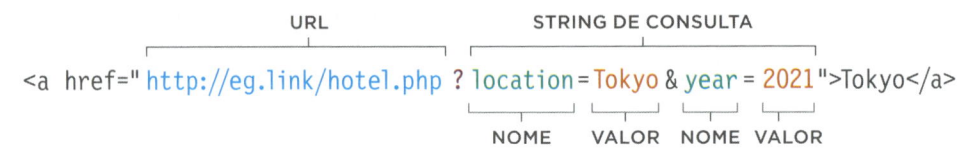

```
<a href="http://eg.link/hotel.php?location=Tokyo&year=2021">Tokyo</a>
```

URL: `http://eg.link/hotel.php`
STRING DE CONSULTA: `location=Tokyo&year=2021`
NOME: `location`, VALOR: `Tokyo`, NOME: `year`, VALOR: `2021`

Quando o interpretador PHP recebe essa solicitação, adiciona os dados da string de consulta a um array superglobal chamado $_GET. Como todos os arrays superglobais que o interpretador PHP gera, $_GET é um array associativo. Ele recebe um elemento para cada par de nome/valor que está na string de consulta:

- **chave** é o nome sendo enviado.
- **valor** é enviado com o nome.

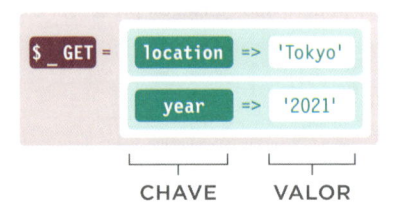

$_GET =
CHAVE		VALOR
location	=>	'Tokyo'
year	=>	'2021'

O código no arquivo PHP pode acessar os valores no array superglobal $_GET do mesmo modo como acessaria os valores de qualquer array associativo:

```
$location = $_GET['location'];
```

VARIÁVEL: `$location`
CHAVE: `'location'`

Em geral, um arquivo PHP é usado para exibir várias páginas de um site, e os dados na string de consulta são usados para determinar quais dados são mostrados na página.

Na página à direita, um array tem três elementos. Cada um mantém a cidade e o endereço de uma loja. Um valor na string de consulta seleciona os dados de qual loja devem ser exibidos. Portanto, esse arquivo PHP cria três páginas do site; cada uma é para uma loja diferente. Os dados no array também são usados para criar os links que solicitam essas três páginas.

USANDO UMA STRING DE CONSULTA PARA SELECIONAR O CONTEÚDO

PHP   section_b/c06/get-1.php?city=London

```php
<?php
$cities  = [
    'London' => '48 Store Street, WC1E 7BS',
    'Sydney' => '151 Oxford Street, 2021',
    'NYC'    => '1242 7th Street, 10492',
];
$city    = $_GET['city'];
$address = $cities[$city];
?>
...
<?php foreach ($cities as $key => $value) { ?>
    <a href="get-1.php?city=<?= $key ?>"><?= $key ?></a>
<?php } ?>

<h1><?= $city ?></h1>
<p><?= $address ?></p>
```

RESULTADO

London Sydney NYC

LONDON

48 Store Street, WC1E 7BS

Este exemplo coleta o nome da cidade na string de consulta e mostra o endereço de uma loja nessa cidade.

1. A variável `$cities` mantém um array associativo. Cada chave é o nome de uma cidade diferente; cada valor é o endereço de uma filial da loja nessa cidade.

2. O nome da cidade é coletado no array superglobal `$_GET` e armazenado em uma variável chamada `$city` (note que diferencia letras maiúsculas e minúsculas).

3. O nome da cidade é usado para selecionar o endereço da filial nessa cidade a partir do array criado na Etapa 1. O endereço é armazenado em uma variável chamada `$address`.

4. Um loop `foreach` percorre cada elemento no array `$cities`.

5. No loop, é criado um link para cada cidade. O nome da cidade é escrito na string de consulta e novamente como um texto de link. Isso mostra como o PHP pode criar links e como esses links podem apontar para um arquivo que pode exibir diferentes dados.

6. Os valores armazenados nas variáveis `$city` e `$address` nas Etapas 2 e 3 são exibidos na página.

EXPERIMENTE: na barra de endereço do navegador, remova a string de consulta da URL e recarregue a página. Ela exibirá dois erros.

Isso ocorre porque o nome da cidade não estava na string de consulta, portanto não foi adicionado ao array superglobal `$_GET`.

LIDANDO COM DADOS AUSENTES NOS ARRAYS SUPERGLOBAIS

Se você tenta acessar uma chave que não foi adicionada a um array superglobal, o interpretador PHP gera um erro. Para evitar tais erros, verifique se a chave está no array superglobal antes de acessá-la.

Ao compartilhar um link para uma página, alguém pode omitir parte ou toda a string de consulta sem querer.

No fim do exemplo anterior você viu que, se a string de consulta não tem dados, ela não pode ser adicionada ao array superglobal $_GET. Se um arquivo PHP tenta acessar esses dados, o interpretador PHP gera um erro mostrando Undefined array key, ou Undefined index, porque está tentando acessar uma chave (ou um índice) que não foi adicionada ao array superglobal $_GET.

Para evitar esse erro, as páginas devem verificar se um valor foi adicionado ao array superglobal $_GET antes de tentar acessá-lo.

O PHP tem uma função predefinida chamada isset() que aceita como argumento um nome de variável, uma chave do array ou uma propriedade do objeto. Ela retorna true se essa variável, chave ou propriedade existe e seu valor não é null. Do contrário, retorna false. O mais importante é que não causará um erro se a variável, a chave ou o parâmetro especificado não existir.

Abaixo, é declarada uma variável $city. Um operador ternário (o atalho para uma declaração if... else; veja as páginas 76-77) verifica se o superglobal $_GET tem a chave chamada city e seu valor não é null. Se tem, ela será armazenada na variável $city. Do contrário, $city manterá uma string em branco.

```
$city = isset($_GET['city']) ? $_GET['city'] : '';
```

- VARIÁVEL
- A CHAVE EXISTE?
- SIM: ARMAZENE SEU VALOR
- NÃO: ARMAZENE UMA STRING EM BRANCO

O PHP 7 introduziu o operador de coalescência nula ?? que age como um atalho para usar isset() na condição de um operador ternário.

Se um valor à esquerda do operador de coalescência nula não existe, forneça um valor alternativo que deve ser usado à direita.

```
$city = $_GET['city'] ?? '';
```

- VARIÁVEL
- TENTE ARMAZENAR ESTE VALOR
- SE ELE NÃO EXISTE: ARMAZENE UMA STRING EM BRANCO

USANDO UMA STRING DE CONSULTA PARA SELECIONAR O CONTEÚDO

PHP *section _ b/c06/get-2.php*

```php
<?php
$cities  = [
    'London' => '48 Store Street, WC1E 7BS',
    'Sydney' => '151 Oxford Street, 2021',
    'NYC'    => '1242 7th Street, 10492',
];
$city = $ _ GET['city'] ?? '';
if ($city) {
    $address = $cities[$city];
} else {
    $address = 'Please select a city';
}
?>
...
<?php foreach ($cities as $key => $value) { ?>
  <a href="get-2.php?city=<?= $key ?>"><?= $key ?></a>
<?php } ?>

<h1><?= $city ?></h1>
<p><?= $address ?></p>
```

(1) (2) (3) (4) (5)

RESULTADO

London Sydney NYC

Please select a city

EXPERIMENTE: na string de consulta, use Tokyo como a cidade. A página mostrará um erro porque não consegue encontrar essa chave no array $cities.

Adicione um novo elemento ao array na Etapa 1 com a chave Tokyo e adicione um endereço, então tente usar de novo na string de consulta.

Este exemplo se baseia no anterior. As diferenças são destacadas.

1. O valor armazenado na variável $city é atribuído usando o operador de coalescência nula. Se o array superglobal $ _ GET:

   - Tiver uma chave city e seu valor não for null, o valor será armazenado na variável $city.
   - Não tiver uma chave city ou seu valor for null, uma string vazia será armazenada na variável $city.

2. A variável $city é usada na condição de uma declaração if. Se o valor é uma string não vazia, o interpretador PHP trata esse valor como true e executa o bloco de código subsequente.

3. A variável $address armazena o endereço da filial na cidade nomeada na string de consulta.

4. Do contrário, se o valor na variável $city é uma string em branco, o segundo bloco de código é executado.

5. A variável $address armazena uma mensagem pedindo ao visitante para selecionar uma cidade.

OBTENDO DADOS EM NAVEGADORES

VALIDANDO DADOS

Antes de uma página PHP usar os dados coletados, eles devem ser validados para assegurar que não causarão erros quando a página for executada.

Validar os dados que uma página recebe envolve verificar se o arquivo PHP tem:

- Os dados necessários para realizar uma tarefa, conhecidos como **dados requeridos**.
- Os dados no **formato certo**. Por exemplo, se uma página precisa de número para fazer um cálculo, você pode verificar se ela recebeu um número (não uma string).

No arquivo da página anterior, a string de consulta precisou de:

- Nome e valor para especificar a loja a exibir.
- Valor correspondente a uma chave no array de cidades.

Se o valor fornecido na string de consulta não está no array de cidades, o interpretador PHP gera um erro. Portanto, antes de tentar exibir a cidade na página, o código pode verificar se o valor na string de consulta existe no array de cidades.

Você aprenderá vários modos de validar os diferentes tipos de dados ao longo deste capítulo. O exemplo na página à direita usa a função `array_key_exists()` predefinida do PHP (veja a página 218) para verificar se o valor na string de consulta corresponde a uma chave no array de cidades. A função retorna `true` se a chave é encontrada, e `false` se não; e o valor que a função retorna é armazenado em uma variável chamada `$valid`.

Assim que os dados são validados, a página precisa determinar se deve executar ou não o resto do código.

O exemplo usado até então neste capítulo é estendido na página à direita. A variável `$valid` é usada na condição de uma declaração `if` para determinar se a página pode ou não processar os dados:

- Se os dados são válidos, a página pode obter o local da loja no array e mantê-lo em uma variável `$address` pronta para exibir posteriormente na página.
- Se os dados não são válidos, a variável `$address` armazena uma mensagem pedindo ao visitante para selecionar uma cidade. Isso fornece um feedback útil para o visitante, informando-o sobre como usar a página e obter as informações procuradas.

Mais adiante neste capítulo, você aprenderá a lidar com as páginas que precisam coletar diversos valores no navegador e como verificar se todos os valores são válidos ou não.

VALIDANDO DADOS DA STRING DE CONSULTA

```
PHP                                    section _ b/c06/get-3.php

    <?php
    $cities = [
        'London' => '48 Store Street, WC1E 7BS',
        'Sydney' => '151 Oxford Street, 2021',
        'NYC'    => '1242 7th Street, 10492',
    ];
①   $city = $_GET['city'] ?? '';
②   $valid = array_key_exists($city, $cities);

③   if ($valid) {
④       $address = $cities[$city];
⑤   } else {
⑥       $address = 'Please select a city';
    }
    ?>
    ...
    <?php foreach ($cities as $key => $value) { ?>
        <a href="get-3.php?city=<?= $key ?>"><?= $key ?></a>
    <?php } ?>

    <h1><?= $city ?></h1>
    <p><?= $address ?></p>
```

RESULTADO

London Sydney NYC

Please select a city

Este exemplo se baseia nos anteriores e usa a validação para verificar se a string de consulta conterá um local válido.

1. Se a string de consulta tiver uma cidade, ela será armazenada em uma variável $city. Se não, $city manterá uma string em branco.

2. A função array_key_exists() verifica se o valor em $city é uma chave no array $cities. Se for, a variável $valid conterá um valor true. Se não, $valid conterá um valor false.

3. A variável $valid é usada na condição de uma declaração if. Se o valor armazenado for true, o primeiro bloco de código será executado.

4. O endereço dessa cidade é coletado no array $cities e armazenado na variável $address.

5. Se o valor em $valid for false, o segundo bloco de código será executado.

6. A variável $address contém uma mensagem pedindo ao visitante para selecionar uma cidade.

EXPERIMENTE: na barra de endereço do navegador, tente inserir o nome da cidade Shanghai na string de consulta: get-3.php?city=Shanghai

MOSTRANDO UMA PÁGINA DE ERRO SE FALTAM DADOS

Se uma página precisa obter dados da string de consulta, mas esses dados não existem ou são inválidos, o interpretador PHP pode pedir ao navegador para solicitar um arquivo diferente contendo uma mensagem de erro.

Validar dados na string de consulta é importante porque, quando as pessoas acessam o link do seu site, é fácil acidentalmente omitir dados nessa string.

Não se deve esperar que os visitantes consigam editar os dados na string de consulta. Portanto, se os dados não são válidos, você pode ajudar:

- Mostrando uma mensagem na página. Isso poderia informar que a página solicitada não pôde ser encontrada ou pedir que o visitante selecione um item em uma lista de opções (como o exemplo na página anterior).
- Enviando o visitante para uma página diferente que contenha uma mensagem de erro.

Note como a condição no código abaixo verifica se os dados são inválidos examinando se o valor armazenado em `$valid` não é `true`.

Na página 226, você viu que a função `header()` predefinida do PHP pode ser usada para definir o cabeçalho `Location` que o interpretador PHP envia para o navegador, pedindo ao navegador para solicitar uma página diferente.

Quando uma página não pode ser exibida porque os dados não são válidos, recomenda-se atualizar o código de resposta que o interpretador PHP retorna para o navegador (veja a página 181). Isso ajuda a evitar que os mecanismos de pesquisa adicionem URLs incorretas aos resultados da pesquisa. A função `http_response_code()` predefinida do PHP é usada para definir o código de resposta HTTP. Seu único argumento é o código de resposta que deve ser usado. Retornar um código de resposta 404 indica que a página solicitada não pôde ser encontrada.

Assim que o código de resposta e o cabeçalho são definidos, o comando `exit` paralisa a execução de mais código na página (pois isso poderia causar um erro).

```
SE INVÁLIDO             → if (! $valid ) {
DEFINIR CÓDIGO DE RESPOSTA      → http_response_code(404);
REDIRECIONAR PARA PÁGINA DE ERRO → header(' Location: page-not-found.php');
PARAR EXECUÇÃO DO CÓDIGO        → exit;
                                }
```

ENVIANDO VISITANTES PARA UMA PÁGINA DE ERRO

```php
section _ b/c06/get-4.php

<?php
$cities  = [
    'London' => '48 Store Street, WC1E 7BS',
    'Sydney' => '151 Oxford Street, 2021',
    'NYC'    => '1242 7th Street, 10492',
];
$city = $_GET['city'] ?? '';
$valid = array _ key _ exists($city, $cities);

if (!$valid) {
    http _ response _ code(404);
    header('Location: page-not-found.php');
    exit;
}
$address = $cities[$city];
?>
...
<?php foreach ($cities as $key => $value) { ?>
  <a href="get-4.php?city=<?= $key ?>"><?= $key ?></a>
<?php } ?>

<h1><?= $city ?></h1>
<p><?= $address ?></p>
```

RESULTADO

PAGE NOT FOUND
Sorry, we could not find the page you were looking for.

NOTA: o box do resultado mostra o arquivo page-not-found.php porque não há nenhuma cidade na string de consulta.

Este exemplo envia os visitantes para uma página de erro se os dados na string de consulta não são uma cidade válida.

1. A função `array _ key _ exists()` do PHP verifica se o nome da cidade coletado na string de consulta é uma das chaves no array de cidades. A função retorna `true` se ela existe e `false` se não. Esse valor é armazenado em uma variável `$valid`.

2. A condição de uma declaração if verifica se o valor armazenado em `$valid` *não* é `true` (o operador `!` indica que *não* deve ser `true`). Se é `false`, o bloco de código seguinte é executado.

3. A função `http _ response _ code()` do PHP pede ao interpretador PHP para retornar o código de resposta 404 para o navegador, indicando que a página não pôde ser encontrada.

4. A função `header()` do PHP pede ao interpretador PHP para adicionar um cabeçalho `Location` a fim de instruir o navegador a solicitar um arquivo `page-not-found.php`.

5. O comando `exit` do PHP pede ao interpretador PHP para não executar mais código no arquivo.

Quando o valor em `$valid` é `true`, as Etapas 3-5 são ignoradas e a página será exibida.

APLICANDO ESCAPE NA SAÍDA

Quando os valores enviados para o servidor são mostrados em uma página, eles devem ter o **escape** aplicado a fim de assegurar que hackers não possam usá-los para executar scripts maliciosos.

O escape dos dados envolve remover (e opcionalmente substituir) qualquer caractere que não deve aparecer em um valor. Por exemplo, o HTML tem cinco **caracteres reservados** que os navegadores tratam como código:

< e > são usados em tags.
" e ' contêm valores do atributo.
& é usado para criar entidades.

Para exibir esses cinco caracteres em uma página, eles devem ser substituídos por um **nome de entidade** ou um **número de entidade** que os represente. Então, os navegadores exibem os caracteres correspondentes em vez de tratá-los como código.

<	>	&	"	'
&lt;	&gt;	&amp;	&quot;	&apos;
&#60;	&#62;	&#38;	&#34;	&#39;

Quando uma página recebe valores de um visitante e precisa exibi-los, deve verificar esses cinco caracteres reservados e substituí-los por suas entidades. Isso pode ser feito usando a função `htmlspecialchars()` predefinida do PHP (veja a página 246).

Se você não substituir os caracteres reservados do HTML por entidades, hackers poderão enviar valores que carregam um arquivo JavaScript contendo código malicioso. Isso se chama ataque **XSS (cross-site scripting)**.

Por exemplo, se um visitante fornecesse o seguinte nome de usuário e a página tentasse exibi-lo, poderia causar a execução do script:

Luke<script src="http://eg.link/bad.js"></script>

Quando caracteres reservados são substituídos por entidades, os visitantes veem o texto acima (e o script não é executado). No código-fonte HTML da página, o nome de usuário ficaria assim:

Luke<script src="http://eg.link/bad.js"></script>

Os dados fornecidos pelos usuários devem aparecer apenas na marcação HTML visível na página da web (ou nos elementos `<title>` ou `<meta>`). **Não** exiba os dados fornecidos por um usuário em:

- Comentários em seu código.
- Regras CSS (pois podem incluir um script na página).
- Elementos `<script>`.
- Nomes da tag.
- Nomes do atributo.
- Como um valor dos atributos de evento HTML, como `onclick` e `onload`.
- Como um valor do atributo HTML que carrega arquivos (como o atributo `src`).

Como será visto na página 280, os valores usados em uma URL ou em uma string de consulta também devem ter o escape aplicado.

O RISCO DE NÃO APLICAR O ESCAPE NA SAÍDA

PHP   section _ b/c06/xss-1.php

```
① <a class="badlink" href="xss-1.php?msg=<script
  src=js/bad.js></script>">LINK TO DEMONSTRATE XSS</a>

  <?php
② $message = $_GET['msg'] ?? 'Click link at top of page';
  ?>
  ...
  <h1>XSS Example</h1>
③ <p><?= $message ?></p>
```

RESULTADO

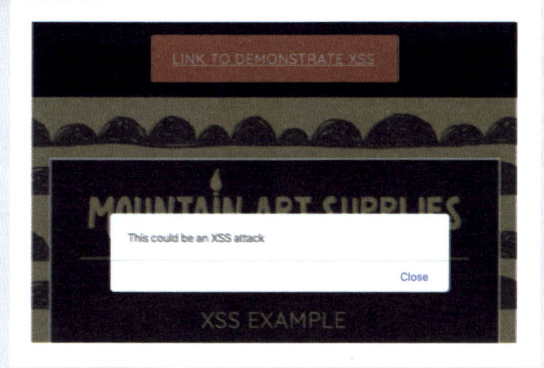

Este exemplo mostra o que acontece se os dados não têm o escape aplicado.

1. Neste exemplo, um link para a mesma página é mostrado. Ele tem uma string de consulta com as tags `<script>` (em um ataque XSS real, o link para a página poderia aparecer em outro site, em um e-mail ou outro tipo de mensagem).

2. A página PHP verifica o array superglobal `$_GET` para saber se a string de consulta contém um nome msg.

   - Em caso afirmativo, o valor correspondente é armazenado em uma variável $message.
   - Do contrário, $message armazena uma instrução pedindo aos usuários para clicar no link.

3. O valor em $message é mostrado na página.

NOTA: como será mostrado na próxima página, aplicar escape no texto da string de consulta significa que tags do script são exibidas na página e o navegador não as trata como código.

Ao clicar no link no topo da página, o script será executado porque o valor na string de consulta não teve o escape aplicado.

ESCAPE NOS CARACTERES HTML RESERVADOS

A função `htmlspecialchars()` predefinida do PHP substitui os caracteres reservados do HTML por suas entidades correspondentes para que esses caracteres sejam exibidos e não possam ser executados como código.

A função `htmlspecialchars()` tem quatro parâmetros; o primeiro é obrigatório, o resto é opcional:

- `$text` é o texto no qual você deseja aplicar o escape.
- `$flag` é uma opção para controlar quais caracteres são codificados (a tabela abaixo mostra as opções comuns).
- `$encoding` é o esquema de codificação usado na string (se não especificado, o padrão é UTF-8).
- `$double_encode`. Como as entidades HTML iniciam com &, se uma string contém uma entidade, o símbolo & é codificado e a página exibe a entidade (em vez do caractere reservado). Usar um valor `false` para esse parâmetro pede ao interpretador PHP para não codificar as entidades na string.

Se a string que recebe o escape é composta de caracteres válidos para o esquema de codificação usado, a função retorna a string com os caracteres reservados substituídos por entidades.

Se a string contém caracteres inválidos, retorna uma string vazia (a menos que a flag ENT_SUBSTITUTE seja usada, como descrito na tabela abaixo).

Como `htmlspecialchars()` é um nome de função bem longo e tem quatro parâmetros, alguns programadores criam funções definidas pelo usuário com um nome menor para aplicar o escape nos valores e retornar a versão codificada (como mostrado na página à direita).

`htmlspecialchars($text[,$flag][, $encoding][, $double_encode]);`

FLAG	DESCRIÇÃO
ENT_COMPAT	Converte as aspas duplas e deixa as aspas simples como estão (é o padrão se nenhuma flag é fornecida)
ENT_QUOTES	Converte aspas duplas e simples
ENT_NOQUOTES	Não converte aspas duplas ou simples
ENT_SUBSTITUTE	Para evitar que a função retorne uma string vazia, troque os caracteres inválidos pelo substituto: � (em UTF-8 isso é U+FFFD, em qualquer outra codificação é &#xFFFD)
ENT_HTML401	Trata o código como HTML 4.01
ENT_HTML5	Trata o código como HTML 5
ENT_XHTML	Trata o código como XHTML

Para especificar várias flags, separe cada uma com o símbolo |, por exemplo: ENT_QUOTES|ENT_HTML5.

ESCAPE NO CONTEÚDO FORNECIDO PELOS USUÁRIOS

PHP — section _ b/c06/xss-2.php

```php
<a class="badlink" href="xss-2.php?msg=<script src=js/bad.js></script>">ESCAPING MARKUP</a>

<?php
$message = $_GET['msg'] ?? 'Click the link above';
?> ...
<h1>XSS Example</h1>
① <p><?= htmlspecialchars($message) ?></p>
```

PHP — section _ b/c06/xss-3.php

```php
<a class="badlink" href="xss-3.php?msg=<script src=js/bad.js></script>">ESCAPING MARKUP</a>

<?php
function html_escape(string $string): string
{
②    return htmlspecialchars($string,
        ENT_QUOTES|ENT_HTML5, 'UTF-8', true);
}
$message = $_GET['msg'] ?? 'Click the link above';
?> ...
<h1>XSS Example</h1>
③ <p><?= html_escape($message) ?></p>
```

RESULTADO

XSS EXAMPLE

\<script src=js/bad.js\>\</script\>

1. O primeiro exemplo tem apenas uma alteração em relação ao anterior; quando o valor em $message é escrito, ele usa a função `htmlspecialchars()` do PHP para substituir os caracteres reservados do HTML por suas entidades correspondentes. Assim, quando o link for clicado, o HTML para as tags `<script>` será mostrado na tela em vez de ser executado pelo navegador.

2. Uma segunda versão do mesmo exemplo adiciona uma função definida pelo usuário chamada `html_escape()`. Ela aceita uma string como argumento e a retorna com todos os caracteres reservados substituídos por entidades. Quando chama `htmlspecialchars()`, fornece valores para todos os quatro parâmetros.

3. A função `html_escape()` é chamada para escrever a mensagem da string de consulta.

O resultado dos dois exemplos é exatamente o mesmo.

NOTA: no download do código deste capítulo, a definição da função `html_escape()` também está em um arquivo de inclusão functions.php.

EXPERIMENTE: na Etapa 2, substitua a definição da função por uma declaração `include` que inclui o arquivo functions.php.

COMO OS DADOS DO FORMULÁRIO SÃO ENVIADOS PARA O SERVIDOR

Os formulários permitem que os visitantes insiram texto e selecionem opções. Para cada controle do formulário, o navegador pode enviar um nome e um valor para o servidor junto com uma solicitação da página.

A tag `<form>` HTML requer dois atributos:

- O valor do atributo `action` é o arquivo PHP para o qual os dados do formulário devem ser enviados.
- O valor do atributo `method` indica como enviar os dados do formulário para o servidor.

O atributo `method` deve ter um destes valores:

- GET envia os dados do formulário usando HTTP GET em uma string de consulta adicionada ao final da URL.
- POST envia os dados usando HTTP POST nos cabeçalhos HTTP enviados do navegador para o servidor.

PÁGINA PARA A QUAL ENVIAR OS DADOS → `join.php`

MÉTODO HTTP PARA ENVIAR OS DADOS → `POST`

```
<form action="join.php" method="POST">
    <p>Email:  <input type="email" name="email"></p>
    <p>Age:    <input type="number" name="age"></p>
    <p><input type="checkbox" name=" terms" value="true">
        I agree to the terms and conditions.</p>
    <input type="submit" value="Save">
</form>
```

Quando o visitante envia o formulário, o navegador solicita a página especificada no atributo `action`.

O valor do atributo `action` pode ser um caminho relativo da página que cria o formulário para a página que o processa, ou pode ser uma URL completa.

Em geral, o formulário será enviado para a mesma página PHP usada para exibi-lo.

O formulário acima é enviado por HTTP POST, portanto o navegador adicionará os nomes e os valores dos controles do formulário aos cabeçalhos HTTP. Os cabeçalhos são enviados com a solicitação para `join.php`. Para cada cabeçalho:

- **Nome** é o valor do atributo `name` desse controle do formulário.
- **Value** é o texto que o usuário inseriu ou o valor do item selecionado.

OBTENDO DADOS EM NAVEGADORES

Os controles do formulário HTML abaixo se situam em uma destas duas categorias: entradas de texto que permitem ao visitante inserir texto e opções que os permitem fazer uma escolha.

Se um visitante preenche uma entrada de texto, o nome enviado para o servidor é o valor do atributo `name` e o valor é o texto inserido. Se o usuário não insere nenhum texto para esse controle do formulário, o nome ainda é enviado para o servidor e o valor é uma string em branco.

Se uma opção é selecionada, o nome é o valor do atributo `name` e o valor é o dado no atributo `value` para a opção selecionada. Se o usuário não selecionou uma opção, o navegador não envia nenhum dado desse controle do formulário para o servidor.

ENTRADA TEXTO	EXEMPLO	FINALIDADE
Entrada de texto	`<input type="text" name="username">`	Insere linha de texto
Entrada de número	`<input type="number" name="age">`	Insere número
Entrada de e-mail	`<input type="email" name="email">`	Insere e-mail
Senha	`<input type="password" name="password">`	Insere senha
Área de texto	`<textarea name="bio"></textarea>`	Insere texto mais longo

OPÇÃO	EXEMPLO	FINALIDADE
Botões de opção	`<input type="radio" name="rating" value="good">` `<input type="radio" name="rating" value="bad">`	Seleciona uma das múltiplas opções

Caixa de seleção	`<select name="preferences">`
	  `<option value="email">Email</option>`
	  `<option value="phone">Phone</option>`
	`</select>`
		Seleciona uma das múltiplas opções

Caixa de opção	`<input type="checkbox" name="terms" value="true">`	Seleciona uma opção

Para demonstrar a validação no lado do servidor, este livro valida apenas os dados no servidor. Sites reais devem usar JavaScript e entradas de número e e-mail para validar os dados no navegador antes de enviá-los para o servidor e, então, validar os dados de novo no servidor (porque é possível evitar a validação no navegador).

NOTA: quando o interpretador PHP adiciona dados do navegador a um array superglobal, é sempre um tipo de dado string, mesmo que o valor seja um número ou um booleano.

Você verá o controle de upload do arquivo usado para enviar arquivos para o servidor no próximo capítulo.

OBTENDO DADOS DO FORMULÁRIO

Quando o interpretador PHP recebe os dados enviados por HTTP POST, eles são adicionados ao array superglobal $_POST.

Quando o visitante envia um formulário por HTTP POST, o interpretador PHP recebe a solicitação para a página e adiciona dados do formulário (enviados nos cabeçalhos HTTP) ao array superglobal $_POST:

- **Chave** é o nome do controle do formulário.
- **Valor** é o que o usuário inseriu ou selecionou.

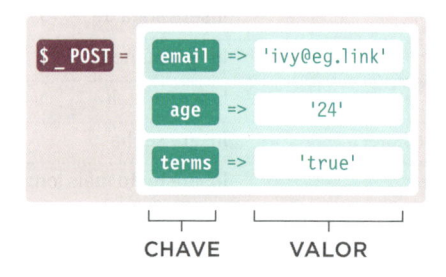

```
$_POST = email   => 'ivy@eg.link'
         age     => '24'
         terms   => 'true'
```
CHAVE   VALOR

Se o formulário foi enviado usando HTTP GET, o interpretador PHP obtém os dados do formulário na string de consulta e os adiciona ao array superglobal $_GET.

O código no arquivo PHP pode acessar os valores no array superglobal $_POST do mesmo modo como acessaria os valores em qualquer array associativo. Se o controle do formulário for uma entrada de texto, sempre haverá um valor (a menos que tenha sido desativado):

```
$email = $_POST['email'];
```
VARIÁVEL   CHAVE

Se o controle do formulário é uma opção, nome e valor são adicionados aos cabeçalhos HTTP apenas se o visitante selecionar uma opção. Assim, o operador de coalescência nula é usado para coletar as opções no array superglobal $_POST (do mesmo modo como é usado para coletar valores na string de consulta).

```
$age = $_POST['age'] ?? false;
```
VARIÁVEL   CHAVE   VALOR-PADRÃO

O exemplo à direita mostra o que os arrays superglobais contêm quando as páginas usam formulários. A função `var_dump()` (veja a página 192) é usada a fim de mostrar o conteúdo do array superglobal para que você possa ver quais elementos são adicionados ao array e também que todos os dados nesses arrays são um tipo de dado string, mesmo que seja um número ou um booleano.

É importante experimentar o exemplo por si mesmo e ver como os dados no array superglobal mudam quando:

- A página carrega pela primeira vez, antes de o formulário ser enviado.
- O formulário é enviado sem preencher nenhum dado.
- Os campos do formulário são preenchidos.

COMO OS DADOS DO FORMULÁRIO SÃO RECEBIDOS

PHP   section _ b/c06/collecting-form-data.php

```
<form action="collecting-form-data.php" method="POST">
  <p>Name:      <input type="text" name="name"></p>
  <p>Age:       <input type="text" name="age"></p>
① <p>Email:     <input type="text" name="email"></p>
  <p>Password: <input type="password" name="pwd"></p>
  <p>Bio:       <textarea name="bio"></textarea></p>
  <p>Contact preference:
    <select name="preferences">
      <option value="email">Email</option>
      <option value="phone">Phone</option>
    </select></p>
② <p>Rating:
  1 <input type="radio" name="rating" value="1"> 
  2 <input type="radio" name="rating" value="2"> 
  3 <input type="radio" name="rating" value="3"></p>
  <p><input type="checkbox" name="terms" value="true">
    I agree to the terms and conditions.</p>
  <p><input type="submit" value="Save"></p>
</form>
③ <pre><?php var_dump($_POST); ?></pre>
```

RESULTADO

1. Cinco controles de texto pedem o nome, a idade, o e-mail, a senha e a bio do usuário.

2. Três controles do formulário apresentam opções ao visitante.

3. O conteúdo do array superglobal $ _ POST é escrito usando a função var _ dump().

Quando a página carrega, o formulário não foi enviado, portanto o superglobal $ _ POST estará vazio.

Se o formulário é enviado sem fornecer nenhum dado, o array superglobal $ _ POST contém um elemento para cada entrada de texto; seu valor é uma string vazia. A caixa de seleção é enviada para o servidor com o valor-padrão mostrado quando a página carregou. Mas os nomes e os valores dos botões de opção e da caixa de opção não são enviados ao servidor.

Se todos os controles do formulário forem preenchidos, o array superglobal $ _ POST manterá um elemento para cada controle do formulário. Cada valor enviado ao servidor é uma string.

EXPERIMENTE: mude o valor no atributo method da tag <form> para GET e os dados serão enviados por HTTP GET. Então, na Etapa 3, exiba o conteúdo do array superglobal $ _ GET.

COMO VERIFICAR SE UM FORMULÁRIO FOI ENVIADO

Um formulário deve ser enviado antes que você possa coletar e processar seus dados. Há diferentes técnicas para verificar se o formulário foi enviado dependendo de ele ter sido enviado por HTTP POST ou HTTP GET.

HTTP POST

O array superglobal $_SERVER (veja a página 190) tem uma chave REQUEST_METHOD que armazena o método HTTP usado para solicitar a página. Quando um formulário é enviado usando HTTP POST, ele tem um valor POST.

Para verificar se um formulário foi enviado usando HTTP POST, a condição de uma declaração if verifica se a chave REQUEST_METHOD tem um valor POST. O código para processar o formulário fica no bloco de código a seguir.

```
if ($_SERVER['REQUEST_METHOD'] == 'POST') {
    // O código para coletar e processar os dados do formulário entra aqui
}
```

HTTP GET

Quando um usuário clica em um link ou insere uma URL na barra de endereço do navegador, a solicitação sempre é enviada por HTTP GET. Assim, não é possível usar o superglobal $_SERVER para verificar quando um formulário foi enviado por HTTP GET. Em vez disso, adicione uma destas opções:

- Uma entrada oculta ao formulário.
- Um nome e um valor ao botão de envio.

Quando o formulário for enviado, o nome e o valor do campo oculto ou do botão de envio serão adicionados ao array superglobal $_GET.

Então, a condição de uma declaração if pode verificar se o superglobal $_GET tem o valor passado quando o formulário é enviado. Se tem, o código para coletar e processar os dados pode ser executado.

```
$submitted = $_GET['submitted'] ?? '';
if ($submitted === 'true') {
    // O código para coletar e processar os dados do formulário entra aqui
}
```

VERIFICANDO SE UM FORMULÁRIO FOI ENVIADO

```
PHP                                    section_b/c06/check-for-http-post.php

    <?php
①   if ($_SERVER['REQUEST_METHOD'] == 'POST') {
②       $term = $_POST['term'];
        echo 'You searched for ' . htmlspecialchars($term);
    } else { ?>
        <form action="check-for-http-post.php" method="POST">
③           Search for: <input type="text" name="term">
            <input type="submit" value="search">
        </form>
    <?php } ?>
```

```
PHP                                    section_b/c06/check-for-http-get.php

    <?php
④   $submitted = $_GET['sent'] ?? '';
    if ($submitted === 'search') {
⑤       $term = $_GET['term'] ?? '';
        echo 'You searched for ' . htmlspecialchars($term);
    } else { ?>
        <form action="check-for-http-get.php" method="GET">
⑥           Search for: <input type="search" name="term">
            <input type="submit" name="sent" value="search">
        </form>
    <?php } ?>
```

RESULTADO

Search for: canvas   SEARCH

1. A condição de uma declaração if verifica o array superglobal $_SERVER para saber se a chave REQUEST_METHOD tem um valor POST.

2. Se tem, o formulário de pesquisa foi enviado por HTTP POST e uma mensagem será usada para exibir o termo da pesquisa.

3. Do contrário, a mensagem é omitida e o formulário, exibido.

Neste exemplo, o nome do botão de envio é enviado e seu valor é search. Se o formulário foi enviado, é adicionado ao array superglobal $_GET.

4. O operador de coalescência nula verifica se o array superglobal $_GET tem um valor para a chave sent. Se tem, uma variável $submitted armazena seu valor; se não, armazena uma string em branco.

5. A condição de uma declaração if verifica se o valor em $submitted é search. Em caso afirmativo, o formulário foi enviado por HTTP GET e o termo da pesquisa é exibido.

6. Do contrário, o formulário é mostrado.

EXPERIMENTE: use uma entrada de formulário oculta para indicar que o formulário foi enviado.

VALIDANDO NÚMEROS

Quando os dados do formulário são coletados, devem ser validados para assegurar que todos os valores requiridos foram fornecidos e os dados estão no formato correto. Isso evita que dados ruins causem erros quando a página é executada.

Para verificar se o valor é um número, use a função is_numeric() predefinida do PHP (página 216). Ou, caso precise verificar se um número está dentro de um intervalo específico de números permitidos, crie uma função definida pelo usuário para realizar a tarefa. Abaixo, veja uma função que usa operadores de comparação para verificar se um número está dentro dos intervalos mínimo e máximo de valores permitidos. A função tem três parâmetros:

- $number é o valor a verificar.
- $min é o número mínimo permitido.
- $max é o número máximo permitido.

Na função, a condição contém duas expressões que verificam se o número é:

- Maior ou igual ao número mínimo.
- Menor ou igual ao número máximo.

Se as duas expressões forem avaliadas como true, a função retornará true. Se uma das expressões resultar em false, a função retornará false.

Assim que uma página coleta um número, pode verificar se o valor é válido chamando essa função.

```
function is_number( $number, int $min = 0, int $max = 100): bool
{
    return ($number >= $min and $number <= $max);
}
```

É >= AO MÍNIMO? É <= AO MÁXIMO?

Se os dados do formulário não são válidos, em geral o formulário é mostrado novamente ao usuário para que ele possa tentar mais uma vez. Nesses casos, o número fornecido pode ser mostrado no controle do formulário escrevendo-o no atributo value da tag <input>. A função htmlspecialchars() é usada ao exibir o valor para impedir um ataque XSS.

Como o valor que o usuário inseriu é coletado apenas se o formulário foi enviado, a variável $age deve ser declarada no topo da página e deve receber uma string vazia como o valor inicial. Se a variável não foi declarada no topo, então tentar exibi-la no atributo value do controle do formulário resultaria em um erro Undefined variable na entrada de texto.

```
<input type="text" name="age" value="<?= htmlspecialchars($age) ?>">
```

VERIFICANDO SE UM NÚMERO É VÁLIDO

PHP — section_b/c06/validate-number-range.php

```php
<?php
declare(strict_types = 1);
$age     = '';
$message = '';

function is_number($number,int $min = 0, int $max = 100): bool
{
    return ($number >= $min and $number <= $max);
}

if ($_SERVER['REQUEST_METHOD'] == 'POST') {
    $age    = $_POST['age'];
    $valid  = is_number($age, 16, 65);
    if ($valid) {
        $message = 'Age is valid';
    } else {
        $message = 'You must be 16-65';
    }
}
?> ...
<?= $message ?>
<form action="validate-number-range.php" method="POST">
    Age: <input type="text" name="age" size="4"
         value="<?= htmlspecialchars($age) ?>">
    <input type="submit" value="Save">
</form>
```

RESULTADO

> You must be 16-65
> Age: 15 [SAVE]

1. Duas variáveis, $age e $message, são inicializadas com valores que são strings vazias.

2. A função is_number() (veja na página à esquerda) é definida.

3. A página verifica se o formulário foi enviado. Se foi...

4. A idade é coletada no array superglobal $_POST. Os dados vêm de uma entrada de texto, portanto um valor sempre será enviado quando o formulário for enviado.

5. A função is_number() é chamada. O valor que o usuário enviou é o primeiro argumento, e os números válidos mínimo e máximo são 16 e 65. O valor booleano retornado é armazenado em $valid.

6. A condição de uma declaração if verifica se o valor em $valid é true. Em caso afirmativo, a variável $message conterá uma mensagem informando que a idade é válida.

7. Do contrário, $message armazena uma mensagem de erro.

8. A mensagem é exibida.

9. O número que o usuário inseriu (ou o valor inicial da Etapa 1) é mostrado na entrada do número usando htmlspecialchars().

OBTENDO DADOS EM NAVEGADORES

VALIDANDO O COMPRIMENTO DO TEXTO

Os sites costumam limitar o número de caracteres que podem aparecer em nomes do usuário, postagens, títulos de artigo e perfis. Uma única função pode ser usada para verificar o comprimento de qualquer string que o site receba.

Para testar se o texto fornecido pelos usuários está dentro dos números mínimo e máximo de caracteres:

- A função `mb_strlen()` predefinida do PHP (veja a página 210) é usada para contar quantos caracteres existem na string. Esse número é armazenado em uma variável.
- Então, uma condição usa duas expressões para verificar se o número de caracteres está dentro do intervalo permitido (do mesmo modo como na página anterior).

Se o número de caracteres é válido, a função retorna `true`; se não, retorna `false`.

Quando um código para validar os dados é colocado em uma função, ele pode ser usado para validar diversos controles do formulário. Isso evita repetir o código para realizar a mesma tarefa.

A função abaixo (e o exemplo anterior) usa parâmetros para que, sempre que forem chamados, possam ter diferentes valores para mínimo e máximo.

Quando diversas páginas realizam as mesmas tarefas de validação, você deve colocar as definições da função em um arquivo de inclusão. Então, pode incluir esse arquivo, em vez de duplicar as mesmas definições da função em cada página. O código de download deste capítulo tem um arquivo de inclusão `validate.php` que contém três definições da função.

```php
function is_text( $text, int $min = 0, int $max = 100): bool
{
    $length = mb_strlen( $text );
    return ($length >= $min and $length <= $max);
}
```

É >= AO MÍNIMO? É <= AO MÁXIMO?

VERIFICANDO O COMPRIMENTO DO TEXTO

PHP section_b/c06/validate-text-length.php

```php
<?php
declare(strict_types = 1);
$username = '';
$message  = '';

function is_text($text, int $min = 0, int $max = 1000): bool
{
    $length = mb_strlen($text);
    return ($length >= $min and $length <= $max);
}
if ($_SERVER['REQUEST_METHOD'] == 'POST') {
    $username = $_POST['username'];
    $valid    = is_text($username, 3, 18);
    if ($valid) {
        $message = 'Username is valid';
    } else {
        $message = 'Username must be 3-18 characters';
    }
}
?> ...
<?= $message ?>
<form action="validate-text-length.php" method="POST">
  Username: <input type="text" name="username"
    value="<?= htmlspecialchars($username) ?>">
  <input type="submit" value="Save">
</form>
```

RESULTADO

Username: Ivy [SAVE]

1. As variáveis $username e $message são inicializadas.

2. A função definida pelo usuário is_text() (mostrada na página à esquerda) é estabelecida.

3. A página verifica se o formulário foi enviado. Em caso afirmativo...

4. O texto é coletado no array superglobal $_POST.

5. A função is_text() é chamada para verificar se o texto que o usuário inseriu tem entre 3 e 18 caracteres de comprimento. O valor retornado é armazenado em $valid.

6. A condição de uma declaração if verifica se o valor em $valid é true. Se é, $message conterá uma mensagem informando que o nome de usuário é válido.

7. Do contrário, $message armazena uma mensagem informando ao usuário que o nome deve ter entre 3-18 caracteres de comprimento.

8. O valor na variável $message é exibido.

9. O valor em $username é mostrado na entrada de texto. É o valor que o usuário enviou ou a string em branco usada para inicializar a variável na Etapa 1.

VALIDANDO DADOS COM EXPRESSÕES REGULARES

Uma expressão regular pode ser usada para verificar se o valor que um visitante forneceu corresponde a um padrão específico de caracteres.

Como visto nas páginas 214--217, as expressões regulares podem descrever um padrão permitido de caracteres, como os usados em cartões de crédito, CEPs e telefones. A função abaixo usa expressões regulares para verificar a força das senhas dos usuários.

Ela aceita uma senha como parâmetro, então verifica se tem 8 ou mais caracteres. Depois usa expressões regulares para verificar se ela contém:

- Caracteres maiúsculos.
- Caracteres minúsculos.
- Números.

Cada verificação é separada usando o operador and. Se todas as condições são avaliadas como true, a função retorna true; do contrário, retorna false (uma expressão regular poderia ser usada para realizar todas as verificações de uma só vez, mas ela seria mais difícil de ler).

A função contém uma condição com quatro expressões:

Primeiro, mb_strlen() verifica se o valor contém 8 ou mais caracteres.

Em seguida, a função preg_match() do PHP é usada três vezes para verificar se o padrão de caracteres descrito em uma expressão regular é encontrado na senha.

Se todas as expressões resultam em true, o seguinte bloco de código retorna o valor true (pois atendeu aos requisitos). Do contrário, se a função ainda está em execução, retorna false.

```php
function is_password(string $password): bool
{
    if (
        mb_strlen($password) >= 8
        and preg_match('/[A-Z]/', $password)
        and preg_match('/[a-z]/', $password)
        and preg_match('/[0-9]/', $password)
    ) {
        return true;       // Passou em todos os testes
    }
    return false;          // Inválida
}
```

NOTA: embora os navegadores ocultem uma senha quando ela é digitada, os dados ainda são enviados como texto sem formatação nos cabeçalhos HTTP. Assim, todos os dados pessoais devem ser enviados por HTTPS (veja as páginas 184-185).

VERIFICANDO A FORÇA DA SENHA

PHP — section_b/c06/validate-password.php

```php
<?php
declare(strict_types = 1);
$password = '';
$message  = '';
function is_password(string $password): bool
{
    if (
        mb_strlen($password) >= 8
        and preg_match('/[A-Z]/', $password)
        and preg_match('/[a-z]/', $password)
        and preg_match('/[0-9]/', $password)
    ) {
        return true;   // Todos os testes passaram
    }
    return false;      // Inválido
}
if ($_SERVER['REQUEST_METHOD'] == 'POST') {
    $password = $_POST['password'];
    $valid    = is_password($password);
    $message  = $valid ? 'Password is valid' :
        'Password not strong enough';
}
?> ...
<?= $message ?>
<form action="validate-password.php" method="POST">
  Password: <input type="password" name="password">
  <input type="submit" value="Save">
</form>
```

RESULTADO

Password: •••••••••••••   SAVE

1. As variáveis `$password` e `$message` são inicializadas.
2. A função `is_password()` é definida com um parâmetro: a senha a verificar.
3. Uma declaração `if` usa quatro expressões; cada uma resulta em `true` ou `false`. Elas são separadas pelo operador `and`, portanto o bloco de código subsequente só é executado se *todas* resultam em `true`.
4. O bloco de código retorna `true` e a função para de ser executada.
5. Do contrário, se alguma condição falhou, a função retorna `false`.
6. Se o formulário foi enviado, o bloco de código seguinte é executado.
7. A senha é coletada no superglobal `$_POST`.
8. `is_password()` é chamada para verificar a senha do usuário. O resultado é armazenado em uma variável `$valid`.
9. Um operador ternário verifica se a variável `$valid` contém `true`. Em caso afirmativo, `$message` contém uma mensagem de sucesso; do contrário, contém uma mensagem de erro.
10. O valor na variável `$message` é exibido.

CAIXAS DE SELEÇÃO E BOTÕES DE OPÇÃO

As caixas de seleção e os botões de opção permitem que os usuários selecionem um item de uma lista de opções. Os navegadores só enviam o nome e o valor ao servidor se uma opção foi selecionada. O valor é validado vendo se corresponde a uma das opções.

Quando um formulário usa uma caixa de seleção ou botões de opção, você pode criar um array indexado contendo todas as opções que o usuário pode escolher e armazená-lo em uma variável. O array abaixo armazena as classificações por estrela de 1-5.

Então, o array pode ser usado para:

- Criar as opções nas caixas de seleção ou nos botões de opção.
- Verificar se o usuário escolheu uma das opções.

$$\$star\_ratings = [1, 2, 3, 4, 5,];$$

Para verificar se o usuário selecionou uma opção válida, a função in_array() predefinida do PHP é usada.

Se o valor enviado se encontra no array de opções, in_array() retorna true. Se não, retorna false.

$$\$valid = in\_array(\underbrace{\$stars}_{\text{VALOR ENVIADO}}, \underbrace{\$star\_ratings}_{\text{OPÇÕES VÁLIDAS}});$$

Para criar controles do formulário, percorra com um loop as opções e adicione um elemento a cada uma. Se o formulário for mostrado ao usuário de novo, a opção selecionada poderá ser destacada usando um operador ternário.

A condição de um operador ternário verifica se o valor na variável $stars corresponde ao valor atual no loop. Em caso afirmativo, o atributo verificado é adicionado. Se não, uma string em branco é escrita.

```
<?php foreach ($option as $star_ratings) { ?>
  <?= $option ?>
  <input type="radio" name="stars" value=" <?= $option ?>"
    <?= ($stars == $option) ? 'checked' : '' ?>>
<?php } ?>
```

NOTA: esse exemplo conta com a variável $stars tendo sido inicializada (veja a Etapa 1 na página à direita).

VALIDANDO AS OPÇÕES

PHP — section_b/c06/validate-options.php

```php
<?php
①  $stars   = '';
   $message = '';
②  $star_ratings = [1, 2, 3, 4, 5,];
③  if ($_SERVER['REQUEST_METHOD'] == 'POST') {
④      $stars   = $_POST['stars'] ?? '';
⑤      $valid   = in_array($stars, $star_ratings);
⑥      $message = $valid ? 'Thank you' : 'Select an option';
   }
   ?> ...
⑦  <?= $message ?>
   <form action="validate-options.php" method="POST">
      Star rating:
⑧     <?php foreach ($star_ratings as $option) { ?>
⑨         <?= $option ?> <input type="radio" name="stars"
                  value="<?= $option ?>"
⑩                <?= ($stars == $option) ? 'checked' : '' ?>>
      <?php } ?>
      <input type="submit" value="Save">
   </form>
```

RESULTADO

Thank you
Star rating: 1 ○ 2 ○ 3 ○ 4 ○ 5 ● [SAVE]

1. As variáveis $stars e $message são inicializadas.

2. A variável $star_ratings contém um array indexado de valores que serão usados para criar um conjunto de botões de opção.

3. Uma declaração if verifica se o formulário foi enviado.

4. Se foi, a opção selecionada é coletada no array superglobal $_POST.

5. A função in_array() do PHP verifica se o valor que o usuário selecionou é uma das opções permitidas.

6. Um operador ternário é usado para criar uma mensagem que indica se os dados são ou não válidos.

7. O valor em $message é mostrado.

8. Um loop foreach cria as opções no formulário HTML. Ele trabalha com os valores no array $star_ratings. Para cada.

9. A opção é mostrada, seguida de um botão com a opção adicionada no atributo value.

10. Um operador ternário verifica se uma opção foi selecionada. Se foi, o atributo checked é adicionado.

OBTENDO DADOS EM NAVEGADORES

COMO SABER SE UMA CAIXA DE OPÇÃO FOI MARCADA

Uma caixa de opção pode ser marcada ou não, mas o nome ou o valor dela só é enviado ao servidor quando está marcada.

Determinar se uma caixa de opção foi ou não selecionada envolve duas etapas:

- Primeiro, use a função `isset()` do PHP para verificar se há um valor para a caixa no array superglobal.
- Se há, verifique se o valor fornecido era o valor esperado para o envio.

Essas duas verificações podem ser feitas na condição de um operador ternário. Se ambas resultam em valores `true`, você sabe que o usuário marcou a caixa e pode atribuir um valor booleano `true`.

Abaixo, se as duas verificações resultarem em `true`, `$terms` armazenará o valor `true`; do contrário, armazenará `false`.

```php
$terms = (isset($_POST['terms']) and $_POST['terms'] == true) ? true : false;
```

- SE O VALOR FOI ADICIONADO AO ARRAY SUPERGLOBAL
- E O VALOR FORNECIDO ESTÁ CORRETO

Se o formulário for mostrado de novo para o usuário, para marcar uma caixa que ele selecionou, basta verificar se o valor dessa caixa de opção é `true`.

Em caso afirmativo, o atributo `checked` é adicionado ao controle. Se não, uma string vazia é escrita.

```php
<input type="checkbox" name="terms" value="true"
    <?= $terms ? 'checked' : '' ?>>
```

- SE A CAIXA DE OPÇÃO FOI SELECIONADA
- ADICIONE O ATRIBUTO CHECKED
- DO CONTRÁRIO, ADICIONE UMA STRING VAZIA

VALIDANDO AS CAIXAS DE OPÇÃO

PHP section_b/c06/validate-checkbox.php

```php
<?php
① $terms   = '';
   $message = '';

② if ($_SERVER['REQUEST_METHOD'] == 'POST') {
③     $terms   = (isset($_POST['terms']) and $_POST['terms'] == true) ? true : false;
④     $message = $terms ? 'Thank you' : 'You must agree to the terms and conditions';
   }
?> ...
⑤ <?= $message ?>
   <form action="validate-checkbox.php" method="POST">
     I agree to the terms and conditions: <input type="checkbox" name="terms" value="true"
⑥     <?= $terms ? 'checked' : '' ?>>
     <input type="submit" value="Save">
   </form>
```

RESULTADO

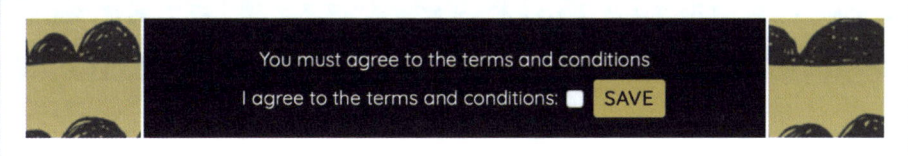

You must agree to the terms and conditions
I agree to the terms and conditions: ☐ SAVE

1. As variáveis $terms e $message são inicializadas.

2. Se o formulário foi enviado...

3. Duas expressões são usadas na condição de um operador ternário para determinar se a caixa de opção foi marcada. Primeiro, a função `isset()` do PHP verifica se a caixa foi enviada. Se foi, a segunda expressão verifica se seu valor é `true`. Se ambas as expressões são avaliadas como `true`, a variável $terms é atribuída a um valor `true`; se não, é atribuída a um valor `false`.

4. Se $terms armazena um valor `true`, $message armazena as palavras Thank you; se não, contém uma mensagem pedindo ao usuário para concordar com os termos e as condições.

5. A mensagem é exibida na página.

6. Um operador ternário é usado para verificar se a variável $terms contém um valor `true` (indicando que foi marcada). Em caso afirmativo, o atributo `checked` é adicionado à caixa de opção. Se não, uma string vazia é escrita.

OBTENDO DADOS EM NAVEGADORES

VERIFICANDO SE MÚLTIPLOS VALORES SÃO VÁLIDOS

As páginas costumam verificar se várias partes dos dados são válidas antes de trabalhar com eles. Por exemplo, a maioria dos formulários pede aos visitantes para fornecer mais de uma parte de informação.

Veja o formulário abaixo. Ele pede aos visitantes que forneçam os seguintes dados (usando três tipos de dados):

- Nome (uma string de 2 a 10 caracteres).
- Idade (um inteiro entre 16 e 65).
- Concordar com os termos e as condições (um valor booleano `true` ou `false`).

Quando o usuário enviar o formulário, se algum dado for inválido, a página deverá:

- Não processar os dados.
- Criar mensagens de erro informando como corrigir cada problema.
- Exibir qualquer valor inserido pelo usuário.

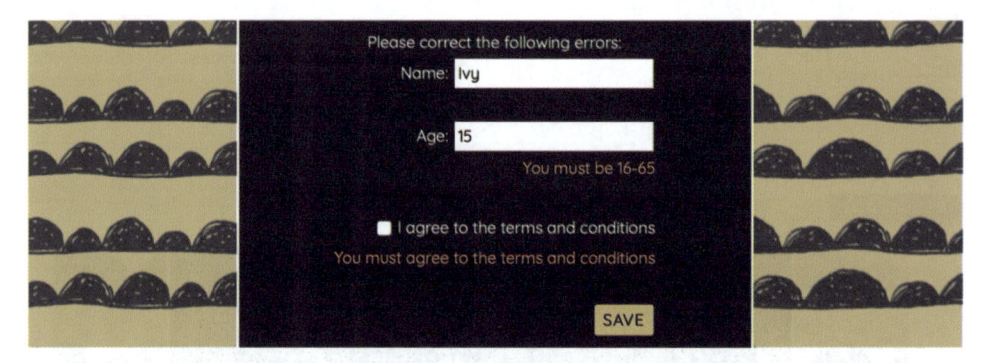

Além de mostrar o formulário, essa página pode exibir mensagens de erro e qualquer valor inserido pelo usuário.

Para tanto, ela começa declarando dois arrays:

- Um com um elemento para armazenar cada valor que o usuário fornecerá.
- Um com um elemento para armazenar cada mensagem de erro que pode ser exibida na página.

Ambos os arrays devem ser inicializados com um nome para cada elemento e um valor que pode ser mostrado quando a página carrega pela primeira vez (antes de o formulário ser enviado). Se isso não fosse feito e o interpretador PHP tentasse acessar um elemento do array que não tivesse valor, geraria um erro.

O array que contém mensagens de erro armazena uma string em branco para cada erro em potencial do formulário porque não há erros quando a página carrega pela primeira vez.

1. Se o formulário foi enviado, os dados fornecidos pelo usuário são coletados.

Esses valores sobrescrevem os valores iniciais armazenados no array que foi criado para manter os dados do usuário.

ARRAY PARA MANTER OS DADOS DO USUÁRIO · OBTER VALORES

```
$user['name']  = $_POST['name'] ;
$user['age']   = $_POST['age'] ;
$user['terms'] = (isset($_POST['terms']) and $_POST['terms'] == true) ? true : false;
```

2. Em seguida, cada parte do dado é validada. Se não for válida, uma mensagem de erro será armazenada no elemento correspondente do array `$errors`.

Os dados são validados usando as funções de validação vistas no capítulo, que retornam `true` se o valor fornecido pelo usuário é válido e `false` se não é.

Isso significa que as funções de validação podem ser chamadas na condição de um operador ternário. Se os dados são:

- Válidos — o elemento armazena uma string vazia.
- Inválidos — uma mensagem de erro é armazenada informando ao usuário o motivo de os dados não serem válidos.

ARRAY PARA MANTER MENSAGENS DE ERRO · VALIDAR OS VALORES DO FORMULÁRIO · STRING EM BRANCO · MENSAGEM DE ERRO

```
$errors['name']  = is_text($user['name'], 2, 20)    ? '' : 'Name must be 2-20 characters';
$errors['age']   = is_number($user['age'], 16, 65)  ? '' : 'You must be 16-65' ;
$errors['terms'] = $user['terms']                   ? '' : 'You must agree to the terms';
```

3. Para verificar se houve erros, a função `implode()` predefinida do PHP é usada para reunir todos os valores no array `$errors` em uma string.

O resultado é armazenado em uma variável `$invalid`. Se `$invalid` contém uma string vazia, os dados eram válidos. Se não, houve pelo menos um erro.

```
$invalid = implode( $errors );
```

VARIÁVEL PARA MANTER TODOS OS ERROS · ARRAY MANTENDO OS ERROS

4. Uma declaração `if` é usada para verificar se `$invalid` contém texto. Em caso afirmativo, será tratada como `true` e mensagens de erro serão exibidas com o formulário.

Se não houve erros, `$invalid` conterá uma string vazia (que é tratada como `false`) e a página poderá processar os dados recebidos.

```
if ($invalid ) {
    // Mostrar mensagens de erro e não processar os dados
} else {
    // Dados válidos, a página pode processá-los
}
```

VALIDANDO OS FORMULÁRIOS

Este exemplo mostra como validar vários controles do formulário. O resultado foi mostrado na página anterior.

1. `validate.php` é incluído na página. Ele contém as definições para as três funções de validação deste capítulo. Colocá-las em um arquivo de inclusão permite que qualquer página inclua esse arquivo, então use suas funções.

2. A variável `$user` mantém um array com um elemento para cada controle do formulário; eles recebem um valor inicial para usar no formulário quando a página carrega pela primeira vez.

3. A variável `$errors` armazena um array que tem um elemento para cada parte do dado sendo validada.

4. `$message` é atribuída a uma string vazia. Assim que os dados são validados, conterá uma mensagem de sucesso ou de erro.

5. Uma declaração `if` verifica se o formulário foi enviado.

6. Se foi, as três partes de dados do formulário são coletadas e os dados fornecidos pelo usuário sobrescrevem os valores iniciais armazenados no array `$user`.

7. O nome que o usuário forneceu é validado usando a função `is_text()`. Ela retorna `true` se os dados são válidos; `false` se não. Se são válidos, o elemento correspondente no array `$errors` (veja a Etapa 3) contém uma string vazia. Se não, contém uma mensagem de erro.

8. A idade do usuário é validada usando `is_number()`. Ela retorna `true` se os dados são válidos; `false` se não. Se são válidos, o elemento correspondente do array `$errors` contém uma string vazia. Se não, contém uma mensagem de erro.

9. Se o usuário marcou a caixa de opção `terms`, o elemento correspondente do array `$errors` contém uma string vazia. Se não, contém uma mensagem de erro informando que ele precisa aceitar os termos e as condições.

10. Todos os valores no array `$errors` são reunidos em uma string usando a função `implode()` do PHP. O resultado é armazenado em uma variável `$invalid`.

11. A condição de uma declaração `if` verifica se o valor em `$invalid` é `true`. Se contém texto, será tratado como `true`. Uma string vazia é tratada como `false`.

12. Se os dados são inválidos, a variável `$message` armazena uma mensagem pedindo ao usuário para corrigir os erros do formulário.

13. Do contrário, `$message` armazena uma mensagem para informar que os dados eram válidos. Se são válidos, a página pode processá-los.

(Em geral, quando uma página recebe dados válidos, o formulário não precisa ser exibido de novo.)

14. O valor armazenado em `$message` é exibido.

15. Se o usuário enviou o formulário, o valor fornecido para o nome é escrito no atributo `value` do controle do formulário (esse texto tem o escape aplicado usando a função `htmlspecialchars()` do PHP).

Se o formulário não foi enviado, ele exibirá a string vazia armazenada na chave correspondente do array `$user` quando ele foi inicializado na Etapa 2.

16. É exibido o valor do elemento no array `$errors` que corresponde a esse controle do formulário.

17. Se o usuário forneceu a idade, ela é mostrada no atributo `value` do controle do formulário. Isso é seguido pelo valor correspondente no array `$errors`.

18. Se o visitante marcou a caixa de opção para os termos e as condições, o atributo `checked` é adicionado. Ele é seguido pelo valor relevante no array `$errors`.

```php
<?php
    declare(strict_types = 1);                              // Habilita tipos estritos
 ①  require 'includes/validate.php';                        // Funções de validação

    $user = [
        'name'  => '',
 ②      'age'   => '',
        'terms' => '',
    ];                                                      // Inicializa array $user
    $errors = [
        'name'  => '',
 ③      'age'   => '',
        'terms' => '',
    ];                                                      // Inicializa array $errors
 ④  $message = '';                                          // Inicializa $message

 ⑤  if ($_SERVER['REQUEST_METHOD'] == 'POST') {             // Se o formulário foi enviado
        $user['name']  = $_POST['name'];                    // Obtém o nome
 ⑥      $user['age']   = $_POST['age'];                     // Obtém a idade e verifica os termos e condições
        $user['terms'] = (isset($_POST['terms']) and $_POST['terms'] == true) ? true : false;

 ⑦      $errors['name']  = is_text($user['name'], 2, 20)   ? '' : 'Must be 2-20 characters';
 ⑧      $errors['age']   = is_number($user['age'], 16, 65) ? '' : 'You must be 16-65';
 ⑨      $errors['terms'] = $user['terms']                  ? '' : 'You must agree to the
            terms and conditions';                          // Valida os dados

 ⑩      $invalid = implode($errors);                        // Une as mensagens de erro
 ⑪      if ($invalid) {                                     // Se há erros
 ⑫          $message = 'Please correct the following errors:'; // Não processa os dados
 ⑬      } else {                                            // Caso contrário
            $message = 'Your data was valid';               // Pode processar os dados
        }
    }
    ?> ...
 ⑭ <?= $message ?>
    <form action="validate-form.php" method="POST">
 ⑮    Name: <input type="text" name="name" value="<?= htmlspecialchars($user['name']) ?>">
 ⑯    <span class="error"> <?= $errors['name'] ?></span><br>
 ⑰    Age: <input type="text" name="age" value="<?= htmlspecialchars($user['age']) ?>">
      <span class="error"><?= $errors['age'] ?></span><br>
      <input type="checkbox" name="terms" value="true" <?= $user['terms'] ? 'checked' : '' ?>>
 ⑱      I agree to the terms and conditions
      <span class="error"><?= $errors['terms'] ?></span><br>
      <input type="submit" value="Save">
    </form>
```

COLETANDO DADOS COM AS FUNÇÕES DE FILTRO

O PHP também tem duas funções predefinidas que coletam os dados enviados do navegador e os armazenam em variáveis. São chamadas de funções de filtro porque podem aplicar um filtro nos dados que o navegador enviou.

`filter_input()` obtém um valor que foi enviado para o servidor. Requer dois argumentos. O primeiro é a **fonte da entrada** (que não é escrita entre aspas). Use:

- `INPUT_GET` para obter os dados enviados por HTTP GET.
- `INPUT_POST` para obter os dados enviados por HTTP POST.
- `INPUT_SERVER` para obter os mesmos dados disponibilizados no array superglobal `$_SERVER`.

O segundo argumento é o nome de um par de nome/valor enviado para o servidor, que deve estar entre aspas. Usado assim, `filter_input()` retorna:

- O valor se foi enviado para o servidor.
- `null` se os dados não foram enviados para o servidor.

Quando você aprender a usar essa função, saberá como aplicar um filtro como terceiro parâmetro.

$data = filter_input(*INPUT_SOURCE* , '*name*');
　　　　　　　　　　　　 FONTE DA ENTRADA　　NOME

`filter_input_array()` coleta todos os valores enviados para o navegador por HTTP GET ou POST e armazena cada um como um elemento do array.

Como obtém todos os valores, requer apenas um argumento: a fonte da entrada. Os valores para a fonte da entrada são os mesmos para `filter_input()`.

$data = filter_input_array(*INPUT_SOURCE*);
　　　　　　　　　　　　　　　 FONTE DA ENTRADA

Quando os dados são recebidos, eles são armazenados como um tipo de dado string. Alguns filtros que você pode aplicar usando essas funções de filtro converterão o tipo de dado.

As próximas páginas usam a função `var_dump()` do PHP para exibir os valores coletados com essas funções, pois é importante ver os tipos de dado de cada valor.

USANDO FUNÇÕES DE FILTRO PARA COLETAR DADOS

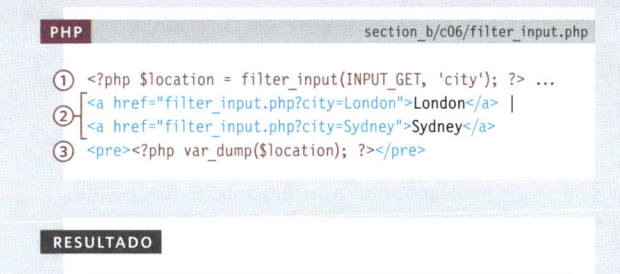

PHP section_b/c06/filter_input.php

```
① <?php $location = filter_input(INPUT_GET, 'city'); ?> ...
② <a href="filter_input.php?city=London">London</a> |
   <a href="filter_input.php?city=Sydney">Sydney</a>
③ <pre><?php var_dump($location); ?></pre>
```

RESULTADO

London | Sydney
string(6) "London"

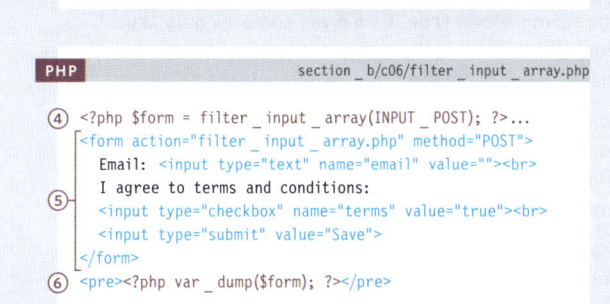

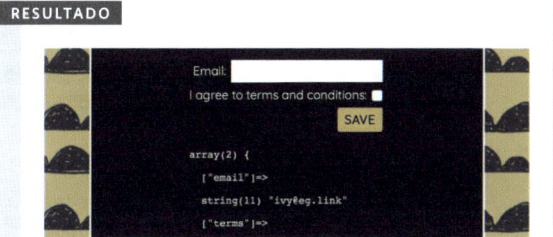

PHP section_b/c06/filter_input_array.php

```
④ <?php $form = filter_input_array(INPUT_POST); ?>...
   <form action="filter_input_array.php" method="POST">
     Email: <input type="text" name="email" value=""><br>
⑤    I agree to terms and conditions:
     <input type="checkbox" name="terms" value="true"><br>
     <input type="submit" value="Save">
   </form>
⑥ <pre><?php var_dump($form); ?></pre>
```

RESULTADO

Email:
I agree to terms and conditions:
SAVE

array(2) {
 ["email"]=>
 string(11) "ivẙeg.link"
 ["terms"]=>

Quando os dois exemplos carregarem pela primeira vez, o valor mostrado será NULL, pois a string de consulta está vazia.

1. A função filter_input() coleta um valor enviado por HTTP GET na string de consulta. O nome do par de nome/valor é city. O valor coletado é armazenado em uma variável $location.

2. Dois links usam strings de consulta para enviar um nome chamado city; seus valores são diferentes nomes de cidade.

3. var_dump() é usada para exibir o valor armazenado em $location e seu tipo de dado (uma string).

4. A função filter_input_array() é usada para obter todos os valores do formulário quando ele é enviado usando HTTP POST. O array que a função cria é armazenado em uma variável $form.

5. O formulário envia uma entrada de texto e uma caixa de opção via HTTP POST.

6. var_dump() exibe os nomes e os valores armazenados em $form junto com o tipo de dado de cada valor.

EXPERIMENTE: envie o formulário sem preenchê-lo. O array conterá uma string vazia para a entrada de texto e nada para a caixa de opção.

FILTROS DE VALIDAÇÃO

Quando as funções de filtro obtêm os dados enviados de um navegador, eles são armazenados como uma string. Veja abaixo três filtros de validação que verificam se um valor é booleano, inteiro ou ponto flutuante. Cada filtro tem uma ID usada para identificá-lo.

Se uma página espera receber um valor que é booleano, inteiro ou flutuante, as funções de filtro podem usar os três filtros abaixo para verificar se o valor fornecido tem o tipo de dado correto.

Quando esses filtros verificam se um valor é booleano, inteiro ou flutuante, as funções de filtro convertem o valor do tipo de dado string no tipo de dado especificado no filtro. Você verá como usar filtros na página 273.

ID DO FILTRO	DESCRIÇÃO
FILTER_VALIDATE_BOOLEAN	Verifica se um valor é `true`. 1, `on` e `yes` contam como `true`. Não diferencia letras maiúsculas e minúsculas. Se é `true`, a função retorna um valor booleano `true`. Se não, retorna `false`
FILTER_VALIDATE_INT	Verifica se o número é um inteiro (0 não conta como um inteiro válido) Se válido, retorna o número como um tipo de dado `int`. Se não, retorna `false`
FILTER_VALIDATE_FLOAT	Verifica se um número é do tipo ponto flutuante (decimal). Os inteiros passam no filtro (0 não passa, pois não conta como um inteiro válido). Se válido, retorna o valor como um tipo de dado `float`. Se não, retorna `false`

Cada filtro também tem dois tipos de configurações que podem ser usados para controlar como o filtro se comporta:

- **Flags** são configurações que você pode ativar/desativar.
- **Opções** são configurações em que você deve definir um valor.

Por exemplo, os filtros para inteiros e pontos flutuantes têm opções que permitem especificar os números mínimo e máximo que o usuário pode fornecer. Portanto, se fosse pedido que um visitante fornecesse sua idade (que precisa estar entre 16 e 65), o filtro poderia verificar se o número fornecido estava dentro desse intervalo. Se o número não foi fornecido, ou se era muito baixo ou muito alto, seria inválido.

Todos os filtros de validação também têm uma opção que permite especificar um valor-padrão que deve ser usado se os dados recebidos são inválidos.

Flags são opções que podem estar apenas ativadas. Por exemplo, o filtro do inteiro tem uma flag que você pode ativar para permitir que os visitantes forneçam números usando a notação hexadecimal, além dos dígitos 0-9 padrão (a notação hexadecimal usa os dígitos 0-9 e as letras A-F para representar os números 10-15; talvez você tenha visto esse uso para especificar cores no HTML e na CSS).

Uma lista completa dos filtros de validação, junto com flags e opções, é mostrada nas páginas 212-215.

Veja abaixo os filtros de validação usados para coletar texto. As expressões regulares também podem ser usadas para escrever filtros personalizados.

Em geral, os dados seguem regras relacionadas:

- Ao número de caracteres que podem ter.
- Aos caracteres que podem ser usados.
- À ordem em que os caracteres podem aparecer.

Por exemplo, existem regras que controlam como os caracteres são usados em e-mails, URLs, nomes de domínio e endereços IP. Os quatro filtros abaixo verificam se um valor segue essas regras.

ID DO FILTRO	DESCRIÇÃO
`FILTER_VALIDATE_EMAIL`	Verifica se a estrutura de uma string corresponde à de um e-mail
`FILTER_VALIDATE_URL`	Verifica se a estrutura de uma string corresponde à de uma URL
`FILTER_VALIDATE_DOMAIN`	Verifica se a estrutura de uma string corresponde à de um nome de domínio válido
`FILTER_VALIDATE_IP`	Verifica se a estrutura de uma string corresponde à de um endereço IP válido

Expressões regulares podem ser usadas para escrever outros filtros que verificam se um valor tem um padrão de caracteres.

A expressão regular é especificada como uma opção para o filtro `FILTER_VALIDATE_REGEXP`.

ID DO FILTRO	DESCRIÇÃO
`FILTER_VALIDATE_REGEXP`	Verifica se uma string tem um padrão de caracteres descrito usando uma expressão regular (veja as páginas 212-215)

USANDO FILTROS PARA VALIDAR UM VALOR

Quando as funções de filtro são usadas para verificar dados, devem ser informadas a ID do filtro a usar e quaisquer flags ou opções em seguida.

Quando `filter_input()` é usada para coletar uma parte do dado individual, o terceiro parâmetro é a ID do filtro a usar e o quarto parâmetro (opcional) contém as configurações que o filtro pode usar.

A função retorna:

- O valor recebido se ele passa no filtro.
- `false` se não passa no filtro.
- `null` se o nome não foi enviado para o servidor.

```
$data = filter_input( INPUT_SOURCE , 'name', FILTER_ID [, $settings ]);
```
FONTE DA ENTRADA — NOME — ID — FLAGS/OPÇÕES

Quando um filtro usa flags e opções, elas são armazenadas em um array associativo com duas chaves:

- `flags` contém as configurações que podem ser ativadas.
- `options` contém as configurações que requerem um valor.

Abaixo, um array de flags e opções é armazenado em uma variável `$settings`.

O valor da chave `flags` é o nome da flag que deve ser ativada (não fica entre aspas). Para usar várias flags, separe o nome de cada uma usando o caractere |.

O valor da chave `options` é outro array associativo; a chave de cada elemento é o nome da opção sendo definida e `value` é o valor a usar.

```
                          FLAGS
$settings['flags']    = FLAG_NAME1 | FLAG_NAME2;
$settings['options']['option1']  = value1;
$settings['options']['option2']  = value2;
                          OPÇÃO    VALOR
```

Quando um elemento do array armazena outro array, a sintaxe acima pode ser mais fácil de ler. Essa abordagem foi demonstrada como um modo de atualizar os arrays na página 42.

NOTA: quando `filter_input()` coleta dados que não são válidos, retorna `false`, ou seja, o valor que o usuário forneceu não pode ser mostrado no formulário.

COLETANDO VALORES COM FILTROS

```
PHP                                            section_b/c06/validate-input.php
<?php
$settings['flags']                 = FILTER_FLAG_ALLOW_HEX;   // Flag que permite números hexadecimais
$settings['options']['min_range'] = 0;                        // Valor do número mínimo
$settings['options']['max_range'] = 255;                      // Valor do número máximo

$number = filter_input(INPUT_POST, 'number', FILTER_VALIDATE_INT, $settings);
?> ...
<form action="validate-input.php" method="POST">
    Number: <input type="text" name="number" value="<?= htmlspecialchars($number) ?>">
    <input type="submit" value="Save">
</form>
<?php var_dump($number); ?>
```

RESULTADO

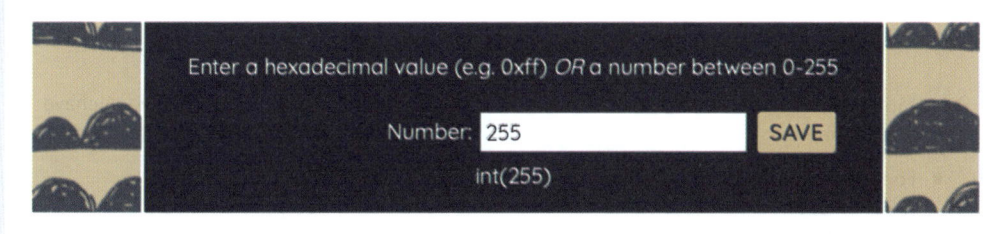

Enter a hexadecimal value (e.g. 0xff) OR a number between 0-255

Number: 255   SAVE

int(255)

1. A variável `$settings` contém um array de flags e opções usado para validar um número. A flag permite que o número seja fornecido na notação hexadecimal. As opções determinam que o número mínimo permitido é 0 e o máximo é 255.

2. A função `filter_input()` obtém o valor enviado por HTTP POST a partir de um controle do formulário cujo nome é `number`. O terceiro parâmetro é a ID do filtro. O quarto parâmetro é o nome da variável que contém o array de opções e as flags a usar com o filtro.

3. O valor armazenado em `$number` é mostrado no controle do formulário. Se o valor em `$number` for `null` (porque o formulário não foi enviado) ou `false` (porque os dados não eram válidos), você não o verá mostrado no controle do formulário, porque o PHP não exibe nada para os valores `false` ou `null`.

4. `var_dump()` é usada para mostrar o valor armazenado em `$number` (porque `false` ou `null` não é exibido em um navegador). Ela também mostra o tipo de dado porque todos os números válidos são convertidos de strings em inteiros.

FILTROS PARA VALIDAR MÚLTIPLAS ENTRADAS

Para coletar e validar um conjunto de valores ao mesmo tempo, use `filter_input_array()` e especifique um filtro a usar para cada parte do dado coletada.

Quando uma página espera receber diversos valores, crie um array associativo com um elemento para cada valor que ela espera receber. As chaves de cada elemento do array são os nomes dos controles do formulário ou os nomes na string de consulta.

O valor de cada elemento é:

- O nome do filtro a usar quando os dados são coletados (se não tem flags ou opções). Ou
- Um array mantendo o nome do filtro e qualquer flag ou opção que ele deve usar.

```
$filters['name1'] = FILTER_ID;
$filters['name2']['filter'] = FILTER_ID;
$filters['name2']['options']['option1'] = value1;
$filters['name2']['options']['option2'] = value2;
```

A função `filter_input_array()` é chamada com dois parâmetros:

- Fonte da entrada (INPUT_GET ou INPUT_POST).
- Array de filtros que deve ser usado com os valores que a página espera receber para cada entrada.

Ela retorna um novo array associativo. A chave para cada elemento é o nome da entrada; o valor é:

- O valor fornecido se é válido.
- `false` se o valor foi fornecido, mas é inválido.
- `null` se o nome não foi fornecido.

```
$data = filter_input_array( INPUT_SOURCE , $filters );
```
                              ↑   ↑
                         FONTE DA   ARRAY DE
                         ENTRADA   FILTROS

Se a página recebe dados extras que não foram especificados no array de filtros, os dados **não** são adicionados ao array que `filter_input_array()` retorna.

Se falta uma parte dos dados, um valor `null` é fornecido. Para impedir que valores ausentes sejam adicionados ao array, especifique `false` como o terceiro parâmetro.

VALIDANDO MÚLTIPLAS ENTRADAS COM FILTROS

PHP section_b/c06/validate-multiple-inputs.php

```php
<?php
$form['email'] = '';                                              // Inicializa o e-mail
$form['age']   = '';                                              // Inicializa a idade
if ($_SERVER['REQUEST_METHOD'] == 'POST') {                       // Se o formulário foi enviado
    $filters['email']                         = FILTER_VALIDATE_EMAIL;   // Filtro para e-mail
    $filters['age']['filter']                 = FILTER_VALIDATE_INT;    // Filtro para número inteiro
    $filters['age']['options']['min_range']   = 16;               // Valor mínimo é 16
    $form = filter_input_array(INPUT_POST, $filters);             // Valida os dados
}
?> ...
<form action="validate-multiple-inputs.php"  method="POST">
    Email: <input type="text" name="email" value="<?= htmlspecialchars($form['email']) ?>"><br>
    Age: <input type="text" name="age" value="<?= htmlspecialchars($form['age']) ?>"><br>
    I agree to the terms and conditions: <input type="checkbox" name="terms" value="1"><br>
    <input type="submit" value="Save">
</form>
<pre><?php var_dump($form); ?></pre>
```

RESULTADO

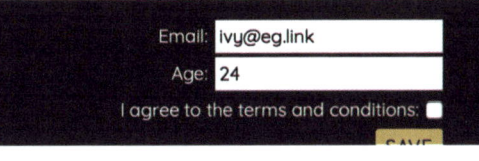

1. O array $form é inicializado com valores para as entradas e-mail e idade.

2. Se o formulário foi enviado, $filters armazena um array. A chave para cada elemento é o nome de um controle do formulário. Os valores são os filtros/opções a usar:

   • email deve seguir o formato de e-mail.
   • age deve ser um inteiro 16 ou mais.

3. filter_input_array() coleta e valida os dados, e sobrescreve os valores armazenados em $form.

4. A função var_dump() exibe os dados.

NOTA: quando o formulário é enviado, mesmo que a caixa de opção termos esteja marcada, ela não é adicionada ao array $form, pois não foi nomeada no array $filters. E, mais, os dados inválidos não são exibidos no controle do formulário.

OBTENDO DADOS EM NAVEGADORES

FUNÇÕES DE FILTRO PARA TRABALHAR COM VARIÁVEIS

O PHP tem duas funções de filtro predefinidas para filtrar os valores armazenados nas variáveis. filter_var() aplica um filtro a um valor armazenado na variável. filter_var_array() aplica filtros a um conjunto de valores armazenado em um array.

A função filter_var() requer:

- O nome da variável cujo valor será verificado.
- A ID do filtro.

Os valores para as opções ou as flags são definidos do mesmo modo como são para filter_input(). Os valores retornados também são iguais: se é válido, retorna o valor; se é inválido, retorna false; se não existe, retorna null.

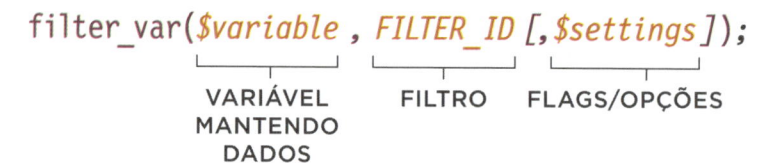

filter_var($variable, FILTER_ID [, $settings]);

- $variable — VARIÁVEL MANTENDO DADOS
- FILTER_ID — FILTRO
- $settings — FLAGS/OPÇÕES

A função filter_var_array() também tem dois parâmetros:

- O nome da variável que contém um array cujos dados serão verificados.
- O array de filtros e suas opções/flags.

Os valores para as opções ou as flags são definidos do mesmo modo como são para filter_input_array() e os valores retornados também são iguais.

Se apenas um filtro é nomeado, o mesmo filtro é aplicado em todos os valores no array.

filter_var_array($array, $filters);

- $array — VARIÁVEL MANTENDO ARRAY
- $filters — FILTROS A USAR

Quando filter_input() e filter_input_array() são usadas para validar os dados, elas retornam false para qualquer parte inválida do dado (substituindo o valor que o usuário enviou).

Isso significa que, se o formulário tivesse dados inválidos, o usuário não conseguiria ver nenhum valor inválido que inseriu nele.

Para mostrar os valores incorretos, colete os dados e armazene-os em uma variável ou um array. Então, quando eles forem validados usando filter_var() ou filter_var_array(), o resultado poderá ser armazenado em uma nova variável. Se os dados são:

- Válidos — a página usa os dados na nova variável.
- Inválidos — o formulário exibe os dados como foram coletados originalmente antes de serem validados.

VALIDANDO DADOS EM VARIÁVEIS

```
PHP                                                                section_b/c06/validate-variables.php
```

```php
   <?php
   $form['email'] = '';                                             // Inicialização do array
   $form['age']   = '';
① $form['terms'] = 0;
   $data          = [];
   if ($_SERVER['REQUEST_METHOD'] == 'POST') {                      // Se o formulário foi enviado
       $filters['email']                    = FILTER_VALIDATE_EMAIL;    // Filtro para e-mail
②      $filters['age']['filter']            = FILTER_VALIDATE_INT;      // Filtro para número inteiro
       $filters['age']['options']['min_range'] = 16;                    // Idade mínima
       $filters['terms']                    = FILTER_VALIDATE_BOOLEAN;  // Filtro para booleano
③      $form = filter_input_array(INPUT_POST);                      // Recupera todos os valores
④      $data = filter_var_array($form, $filters);                   // Aplica filtros ao array
   }
   ?> ...
   <form action="validate-variables.php" method="POST">
⑤    Email: <input type="text" name="email" value="<?= htmlspecialchars($form['email'])?>"><br>
     Age: <input type="text" name="age" value="<?= htmlspecialchars($form['age']) ?>"><br>
     I agree to the terms and conditions: <input type="checkbox" name="terms" value="1"><br>
     <input type="submit" value="Save">
   </form>
⑥ <pre><?php var_dump($data); ?></pre>
```

Este exemplo parece igual ao anterior.

1. Os arrays $form e $data são inicializados com valores a serem exibidos se o formulário não foi enviado.

2. Se o formulário foi enviado, o array $filters armazenará os filtros e as opções para validar os dados.

3. filter_input_array() coleta os dados do formulário sobrescrevendo os valores armazenados em $form na Etapa 1.

4. filter_var_array() valida os dados do formulário (usando os filtros especificados no array $filters). Armazena o array dos resultados em uma variável $data.

5. As entradas de texto exibem os valores que o usuário forneceu (que foram armazenados no array $form antes que os dados fossem validados).

6. A função var_dump() mostra os dados que foram validados e armazenados no array $data (ou null se o formulário não foi enviado).

EXPERIMENTE: remova os controles de entrada da idade e então reenvie o formulário. A função var_dump() ainda mostrará um valor para o controle da idade [age] na Etapa 6 porque esse valor foi listado no array de filtros, mas não foi fornecido quando filter_var_array() foi chamada.

FILTROS DE VALIDAÇÃO, FLAGS E OPÇÕES

As tabelas abaixo mostram filtros, flags e opções para trabalhar com booleanos e números. As tabelas à direita mostram filtros, flags e opções para trabalhar com strings.

Todos os filtros de validação também têm uma opção `default`.

Essa opção permite fornecer um valor-padrão se os dados são inválidos.

FILTER_VALIDATE_BOOLEAN
Verifica se um valor é `true` (1, `on` ou `yes` são tratados como `true`). Retorna um valor booleano `true` se o valor é `true`; `false` se não é `true`; e `null` se o nome não existe. Não diferencia maiúsculas e minúsculas.

FLAG	DESCRIÇÃO
FILTER_NULL_ON_FAILURE	Retorna `null` (não `false`) se inválida

FILTER_VALIDATE_INT
Verifica se um número é inteiro (0 não conta como um inteiro válido). Se válido, retorna o número como um tipo de dado `int`.

FLAG	DESCRIÇÃO
FILTER_FLAG_ALLOW_HEX	Permite números hexadecimais
FILTER_FLAG_ALLOW_OCTAL	Permite números octais

OPÇÃO	DESCRIÇÃO
min_range	Número mínimo permitido
max_range	Número máximo permitido

FILTER_VALIDATE_FLOAT
Verifica se um número tem ponto flutuante (decimal). Os inteiros são válidos (mas 0 não conta como um inteiro válido). Se válido, retorna o valor como um tipo de dado `float`.

FLAG	DESCRIÇÃO
FILTER_FLAG_ALLOW_THOUSAND	Permite que um número flutuante tenha o separador de milhar Retorna `null` (não `false`) se inválida

FILTER_VALIDATE_REGEXP	OPÇÃO	DESCRIÇÃO
Verifica se uma string tem um padrão de caracteres descrito em uma expressão regular (apresentada nas páginas 214-217).	regexp	A expressão regular a usar

FILTER_VALIDATE_EMAIL	FLAG	DESCRIÇÃO
Verifica se a estrutura de uma string corresponde à de um e-mail.	FILTER_FLAG_EMAIL_UNICODE	Permite caracteres Unicode em parte do nome do endereço (a parte antes do símbolo @)

FILTER_VALIDATE_URL	FLAG	DESCRIÇÃO
Verifica se a estrutura de uma string corresponde a uma URL válida.	FILTER_FLAG_SCHEME_REQUIRED	Deve ter um esquema Exemplo, `http://` ou `ftp://`
	FILTER_FLAG_HOST_REQUIRED	Deve ter um nome de host
	FILTER_FLAG_PATH_REQUIRED	Deve ter um caminho para o arquivo ou para o diretório
	FILTER_FLAG_QUERY_REQUIRED	Deve ter uma string de consulta

FILTER_VALIDATE_DOMAIN	FLAG	DESCRIÇÃO
Verifica se a estrutura de uma string corresponde a um nome de domínio.	FILTER_FLAG_HOSTNAME	Valida um nome de host

FILTER_VALIDATE_IP	FLAG	DESCRIÇÃO
Verifica se a estrutura de uma string corresponde a um endereço IP válido.	FILTER_FLAG_IPV4	Verifica se é um endereço IP IPV4 válido
	FILTER_FLAG_IPV6	Verifica se é um endereço IP IPV6 válido
	FILTER_FLAG_NO_RES_RANGE	Não permite IPs do intervalo reservado (endereços usados em redes locais e não enviados na internet)
	FILTER_FLAG_NO_PRIV_RANGE	Não permite IPs do intervalo privado (um subconjunto de endereços IP reservados)

FILTROS DE SANITIZAÇÃO

Sanitizar dados envolve remover os caracteres não permitidos em um valor (e opcionalmente substituí-los). Todas as quatro funções de filtro do PHP podem usar um conjunto de filtros predefinidos para sanitizar os dados.

Além dos filtros de validação, as funções de filtro predefinidas do PHP também podem usar um conjunto de **filtros de sanitização** predefinidos que removem (e às vezes substituem) qualquer caractere que não deve aparecer em um valor.

O primeiro filtro na tabela abaixo realiza a mesma tarefa da função `htmlspecialchars()` (página 246). Ele substitui os cinco caracteres reservados que o HTML trata como código por entidades.

O segundo filtro codifica a URL, substituindo os caracteres não permitidos em uma URL por versões codificadas deles.

Os filtros restantes removem os caracteres não permitidos para aparecer em texto, números, e-mails e URLs (mas não substituem os caracteres).

Você deve aplicar um escape ou sanitizar os dados quando eles são usados (não quando são coletados) porque isso mudará os dados. Por exemplo, imagine um visitante que recebe o texto `Fish & Chips`.

Para mostrar esse texto em uma página, o símbolo & deve receber um escape: `Fish &amp; Chips`. Mas, se o texto receber um escape quando for coletado, um recurso de pesquisa pode não conseguir localizar o texto `Fish & Chips` porque o símbolo já recebeu o escape.

E, mais, os caracteres recebem o escape de modos diferentes, dependendo de como os dados são usados; isso é conhecido como o **contexto** de como os dados são usados. Para exibir o mesmo texto em uma string de consulta, o espaço é substituído por %20 e o símbolo & por %26, e se torna:

`http://eg.link/search.php?Fish%20%26%20Chips`

ID DO FILTRO	DESCRIÇÃO
FILTER_SANITIZE_FULL_SPECIAL_CHARS	Equivale a `htmlspecialchars()` com ENT_QUOTES ativado
FILTER_SANITIZE_ENCODED	Converte a URL em uma versão codificada da mesma URL
FILTER_SANITIZE_STRING	Remove as tags de uma string
FILTER_SANITIZE_NUMBER_INT	Remove os caracteres diferentes de 0-9 e + ou -
FILTER_SANITIZE_NUMBER_FLOAT	Remove os caracteres diferentes de 0-9 e + ou -. Possui flags para permitir os separadores de milhar e decimal, além de e ou E para a notação científica
FILTER_SANITIZE_EMAIL	Remove os caracteres não permitidos em e-mails. Permite A-z 0-9 ! # $ % & ' * + - = ? ^ _ ` {	} ~ @ . [ ]
FILTER_SANITIZE_URL	Remove os caracteres não permitidos em URLs. Permite A-z 0-9 $ - _ . + ! * ' ( ) , { }	\ \ ^ ~ [ ] ` < > # % " ; / ? : @ & =

APLICANDO FILTROS DE SANITIZAÇÃO EM VARIÁVEIS

`PHP`   section_b/c06/sanitization-filters.php

```php
<?php
①  $user['name']  = 'Ivy<script src="js/bad.js"></script>';  // Nome do usuário
   $user['age']   = 23.75;                                    // Idade do usuário
   $user['email'] = '£ivy@eg.link/';                          // E-mail do usuário

②  $sanitize_user['name']  = FILTER_SANITIZE_FULL_SPECIAL_CHARS;  // Filtro HTML_Escape
   $sanitize_user['age']   = FILTER_SANITIZE_NUMBER_INT;          // Filtro de número inteiro
   $sanitize_user['email'] = FILTER_SANITIZE_EMAIL;               // Filtro de e-mail

③  $user = filter_var_array($user, $sanitize_user);        // Sanitização da saída
   ?> ...
④  <p>Name:  <?= $user['name']  ?></p>
   <p>Age:   <?= $user['age']   ?></p>
   <p>Email: <?= $user['email'] ?></p>
⑤  <pre><?php var_dump($user); ?></pre>
```

1. A variável $user contém um array de dados sobre um usuário.

2. A variável $sanitize_user contém um array com três chaves cujos nomes correspondem às chaves no array $user. Os valores são os nomes do filtro de sanitização a usar com esse valor.

3. A função filter_var_array() é chamada para aplicar os filtros de sanitização nos valores armazenados no array $user. O nome recebe um escape e os caracteres indesejados são removidos da idade (age) e do e-mail (email).

4. Os dados sanitizados são mostrados.

RESULTADO

Name: Ivy<script src="js/bad.js"></script>

Age: 2375

Email: ivy@eg.link

5. A função var_dump() do PHP mostra o array $user sanitizado (não mostrado no resultado acima).

EXPERIMENTE: na Etapa 2, remova o elemento age do array $user. Como é nomeado no array de filtros, receberá um valor null no array $user.

NOTA: o separador decimal foi removido da idade, tornando-a 2375. zÉ preciso ter cuidado para a sanitização não mudar os valores recebidos. Para permitir separadores de decimal, milhar, ou notação científica, adicione flags para o filtro do número: http://notes.re/php/sanitize [conteúdo em inglês].

OBTENDO DADOS EM NAVEGADORES

VALIDANDO FORMULÁRIOS USANDO FILTROS

Este exemplo usa filtros de validação para validar os dados de diversos controles do formulário e usa filtros de sanitização para garantir que os dados fornecidos pelos usuários sejam seguros de exibir na página. O resultado deste exemplo é igual ao mostrado na página 264.

1. Os arrays $user e $error, e a variável $message são inicializados. Isso permite que sejam usados no formulário na parte inferior da página quando ele é carregado pela primeira vez (antes de ser enviado).
2. Uma declaração if verifica se o formulário foi enviado.
3. A variável $validation_filters contém um array de filtros que serão usados para validar os dados do formulário.
4. filter_input_array() coleta os valores do formulário e aplica filtros de validação nos valores coletados. Os resultados sobrescrevem os valores armazenados em $user na Etapa 1. Se um valor é:
   - Válido, ele é armazenado no array.
   - Inválido, false é armazenado.
   - Ausente, receberá um valor null.
5. Cada valor no array $errors é definido usando um operador ternário. A condição verifica se cada parte do dado é válida. Se o valor contar como:
   - true, ele conterá uma string vazia.
   - false ou null, o valor será uma mensagem de erro informando ao usuário como corrigir essa parte do dado.
6. A função implode() do PHP é usada para reunir todos os valores do array $errors em uma única string e armazená-los em uma variável $invalid.
7. A condição de uma declaração if verifica se a variável $invalid contém texto, que é tratado como true (uma string em branco é tratada como false).
8. Se os dados são inválidos, a variável $message contém uma mensagem pedindo ao visitante para corrigir os erros do formulário.
9. Do contrário, a variável $message informa ao usuário que os dados são válidos. Nesse ponto, a página poderia processar os dados recebidos (e não haveria necessidade de mostrar o formulário de novo).
10. O nome e a idade armazenados no array $user são sanitizados para garantir que são seguros para exibir na página. Isso é feito usando a função filter_var() do PHP:
    - O nome é sanitizado para substituir qualquer caractere HTML reservado por entidades.
    - O número é sanitizado para que só contenha caracteres permitidos em um inteiro.
11. O valor na variável $message é mostrado.
12. O formulário é exibido. Se o usuário forneceu dados que são:
    - Válidos, esses valores são mostrados nos controles do formulário.
    - Inválidos, os controles do formulário ficam em branco.

Se o usuário não enviou o formulário, os controles do formulário usam os valores iniciais atribuídos a cada elemento do array $user na Etapa 1.

Se há dados inválidos, uma mensagem de erro é mostrada após o controle do formulário correspondente.

```php
<?php
$user     = ['name' => '', 'age' => '', 'terms' => '', ];          // Inicialização
$errors   = ['name' => '', 'age' => '', 'terms' => false, ];
$message  = '';

if ($_SERVER['REQUEST_METHOD'] == 'POST') {                         // Se o formulário foi enviado

    // Filtros de validação
    $validation_filters['name']['filter']              = FILTER_VALIDATE_REGEXP;
    $validation_filters['name']['options']['regexp']   = '/^[A-z]{2,10}$/';
    $validation_filters['age']['filter']               = FILTER_VALIDATE_INT;
    $validation_filters['age']['options']['min_range'] = 16;
    $validation_filters['age']['options']['max_range'] = 65;
    $validation_filters['terms']                       = FILTER_VALIDATE_BOOLEAN;

    $user = filter_input_array(INPUT_POST, $validation_filters); // Valida os dados

    // Cria mensagens de erro
    $errors['name']  = $user['name']  ? '' : 'Name must be 2-10 letters using A-z';
    $errors['age']   = $user['age']   ? '' : 'You must be 16-65';
    $errors['terms'] = $user['terms'] ? '' : 'You must agree to the terms & conditions';
    $invalid = implode($errors);                                    // Une as mensagens de erro

    if ($invalid) {                                                 // Se há erros
        $message = 'Please correct the following errors:';          // Não processa os dados
    } else {                                                        // Caso contrário
        $message = 'Thank you, your data was valid.';               // Pode processar os dados
    }

    // Sanitiza os dados
    $user['name'] = filter_var($user['name'], FILTER_SANITIZE_FULL_SPECIAL_CHARS);
    $user['age']  = filter_var($user['age'],  FILTER_SANITIZE_NUMBER_INT);
}
?> ...
<?= $message ?>
<form action="validate-form-using-filters.php" method="POST">
  Name: <input type="text" name="name" value=" <?= $user['name'] ?>">
  <span class="error"> <?= $errors['name'] ?> </span><br>
  Age: <input type="text" name="age" value=" <?= $user['age'] ?>">
  <span class="error"> <?= $errors['age'] ?> </span><br>
  <input type="checkbox" name="terms" value="true"
      <?= $user['terms'] ? 'checked' : '' ?> > I agree to the terms and conditions
  <span class="error"> <?= $errors['terms'] ?> </span><br>
  <input type="submit" value="Save">
</form>
```

RESUMO
OBTENDO DADOS EM NAVEGADORES

> Os dados enviados por string de consulta e formulários são adicionados aos arrays superglobais $_GET e $_POST, que armazenam todos os dados recebidos como strings.

> Se faltar um valor em um array global, use a função isset() para verificar se está presente ou forneça um padrão com o operador de coalescência nula.

> Os dados também podem ser coletados usando as funções filter_input() e filter_input_array().

> Antes de processar os dados, valide-os. Verifique se os dados requeridos foram fornecidos e se estão no formato certo.

> Antes de mostrar os dados do usuário, sanitize-os para impedir ataques XSS. Substitua os caracteres reservados por entidades.

> Os filtros de validação são usados nas funções de filtro para validar valores e convertê-los no tipo de dado correto.

> Filtros de sanitização são usados a fim de filtrar funções para substituir ou remover os caracteres indesejados.

7
IMAGENS E ARQUIVOS

Este capítulo mostra como permitir que os visitantes façam upload de imagens no servidor e como exibi-las com segurança nas páginas PHP. Essas técnicas também funcionam em outros tipos de arquivo.

Primeiro, você aprenderá como os usuários fazem upload das imagens e como o servidor as recebe. Você verá como:

- O controle de upload do arquivo HTML é usado em um formulário HTML para que os usuários possam fazer upload de arquivos.
- O interpretador PHP adiciona dados sobre o arquivo a um array superglobal chamado $_FILES.
- O arquivo é colocado em uma pasta temporária no servidor.
- O arquivo deve ser movido para uma pasta na qual o upload dos arquivos será armazenado.

Depois, aprenderá como validar os arquivos que foram carregados e como verificar se:

- O nome do arquivo contém apenas caracteres permitidos.
- Já não existe um arquivo com esse nome.
- É um tipo de mídia e de extensão de arquivo permitidos.
- O tamanho do arquivo não é muito grande.

Por fim, aprenderá a manipular imagens para criar:

- Miniaturas.
- Versões cortadas da imagem.

Durante o capítulo, você verá mais funções predefinidas que ajudam nessas tarefas. Embora o capítulo demonstre essas técnicas usando imagens, elas também podem ser usadas para permitir que os visitantes façam upload de áudio, vídeo, PDF e outros tipos de arquivo.

IMAGENS E ARQUIVOS

FAZENDO UPLOAD DE ARQUIVOS A PARTIR DO NAVEGADOR

Os formulários HTML podem ter um controle de upload do arquivo que os visitantes podem usar para fazer upload para o servidor.

Ao criar um formulário HTML que permite aos visitantes fazer upload de arquivos, a tag `<form>` de abertura deve ter os três atributos a seguir:

- `method` com um valor `POST` para especificar que o formulário deve ser enviado por HTTP POST (porque os arquivos não devem ser enviados usando HTTP GET).
- `enctype` com um valor `multipart/form-data` para especificar o tipo de codificação que o navegador deve usar para enviar os dados.
- `action` cujo valor é o arquivo PHP para o qual os dados do formulário devem ser enviados.

O controle de upload do arquivo é criado usando o elemento `<input>` HTML. Seu atributo `type` deve ter um valor `file`. No navegador, isso cria um botão que abre uma nova janela que permite ao usuário selecionar o arquivo para fazer upload:

```
<input type="file" name="image">
```

Como os outros controles do formulário, o controle de entrada do arquivo envia um par de nome/valor para o servidor:

- Nome é o valor do atributo `name` para esse controle do arquivo (acima ele se chama `image`).
- Valor é o arquivo que o usuário envia.

Para ajudar a limitar o tipo de arquivo que um usuário pode fazer upload, o controle de entrada do arquivo tem um atributo `accept`. Seu valor deve ser uma lista de tipos de mídia separados por vírgula que o site aceita (os tipos de mídia costumam ser referidos como MIME; saiba mais sobre eles em `http://notes.re/media-types`) [conteúdo em inglês].

```
<input type="file" name="image"
       accept="image/jpeg, image/png">
```

Se o atributo `accept` for usado, quando o visitante clicar no botão para fazer upload de um arquivo, os navegadores modernos irão desativar os arquivos que não estão na lista de tipos aceitos para que não possam ser selecionados.

Isso é bom para facilitar a utilização, mas não é possível contar com o atributo `accept` para restringir o tipo de arquivo que os visitantes fazem upload porque eles podem anular a configuração e os navegadores mais antigos não suportam isso (Chrome 10, Internet Explorer 10, Firefox 10 e Safari 6 são as primeiras versões de navegadores principais que suportam esse recurso). Assim, você também deve tentar validar o tipo de mídia no servidor usando PHP (veja a página 295).

Para permitir todos os subtipos de mídia, você pode adicionar um asterisco em vez do subtipo. A seguir, todos os formatos de imagem são permitidos (inclusive BMP, GIF, JPEG, PNG, TIFF e WebP):

```
<input type="file" accept="image/*">
```

1. O formulário abaixo permite que os visitantes façam upload de imagens. É usado em todos os exemplos neste capítulo. A tag `<form>` de abertura precisa do:

- Atributo `method` com um valor `POST`.
- Atributo `enctype` definido para `multipart/form-data`.
- Atributo `action` especificando o arquivo para o qual enviar os dados do formulário (esse valor muda em cada exemplo).

2. Para criar um controle de upload do arquivo, o elemento `<input>` tem um atributo `type` cujo valor é `file`.

Uma vez que os elementos neste capítulo demonstram como permitir que visitantes façam upload de uma imagem, o valor do atributo `name` é `image`.

3. O botão de envio é usado para enviar o formulário.

HTML

```
① <form method="post" action="filename.php" enctype="multipart/form-data">
      <label for="image"><b>Upload file:</b></label>
②     <input type="file" name="image" accept="image/*" id="image"><br>
③     <input type="submit" value="Upload">
   </form>
```

O primeiro box do resultado abaixo mostra o formulário que o controle de upload do arquivo cria. Quando uma imagem é selecionada, o texto ao lado do botão é substituído pelo nome do arquivo.

No segundo box, veja a janela que abre quando o usuário clica em *Choose File*. Um arquivo de texto e o arquivo zip são desativados porque não são imagens.

RESULTADO

RESULTADO

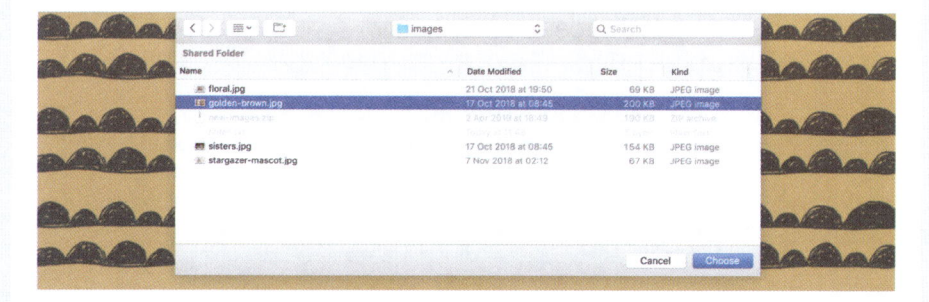

A aparência da janela que se abre para selecionar os arquivos varia segundo o navegador e os SOs (não é possível controlar sua aparência usando CSS).

IMAGENS E ARQUIVOS

RECEBENDO ARQUIVOS NO SERVIDOR

Quando é feito o upload de um arquivo via página da web, o servidor da web o salva em uma pasta temporária e o interpretador PHP armazena os detalhes sobre o arquivo em um array superglobal chamado $_FILES.

Um formulário pode ter vários controles de upload do arquivo, portanto o interpretador PHP criará um elemento no array superglobal $_FILES para cada controle que o formulário envia.

O nome do elemento corresponde ao nome do controle de upload do arquivo e seu valor é um array de dados sobre o arquivo carregado via esse controle do formulário.

A tabela abaixo mostra as informações que o array superglobal $_FILES armazena para cada arquivo que foi carregado.

As imagens neste capítulo são carregadas usando um controle de upload cujo nome é image, portanto o array $_FILES terá um elemento chamado image e seu valor será um array mantendo informações sobre essa imagem.

CHAVE	VALOR	COMO ACESSAR O VALOR
name	Nome do arquivo	$_FILES['image']['name']
tmp_name	Local temporário do arquivo (definido pelo interpretador PHP)	$_FILES['image']['tmp_name']
size	Tamanho em bytes	$_FILES['image']['size']
type	Tipo de mídia (segundo o navegador)	$_FILES['image']['type']
error	0 se o upload do arquivo foi bem-sucedido, um código de erro se houve um problema	$_FILES['image']['error']

Assim que ocorre o upload do arquivo, o código PHP deve verificar se o interpretador PHP não encontrou erros no upload

Se a chave error no array criado para esse arquivo tem um valor 0, então significa que o interpretador PHP não encontrou erros.

```
if ($_FILES['image']['errors'] === 0) {
    // Processar imagem
} else {
    // Mostrar mensagem de erro
}
```

IMAGENS E ARQUIVOS

VERIFICANDO O UPLOAD DO ARQUIVO

1. A variável $message é inicializada com uma string em branco. Ela armazena uma mensagem se o formulário é enviado.
2. Se o formulário foi enviado usando HTTP POST...
3. Uma declaração if verifica se não houve erros.
4. Se não houve, o nome e o tamanho do arquivo são armazenados em $message.
5. Do contrário, $message armazena uma mensagem de erro.
6. É mostrado o valor na variável $message.

PHP   section_b/c07/upload-file.php

```php
<?php
$message = '';                                                                      // Inicialização
if ($_SERVER['REQUEST_METHOD'] == 'POST') {                                         // Se o formulário foi enviado
    if ($_FILES['image']['error'] === 0) {                                          // Se não há erros
        $message  = '<b>File:</b> ' . $_FILES['image']['name'] . '<br>';            // Nome do arquivo
        $message .= '<b>Size:</b> ' . $_FILES['image']['size'] . ' bytes';          // Tamanho do arquivo
    } else {                                                                        // Caso contrário
        $message  = 'The file could not be uploaded.';                              // Mensagem de erro
    }
}
?> ...
<?= $message ?>
<form method="POST" action="upload-file.php" enctype="multipart/form-data">
  <label for="image"><b>Upload file:</b></label>
  <input type="file" name="image" accept="image/*" id="image"><br>
  <input type="submit" value="Upload">
</form>
```

RESULTADO

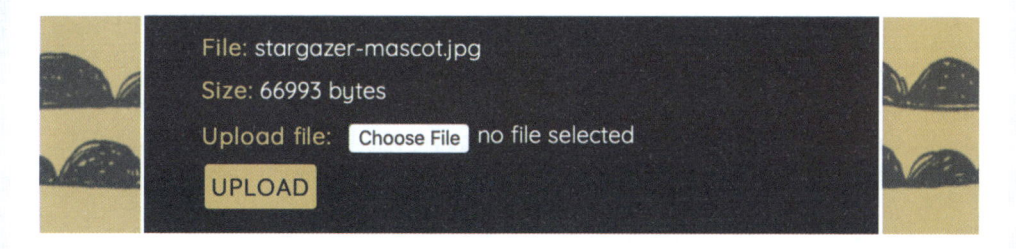

File: stargazer-mascot.jpg
Size: 66993 bytes
Upload file: [Choose File] no file selected
[UPLOAD]

IMAGENS E ARQUIVOS

MOVENDO UM ARQUIVO PARA SEU DESTINO

A função move_uploaded_file() do PHP move um arquivo de seu local temporário para onde ele deve ser armazenado no servidor.

Quando um arquivo é carregado no servidor, recebe um nome de arquivo temporário e é colocado em uma pasta temporária (o nome do arquivo temporário é criado pelo interpretador PHP).

O interpretador excluirá o arquivo temporário dessa pasta quando o script terminar de ser executado. Assim, para armazenar um arquivo carregado no servidor, você deve chamar a função move_uploaded_file() a fim de movê-lo para outra pasta. Ela tem dois parâmetros:

- O local temporário do arquivo.
- O destino onde o arquivo deve ser salvo.

Retorna true se conseguiu mover o arquivo para o novo local e false se não.

O destino (o local onde o arquivo deve ser salvo) é composto pelo:

- Caminho até a pasta que armazenará o arquivo carregado (essa pasta deve ser criada antes de tentar mover o arquivo para ela).
- Nome do arquivo (seu nome original ou um novo nome).

Se você quiser usar o nome original do arquivo que foi carregado, pode acessá-lo por meio do array que o interpretador PHP criou para esse arquivo. Sua chave é name.

Abaixo, o caminho do arquivo de destino é armazenado em uma variável $destination. É criada especificando a pasta uploads, seguida do nome original do arquivo usado ao fazer upload da imagem.

```
                          NOVA PASTA          NOME DO ARQUIVO
$destination = '../uploads/' . $_FILES['image']['name'];
move_uploaded_file($_FILES['image']['tmp_name'], $destination);
                          LOCAL TEMPORÁRIO    CAMINHO DO ARQUIVO
                                              DE DESTINO
```

PERMISSÕES DO ARQUIVO

As permissões para o diretório de destino devem:

- Permitir que o servidor da web leia/grave arquivos — isso permite que ele salve e exiba imagens.
- Desativar as permissões de execução — isso impede que scripts maliciosos sejam executados.

VERIFIQUE SE UM ARQUIVO FOI CARREGADO

A função move_uploaded_file() do PHP verifica se um arquivo foi carregado via HTTP POST antes de movê-lo. Se você precisar usar um arquivo *antes* de movê-lo, use is_uploaded_file() do PHP para fazer essa verificação (isso ajuda a evitar que alguém acesse outros arquivos).

MOVENDO UM ARQUIVO CARREGADO

```
PHP                                                 section_b/c07/move-file.php
    <?php
    $message = '';                          // Inicializa $message
①   $moved   = false;                       // Inicializa $moved
②   if ($_SERVER['REQUEST_METHOD'] == 'POST') { // Se o formulário foi enviado
        if ($_FILES['image']['error'] === 0) {  // Se não tem erros
            // Armazena temporariamente o caminho do arquivo e seu novo destino
③           $temp = $_FILES['image']['tmp_name'];
④           $path = 'uploads/' . $_FILES['image']['name'];
            // Move o arquivo e armazena o resultado na variável $moved
⑤           $moved = move_uploaded_file($temp, $path);
        }
⑥       if ($moved === true) { // Se moveu com sucesso, mostra a imagem
⑦           $message = '<img src="' . $path . '">';
⑧       } else {              // Se não armazena mensagem de erro
            $message = 'The file could not be saved.';
        }
    }
    ?> ...
⑨   <?= $message ?>
```

RESULTADO

1. Uma variável chamada $moved é inicializada com um valor false. Ele mudará para true se a imagem for movida com sucesso.

2. Se o formulário foi enviado e não houve erros...

3. $temp mantém o local onde o interpretador PHP armazenou temporariamente o arquivo.

4. $path armazena o caminho onde o arquivo será salvo (o arquivo manterá o mesmo nome de arquivo que tinha quando foi carregado).

5. move_uploaded_file() tenta mover o arquivo de seu local temporário (em $temp) para o novo local (em $path). A função retorna true se funcionou ou false se falhou. Esse valor substitui o valor armazenado na variável $moved na Etapa 1.

6. Uma declaração condicional testa se $moved tem um valor true, indicando que o arquivo foi movido com sucesso.

7. Em caso afirmativo, $message armazena uma tag <img> HTML que mostra a imagem carregada.

8. Do contrário, $message armazena uma mensagem de erro.

9. O valor armazenado em $message é exibido para o usuário.

LIMPANDO UM NOME DE ARQUIVO E ARQUIVOS DUPLICADOS

Antes de mover um arquivo de seu local temporário, você deve:
a) Remover os caracteres no nome de arquivo que causariam problemas.
b) Assegurar que ele não sobrescreverá o arquivo com o mesmo nome.

Caracteres como "e" comercial, dois-pontos, pontos e espaços devem ser removidos dos nomes de arquivo, pois podem causar problemas. Para tanto, substitua os caracteres diferentes de A-Z, a-z e 0-9 por um traço.

1. Use a função `pathinfo()` do PHP (veja a página 228) para obter o nome-base e a extensão do arquivo.

2. Use a função `preg_replace()` do PHP (veja a página 214) para substituir qualquer caractere no nome-base diferente de A-Z, a-z e 0-9 por um traço.

3. Crie um caminho do arquivo de destino unindo o diretório de upload, o nome-base, um ponto e a extensão de arquivo. Esse valor deve ser salvo em uma variável.

```
① $basename  = pathinfo( $filename , PATHINFO_FILENAME);
  $extension = pathinfo( $filename , PATHINFO_EXTENSION);
② $basename  = preg_replace('/[^A-z0-9]/', '-',   $basename);
③ $filepath  = 'uploads/' . $basename . '.' . $extension;
```

Se `move_uploaded_file()` for chamada e um arquivo com o mesmo nome existir, o antigo arquivo será substituído pelo novo. Para evitar isso, cada arquivo precisa ter um nome exclusivo:

4. Defina um contador com o valor 1 e armazene-o em uma variável chamada i.

5. Na condição do loop `while`, use a função `file_exists()` do PHP (veja a página 228) para verificar se já existe um arquivo com o mesmo nome.

6. Se existe, adicione 1 ao valor armazenado no contador.

7. Atualize o nome de arquivo, adicionando o valor no contador após o nome-base, antes da extensão. Por exemplo, se `upload.jpg` existe, chame o arquivo de `upload1.jpg`.

Em seguida, a condição do loop é executada de novo para verificar se o novo nome de arquivo existe. O loop repete as Etapas 5-7 até ter um nome de arquivo exclusivo.

```
④ $i = 1;
⑤ while (file_exists('uploads/' . $filename )) {
⑥     $i = $i + 1;
⑦     $filename = $basename . $i . '.' . $extension ;
   }
```

VALIDANDO O TAMANHO E O TIPO DO ARQUIVO

Para assegurar que o site pode trabalhar com um arquivo carregado, antes de movê-lo, verifique se:

a) O arquivo não é grande demais (arquivos grandes levam mais tempo para fazer download/processar).

b) O site pode trabalhar com o tipo de mídia e a extensão de arquivo.

Você pode definir um tamanho máximo de upload do arquivo no `php.ini` ou no `.htaccess` (veja as páginas 196-199), ou pode criar um código de validação para restringir os tamanhos nas páginas que aceitam uploads.

Para ver se um arquivo é maior que o tamanho máximo de upload definido no `php.ini` ou no `.htaccess`, veja o array `$_FILES`. Se for, a chave `error` do arquivo terá um valor 1.

Também pode verificar o tamanho de um arquivo no array `$_FILES`; a chave `size` do arquivo mantém o tamanho em bytes.

Os dois operadores ternários abaixo são usados para fazer ambas as verificações. A condição do:

- Primeiro operador ternário verifica se o código do erro é 1.
- Segundo verifica se o tamanho é maior que 5MB.

```
$error = ($_FILES['image']['error'] === 1)     ? 'Too large' : '';
$error = ($_FILES['image']['size']  <= 5242880) ? ''         : 'Too large';
```

Validar o tipo de mídia de um arquivo e a extensão de arquivo ajuda a garantir que o site pode lidar com um arquivo em segurança. Veja abaixo:

1. `$allowed_types` é um array de tipos de mídia permitidos.
2. A função `mime_content_type()` do PHP tenta detectar o tipo de mídia e a armazena em `$type`.
3. A função `in_array()` do PHP verifica se o tipo de mídia do arquivo está no array de tipos permitidos.
4. `$allowed_exts` armazena um array de extensões permitidas.
5. O nome de arquivo é convertido em letras minúsculas e armazenado em `$filename`.
6. A extensão de arquivo é coletada e armazenada em `$ext`.
7. A função `in_array()` do PHP verifica se a extensão de arquivo está no array de extensões permitidas.

```
① $allowed_types = ['image/jpeg', 'image/png', 'image/gif',];
② $type     = mime_content_type($_FILES['image']['tmp_name']);
③ $error    = in_array($type, $allowed_types) ? '' : 'Wrong file type ';
④ $allowed_exts = ['jpeg', 'jpg', 'png', 'gif',];
⑤ $filename = strtolower($_FILES['image']['name']);
⑥ $ext      = pathinfo($filename, PATHINFO_EXTENSION));
⑦ $error   .= in_array($ext, $allowed_exts) ? '' : 'Wrong extension ';
```

VALIDANDO OS UPLOADS

Este exemplo reúne o código para fazer upload, validar e salvar um arquivo.

1. São criadas seis variáveis para manter:
   - O resultado do upload ou não do arquivo.
   - A mensagem de sucesso/fracasso que o usuário vê.
   - Os erros, se há problemas na imagem.
   - O caminho para a pasta que armazena os arquivos carregados.
   - O tamanho máximo do arquivo em bytes.
   - Os tipos de mídia permitidos.
   - As extensões de arquivo permitidas.

2. É definida uma função `create_filename()`. Ela usa o código da página 294 para limpar o nome de arquivo e assegurar que ele seja exclusivo, então retorna o novo nome. Seus parâmetros são:
   - O nome do arquivo.
   - O caminho relativo para a pasta onde ele será armazenado.

3. Uma declaração `if` verifica se o formulário foi postado.

4. Um operador ternário é usado para verificar se houve erro ao fazer upload da imagem porque ela era maior que o limite definido em `php.ini` ou `.htaccess`. Se era, uma mensagem de erro é armazenada em `$error`.

5. Outra declaração `if` verifica se o arquivo foi carregado sem erros.

6. O tamanho do arquivo é validado. Se é menor ou igual ao tamanho máximo armazenado em `$max_size` na Etapa 1, `$error` armazena uma string vazia; se é maior que o máximo permitido, `$error` mantém a mensagem 'too big'.

7. A função `mime_content_type()` predefinida do PHP obtém o tipo de mídia do arquivo e o armazena em `$type`.

8. A função `in_array()` do PHP verifica se o tipo de mídia armazenado em `$type` está no array `$allowed_types`. Se está, uma string vazia é adicionada à variável `$error`. Se não, uma mensagem de erro é adicionada à variável `$error`.

9. A função `pathinfo()` do PHP obtém a extensão de arquivo da imagem carregada. Essa função é chamada dentro da função `strtolower()` do PHP para assegurar que a extensão esteja em letras minúsculas. Então, é armazenada em `$ext`.

10. A função `in_array()` do PHP é usada para verificar se a extensão de arquivo é permitida. Se é, uma string vazia é adicionada a `$error`. Se não, uma mensagem de erro é adicionada para indicar que é a extensão errada.

11. A condição de uma declaração `if` verifica se `$error` tem um valor que *não* é tratado como `true`. Uma string em branco é tratada como `false` (não há erros).

12. Se não há erros, a função `create_filename()` (da Etapa 2) é chamada para garantir que o nome de arquivo seja limpo e exclusivo.

13. `$destination` mantém o caminho para salvar o novo arquivo.

14. A função `move_uploaded_file()` do PHP é chamada para mover o arquivo de seu local temporário para a pasta `uploads`. Ela retorna `true` se funciona; `false` se não. O resultado é armazenado em uma variável `$moved`.

15. Se a variável `$moved` tem um valor `true`, a imagem foi carregada, passou nas verificações e foi salva, portanto a variável `$message` armazena uma tag `<img>` HTML que exibirá a imagem.

16. Se não, uma mensagem de erro é armazenada em `$message`.

17. O valor armazenado na variável `$message` é exibido antes do formulário de upload.

```php
    <?php
    $moved          = false;                                    // Inicializa $moved
    $message        = '';                                       // Inicializa $message
    $error          = '';                                       // Inicializa $error
    $upload_path    = 'uploads/';                               // Caminho do upload
    $max_size       = 5242880;                                  // Tamanho máximo do arquivo em bytes
    $allowed_types  = ['image/jpeg', 'image/png', 'image/gif',];// Tipos de arquivos permitidos
    $allowed_exts   = ['jpeg', 'jpg', 'png', 'gif',];           // Tipos de extensões permitidas

    function create_filename($filename, $upload_path)           // Função para criar nome do arquivo
    {
        $basename  = pathinfo($filename, PATHINFO_FILENAME);    // Obtém o nome do arquivo (sem a extensão)
        $extension = pathinfo($filename, PATHINFO_EXTENSION);   // Obtém a extensão do arquivo
        $basename  = preg_replace('/[^A-z0-9]/', '-', $basename);// Limpa o nome do arquivo
        $i         = 0;                                         // Contador para nome do arquivo
        while (file_exists($upload_path . $filename)) {         // Se o arquivo já existe
            $i        = $i + 1;                                 // Atualiza o contador
            $filename = $basename . $i . '.' . $extension;      // Novo nome do arquivo
        }
        return $filename;                                       // Retorna o nome do arquivo gerado
    }
    if ($_SERVER['REQUEST_METHOD'] == 'POST') {                 // Se o formulário foi enviado
        $error = ($_FILES['image']['error'] === 1) ? 'too big ' : '';  // Checa se há erro no tamanho do arquivo

        if ($_FILES['image']['error'] == 0) {                   // Se não há erro no upload do arquivo
            $error .= ($_FILES['image']['size'] <= $max_size) ? '' : 'too big '; // Verifica o tamanho
            // Verifica se o tipo de mídia está contido no array $allowed_types
            $type   = mime_content_type($_FILES['image']['tmp_name']);
            $error .= in_array($type, $allowed_types) ? '' : 'wrong type ';
            // Verifica se a extensão do arquivo está contida no array $allowed_exts
            $ext    = strtolower(pathinfo($_FILES['image']['name'], PATHINFO_EXTENSION));
            $error .= in_array($ext, $allowed_exts) ? '' : 'wrong file extension ';
            // Se não há erros, cria um novo nome para o arquivo e tenta movê-lo
            if (!$error) {
                $filename    = create_filename($_FILES['image']['name'], $upload_path);
                $destination = $upload_path . $filename;
                $moved       = move_uploaded_file($_FILES['image']['tmp_name'], $destination);
            }
        }
        if ($moved === true) {                                  // Se o arquivo foi movido
            $message = 'Uploaded:<br><img src="' . $destination . '">';  // Mostra a imagem
        } else {                                                // Caso contrário
            $message = '<b>Could not upload file:</b> ' . $error; // Mostra erros
        }
    }
    ?> ... <?= $message ?> <!-- Show form -->
```

REDIMENSIONANDO AS IMAGENS

Quando os usuários fazem upload das imagens, os sites as redimensionam para que todas tenham um tamanho parecido; isso deixa a página mais bonita e faz com que carregue mais rápido. Para redimensionar uma imagem, você precisa de sua **relação**: largura dividida pela altura.

Em geral, as imagens carregadas são redimensionadas por dois motivos:

- Quando as imagens têm tamanhos parecidos, ficam mais bonitas do que quando apresentam tamanhos diferentes.
- Quando um arquivo carregado é maior que o tamanho no qual é exibido, isso deixa o carregamento da página lento.

Ao redimensionar imagens, você deve manter a mesma relação (largura dividida pela altura). Do contrário, as imagens redimensionadas parecerão distorcidas (veja a página à direita).

Se quiser que todas as imagens tenham *exatamente* o mesmo tamanho, pode cortá-las (selecione parte delas)e , então, redimensionar a seleção mantendo a relação (páginas 300-301).

PAISAGEM

Nas imagens com orientação paisagem, a largura é maior que a altura, então a relação é maior que 1.

No exemplo abaixo, se a largura for 2000 e a altura for 1600, a relação será:

2000 ÷ 1600 = 1,25

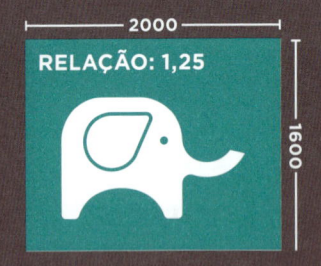

RELAÇÃO: 1,25
2000 × 1600

QUADRADO

Nas imagens quadradas, altura e largura são iguais, então a relação é exatamente 1.

No exemplo abaixo, se a largura for 2000 e a altura for 2000, a relação será:

2000 ÷ 2000 = 1

RELAÇÃO: 1
2000 × 2000

RETRATO

Nas imagens com orientação retrato, a largura sempre é menor que a altura, portanto a relação é menor que 1.

No exemplo, se a largura for 1600 e a altura for 2000, a relação será:

1600 ÷ 2000 = 0,8

RELAÇÃO: 0,8
1600 × 2000

IMAGENS E ARQUIVOS

Abaixo, veja como calcular as novas largura e altura que uma imagem terá ao redimensioná-la. Mantendo a mesma relação da original, a imagem redimensionada não fica distorcida.

Para um conjunto de imagens redimensionadas parecer mais consistente, elas devem ser alteradas para caber em um **contêiner** quadrado (ou **caixa delimitadora**) que define a largura e a altura máximas dela.

Quando a imagem é redimensionada, o lado maior (largura ou altura) caberá no contêiner e o lado menor será calculado usando a relação da imagem.

A largura e a altura do contêiner devem ser definidas. É o tamanho máximo que a imagem redimensionada pode ter.

Neste exemplo, a largura e a altura máximas são definidas para 1000.

PAISAGEM
1000 × 1000

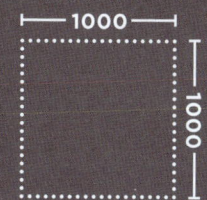

RETRATO
1000 × 1000

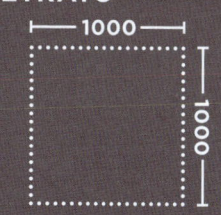

1

Obtenha a largura e a altura da imagem original que foi carregada.

Use-as para calcular a relação da imagem (largura ÷ altura).

RELAÇÃO: 1,25 — 2000 × 1600

RELAÇÃO: 0,8 — 1600 × 2000

2

Se a largura for maior que a altura, a imagem está na orientação paisagem. Do contrário, a orientação é retrato.

Defina o maior lado da imagem para o tamanho do contêiner.

1000 × 1600

1600 × 1000

3

Calcule o comprimento do lado menor da imagem alterada.

Paisagem: *divida* a altura do contêiner pela relação.

Retrato: *multiplique* a largura do contêiner pela relação.

1000 × 800

Uma imagem em paisagem não caberá na altura total do contêiner.

800 × 1000

Uma imagem em retrato não caberá na largura total do contêiner.

IMAGENS E ARQUIVOS

CORTANDO IMAGENS

Cortar imagens permite criar um conjunto com todas elas exatamente do mesmo tamanho e permite que novas imagens preencham o contêiner. Quando as imagens são cortadas, parte da imagem original é removida.

Para cortar uma imagem, é preciso selecionar a parte da imagem original que você deseja manter.

Para que um conjunto de imagens tenha uma forma consistente, a seção cortada de cada uma deve ter a mesma relação.

Assim que selecionar uma área para cortar, você pode redimensioná-la a fim de assegurar que todas as imagens tenham o mesmo tamanho.

Para selecionar a área da imagem que você deseja cortar, são necessárias quatro partes de dados:

- **Largura da seleção:** a largura da área na imagem que você deseja manter a partir do deslocamento x.
- **Altura da seleção:** a altura da área na imagem que você deseja manter a partir do deslocamento y.
- **Deslocamento x:** a distância do lado esquerdo da imagem até onde a seleção deve iniciar.
- **Deslocamento y:** a distância do topo da imagem até onde a seleção deve iniciar.

Existem ferramentas JavaScript que permitem que os usuários cortem as imagens no navegador antes de ela ser carregada. Para ver algumas opções disponíveis, acesse http://notes.re/php/images/crop-javascript [conteúdo em inglês].

Para garantir que as imagens carregadas terão o mesmo tamanho, você precisa especificar a largura e a altura desejadas. Esses valores serão usados para calcular a relação da nova imagem (largura ÷ altura).

1

Obtenha a largura e a altura da imagem carregada, e calcule a relação dela (largura ÷ altura).

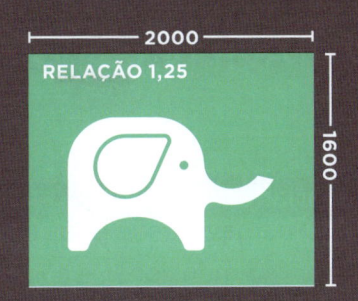

RELAÇÃO 1,25 — 2000 × 1600

RELAÇÃO 0,8 — 1600 × 2000

2

Selecione a parte relevante da imagem a manter.

Essa seleção deve ter a mesma relação da nova imagem.

Os cálculos das seleções e do deslocamento são mostrados abaixo.

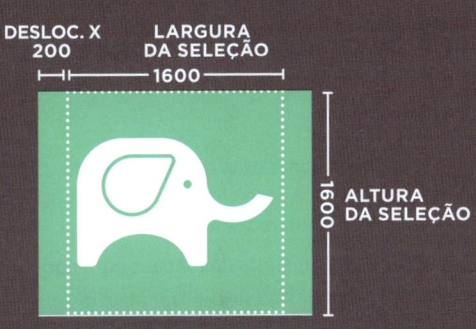

DESLOC. X 200 — LARGURA DA SELEÇÃO 1600 — ALTURA DA SELEÇÃO 1600

LARGURA DA SELEÇÃO 1600 — DESLOC. Y 200 — ALTURA DA SELEÇÃO 1600

Se a nova relação da imagem for menor que a relação da imagem carregada:

- **Largura da seleção** = altura original x nova relação.
- **Altura da seleção** = altura original.
- **Deslocamento x** = (largura original - largura da seleção) / 2.
- **Deslocamento y** = 0.

Do contrário, use os seguintes cálculos:

- **Largura da seleção** = largura original.
- **Altura da seleção** = largura original x nova relação.
- **Deslocamento x** = 0.
- **Deslocamento y** = (altura original - altura da seleção) / 2.

3

A área cortada é redimensionada para que seja o tamanho da nova imagem (como definido na página à esquerda).

100 × 100

100 × 100

EDITANDO IMAGENS COM EXTENSÕES

Extensões adicionam funcionalidade ao interpretador PHP, permitindo-o realizar outras tarefas. GD e Imagick são duas extensões populares que permitem ao interpretador redimensionar e cortar imagens.

Quando extensões são instaladas em um servidor da web, em geral, elas fornecem funções ou classes extras que suas páginas PHP podem usar (do mesmo modo como seu código usa as funções e as classes predefinidas do PHP).

As extensões GD e Imagick realizam tarefas parecidas com os recursos básicos do Photoshop, mas, em vez de manipular as imagens com uma GUI, permitem editar a imagem usando o código do PHP.

USANDO A GD

Se você usa MAMP em um Mac, a GD deve estar ativada por padrão.

Se usa XAMPP em um PC, é provável que precisará ativar a extensão GD antes de usá-la; veja http://notes.re/php/enable-gd [conteúdo em inglês].

O restante deste capítulo explica como redimensionar a imagem usando GD, e depois como redimensionar e cortar as imagens com Imagick (um exemplo de cortar imagens usando GD está disponível online em http://notes.re/php/gd-crop [conteúdo em inglês].

A GD é mais complicada de usar que a Imagick, mas é instalada por padrão com o interpretador PHP desde o PHP 4.3. A Imagick deve ser instalada no servidor da web antes de ser usada.

Para redimensionar e cortar uma imagem usando GD, você deve chamar as cinco funções da extensão (mostradas abaixo).

A GD tem um conjunto de funções para abrir diferentes tipos de mídia (GIF, JPEG, PNG, WEBP etc.) e funções correspondentes para salvá-las (*tipomídia* em itálico abaixo é substituído pelo tipo de arquivo; veja a página à direita).

FUNÇÃO	DESCRIÇÃO
getimagesize()	Obtém as dimensões e o tipo de mídia de uma imagem
imagecreatefrom*tipomídia*()	Abre a imagem (substitua *tipomídia* pelo tipo de mídia da imagem)
imagecreatetruecolor()	Cria uma nova imagem em branco usando as dimensões da imagem redimensionada ou cortada
imagecopyresampled()	Pega a parte selecionada da imagem original, redimensiona e cola na nova imagem criada na etapa anterior
image*tipomídia*()	Salva a imagem (substitua *tipomídia* pelo tipo de mídia da imagem)

DETERMINANDO O TIPO DE MÍDIA

Para selecionar a função correta para abrir ou salvar uma imagem, é preciso saber o tipo de mídia dela.

A função `getimagesize()` da GD requer um caminho para a imagem como um argumento. Ela retorna um array contendo dados sobre a imagem, inclusive seu tipo de mídia. A tabela à direita mostra os dados mantidos nesse array (as chaves são uma combinação de números e de palavras).

CHAVE	DESCRIÇÃO
0	Largura da imagem (em pixels)
1	Altura da imagem (em pixels)
2	Constante descrevendo tipo da imagem
3	String com dimensões para usar em uma tag <img>: height="*yyy*" width="*xxx*"
mime	Tipo de mídia da imagem
channels	3 se a imagem é RGB, 4 se é CMYK
bits	Número de bits usados para cada cor

ABRINDO E SALVANDO IMAGENS

O tipo de mídia da imagem pode ser usado em uma declaração `switch` (como mostrado na próxima página) para que a função certa seja chamada para abrir ou salvar a imagem.

A tabela à direita mostra algumas funções que a GD oferece para abrir e salvar os formatos da imagem.

FORMATO	ABRIR	SALVAR
GIF	imagecreatefromgif()	imagegif()
JPEG	imagecreatefromjpeg()	imagejpeg()
PNG	imagecreatefrompng()	imagepng()
WEBP	imagecreatefromwebp()	imagewebp()

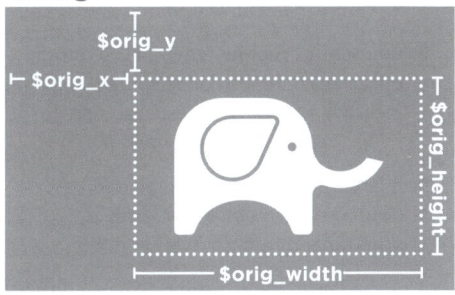

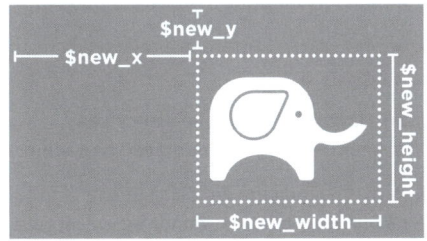

REDIMENSIONANDO E CORTANDO AS IMAGENS

A função `imagecopyrempled()` copia parte de uma imagem (ou ela toda) para uma nova imagem em branco.

A função tem dez parâmetros, mas pode ser mais fácil considerá-los como cinco pares:

- $new, $orig
  Imagens nova e original (armazenadas em variáveis antes de a função ser chamada; veja a página 304).
- $new_x, $new_y
  Deslocamentos X e Y para posicionar os dados copiados na nova imagem.
- $orig_x, $orig_y
  Deslocamentos X e Y para obter a seleção da imagem original.
- $new_width, $new_height
  Largura e altura da seleção na nova imagem.
- $orig_width, $orig_height
  Largura e altura da seleção da imagem original.

imagecopyresampled($new, $orig, $new_x, $new_y, $orig_x, $orig_y, $new_width, $new_height, $orig_width, $orig_height);

IMAGENS E ARQUIVOS

REDIMENSIONANDO AS IMAGENS COM GD

A função na página à direita usa a GD para criar uma miniatura. A miniatura manterá a mesma proporção da original. O novo tamanho se baseia na largura e na altura máximas dadas como argumento.

O exemplo completo no download do código segue o exemplo na página 297. As únicas diferenças são que ele cria um caminho para a imagem em miniatura redimensionada, então chama a função para criar uma miniatura assim que a imagem carregada for movida (Etapas 14-15).

1. `resize_image_gd()` tem quatro parâmetros:
   - Caminho para a imagem carregada.
   - Caminho para salvar a imagem redimensionada.
   - Largura máxima da nova imagem.
   - Altura máxima da nova imagem.

2. A função `getimagesize()` da GD retorna um array contendo dados sobre a imagem, inclusive suas dimensões e seu tipo de mídia (veja a página anterior).

3. A largura, a altura e o tipo de mídia da imagem são obtidos no array e armazenados em variáveis.

4. As variáveis `$new_width` e `$new_height` são inicializadas com uma largura e uma altura máximas que a miniatura pode ter.

5. `$orig_ratio` armazena a relação da imagem carregada.

6. Se a largura é maior que a altura da imagem, ela fica na orientação paisagem.

7. Para uma imagem em paisagem, a largura da imagem redimensionada será a largura máxima. Esse valor foi definido quando a variável foi inicializada na Etapa 4. Mas a nova altura da imagem deve ser calculada; para tanto, divida a largura dela por sua relação.

8. De outra forma, a imagem fica na orientação retrato ou quadrada. Sua altura permanece sendo a altura máxima definida na Etapa 4. A nova largura é calculada multiplicando a nova altura dela por sua relação.

9. Uma declaração `switch` é usada a fim de selecionar a função correta para abrir a imagem (como mostrado na página anterior, GD usa funções separadas para abrir as imagens que são tipos de mídia diferentes). O tipo de mídia da imagem (armazenado em `$media_type` na Etapa 3) é usado como a condição da declaração `switch`. A imagem aberta é armazenada em `$orig`.

10. A função `imagecreatetruecolor()` da GD cria uma imagem em branco, que é armazenada em `$new`. Os dois argumentos fornecidos são a largura e a altura que a nova imagem deve ter.

11. A função `imagecopyresampled()` da GD copia a imagem original, a redimensiona e a cola na nova imagem criada na Etapa 10. Ela precisa receber valores para os dez parâmetros descritos na página anterior.

12. Outra declaração `switch` é usada para selecionar a função correta e salvar a imagem redimensionada. Dessa vez, um atalho da declaração `switch` é usado (para o exemplo caber na página). As funções que salvam imagens retornam `true` se a imagem é salva e `false` se não; o valor é armazenado em `$result`.

13. O valor armazenado em `$result` é retornado.

14. Assim que a imagem é carregada e movida, o caminho em que a nova miniatura será salva é criado unindo o caminho para a pasta de uploads, o texto `thumb_` e o nome de arquivo.

15. `resize_image_gd()` é chamada.

```php
<?php
function resize_image_gd($orig_path, $new_path, $max_width, $max_height)
{
    $image_data   = getimagesize($orig_path);         // Obtém os dados da imagem
    $orig_width   = $image_data[0];                   // Largura da imagem
    $orig_height  = $image_data[1];                   // Altura da imagem
    $media_type   = $image_data['mime'];              // Tipo de mídia
    $new_width    = $max_width;                       // Largura máxima nova
    $new_height   = $max_height;                      // Altura máxima nova
    $orig_ratio   = $orig_width / $orig_height;       // Raio de aspecto original da imagem

    // Calcula novo tamanho
    if ($orig_width > $orig_height) {                 // Se a orientação for paisagem
        $new_height = $new_width / $orig_ratio;       // Ajusta a altura usando o raio de aspecto
    } else {                                          // Caso contrário
        $new_width  = $new_height * $orig_ratio;      // Ajusta a largura usando o raio de aspecto
    }

    switch($media_type) {                             // Verifica o tipo de mídia
        case 'image/gif' :                            // Se for GIF
            $orig = imagecreatefromgif($orig_path);   // Abre a imagem GIF
            break;                                    // Finaliza o bloco de instruções
        case 'image/jpeg' :                           // Se for JPG
            $orig = imagecreatefromjpeg($orig_path);  // Abre o arquivo JPG
            break;                                    // Finaliza o bloco de instruções
        case 'image/png' :                            // Se for PNG
            $orig = imagecreatefrompng($orig_path);   // Abre o arquivo PNG
            break;                                    // Finaliza o bloco de instruções
    }

    $new = imagecreatetruecolor($new_width, $new_height);// Cria uma imagem em branco

    imagecopyresampled($new, $orig, 0, 0, 0, 0, $new_width, $new_height,
        $orig_width, $orig_height);                   // Copia a imagem original para a nova

    // Grava a imagem - a pasta de miniaturas precisa ser criada e ter permissões adequadas
    switch($media_type) {
        case 'image/gif' : $result = imagegif($new, $new_path);  break;
        case 'image/jpeg': $result = imagejpeg($new, $new_path); break;
        case 'image/png' : $result = imagepng($new, $new_path);  break;
    }
    return $result;
} ... // Código para fazer upload e validar a imagem é o mesmo das páginas 296 e 297
$moved      = move_uploaded_file($_FILES['image']['tmp_name'], $destination);// Move o arquivo
$thumbpath  = $upload_path . 'thumb_' . $filename;    // Cria o caminho para a miniatura da imagem
$resized    = resize_image_gd($destination, $thumbpath, 200, 200); // Cria a miniatura da imagem
```

REDIMENSIONANDO E CORTANDO COM IMAGICK

A extensão Imagick do PHP permite controlar uma parte do software de edição de imagens de fonte aberta chamado ImageMagick usando o código PHP. A extensão Imagick:

- Requer muito menos código que a GD.
- Calcula as relações e as dimensões para redimensionar as imagens (não é preciso calculá-las no código).
- Usa os mesmos métodos para todos os formatos de imagem.
- Suporta mais formatos de imagem que a GD.

Mas requer que a extensão Imagick e o software ImageMagick estejam instalados no servidor da web, não são instalados por padrão. Você deve:

- Ativar a Imagick para MAMP em um Mac.
- Instalar Imagick + ImageMagick para XAMPP nos PCs Acesse: http://notes.re/php/install-imagick [conteúdo em inglês].
- Verificar se o provedor de hospedagem tem suporte.

Em um PC, o caminho que o Imagick usa para salvar um arquivo *deve* ser absoluto (não relativo); os caminhos absolutos são diferentes em um PC em comparação com um Mac e um Unix.

- No PC, começam com a letra da unidade, ex.: `C:/`.
- No Mac e no Unix, com uma barra invertida `\`.

O separador de diretório também difere: no PC é uma barra normal, no Mac e no Unix é uma barra invertida. Para criar o caminho correto para o diretório de upload (e armazenar em uma variável), o código abaixo é usado.

Para usar Imagick, crie um objeto que representa a imagem usando a classe Imagick e passe ao construtor o caminho para a imagem que ele representará.

VARIÁVEL PARA ARMAZENAR OBJETO — NOME DA CLASSE — CAMINHO PARA IMAGEM

```
$image = new Imagick( $filepath );
```

O objeto `Imagick` criado tem um conjunto de métodos que manipulam e salvam a imagem.

MÉTODO	DESCRIÇÃO
`thumbnailImage()`	Redimensiona a imagem
`cropThumbnailImage()`	Corta e redimensiona a imagem
`writeImage()`	Salva a imagem

A declaração abaixo usa:

- A função `dirname()` do PHP para retornar o caminho para o diretório que contém o arquivo especificado como argumento.
- A constante `__FILE__`, que contém o caminho para o arquivo sendo executado atualmente.
- A constante `DIRECTORY_SEPARATOR`, que armazena o separador de diretório para o SO sendo usado para executar o arquivo PHP.

ARQUIVO ATUAL — SEPARADOR DE DIRETÓRIO

```
$upload_path = dirname(__FILE__) . DIRECTORY_SEPARATOR . 'uploads' . DIRECTORY_SEPARATOR ;
```

CAMINHO PARA DIRETÓRIO-PAI

Os dois exemplos abaixo mostram duas funções definidas pelo usuário que usam Imagick para redimensionar e cortar imagens.

As declarações que chamam essas funções aparecem logo após o código que move o arquivo carregado para seu destino, como o exemplo anterior na página 305.

O código para fazer upload, validar e mover a imagem é igual ao código nas páginas 296-297.

1. A função create_thumbnail() cria uma miniatura da imagem usando Imagick. Os dois parâmetros são:

   - Caminho para a imagem que foi carregada.
   - Caminho para a nova miniatura que o Imagick criará.

2. Um novo objeto é criado usando a classe Imagick. Ele precisa do caminho para a imagem que foi carregada.

3. O método thumbnailImage() do objeto Imagick redimensiona a imagem. Para tanto, ele usa três argumentos:

   - A nova largura da imagem.
   - A nova altura da imagem.
   - Um valor booleano true para informar ao Imagick que a largura e a altura são os valores *máximos*, e que a miniatura deve ter a mesma relação da original.

4. O método writeImage() do Imagick salva a imagem no local armazenado no parâmetro $destination.

5. A função retorna true para mostrar que funcionou.

6. Com o arquivo movido, a variável $thumbpath armazena um caminho em que a nova miniatura será salva.

7. create_thumbnail() é chamada e recebe o caminho da imagem carregada e o caminho da miniatura.

PHP section_b/c07/resize-im.php

```
(1) function create_thumbnail($temporary, $destination)
    {
(2)     $image = new Imagick($temporary);              // Objeto que representa a imagem
(3)     $image->thumbnailImage(200, 200, true);        // Cria miniatura da imagem
(4)     $image->writeImage($destination);              // Grava o arquivo
(5)     return true;                                   // Retorna true para mostrar sucesso
    } ... // Uma vez que o arquivo foi validado e movido, cria o caminho da miniatura da imagem
    $moved       = move_uploaded_file($_FILES['image']['tmp_name'], $destination); // Move o arquivo
(6) $thumbpath   = $upload_path . 'thumb_' . $filename;    // Caminho da miniatura da imagem
(7) $thumb       = create_thumbnail($destination, $thumbpath);  // Cria a miniatura da imagem
```

8. create_cropped_thumbnail() cria um corte quadrado da imagem carregada. Isso assegura que todas as miniaturas terão o mesmo tamanho.

9. A única diferença do exemplo acima é que ele usa o método cropThumbnailImage() do objeto Imagick para criar a miniatura cortada.

PHP section_b/c07/crop-im.php

```
(8) function create_cropped_thumbnail($temporary, $destination)
    {
        $image = new Imagick($temporary);              // Objeto que representa a
                                                       // imagem
(9)     $image->cropThumbnailImage(200, 200, true);    // Cria a miniatura da imagem
        $image->writeImage($destination);              // Grava o arquivo
        return true;                                   // Retorna true para mostrar
                                                       // sucesso
    }
```

RESUMO
IMAGENS E ARQUIVOS

› Os formulários HTML usam um controle de upload do arquivo para carregar os arquivos.

› Quando um arquivo é carregado, o array superglobal `$_FILES` armazena dados sobre ele.

› Quando os arquivos são carregados, ficam em um local temporário. Então, devem ser movidos para uma pasta diferente para serem salvos.

› Antes de tentar trabalhar com arquivos, verifique se eles foram carregados via HTTP e se não há erros.

› Verifique se o nome de arquivo usa apenas os caracteres permitidos.

› Valide o tamanho e o tipo de mídia dos arquivos carregados antes de salvá-los.

› Ao redimensionar uma imagem, mantenha a mesma relação; do contrário, ela parecerá esticada e distorcida.

› GD e Imagick são extensões que permitem redimensionar e cortar as imagens no servidor usando o PHP.

8
DATAS E HORAS

Datas e horas podem ser escritas de muitos modos diferentes. O PHP fornece funções e classes predefinidas que ajudam a processá-las e a exibi-las em vários formatos.

Neste capítulo, você aprenderá os diferentes modos como o interpretador PHP pode aceitar datas e horas como entrada, e como pode formatá-las como saída quando forem exibidas para os visitantes. O PHP pode trabalhar com datas e horas usando:

- Componentes, como anos, meses, dias, horas, minutos e segundos.
- Formatos, como '1º junho 2001', '1/6/2001' ou 'próxima terça-feira'.
- Os registros de tempo do Unix que contam o número de segundos desde 1º de janeiro de 1970 (pode parecer um modo estranho de representar datas/horas, mas muitas linguagens de programação utilizam isso).

Assim que você entender como o PHP processa os formatos de data e hora, conhecerá um conjunto de funções predefinidas que geram os registros de tempo do Unix e os convertem de novo em um formato mais fácil de ser lido/entendido.

Então, aprenderá como datas e horas podem ser representadas usando os objetos criados com quatro classes predefinidas:

- `DateTime` cria objetos que representam uma data e uma hora específicas.
- `DateInterval` cria objetos que representam um intervalo de tempo (ex.: uma hora ou uma semana).
- `DatePeriod` cria objetos que representam eventos recorrentes que acontecem em intervalos regulares (ex.: todo dia, todo mês ou todo ano).
- `DateTimeZone` cria objetos que representam um fuso horário.

DATAS E HORAS

FORMATOS DE DATA

As datas podem ser exibidas de muitos modos diferentes. O PHP usa um conjunto de **caracteres de formato** para descrever como uma data é escrita.

As datas consistem nos seguintes componentes:

- Dia da semana.
- Dia do mês.
- Mês.
- Ano.

O PHP usa caracteres de formato para representar cada um dos componentes. Por exemplo, **m-d-Y** [mês, dia, ano] representa o formato de data 04-06-2022. Os caracteres de formato informam ao interpretador PHP como as datas serão:

- Processadas quando recebidas.
- Formatadas quando exibidas.

Você pode adicionar espaços, barras, traços e pontos entre os caracteres de formato para separar visualmente cada componente.

Abaixo, veja como os caracteres de formato descrevem os diferentes modo de escrever a mesma data:

CARACTERES DE FORMATO	FORMATO DA DATA
l m j Y	Sábado Abril 6 2022
D jS F Y	Sáb 6 Abril 2022
n/j/Y	4/6/2022
m/d/y	04/06/22
m-d-Y	04-06-2022

DIA DA SEMANA

CARACTERE	DESCRIÇÃO	EXEMPLO
D	Três primeiras letras	Sáb
l	Nome completo	Sábado

DIA DO MÊS

CARACTERE	DESCRIÇÃO	EXEMPLO
d	Dígitos com zero à esquerda	09
j	Dígitos sem zero à esquerda	9
S	Sufixo	º

MÊS

CARACTERE	DESCRIÇÃO	EXEMPLO
m	Dígitos com zero à esquerda	04
n	Dígitos sem zero à esquerda	4
M	Três primeiras letras	Abr
F	Nome completo	Abril

ANO

CARACTERE	DESCRIÇÃO	EXEMPLO
Y	Quatro dígitos	2022
y	Dois dígitos	22

FORMATOS DA HORA

Esses caracteres de formato podem ser usados para representar diferentes modos de exibir a hora.

HORA

CARACTERE	DESCRIÇÃO	EXEMPLO
h	12 horas com zero à esquerda	08
g	12 horas sem zero à esquerda	8
H	24 horas com zero à esquerda	08
G	24 horas sem zero à esquerda	8

MINUTO

CARACTERE	DESCRIÇÃO	EXEMPLO
i	Dígitos com zero à esquerda	09

SEGUNDO

CARACTERE	DESCRIÇÃO	EXEMPLO
s	Dígitos com zero à esquerda	04

AM/PM

CARACTERE	DESCRIÇÃO	EXEMPLO
a	Letra minúscula	am
A	Letra maiúscula	AM

O tempo pode consistir nos seguintes componentes:

- Horas.
- Minutos.
- Segundos.
- am/pm (se a marcação de 24 horas não for usada).

Cada um pode ser representado usando caracteres de formato. Por exemplo, **g:i a** representa uma hora no formato 8:09 am. Esses caracteres de formato são usados para informar ao interpretador PHP como as horas serão:

- Processadas quando recebidas.
- Formatadas quando exibidas.

É possível adicionar espaços, dois-pontos, pontos e parênteses entre os caracteres de formato para separar visualmente cada componente.

Veja abaixo como os caracteres de formato podem descrever diferentes modos de escrever a mesma hora:

CARACT. DE FORMATO	FORMATO DA HORA
g:i a	8:09 am
h:i(A)	08:09(AM)
G:i	08:09

DATAS E HORAS

ESPECIFICANDO DATAS E HORAS COM STRINGS

Algumas funções e métodos permitem especificar data e hora usando uma string, que deve estar em um formato aceito, como descrito abaixo.

O interpretador PHP pode aceitar datas usando os seguintes formatos de string. Se forem usadas barras, o interpretador espera o mês antes do dia. Se traços ou pontos são usados, ele espera o dia antes do mês.

FORMATO DA DATA	EXEMPLO
d F Y	04 setembro 2022
jS F Y	4 setembro 2022
F j Y	Setembro 4 2022
M d Y	Set 04 2022
m/d/Y	09/04/2022
Y/m/d	2022/09/04
d-m-Y	04-09-2022
n-j-Y	9-4-2022
d.m.y	04.09.22

Você pode usar valores relativos de tempo à direita. Exemplo:

+ 1 day
+ 3 years 2 days 1 month
- 4 hours 20 mins
next Tuesday
first Sat of Jan

First/Last funcionam apenas para os dias do mês. Se nenhuma hora for especificada, ela será definida para a meia-noite.

O interpretador PHP pode aceitar horas usando os seguintes formatos de string. Você também pode:

- Usar letras maiúsculas ou minúsculas para am e pm.
- Usar uma letra **t** para separar a data da hora.
- Adicionar o fuso horário após a hora.

FORMATO DE 12 HORAS	EXEMPLO
ga	4am
g:i a	4:08 am
g:i:s a	4:08:37 am
g.i.s a	4.08.37 am

FORMATO DE 24 HORAS	EXEMPLO
H:i	04:08
H:i:s	04:08:37
His	040837
H.i.s	04.08.37

TIPO	HORA RELATIVA
Adic./subtrair	+ -
Quantidade	0 - 9
Unidades de tempo (pode ser plural)	day, fortnight, month, year, hour, min, minute, sec, second
Nomes do dia	Monday - Sunday e Mon - Sun
Termos relativos	next, last, previous, this
Termos ordinais	first - twelfth

REGISTROS DE TEMPO DO UNIX

Os registros de tempo do Unix representam datas e horas usando o número de segundos transcorridos desde a meia-noite de 1º de janeiro de 1970.

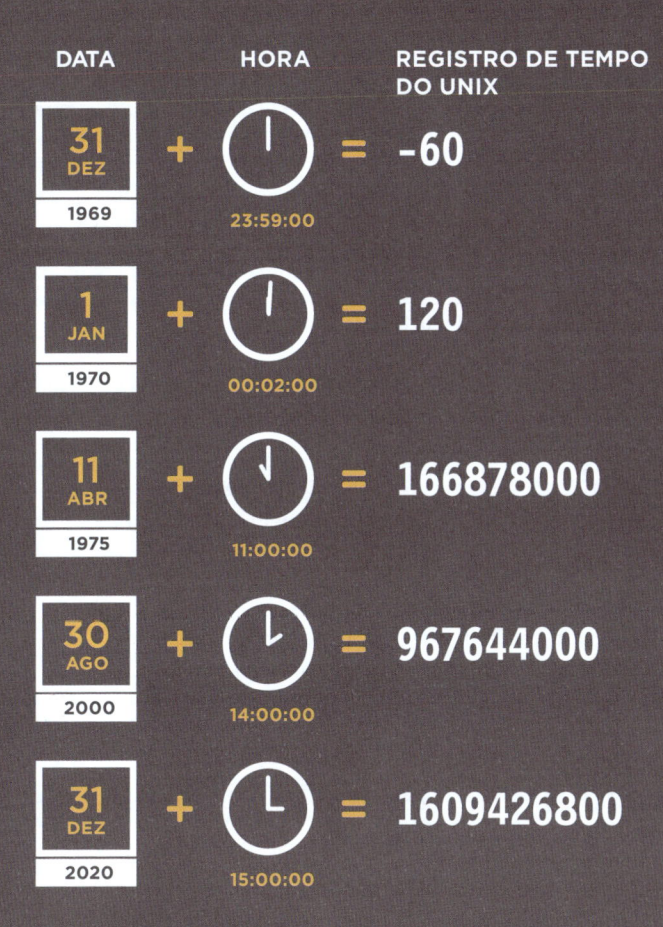

DATA	HORA	REGISTRO DE TEMPO DO UNIX
31 DEZ 1969	23:59:00	−60
1 JAN 1970	00:02:00	120
11 ABR 1975	11:00:00	166878000
30 AGO 2000	14:00:00	967644000
31 DEZ 2020	15:00:00	1609426800

O interpretador PHP permite especificar e recuperar datas e horas usando os registros de tempo do Unix.

À esquerda, veja alguns exemplos específicos de datas e horas, seguidos do seu registro do Unix correspondente.

As datas antes de 1º de janeiro de 1970 são escritas usando números negativos.

Como será mostrado, as funções e as classes predefinidas do PHP ajudam a trabalhar com os registros de tempo do Unix. Elas usam os caracteres de formato apresentados para descrever como as funções e as classes devem transformar um registro do Unix em um formato mais fácil de ler lido/entendido por pessoas.

A data máxima do registro do Unix é 19 de janeiro de 2038.

Unix é um sistema operacional desenvolvido nos anos 1970.

FUNÇÕES PREDEFINIDAS DE DATA E HORA

O PHP tem funções predefinidas que podem criar registros de tempo do Unix para representar datas e horas. Também tem funções predefinidas para converter esses registros em um formato fácil de ler.

As três funções abaixo são usadas para criar um registro de tempo do Unix.

Se não conseguem criar um registro de tempo, retornam false.

Se você não especificar uma hora para strtotime() ou mktime(), ela será definida para meia-noite.

FUNÇÃO	DESCRIÇÃO
time()	Retorna a data e a hora atuais como um registro de tempo do Unix
strtotime($string)	Converte uma string em um registro de tempo do Unix (aceita os formatos mostrados na página 314)

EXEMPLO	
strtotime('December 1 2020');	
strtotime('1/12/2020');	

mktime(H, i, s, n, j, Y)	Converte os componentes de data/hora (em argumentos) no registro de tempo do Unix

EXEMPLO	REPRESENTA
mktime(17, 01, 05, 2, 1, 2001);	Fevereiro 1 2001 17:01:05
mktime(01, 30, 45, 4, 29, 2020);	Abril 29 2020 01:30:45

date() converte os registros de tempo do Unix em um formato mais fácil de ser lido/entendido.

O formato é especificado usando os caracteres de formato nas páginas 312-313.

Se nenhum registro de tempo for fornecido, serão mostradas a data e a hora atuais.

FUNÇÃO	DESCRIÇÃO
date($format[, $timestamp])	Retorna um registro de tempo do Unix formatado de um modo fácil de ser lido/entendido por pessoas: O primeiro parâmetro especifica como a data deve ser formatada. O segundo é o registro de tempo do Unix a formatar.

EXEMPLO	SAÍDA
date('Y');	Ano atual
date('d-m-y h:i a', 1609459199);	31-12-20 11:59 pm
date('D j M Y H:i:a', 1609459199);	Qui 31 Dez 2020 23:59:59

FUNÇÕES DE DATA

```
PHP                                section_b/c08/date-functions.php
```
```php
<?php
$start      = strtotime('January 1 2021');
$end        = mktime(0, 0, 0, 2, 1, 2021);
$start_date = date('l, d M Y', $start);
$end_date   = date('l, d M Y', $end);
?>
<?php include 'includes/header.php'; ?>

<p><b>Sale starts:</b> <?= $start_date ?></p>
<p><b>Sale ends:</b> <?= $end_date ?></p>

<?php include 'includes/footer.php'; ?>
```

```
PHP                                section_b/c08/includes/footer.php
```
```php
<footer>&copy; <?php echo date('Y')?></footer> ...
```

RESULTADO

Mountain Art Supplies
Sale starts: Friday, 01 Jan 2021
Sale ends: Monday, 01 Feb 2021
© 2021

1. A função `strtotime()` cria um registro de tempo do Unix para representar uma data no passado. É armazenada em uma variável `$start`.

2. A função `mktime()` cria um registro de tempo do Unix para representar uma data um mês depois. É armazenada em `$end`.

3. A função `date()` converte os registros de tempo do Unix em um formato mais fácil de ser lido/entendido usando:
   - Nome do dia.
   - Dia (com zero à esquerda).
   - Mês (três primeiras letras).
   - Ano (quatro dígitos).

   São armazenados nas variáveis `$start_date` e `$end_date`.

4. É mostrada a versão legível por pessoas de cada data.

5. O arquivo de inclusão para o rodapé adiciona um aviso de copyright. O ano é escrito usando a função `date()`. Como não é fornecido nenhum registro de tempo, ele usa a data atual.

EXPERIMENTE: na Etapa 2, mude a data e a hora para a próxima semana ao meio-dia. Na Etapa 3, mude o formato de data para Seg 1º fevereiro 2021.

NOTA: se o tempo estiver diferente em algumas horas, verifique a definição-padrão do fuso horário no arquivo `php.ini` (veja a página 198).

OBJETOS PARA REPRESENTAR DATAS E HORAS

A classe `DateTime` predefinida do PHP cria um objeto que representa uma data e uma hora. Seus métodos podem retornar a data e a hora que o objeto representa em um formato mais fácil de ser lido/entendido por pessoas ou como um registro de tempo do Unix.

Para criar um objeto `DateTime`, use:

- Uma variável para armazenar o objeto.
- Um operador de atribuição.
- A palavra-chave `new`.
- O nome da classe `DateTime`.
- Parênteses.

Entre parênteses, adicione a data/hora que o objeto deve representar.

É possível usar qualquer formato de data e hora mostrado na página 314. O valor deve ficar entre aspas.

Se você não especificar uma data e uma hora, o objeto usará as atuais.

Se especificar uma data, mas não uma hora, o objeto usará a meia-noite no dia especificado.

```
$date = new DateTime('2001-02-01 15:01:05');
```
VARIÁVEL — NOME DA CLASSE — DATA E HORA

Você também pode usar a função `date_create_from_format()` para criar um objeto `DateTime`.

O primeiro argumento é o formato no qual a data e a hora serão fornecidas.

O segundo argumento é a data e a hora no formato especificado. Os dois argumentos ficam entre aspas.

```
$date = date_create_from_format('j-M-Y', '15-Jan-2020');
```
VARIÁVEL — FUNÇÃO — FORMATO — DATA/HORA

Os métodos do objeto `DateTime` abaixo retornam a data e a hora que o objeto representa.

Para obter a data/hora em um formato mais fácil de ser lido/entendido por pessoas, use o método `format()`.

Para obter a data/hora como um registro de tempo do Unix, use o método `getTimestamp()`.

MÉTODO	DESCRIÇÃO
`format($format[, $DateTimeZone])`	Obtém a data e a hora no formato especificado. O segundo parâmetro opcional define um fuso horário (veja a página 326)
`getTimestamp()`	Retorna o registro de tempo do Unix para a data e a hora que o objeto representa

OBJETO DateTime

PHP — section _ b/c08/datetime-object.php

```php
<?php
$start = new DateTime('2021-01-01 00:00');
$end   = date_create_from_format('Y-m-d H:i',
    '2021-02-01 00:00');
?>
<?php include 'includes/header.php'; ?>

<p><b>Sale starts: </b>
  <?= $start->format('l, jS M Y H:i') ?></p>
<p><b>Sale ends: </b>
  <?= $end->format('l, jS M Y') ?> <b>at</b>
  <?= $end->format('H:i') ?></p>

<?php include 'includes/footer.php'; ?>
```

RESULTADO

MOUNTAIN ART SUPPLIES
Sale starts: Friday, 1st Jan 2021 00:00
Sale ends: Monday, 1st Feb 2021 at 00:00
© 2021

1. Este exemplo inicia criando um objeto com a classe `DateTime`. Ele é armazenado em uma variável `$start`.

2. Um segundo objeto `DateTime` é criado com a função `date_create_from_format()`. O primeiro parâmetro especifica o formato no qual a data será fornecida. O segundo define a data e a hora. Esse objeto é armazenado em uma variável `$end`.

3. A data e a hora iniciais são escritas na página com o método `format()` do objeto `DateTime`. O argumento especifica o formato no qual a data e a hora devem ser escritas.

4. A data final (não a hora) é escrita na página usando o método `format()` do objeto `DateTime`. Seu parâmetro especifica o formato no qual a data deve ser escrita.

5. A hora final é escrita separadamente e também usa o método `format()`. Isso mostra como você pode escrever apenas a data ou a hora que o objeto contém.

EXPERIMENTE: na Etapa 1, defina a data para manter a data de ontem. Na Etapa 2, mude a data para 7 dias após o início da oferta.

DATAS E HORAS

ATUALIZANDO A DATA E A HORA NOS OBJETOS DateTime

Assim que o objeto é criado com a classe DateTime, é possível usar os métodos abaixo para definir ou atualizar a data/hora que ele representa.

Os métodos que definem uma data/hora sobrescrevem qualquer data/hora que o objeto representa atualmente.

Os métodos add() e sub() usam um objeto DateInterval que será apresentado na página 322.

MÉTODO	DESCRIÇÃO
setDate($year, $month, $day)	Define uma data para o objeto
setTime($hour, $minute [, $seconds][, $microseconds])	Define uma hora para o objeto
setTimestamp($timestamp)	Define a data/hora usando um registro de tempo do Unix
modify($DateFormat)	Atualiza a data/hora usando uma string
add($DateInterval)	Adiciona um intervalo de tempo usando um objeto DateInterval (veja a página 322)
sub($DateInterval)	Subtrai um intervalo de tempo usando um objeto DateInterval (veja a página 322)

Quando o interpretador PHP cria uma variável, pode manter um valor escalar ou um array na variável. Quando o interpretador cria um objeto, ele o armazena em um local independente na memória. Então, se esse objeto é armazenado em uma variável, a variável armazena o local de onde o objeto foi criado na memória do interpretador PHP (em vez de armazenar o objeto em si).

Isso significa que se você criasse um objeto e o armazenasse em uma variável, e então declarasse uma segunda variável e atribuísse o mesmo objeto como o valor dessa variável, as duas variáveis manteriam o local do mesmo objeto.

Assim, se você atualizar o objeto em uma variável, ele também será atualizado na outra:

```
$start = new DateTime('2020/12/1');
$end   = $start;
// Duas variáveis apontam para o mesmo objeto
$end->modify('+1 day');
```

Para resolver isso, é possível usar uma palavra-chave clone para criar uma cópia do objeto:

```
$start = new DateTime('2020/12/1');
$end   = clone $start;
// Apenas o objeto em $end é modificado
$end->modify('+1 day');
```

COMO DEFINIR DATA E HORA EM UM OBJETO DateTime

```
PHP                section _ b/c08/datetime-object-set-date-and-time.php
    <?php
①   $start = new DateTime();
②   $start->setDate(2021, 12, 01);
③   $start->setTime(17, 30);
④   $end = clone $start;
⑤   $end->modify('+2 hours 15 min');
    ?>
    <?php include 'includes/header.php'; ?>

    <p><b>Event starts:</b>
⑥     <?= $start->format('g:i a - D, M j Y') ?></p>

    <p><b>Event ends:</b>
⑥     <?= $end->format('g:i a - D, M j Y') ?></p>

    <?php include 'includes/footer.php'; ?>
```

RESULTADO

MOUNTAIN ART SUPPLIES

Event starts: 5:30 pm - Wed, Dec 1 2021
Event ends: 7:45 pm - Wed, Dec 1 2021

© 2021

1. Um novo objeto é criado usando a classe `DateTime`. O objeto é armazenado em uma variável `$start`; ela contém a data e a hora atuais.

2. A data é definida usando o método `setDate()` do objeto `DateTime`.

3. A hora é atualizada usando o método `setTime()` do objeto `DateTime`.

4. O objeto armazenado em `$start` é clonado usando a palavra-chave `clone` e o clone é armazenado em uma variável `$end`.

5. O método `modify()` do objeto `DateTime` é usado a fim de atualizar o objeto armazenado em `$end` para representar uma data e uma hora que são 2 horas e 15 minutos após a data e a hora representadas pelo objeto armazenado em `$start`.

6. As datas e as horas que ambos os objetos representam são escritas com o método `format()`.

EXPERIMENTE: na Etapa 5, modifique o final do evento para ser dois dias após a data inicial.

REPRESENTE UM INTERVALO USANDO DateInterval

A classe `DateInterval` é usada para criar um objeto que representa um intervalo de tempo medido em anos, meses, semanas, dias, horas, minutos e segundos.

Os métodos `add()` e `sub()` do objeto `DateTime` usam um objeto `DateInterval` para especificar um intervalo de tempo para adicionar ou remover da data/hora atuais. Você especifica a duração do intervalo usando o formato mostrado na tabela à direita.

A letra `P` precede cada intervalo. A letra `T` precede um período de tempo.

INTERVALO	REPRESENTADO
1 ano	P1Y
2 meses	P2M
3 dias	P3D
1 ano, 2 meses, 3 dias	P1Y2M3D
1 hora	PT1H
30 minutos	PT30M
15 segundos	PT15S
1 hora, 30 minutos, 15 segundos	PT1H30M15S
1 ano, 1 dia, 1 hora e 30 minutos	P1Y1DT1H30M

```
$interval = new DateInterval(' P1M ');
```
- `$interval` — VARIÁVEL
- `DateInterval` — NOME DA CLASSE
- `P1M` — INTERVALO

O método `diff()` (abreviação de diferença) do objeto `DateTime` compara dois objetos `DateTime` e retorna um objeto `DateInterval` que representa o intervalo entre eles.

Para exibir o intervalo armazenado em um objeto `DateInterval`, use seu método `format()`. Seu argumento é uma string que usa os caracteres de formato à direita de onde você deseja que o intervalo apareça.

INTERVALO	DESCRIÇÃO
%y	Anos
%m	Meses
%d	Dias
%h	Horas
%i	Minutos
%s	Segundos
%f	Microssegundos

```
$interval->format('%h hours %i minutes');
```
STRING A EXIBIR
- `%h` — INTERVALO
- `%i` — INTERVALO

OBJETO DateInterval

```php
section _ b/c08/dateinterval-object.php

<?php
$today     = new DateTime();
$event     = new DateTime('2025-12-31 20:30');
$countdown = $today->diff($event);

$earlybird = new DateTime();
$interval  = new DateInterval('P1M');
$earlybird->add($interval);
?>
<?php include 'includes/header.php'; ?>

<p><b>Countdown to event:</b><br>
    <?= $countdown->format('%y years %m months %d days') ?>
</p>
<p><b>50% off tickets bought by:</b><br>
    <?= $earlybird->format('D d M Y, g:i a') ?>
</p>

<?php include 'includes/footer.php'; ?>
```

RESULTADO

MOUNTAIN ART SUPPLIES

Countdown to event:
4 years 9 months 19 days

50% off tickets bought by:
Mon 12 Apr 2021, 11:10 am

© 2021

1. A data e a hora atuais são representadas usando um objeto `DateTime` e armazenadas em `$today`.

2. A data de um evento é representada usando um objeto `DateTime` armazenado em uma variável `$event`.

3. O método `diff()` do objeto `DateTime` obtém o intervalo de tempo entre agora e a data do evento. O objeto `DateInterval` retornado é armazenado em `$countdown`.

4. A data e a hora atuais são armazenadas em `$earlybird`.

5. O intervalo de um mês é representado por um objeto `DateInterval` armazenado em `$interval`.

6. O método `add()` do objeto `DateTime` adiciona o intervalo no objeto `DateInterval` à data atual em `$earlybird`.

7. O intervalo armazenado em `$countdown` é escrito. Note como o símbolo % é colocado antes dos caracteres de formato que representam os intervalos.

8. A data armazenada em `$earlybird` é escrita.

EXPERIMENTE: na Etapa 2, mude a data do evento para 3 meses no futuro. Na Etapa 5, mude o intervalo para 12 horas.

DATAS E HORAS

EVENTOS RECORRENTES USANDO
DatePeriod

A classe `DatePeriod` pode criar um objeto que armazena um conjunto de objetos `DateTime` que ocorrem em intervalos regulares entre uma data inicial e uma final. Então, você pode fazer um loop em cada objeto `DateTime` criado.

Para criar um objeto `DatePeriod`, você precisa de três coisas:

- Data inicial (objeto `DateTime`).
- Frequência do evento (um objeto `DateInterval`).
- Data final para o período.

A data final para um período pode ser:

- Um objeto `DateTime`.
- Um inteiro que informa quantas vezes o evento deve ocorrer (após a data inicial).

Quando um objeto `DatePeriod` é criado, ele mantém uma série de objetos `DateTime`; cada um representa um ponto no tempo entre as datas inicial e final no intervalo especificado no objeto `DateInterval`.

```
$period = new DatePeriod($start, $interval, $end);
```

- `$period` — VARIÁVEL
- `DatePeriod` — NOME DA CLASSE
- `$start` — DATA/HORA INICIAIS
- `$interval` — INTERVALO
- `$end` — DATA/HORA FINAIS

Você pode acessar cada objeto `DateTime` em um objeto `DatePeriod` usando um loop `foreach`.

Como em todos os loops, use um nome de variável para armazenar cada objeto `DateTime` conforme faz um loop neles.

No bloco de código, use os métodos do objeto `DateTime` para trabalhar com essa data/hora.

- `$period` — OBJETO `DatePeriod` CONTÉM OBJETOS `DateTime`
- `$occurrence` — NOME DA VARIÁVEL PARA REPRESENTAR CADA OBJETO `DateTime`

```
foreach($period as $occurrence) {
    echo $occurrence->format('Y jS F');
}
```

OBJETO DatePeriod

```
PHP                          section_b/c08/dateperiod-object.php

    <?php
①   $start    = new DateTime('2025-1-1');
②   $end      = new DateTime('2026-1-1');
③   $interval = new DateInterval('P1M');
④   $period   = new DatePeriod($start, $interval, $end);
    ?>
    <?php include 'includes/header.php'; ?>

    <p>
⑤     <?php foreach ($period as $event) { ?>
        <b><?= $event->format('l') ?></b>,
⑥       <?= $event->format('M j Y') ?></b><br>
      <?php } ?>
    </p>

    <?php include 'includes/footer.php'; ?>
```

RESULTADO

```
Wednesday Jan 1 2025
Saturday Feb 1 2025
Saturday Mar 1 2025
Tuesday Apr 1 2025
Thursday May 1 2025
Sunday Jun 1 2025
Tuesday Jul 1 2025
Friday Aug 1 2025
Monday Sep 1 2025
Wednesday Oct 1 2025
Saturday Nov 1 2025
Monday Dec 1 2025
```

1. A variável `$start` contém um objeto `DateTime` representando 1º de janeiro de 2025.

2. A variável `$end` contém um objeto `DateTime` representando 1º de janeiro de 2026.

3. A variável `$interval` contém um objeto `DateInterval` representando um mês.

4. A variável `$period` armazenará o objeto `DatePeriod`. Ela requer três parâmetros (os valores foram definidos nas Etapas 1-3):

   - Data inicial.
   - Intervalo.
   - Data final.

   Ela conterá 12 objetos `DateTime` (um para cada mês do ano 2025).

5. Um loop `foreach` percorre cada objeto `DateTime`. Dentro do loop, `$event` representa cada objeto `DateTime`.

6. O método `format()` é usado para escrever o nome do dia, depois o mês, o dia e o ano.

EXPERIMENTE: na Etapa 3, mude o intervalo para três meses (P3M).

DATAS E HORAS

GERENCIANDO FUSOS HORÁRIOS COM
DateTimeZone

Ao criar um objeto `DateTime`, você pode especificar um fuso horário. Para essa finalidade, é usado um objeto criado com a classe `DateTimeZone`.

A classe `DateTimeZone` cria um objeto que representa um fuso horário. Ela armazenará informações sobre o fuso.

Entre parênteses, especifique o fuso horário usando um fuso IANA (para ver uma lista completa, acesse: http://notes.re/timezones) [conteúdo em inglês].

É possível usar esse objeto ao criar um objeto `DateTime` para especificar seu fuso horário, que também controla o horário de verão.

```
         VARIÁVEL         NOME DA CLASSE    FUSO HORÁRIO
$tz_LDN = new DateTimeZone(' Europe/London ');
$LDN = new DateTime('now', $tz_LDN );
                                OBJETO
                              DateTimeZone
```

MÉTODO	DESCRIÇÃO	
getName()	Retorna o nome do fuso horário	
getLocation()	Retorna um array indexado mantendo as seguintes informações:	
	CHAVE	VALOR
	country_code	Código curto para o país
	latitude	Latitude do local
	longitude	Longitude do local
	comments	Qualquer comentário sobre o local
getOffset()	Retorna o deslocamento de UTC para o fuso horário em segundos (UTC é igual a GMT, mas é um padrão não vinculado a um país/território)	
getTransitions()	Retorna um array indicando quando o horário de verão entra em vigor em certo fuso horário	

OBJETO DateTimezone

```php
PHP                          section_b/c08/datetimezone-object.php
<?php
$tz_LDN    = new DateTimeZone('Europe/London');
$tz_TYO    = new DateTimeZone('Asia/Tokyo');
$location  = $tz_LDN->getLocation();

$LDN       = new DateTime('now', $tz_LDN);
$TYO       = new DateTime('now', $tz_TYO);
$SYD       = new DateTime('now',
                 new DateTimeZone('Australia/Sydney'));
?> ...
<p><b>LDN: <?= $LDN->format('g:i a') ?></b>
   (<?= ($LDN->getOffset() / (60 * 60)) ?>)<br>
   <b>TYO: <?= $TYO->format('g:i a') ?></b>
   (<?= ($TYO->getOffset() / (60 * 60)) ?>)<br>
   <b>SYD: <?= $SYD->format('g:i a') ?></b>
   (<?= ($SYD->getOffset() / (60 * 60)) ?>)<br></p>

<h1>Head Office</h1>
<p><?= $tz_LDN->getName() ?><br>
   <b>Longitude: </b> <?= $location['longitude'] ?><br>
   <b>Latitude: </b> <?= $location['latitude'] ?></p>
```

RESULTADO

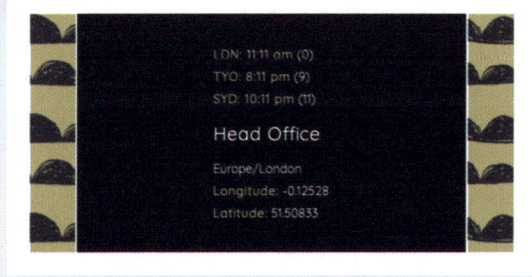

```
LDN: 11:11 am (0)
TYO: 8:11 pm (9)
SYD: 10:11 pm (11)

Head Office

Europe/London
Longitude: -0.12528
Latitude: 51.50833
```

1. Dois objetos `DateTimeZone` são criados para representar os fusos horários para Londres e Tóquio.

2. `getLocation()` retorna os dados do local para o fuso horário de Londres como um array. O array é armazenado em `$location`.

3. Dois objetos `DateTime` são criados usando os objetos `DateTimeZone` da Etapa 1. Eles representam a hora atual nos dois fusos horários.

4. Um terceiro objeto `DateTime` é criado para mostrar como o objeto `DateTimeZone` pode ser criado na mesma hora do objeto `DateTime`.

5. Para cada objeto `DateTime`:
   - `format()` mostra a hora atual no local.
   - `getOffset()` mostra a diferença horária entre os locais e UTC. Retorna a diferença em segundos, portanto é dividida por 60 * 60 para mostrar o deslocamento em horas.

6. O nome do primeiro fuso horário é recuperado usando `getName()`.

7. A longitude e a latitude do fuso horário são escritas.

EXPERIMENTE: crie um objeto para um escritório em Los Angeles e exiba a hora nesse local.

DATAS E HORAS

RESUMO
DATAS E HORAS

› Os caracteres de formato permitem especificar como uma data ou uma hora deve ser formatada.

› Um registro de tempo do Unix representa uma data e uma hora usando os segundos transcorridos desde 1º de janeiro de 1970.

› As funções `time()`, `strtotime()` e mk`time()` criam registros de tempo do Unix. A função `date()` converte um registro do Unix em um formato mais fácil de ser lido/entendido por pessoas.

› A classe `DateTime` cria objetos que representam datas e horas. Ela tem métodos para modificar datas e horas, e as exibe em formatos legíveis por pessoas.

› A classe `DateInterval` cria objetos que representam um intervalo de tempo, como mês ou ano.

› A classe `DatePeriod` cria um conjunto de objetos `DateTime` que representam eventos recorrentes.

› A classe `DateTimeZone` cria objetos para representar fusos horários e manter informações sobre eles.

9
COOKIES E SESSÕES

Para criar páginas da web que contêm dados pessoais, como nome de usuário, imagem de perfil ou lista de páginas exibidas recentemente, o site precisa saber quem solicita cada página.

O protocolo HTTP fornece regras que especificam como um navegador deve solicitar uma página da web e como o servidor deve responder, mas trata cada solicitação e cada resposta separadamente. O HTTP não fornece um mecanismo para um site informar qual visitante solicita uma página.

Se um site precisa informar quem solicita uma página da web ou mostrar alguma informação personalizada, pode controlar cada visitante e armazenar informações sobre suas preferências usando uma combinação de cookies e de sessões.

- **Cookies** são arquivos de texto armazenados no navegador do usuário. Um site pode informar ao navegador quais dados armazenar em um cookie, então o navegador retornará esses dados com cada página subsequente que ele solicita no site.
- **Sessões** permitem a um site armazenar temporariamente dados sobre um usuário no servidor. Quando um visitante solicita outra página no site, o interpretador PHP pode acessar os dados da sessão desse usuário individual.

Cookies e sessões armazenam pequenas quantidades de dados temporariamente, mas não há garantias de que os armazenarão por um longo período de tempo porque os usuários podem excluir os cookies (ou acessar o site em um navegador diferente que não tem o cookie), e as sessões são apenas para durar por uma visita no site (elas não armazenam dados entre as visitas).

Quando os dados sobre os usuários precisam ser armazenados por mais tempo, são salvos em um banco de dados. Você aprenderá a fazer isso no Capítulo 13, pois requer saber como cookies e sessões funcionam.

COOKIES E SESSÕES

O QUE SÃO COOKIES?

Um site pode pedir que um navegador armazene dados sobre o usuário em um arquivo de texto chamado **cookie**. Então, sempre que o navegador solicita outra página nesse site, o navegador retorna os dados no cookie para o servidor.

O QUE É COOKIE

Um site pode pedir a um navegador para criar um cookie, que é um arquivo de texto armazenado no navegador.

Cada cookie tem um nome, que deve descrever o tipo de informação que ele contém. O nome do cookie será o mesmo para cada visitante.

O valor armazenado no cookie de cada usuário pode mudar. Portanto, um cookie é como uma variável armazenada em um arquivo de texto no navegador do usuário.

CRIANDO COOKIES

Quando um navegador solicita uma página da web, o site pode retornar um cabeçalho HTTP extra para o navegador com a página.

Esse cabeçalho HTTP informa ao navegador o nome do cookie a criar e o valor que deve ser armazenado nele.

O valor armazenado no cookie é um texto que não deve ter mais de 4.096 caracteres. Um site também pode criar mais de um cookie.

OBTENDO DADOS DO COOKIE

Se o navegador solicitar outra página no site que criou o cookie, ele enviará o nome do cookie e o valor que ele armazena no servidor junto com a solicitação da página.

O interpretador PHP adiciona os dados do cookie ao array superglobal $_COOKIE para que o código do PHP nessa página possa usá-los. O nome do cookie é a chave e seu valor é o valor que o cookie armazenou.

QUEM PODE ACESSAR UM COOKIE

Os navegadores apenas enviam dados em um cookie para um servidor quando ele solicita uma página a partir do mesmo domínio que o criou. Por exemplo, se google.com cria um cookie, ele só é enviado quando o navegador solicita páginas de google.com. Ele nunca seria enviado para facebook.com.

O JavaScript também pode acessar os dados do cookie se eles foram enviados a partir do mesmo domínio que criou o cookie.

COOKIES ESTÃO LIGADOS A UM NAVEGADOR

Como é o navegador que cria e armazena os cookies:

- Se mais de um navegador estiver instalado no dispositivo, o cookie apenas será enviado a partir do navegador no qual estava armazenado (não de outro navegador instalado nesse dispositivo).
- Se um usuário tiver um novo dispositivo, o dispositivo não terá o cookie para enviar ao servidor.

QUANTO TEMPO OS COOKIES DURAM

O servidor pode especificar uma data e uma hora para o cookie expirar. São a data e a hora de quando o navegador deve parar de enviar dados no cookie para o servidor. Se uma data de expiração não é fornecida, o navegador para de enviar o cookie ao servidor quando o usuário fecha o navegador.

Os usuários também podem recusar ou excluir os cookies, portanto um site deve ser capaz de operar sem eles.

PRIMEIRA SOLICITAÇÃO DA PÁGINA

- O navegador requisita uma página usando uma solicitação HTTP.

SOLICITAÇÃO: page.php

- O servidor retorna a página solicitada.
- Adiciona um cabeçalho HTTP informando ao navegador o nome de um cookie a criar e seu valor.

RESPOSTA: page.php

CABEÇALHO: counter = 1

- O navegador exibe a página.
- Cria um cookie usando os dados no cabeçalho HTTP.

COOKIE: counter = 1

Um cookie não deve ser usado para armazenar dados confidenciais (exemplo: e-mails ou números do cartão de crédito), pois o conteúdo do cookie pode ser exibido nas ferramentas do desenvolvedor e enviado entre um navegador e um servidor como texto sem formatação.

SOLICITAÇÕES SUBSEQUENTES DA PÁGINA

- O navegador requisita uma página usando uma solicitação HTTP.
- Envia o cabeçalho HTTP com o nome e o valor do cookie.

SOLICITAÇÃO: page.php

CABEÇALHO: counter = 1

- O servidor adiciona os dados do cookie a $_COOKIE.
- Cria uma página usando os dados em $_COOKIE.
- Retorna a página solicitada.
- Pode atualizar o valor armazenado no cookie.

RESPOSTA: page.php

CABEÇALHO: counter = 2

- O navegador mostra a página criada usando os dados do cookie.
- Atualiza o cookie usando os dados no cabeçalho HTTP.

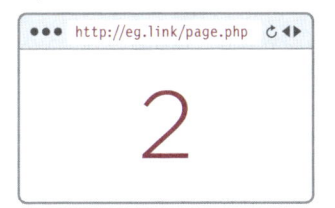

COOKIE: counter = 2

Para impedir que alguém leia os cabeçalhos HTTP quando são enviados entre o navegador e o servidor, execute o site usando HTTPS, em vez de HTTP (veja a página 184). Isso criptografa as informações no cabeçalho.

COMO CRIAR E ACESSAR COOKIES

A função predefinida do PHP `setcookie()` é usada para criar um cookie. Para acessar os cookies, use o array superglobal `$_COOKIE` ou as funções `filter_input()` e `filter_input_array()`.

A função `setcookie()` do PHP cria um cabeçalho HTTP que é enviado com a página da web e pede ao navegador para criar um cookie. A função permite definir um nome e um valor para o cookie.

Assim que o navegador armazena o cookie, se o navegador solicita outra página no site, o nome e o valor do cookie são enviados para o servidor com a solicitação.

Quando o interpretador PHP recebe a solicitação, adiciona os dados do cookie a um array superglobal `$_COOKIE`.

As funções `filter_input()` e `filter_input_array()` do PHP (página 268) também podem coletar dados do cookie. O tipo de entrada deve ser definido para `INPUT_COOKIE`.

Como a função cria um cabeçalho HTTP, deve ser usada **antes** de o conteúdo ser enviado para o navegador (como mostrado com `header()` na página 226). Até mesmo um espaço antes da tag `<?php` de abertura é tratado como conteúdo.

```
setcookie($name, $value);
```

Um novo elemento é adicionado ao array para cada cookie:

- **Chave** é o nome do cookie.
- **Valor** é o que o cookie contém (é armazenado como string).

Esses dados costumam ser coletados e armazenados em uma variável.

```
$preference = $_COOKIE['name'] ?? null;
```

O segundo parâmetro é o nome do cookie. O terceiro e o quarto são opcionais; eles especificam a ID do filtro a usar e qualquer opção para o filtro.

Se você não define uma data de expiração para um cookie, o navegador para de enviar os dados do cookie ao servidor quando o usuário fecha o navegador. Saiba como definir uma data de expiração para um cookie na página 336.

Se o código tenta acessar uma chave que não existe em `$_COOKIE`, é gerado um erro. Para evitar isso, o operador de coalescência nula pode ser usado para verificar se a chave existe no array. Se existe, o valor do cookie é armazenado na variável. Se não, a variável armazena o valor `null`.

Se um cookie não foi enviado, a função não gera um erro. Além disso, se filtros de inteiro, ponto flutuante ou booleano são usados, eles convertem o valor nesse tipo de dado.

```
$preference = filter_input(INPUT_COOKIE, $name[, $filter [, $options ]]);
```

DEFININDO E ACESSANDO COOKIES

```
PHP                                          section_b/c09/cookies.php
     <?php
(1)  $counter = $_COOKIE['counter'] ?? 0;  // Obtém dados do cookie
(2)  $counter = $counter + 1;              // Acrescenta 1 ao valor do cookie
(3)  setcookie('counter', $counter);       // Atualiza o cookie

(4)  $message = 'Page views: ' . $counter; // Mensagem
     ?>
     <?php include 'includes/header.php'; ?>

     <h1>Welcome</h1>
(5)  <p><?= $message ?></p>
     <p><a href="sessions.php">Refresh this page</a> to see
     the page views increase.</p>

     <?php include 'includes/footer.php'; ?>
```

RESULTADO

MOUNTAIN ART SUPPLIES

Welcome

Page views: 3

Refresh this page to see the page views increase.

Este exemplo usa um cookie para contar o número de páginas que um visitante exibiu.

1. A variável **$counter** armazena o número de páginas que o visitante exibiu. Se o navegador enviar dados de um cookie chamado **counter** para o servidor, **$counter** armazenará esse valor. Se não, o operador de coalescência nula será usado para armazenar um valor 0.

2. 1 é adicionado ao valor em **$counter**, quando o visitante acabou de exibir uma página.

3. A função **setcookie()** é usada a fim de pedir ao navegador para criar ou atualizar um cookie **counter**, e armazenar o valor de **$counter** nesse cookie.

4. A variável **$message** armazena uma mensagem informando o número de páginas que o visitante exibiu.

5. A mensagem é exibida.

EXPERIMENTE: assim que você exibir a página uma vez, atualize-a e veja o contador aumentar.

EXPERIMENTE: armazene seu nome em um cookie chamado **name**, então mostre-o após as exibições da página.

COOKIES SEGUROS

A função `setcookie()` tem parâmetros que controlam como os navegadores usam os cookies. Você também deve validar os dados recebidos dos cookies e usar `htmlspecialchars()` se o conteúdo é mostrado em uma página.

Para atualizar um valor armazenado no cookie, chame `setcookie()` novamente com um novo valor para o cookie. Para o navegador parar de enviar um cookie, chame `setcookie()` mais uma vez. Defina o valor para uma string em branco e a expiração com uma data anterior à atual. Se você atualiza o valor ou a expiração de um cookie, os últimos quatro argumentos **devem** usar os mesmos valores usados quando o cookie foi criado.

Como é possível enviar cabeçalhos HTTP que imitam cookies com uma solicitação de página:

- O servidor deve validar os dados do cookie antes de usá-los (com as técnicas do Capítulo 6).
- Se o valor do cookie é mostrado em uma página, ele deve usar `htmlspecialchars()` para impedir um ataque XSS.

`setcookie( $name[, $value, $expire, $path, $domain, $secure, $httponly ])`

PARÂMETRO	DESCRIÇÃO					
$name	O nome do cookie					
$value	O valor que o cookie deve armazenar (tratado como string; os cookies não armazenam tipos de dados)					
$expire	A data e a hora em que o navegador deve parar de enviar o cookie para o servidor (como um registro de tempo do Unix)					
	Para definir o registro de tempo, use a função `time()` do PHP e adicione o período no qual você deseja que o cookie dure	PERÍODO	AGORA	SEGS	MINS	HRS DIAS
		1 dia	time() + 60	* 60	* 24	
		30 dias	time() + 60	* 60	* 24	* 30
$path	Se um cookie é necessário apenas para parte do site, especifique os diretórios para os quais ele deve ser usado Por padrão, o caminho é a pasta-raiz '/', ou seja, todos os diretórios Definir para /members significa que é enviado apenas para as páginas na pasta `members` do site					
$domain	Se o cookie é necessário apenas em um subdomínio, defina a URL do subdomínio. Por padrão, ele é enviado para todos os subdomínios de um site. Se definido para o subdomínio members.exemplo.org, o cookie é enviado apenas para os arquivos no subdomínio members.exemplo.org					
$secure	Se receber um valor `true`, o cookie será criado no navegador, mas o navegador só o retornará para o servidor se a página for solicitada usando uma conexão HTTPS segura (página 184)					
$httponly	Se recebe um valor `true`, o cookie só é enviado para o servidor (não pode ser acessado pelo JavaScript)					

CONTROLANDO AS CONFIGURAÇÕES DO COOKIE

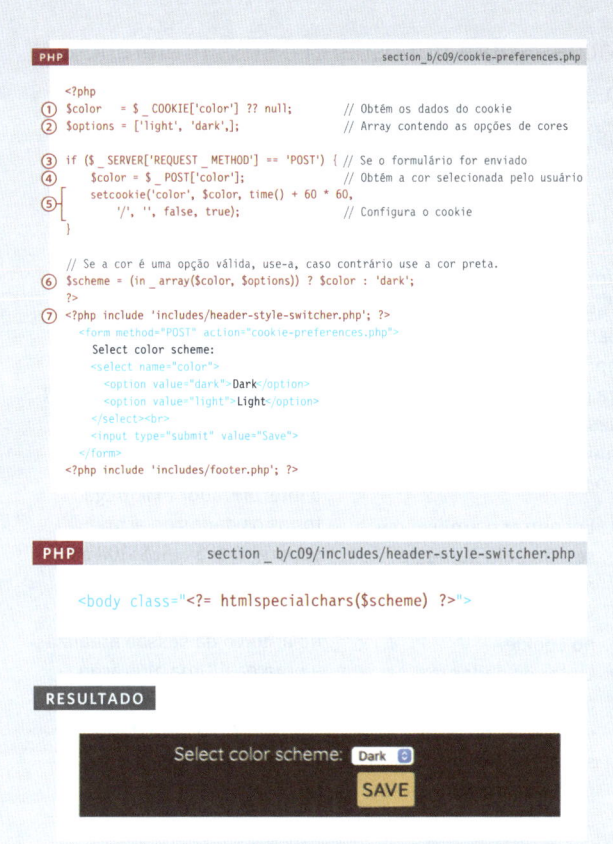

```
PHP                                          section_b/c09/cookie-preferences.php
    <?php
(1) $color    = $_COOKIE['color'] ?? null;    // Obtém os dados do cookie
(2) $options  = ['light', 'dark',];           // Array contendo as opções de cores

(3) if ($_SERVER['REQUEST_METHOD'] == 'POST') { // Se o formulário for enviado
(4)     $color = $_POST['color'];             // Obtém a cor selecionada pelo usuário
(5)     setcookie('color', $color, time() + 60 * 60,
            '/', '', false, true);            // Configura o cookie
    }
    // Se a cor é uma opção válida, use-a, caso contrário use a cor preta.
(6) $scheme = (in_array($color, $options)) ? $color : 'dark';
    ?>
(7) <?php include 'includes/header-style-switcher.php'; ?>
        <form method="POST" action="cookie-preferences.php">
            Select color scheme:
            <select name="color">
                <option value="dark">Dark</option>
                <option value="light">Light</option>
            </select><br>
            <input type="submit" value="Save">
        </form>
    <?php include 'includes/footer.php'; ?>
```

```
PHP                            section_b/c09/includes/header-style-switcher.php
    <body class="<?= htmlspecialchars($scheme) ?>">
```

RESULTADO

Select color scheme: Dark
SAVE

1. A variável `$color` armazena o valor enviado para um cookie `color` (ou `null` se não foi enviado).

2. Um array contém as opções permitidas para o esquema de cores.

3. Uma declaração `if` verifica se o formulário foi enviado.

4. Se foi enviado, o valor da caixa de seleção chamada `color` é armazenado na variável `$color`. Isso sobrescreve o valor na Etapa 1.

5. A função `setcookie()` é chamada para definir o cookie `color`. Seu valor é a opção que o usuário escolheu na caixa de seleção. Ela também:

   - Expira em uma hora.
   - É enviada para todas as páginas do site.
   - É enviada por HTTP ou HTTPS.
   - É ocultada do JavaScript.

6. A condição de um operador ternário verifica se o valor em `$color` está no array `$options`. Em caso afirmativo, o valor é salvo na variável `$scheme`. Se não, `$scheme` armazena o valor `dark`.

7. É incluído um novo cabeçalho. Ele escreve o valor da variável `$color` no atributo `class` da tag `<body>` para assegurar que as regras CSS da página usem o esquema de cores correto.

O QUE SÃO SESSÕES?

Sessões armazenam informações sobre um usuário e suas preferências no servidor. Elas se chamam sessões porque apenas armazenam os dados na duração de uma visita no site.

O QUE É SESSÃO?

Quando uma sessão inicia, o interpretador PHP cria três coisas:

- **ID da sessão**, uma string usada para identificar um visitante individual.
- **Arquivo da sessão**, um arquivo de texto armazenado no servidor. É usado para manter dados sobre o usuário. Seu nome de arquivo conterá a ID da sessão.
- **Cookie da sessão**, que é armazenado no navegador. Seu nome é PHPSESSID e o valor é a ID da sessão do usuário.

OBTENDO DADOS DA SESSÃO

Se um navegador tem um cookie da sessão, ele é enviado para o servidor sempre que o usuário solicita outra página no site. A ID da sessão é usada para identificar o usuário, de modo que o servidor possa:

- Encontrar o arquivo da sessão cujo nome de arquivo contém a ID da sessão enviada no cookie.
- Obter os dados do arquivo da sessão e colocá-los no array superglobal $_SESSION para que a página possa acessá-los.

SALVANDO OS DADOS DA SESSÃO

Assim que uma sessão é criada, novos dados podem ser salvos na sessão do usuário adicionando-os ao array superglobal $_SESSION.

Quando termina a execução de uma página, o interpretador PHP pega todos os dados no array superglobal $_SESSION e os salva no arquivo da sessão do usuário. Salvar os dados no arquivo da sessão atualiza a hora da última alteração e o interpretador PHP pode verificar essa hora para informar se uma sessão foi usada recentemente.

QUANTO TEMPO DURAM AS SESSÕES

Para funcionar, uma sessão precisa do cookie da sessão no navegador e do arquivo da sessão no servidor.

- Os cookies da sessão expiram quando os usuários fecham o navegador.
- Os arquivos da sessão podem ser excluídos pelo servidor se não são modificados dentro de certo período de tempo (o padrão é 24 minutos).

COMO AS SESSÕES SÃO INICIADAS

Quando um site usa sessões, toda página deve chamar a função session_start() predefinida do PHP.

Quando essa função é chamada, se o navegador que solicita a página não enviou um cookie da sessão ou se um arquivo da sessão correspondente não pode ser encontrado, o interpretador PHP inicia automaticamente uma nova sessão para o usuário.

OUTROS MODOS DE USAR SESSÕES

Em vez de usar cookies da sessão, é possível adicionar uma ID da sessão às URLs, mas isso é menos seguro.

Também é possível armazenar os dados da sessão em um banco de dados, mas isso está além do escopo deste livro (em geral, é usado apenas nos sites com altos volumes de tráfego e que requerem vários servidores para lidar com o carregamento).

PRIMEIRA SOLICITAÇÃO DA PÁGINA

- O navegador requisita uma página usando uma solicitação HTTP.

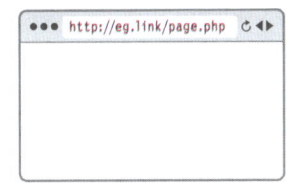

SOLICITAÇÃO: `page.php`

No servidor, a página PHP chama `session_start()`. O navegador não enviou um cookie da sessão, portanto:

- É gerada uma **ID da sessão** para esse usuário.
- É criado um **arquivo da sessão** para manter os dados do usuário (o nome de arquivo inclui a ID da sessão).

A página adiciona dados ao array superglobal $_SESSION; quando termina de executar, os valores desse array são adicionados ao arquivo da sessão criado para o usuário.

- O servidor retorna a página solicitada.
- Envia um HTTP que criará um **cookie da sessão** mantendo a ID da sessão.

RESPOSTA: `page.php`
CABEÇALHO: `PHPSESSID = 1234567`

- O navegador exibe a página.
- Cria o cookie da sessão mantendo a ID da sessão.

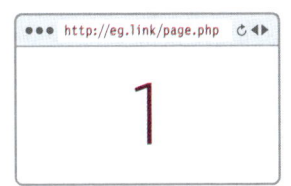

COOKIE: `PHPSESSID = 1234567`

SOLICITAÇÕES SUBSEQUENTES DA PÁGINA

- O navegador requisita uma página com uma solicitação HTTP.
- Envia o cabeçalho HTTP com a ID da sessão.

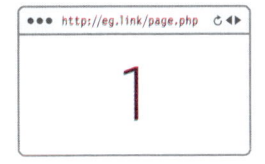

SOLICITAÇÃO: `page.php`
CABEÇALHO: `PHPSESSID = 1234567`

No servidor, a página PHP chama `session_start()`. O interpretador PHP encontra o arquivo da sessão com a ID especificada no cookie da sessão e:

- Adiciona os dados do arquivo da sessão ao array superglobal $_SESSION para que a página possa usar esses dados.
- Cria uma página usando dados do array.
- Consegue atualizar os dados no array.

Quando termina a execução da página, os valores no array superglobal $_SESSION são salvos no arquivo da sessão. Isso atualiza a hora da última alteração do arquivo da sessão.

- O servidor retorna a página solicitada.

RESPOSTA: `page.php`

- O navegador exibe a página.
- Envia o cookie da sessão com cada solicitação para o mesmo site até o usuário fechar a janela do navegador.

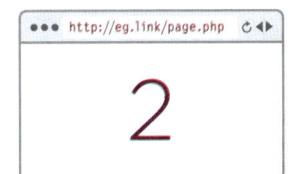

COOKIE: `PHPSESSID = 1234567`

COMO CRIAR E ACESSAR AS SESSÕES

Toda página de um site que usa sessões deve chamar `session_start()`. Se o usuário não tem uma sessão, uma será iniciada; se ele tem, obtém os dados da sessão e os coloca no array superglobal `$_SESSION`.

Quando um visitante solicita pela primeira vez uma página que chama `session_start()`, novos ID da sessão, cookie da sessão e arquivo da sessão são criados.

A função deve ser chamada antes que qualquer conteúdo seja enviado ao navegador porque envia um cabeçalho HTTP para criar o cookie da sessão.

Também deve ser chamada antes que a página tente obter os dados da sessão, pois transfere os dados do arquivo da sessão para o array superglobal `$_SESSION`.

```
session_start();
```

Se você adiciona dados ao array superglobal `$_SESSION`, quando termina a execução da página, o interpretador PHP adiciona os dados ao arquivo da sessão desse usuário.

A sintaxe para adicionar dados ao array é igual para qualquer array associativo. A chave deve descrever os dados que estão sendo armazenados no elemento.

O valor de cada chave pode ser um escalar (string, número ou booleano), um array ou um objeto. Esse tipo de dado é mantido (diferente dos cookies que só armazenam strings).

```
$_SESSION['name'] = 'Ivy';
$_SESSION['age']  = 27;
```

Ao coletar dados do array superglobal `$_SESSION`, use o operador de coalescência nula no caso de valores ausentes ou use as funções de filtro do PHP com o tipo de entrada `INPUT_SESSION`.

```
$name = $_SESSION['username'] ?? null;
$age  = $_SESSION['age']      ?? null;
```

FUNÇÃO	DESCRIÇÃO
session_start()	Cria uma nova sessão ou obtém dados da sessão existente
session_set_cookie_params()	Configurações usadas para criar o cookie da sessão (mesmos parâmetros da página 336)
session_get_cookie_params()	Retorna um array mantendo os argumentos usados para definir o cookie
session_regenerate_id()	Cria uma nova ID da sessão e atualiza o arquivo da sessão e o cookie
session_destroy()	Exclui o arquivo da sessão do servidor

ARMAZENANDO E ACESSANDO DADOS NAS SESSÕES

Este exemplo faz a mesma rotina da página 335, mas o contador é armazenado em uma sessão.

```
section_b/c09/sessions.php
```
```php
<?php
session_start();                              // Cria ou reabre a sessão
$counter = $_SESSION['counter'] ?? 0;         // Obtém dados da sessão
$counter = $counter + 1;                      // Adiciona 1 ao contador
$_SESSION['counter'] = $counter;              // Atualiza a sessão

$message = 'Page views: ' . $counter;         // Mensagem
?>
<?php include 'includes/header.php'; ?>

<h1>Welcome</h1>
<p><?= $message ?></p>
<p><a href="sessions.php">Refresh this page</a> to see
the page views increase.</p>

<?php include 'includes/footer.php'; ?>
```

RESULTADO

1. Quando a função session_start() do PHP é chamada, o interpretador PHP tenta recuperar os dados do arquivo da sessão e armazená-los no array superglobal $_SESSION. Se não conseguir, uma nova sessão será criada para o visitante.

2. Se a chave counter do array superglobal $_SESSION tem um valor, ele é armazenado em uma variável $counter. Do contrário, $counter contém o valor 0.

3. O visitante acabou de exibir uma página, portanto 1 é adicionado ao contador.

4. É atualizado o valor da chave counter no array superglobal $_SESSION.

5. A variável $message armazena uma mensagem informando o número de páginas que o visitante exibiu.

6. A mensagem é mostrada.

Assim que a página é executada, o PHP obtém os dados no array superglobal $_SESSION e os salva no arquivo da sessão desse usuário.

Salvar os dados também atualiza a hora da última alteração do arquivo da sessão no servidor, portanto os dados da sessão irão durar mais.

EXPERIMENTE: assim que a página for exibida uma vez, atualize-a e observe o contador aumentar.

EXPERIMENTE: armazene seu nome no array superglobal $_SESSION e exiba-o na página.

VIDA ÚTIL DE UMA SESSÃO

Os navegadores excluem os cookies da sessão quando a janela do navegador fecha. Os servidores excluem os arquivos da sessão quando o processo de **coleta de lixo** é executado. Como resultado, as sessões podem durar mais tempo do que o esperado.

Se ainda não o fez, abra o exemplo anterior no navegador. Então abra:

- As ferramentas de desenvolvedor do navegador para que mostrem os cookies.
- A pasta na qual o servidor da web armazena os arquivos.

Para ter ajuda, acesse [conteúdo em inglês]:

http://notes.re/php/session-locations

No navegador, você deve ver um cookie chamado PHPSESSID. O valor desse cookie é a ID da sessão.

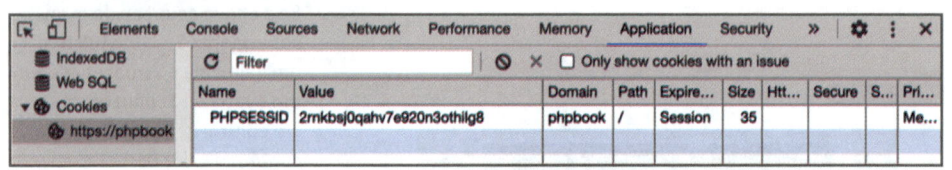

Na pasta em que o servidor da web armazena os arquivos da sessão, você deverá ver um nome de arquivo com a ID da sessão. Observe a data e a hora em que o arquivo da sessão foi modificado por último, então atualize o navegador mostrando o exemplo anterior; a hora da última alteração será atualizada.
Se você abrir o exemplo em um navegador da web diferente (por exemplo, experimente o Chrome e o Firefox), isso criará uma nova sessão porque a sessão está ligada ao navegador.

Quando uma página chama `session_start()`, se o interpretador PHP não receber um cookie da sessão ou não conseguir encontrar um arquivo da sessão correspondente para esse cookie, uma nova sessão será criada.

Quando uma página que chamou `session_start()` termina de ser executada, ela salva os dados do array superglobal `$_SESSION` no arquivo da sessão. Isso atualiza a hora da última alteração do arquivo.

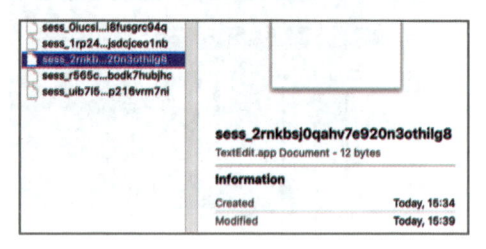

O interpretador PHP usa a data e a hora da última alteração da sessão para determinar quando pode excluir o arquivo da sessão (o que encerraria a sessão).

Assim, quando um site usa sessões, é importante chamar `session_start()` em cada página. Do contrário, se o usuário estiver navegando nas páginas do site que não atualizaram essa configuração, a sessão poderá ser encerrada enquanto o usuário ainda está navegando o site.

O servidor da web executa um processo chamado **coleta de lixo**. Ele exclui os arquivos da sessão cuja data da última alteração está acima de um tempo especificado (o padrão é 24 min). Assim que um arquivo da sessão é excluído, a sessão encerra porque, mesmo que um navegador tenha enviado o cookie da sessão, o arquivo que contém os dados da sessão não seria encontrado.

Verificar a última hora em que cada arquivo da sessão foi acessado e excluir os antigos arquivos da sessão consome recursos do servidor. Portanto, os servidores não fazem isso com *muita* frequência. A frequência de execução da coleta de lixo depende do número de vezes que as sessões são acessadas. Logo, em um site sem movimento intenso, a coleta de lixo pode não ser executada por horas ou mesmo dias.

Como mostrado no próximo exemplo, em geral as sessões são usadas para lembrar quando um usuário fez login em um site. Em tais casos, os usuários devem ter uma opção para fazer logout.

Se um usuário não fecha a janela do navegador (portanto, o navegador ainda envia um cookie da sessão) e o servidor é pouco solicitado (e não executou a coleta de lixo), a sessão pode durar mais tempo que o planejado.

É um problema quando os usuários compartilham computadores porque, se um usuário não fizer logout, outra pessoa poderá visitar o site usando a conta dele.

Encerrar uma sessão envolve as quatro etapas abaixo...

---

1. Remova todos os dados do arquivo da sessão definindo o array superglobal $_SESSION para um array em branco.

   Isso impede que qualquer código subsequente na mesma página acesse esses valores.

   $_SESSION = [];

2. Na Etapa 3, setcookie() será usada para atualizar o cookie da sessão. Quando usada, os argumentos para os parâmetros path, domain, secure e httponly devem usar os mesmos valores utilizados quando o cookie foi criado.

   A função session_get_cookie_params() do PHP retornará os valores usados para esses parâmetros quando o cookie da sessão for criado. Os valores retornados são armazenados como um array na variável $params.

   $params = session_get_cookie_params();

3. A função setcookie() do PHP é usada (veja a página 334) para atualizar o cookie da sessão.

   O parâmetro value é definido para uma string em branco; isso exclui a ID do cookie da sessão.

   O parâmetro expires é definido para uma data anterior a fim de que o navegador pare de enviar o cookie para o servidor, caso ele solicite mais páginas. Todos os outros parâmetros são definidos usando os valores coletados na Etapa 2 e armazenados como um array na variável $params.

   setcookie('PHPSESSID', '', time() - 3600, $params['path'] , $params['domain'] , $params['secure'] , $params['httponly']);

4. Chame a função session_destroy() do PHP a fim de pedir ao interpretador PHP para excluir o arquivo da sessão.

   O interpretador PHP excluirá o arquivo imediatamente, em vez de esperar a coleta de lixo para excluí-lo.

   session_destroy();

SISTEMA DE LOGIN BÁSICO

Normalmente os sites pedem aos usuários para fazer login a fim de exibir certas páginas. Neste exemplo, os usuários devem fazer login para exibir a página My Account. No login:

- A sessão lembrará que eles estão conectados.
- Eles conseguirão exibir a página da conta.
- O texto de link para o último link na barra de navegação muda de "Log In" para "Log Out".

NOTA: este exemplo mostra apenas como as sessões são usadas para lembrar como um usuário fez login. O Capítulo 16 mostra como criar um sistema de login completo, permitindo que cada membro tenha seus próprios detalhes de login (armazenados em um banco de dados).

Quando um site usa sessões, toda página deve chamar `session_start()` antes de enviar qualquer conteúdo para o navegador, uma vez que isso assegura que cada usuário tenha uma sessão e que a hora da última alteração do arquivo da sessão seja atualizada sempre que uma nova página for exibida.

Neste exemplo, cada página inclui `sessions.php` (veja a página à direita). Ele chama `session_start()` e agrupa todo o código relacionado à sessão.

1. A função `session_start()` pede ao interpretador PHP para pegar os dados no arquivo da sessão do visitante e colocá-los no array superglobal $_SESSION ou criar uma nova sessão, caso não consiga.
2. Se o superglobal $_SESSION registrou o login do usuário, a variável $logged_in armazena o valor `true`; do contrário, o operador de coalescência nula tem um valor `false`.
3. As variáveis $email e $password contêm os detalhes que os usuários terão que inserir para fazer login.

O arquivo tem três definições da função:

4. A página de login chamará a função `login()` se o usuário inserir o e-mail e a senha corretos.
5. Quando um usuário faz login, é bom redefinir a ID da sessão. A função `session_regenerate_id()` do PHP cria uma nova ID da sessão e atualiza o arquivo da sessão e o cookie para usarem essa nova ID (o argumento `true` pede ao interpretador PHP para remover qualquer dado já existente na sessão).
6. Uma chave `logged_in` é adicionada à sessão. Seu valor é `true`, mostrando que o visitante fez login.
7. A função `logout()` é usada para terminar a sessão.
8. O array superglobal $_SESSION é definido para um array em branco, esvaziando os dados do arquivo da sessão e impedindo que o resto da página use os dados da sessão.
9. O cookie da sessão é atualizado; a ID da sessão é substituída por uma string em branco e a data de expiração é definida para um valor anterior ao atual (para que o navegador não a envie mais).
10. O arquivo da sessão no servidor é excluído.
11. A função `require_login()` pode ser chamada por qualquer página que requer que o visitante esteja conectado.
12. Uma declaração if verifica se a variável $logged_in é false. Se é, o usuário não fez login ou a sessão terminou.
13. O usuário é redirecionado para a página de login.
14. O comando `exit` para qualquer outra execução do código.

RESULTADO

PHP section_b/c09/includes/sessions.php

```php
<?php
(1) session_start();                                    // Inicia/renova a sessão
(2) $logged_in = $_SESSION['logged_in'] ?? false;       // Usuário está logado?

(3) $email    = 'ivy@eg.link';                          // Endereço do e-mail a logar
    $password = 'password';                             // Senha a logar

(4) function login()                                    // Lembra o login do usuário passado
    {
(5)     session_regenerate_id(true);                    // Atualiza a ID da sessão
(6)     $_SESSION['logged_in'] = true;                  // Ajusta a chave logged_in como true
    }

(7) function logout()                                   // Finaliza a sessão
    {
(8)     $_SESSION = [];                                 // Limpa conteúdos do array

(9)     $params = session_get_cookie_params();          // Obtém os parâmetros do cookie da sessão
        setcookie('PHPSESSID', '', time() - 3600, $params['path'], $params['domain'],
            $params['secure'], $params['httponly']);    // Exclui a sessão do cookie

(10)    session_destroy();                              // Exclui a sessão do arquivo
    }

(11) function require_login($logged_in)                 // Verifica se o usuário está logado
    {
(12)    if ($logged_in == false) {                      // Se não estiver logado
(13)        header('Location: login.php');              // Chama a página de login
(14)        exit;                                       // Para a execução da página
        }
    }
```

COOKIES E SESSÕES

COMO ASSEGURAR QUE OS USUÁRIOS FAÇAM LOGIN PARA EXIBIR AS PÁGINAS

A função `require_login()` deve ser chamada no início de qualquer página que requer o login dos visitantes. Neste exemplo, eles devem fazer login para exibir a página `account.php`.

1. O arquivo de inclusão `sessions.php` é inserido.
2. A função `require_login()`, definida em `sessions.php`, verifica se o usuário fez login. Se o usuário:
   - Fez login, o resto da página é exibido.
   - Não fez login, é enviado para `login.php`.

Seu único argumento é a variável `$logged_in` declarada na Etapa 2 de `sessions.php`.

3. Um novo arquivo do cabeçalho (veja o terceiro box do código) é incluído.
4. Em seguida, veja a página `login.php`. Ela inicia incluindo o arquivo `sessions.php`.
5. Uma declaração `if` verifica o valor na variável `$logged_in` (criada em `sessions.php`) para saber se o usuário já fez login.
6. Se já fez, é enviado para `account.php` porque não precisa se conectar (ele pode ter chegado nessa página porque clicou em um link ou usou o botão voltar do navegador).
7. O comando `exit` paralisa a execução do resto do código na página.
8. Se a página ainda está em execução, o arquivo verifica se o usuário enviou o formulário (veja a parte inferior da página).
9. Se enviou, os valores inseridos para os controles do formulário do e-mail e da senha são coletados e armazenados nas variáveis `$user_email` e `$user_password`.
10. Uma declaração `if` verifica se o e-mail e a senha inseridos correspondem aos armazenados nas variáveis `$email` e `$password` no arquivo `sessions.php` (veja a Etapa 3 na página anterior).
11. Se correspondem, o usuário forneceu os detalhes corretos e a função `login()` (definida em `sessions.php`) é chamada. Ela gera de novo a ID da sessão e adiciona a chave `logged_in` ao array superglobal `$_SESSION`, com um valor `true` para indicar que o usuário fez login.
12. Então o usuário é enviado para a página `account.php` e o comando `exit` paralisa a execução de mais código.
13. Se o formulário não foi enviado ou os detalhes do login estavam errados, o cabeçalho deste exemplo é incluído.
14. O formulário de login tem duas entradas para o usuário inserir seu e-mail e sua senha.
15. No novo cabeçalho, a barra de navegação verifica se o usuário fez login. Se fez, mostra um link para a página de logout. Se não, mostra um link para a página de login.

NOTA: a ID da sessão é enviada nos cabeçalhos HTTP com cada solicitação. Se alguém tivesse a ID da sessão, poderia criar uma solicitação HTTP e adicionar a ID a essa solicitação, se fazendo passar pelo usuário que criou a sessão. Isso é conhecido como **sequestro de sessão**.

Para evitar o sequestro, qualquer página que usa sessões só deve ser aceita via conexão HTTPS porque isso criptografa todos os dados (inclusive o cabeçalho contendo a ID da sessão).

Este exemplo não requer a instalação de um certificado SSL, mas isso deve ser requerido em qualquer site real.

PHP section_b/c09/account.php

```php
<?php
include 'includes/sessions.php';            // Inclui o arquivo sessions.php
require_login($logged_in);                  // Redireciona o usuário se não
?>                                          // estiver logado
<?php include 'includes/header-member.php'; ?> ...
```
①
②
③

PHP section_b/c09/login.php

```php
<?php
include 'includes/sessions.php';

if ($logged_in) {                           // Se já estiver logado
    header('Location: account.php');        // Redireciona para a página da conta
    exit;                                   // Para a execução dos demais códigos
}                                           // da página

if($_SERVER['REQUEST_METHOD'] == 'POST') {  // Se o formulário foi enviado
    $user_email    = $_POST['email'];       // E-mail do usuário enviado
    $user_password = $_POST['password'];    // Senha do usuário enviada

    if ($user_email == $email and $user_password == $password) {  // Se dados estão corretos
        login();                            // Chama a função login()
        header('Location: account.php');    // Redireciona para a página de conta
        exit;                               // Para de executar o restante do código
    }                                       // da página
}
?>
<?php include 'includes/header-member.php'; ?>
<h1>Login</h1>
<form method="POST" action="login.php">
    Email: <input type="email" name="email"><br>
    Password: <input type="password" name="password"><br>
    <input type="submit" value="Log In">
</form>
<?php include 'includes/footer.php'; ?>
```
④
⑤
⑥
⑦
⑧
⑨
⑩
⑪
⑫
⑬
⑭

PHP section_b/c09/includes/header-member.php

```php
<a href="home.php">Home</a>
<a href="products.php">Products</a>
<a href="account.php">My Account</a>
<?= $logged_in ? '<a href="login.php">Log In</a>' : '<a href="logout.php">Log Out</a>' ?>
```
⑮

COOKIES E SESSÕES

RESUMO
COOKIES E SESSÕES

› Os cookies armazenam dados no navegador do visitante.

› Os dados armazenados em um cookie são disponibilizados para a página PHP por meio do array superglobal $_COOKIES.

› Você pode definir quando os cookies devem expirar (mas os usuários também podem excluí-los antes).

› As sessões armazenam dados no servidor.

› Os dados da sessão são acessados e atualizados usando o array superglobal $_SESSIONS.

› Cada página de um site que usa sessões deve iniciar chamando a função session_start().

› Os arquivos da sessão mantêm dados durante uma visita ao site (e são excluídos após um período de inatividade).

› Se você quiser armazenar dados por períodos de tempo maiores ou reter informações pessoais, use bancos de dados para manter os dados (como mostrado no Capítulo 16).

10
TRATAMENTO DE ERROS

Se o interpretador PHP tiver dificuldades para executar seu código, poderá criar uma mensagem para ajudá-lo a encontrar o problema.

Ao criar uma nova página PHP, não espere escrevê-la perfeitamente na primeira tentativa; até os programadores experientes recebem mensagens de erro com regularidade quando testam uma nova página. Ver erros pode ser frustrante, mas as mensagens geradas ajudam a encontrar o problema e fornecem informações para auxiliar na sua correção.

O interpretador PHP tem dois mecanismos para tratar os problemas encontrados: erros e exceções.

- **Erros** são mensagens que o interpretador PHP cria quando tem problemas ao executar o código. É o modo como o interpretador levanta a mão e informa: "Tem algo errado aqui." Alguns erros impedem que o código na página seja executado; outros, não.
- **Exceções** são objetos que podem ser criados pelo interpretador PHP ou pelo programador. Esses objetos são criados quando uma situação excepcional impede o código de ser executado normalmente. Quando um objeto de exceção é criado, o interpretador PHP para de executar o código e procura um bloco de código alternativo escrito para tratar a situação; isso dá ao código a oportunidade de tratar o problema e se recuperar.

    As exceções são como o interpretador PHP ou o programador dizendo: "Tem algo errado aqui; há instruções para isso?" Se não existir nenhum código alternativo para tratar a situação, então um erro será gerado e impedirá que a página seja executada.

Os erros e as exceções criam mensagens que ajudam a entender qual é o problema e onde ele está. Essas mensagens podem ser exibidas na página da web enviada para o navegador ou salvas em um arquivo de texto no servidor, que é conhecido como arquivo de log.

Além das mensagens de erro que o interpretador PHP cria, o servidor da web também pode criar suas próprias mensagens, que ele envia para o navegador. Ele fará isso quando não conseguir encontrar o arquivo que o navegador solicitou ou quando outro programa parar a execução do servidor.

TRATAMENTO DE ERROS

CONTROLANDO COMO SÃO EXIBIDOS OS ERROS DO PHP

Se o interpretador PHP encontra problemas ao executar o código, ele cria uma mensagem de erro para descrevê-los, que pode ser mostrada na página da web enviada ao navegador ou salva em um arquivo no servidor.

Quando um site está em desenvolvimento, as mensagens de erro que o interpretador PHP cria devem ser mostradas na página da web retornada para o navegador. Isso permite que os programadores vejam os erros assim que rodam a página, corrigindo-os.

Quando um site fica ativo, no caso de haver erros que **não** foram pegos no desenvolvimento, mensagens de erro *não* devem ser mostradas na página da web porque:

- É difícil que um visitante as entenda.
- Podem dar aos hackers dicas sobre como o site é construído.

Então, a página PHP mostra uma mensagem amigável para o visitante e a mensagem de erro deve ser adicionada a um arquivo de texto no servidor, chamado **arquivo de log**, que os desenvolvedores podem verificar para ver se erros foram gerados após o site ser ativado.

O interpretador PHP tem três configurações:

- Se os erros devem ou não ser mostrados na tela.
- Se devem ou não ser gravados no arquivo de log.
- Quais erros são gerados (ao aprender sobre o PHP ou desenvolver um site, você deve exibir *todos* os erros).

Essas configurações podem ser controladas usando o arquivo `php.ini` ou `.htaccess` (apresentado nas páginas 196-199).

- O arquivo `php.ini` contém as configurações-padrão para todos os arquivos no servidor da web. Se atualizado, o servidor deve ser reiniciado para as alterações entrarem em vigor.
- Um arquivo `.htaccess` pode ser colocado em qualquer diretório no servidor da web. Ele controla todos os arquivos nessa pasta e nas subpastas. O servidor *não* precisa reiniciar quando o arquivo `.htaccess` muda.

---

php.ini
As configurações a seguir devem ser usadas no arquivo `php.ini`. Elas pedem ao interpretador PHP para informar todos os erros, mostrá-los na tela e gravá-los em um arquivo de log:

```
display_errors   = On
log_errors       = On
error_reporting  = E_ALL
```

Quando um site fica ativo, `display_errors` deve ser definida para `Off` a fim de impedir que os erros sejam mostrados na tela.

```
display_errors = Off
```

.htaccess
As seguintes configurações podem ser adicionadas a um arquivo `.htaccess` a fim de pedir ao interpretador PHP para informar todos os erros, mostrá-los na tela ou gravá-los em um arquivo de log:

```
php_flag   display_errors   On
php_flag   log_errors       On
php_value  error_reporting  -1
```

Quando um site fica ativo, `display_errors` deve ser definida para `Off`, impedindo que os erros sejam mostrados na tela.

```
php_flag   display_errors   Off
```

O código de download do livro usa os arquivos .htaccess para controlar as configurações do interpretador PHP.

Várias pastas têm seus próprios arquivos .htaccess para controlar as configurações para esse conjunto de exemplos.

Os exemplos de código deste capítulo estão em duas pastas: uma para os sites em desenvolvimento e outra para os sites ativos.

1. Essas configurações devem ser usadas com um site em desenvolvimento. Elas pedem ao interpretador PHP para mostrar todos os erros na tela e também gravá-los em um arquivo de log.

```
PHP                                    section_b/c10/development/.htaccess
①  php_flag    display_errors   On
    php_flag    log_errors       On
    php_value   error_reporting  -1
```

```
PHP                                    section_b/c10/live/.htaccess
②  php_flag    display_errors   Off
    php_flag    log_errors       On
    php_value   error_reporting  -1
```

2. Quando o site fica ativo, as mensagens de erro não devem ser mostradas no navegador, mas gravadas em um arquivo de log para que os desenvolvedores possam ver se os visitantes estão tendo erros.

```
PHP                           section_b/c10/development/find-error-log.php
    Your error log is stored here:
③  <?= ini_get('error_log') ?>
```

3. Os servidores da web podem colocar os arquivos de log em pastas diferentes. Para descobrir onde está tal arquivo em *seu* servidor, use a função ini_get() predefinida do PHP.

```
PHP                         section_b/c10/development/sample-error.php
    <?php
④  echo 'Finding an error";
    ?>
```

RESULTADO

Parse error: syntax error, unexpected string content "Finding an error";" in /Users/Jon/Sites/localhost/phpbook/section_b/c10/development/sample-error.php on line 2

4. Essa página PHP básica gera um erro porque as aspas não correspondem. Veja a seguir a mensagem de erro que o interpretador PHP cria quando o arquivo é executado.

O primeiro box do resultado mostra a mensagem para o erro acima no navegador. Como se pode ver, a mensagem não é amigável. As oito páginas a seguir ajudam a entender o que significam essas mensagens de erro.

RESULTADO

[27-Jan-2021 14:41:13 UTC] PHP Parse error: syntax error, unexpected string content "Finding an error";" in /Users/Jon/Sites/localhost/phpbook/section_b/c10/development/sample-error.php on line 2

NOTA: os arquivos de log devem ser armazenados acima da raiz do documento (veja a página 526) para impedir que hackers adivinhem seu caminho e os solicitem via URL.

O segundo box mostra o conteúdo do arquivo de log de erros. Você pode abrir o arquivo de log em um editor de texto ou editor de código. A mensagem de erro é igual à mostrada na tela, mas é precedida pela data e pela hora nas quais o erro foi informado.

ENTENDENDO AS MENSAGENS DE ERRO

As mensagens de erro que o interpretador PHP cria podem parecer confusas à primeira vista, mas seguem a mesma estrutura e mantêm quatro partes de informação que ajudam os desenvolvedores a encontrar a origem do erro.

Os programadores dizem que o interpretador PHP **gera** erros quando os encontra. As mensagens de erro usam a estrutura mostrada abaixo e têm quatro partes de dados:

- As duas primeiras (nível e descrição) descrevem o erro encontrado.
- As duas seguintes (caminho do arquivo e número da linha) informam onde começar a procurar o problema.

O **nível do erro** descreve o tipo geral do problema (ou o nível do problema) que o interpretador PHP encontrou.

A **descrição** é uma explicação mais detalhada do erro.

O **caminho do arquivo** é o caminho no qual o erro foi encontrado.

O **número da linha** é a linha no arquivo em que o erro foi encontrado.

Os principais **tipos** de erro que provavelmente você encontrará são descritos na página à direita. As seis páginas a seguir mostram arquivos PHP que contêm exemplos de cada um dos tipos de erro, junto com descrições que informam como localizá-los e como corrigi-los.

Alguns erros ocorrem antes de o interpretador PHP informá-los, mas o nome de arquivo e o número da linha informam onde começar a examinar.

```
     PROBLEMA                          LOCAL
Error: description goes here in test.php on line 21
NÍVEL    DESCRIÇÃO                  CAMINHO      NÚMERO
                                    DO ARQUIVO   DA LINHA
```

TRATAMENTO DE ERROS

NÍVEIS/TIPOS DE ERRO

Os principais tipos de erro do PHP são mostrados abaixo. Alguns erros impedem a execução do interpretador PHP e devem ser corrigidos para a página rodar. Outros se parecem mais com sugestões, mas ainda devem ser corrigidos.

ANÁLISE
páginas 356-357

Um **erro de análise** indica que há um erro na sintaxe do código PHP. Isso impede o interpretador PHP de ler, ou *analisar*, o arquivo, portanto ele não tentará executar *nenhum* código.

Se as configurações do interpretador PHP informam que os erros devem ser mostrados na tela, apenas o erro é mostrado. Se os erros não forem mostrados na tela, o visitante verá uma página em branco.

Os erros de análise devem ser corrigidos para que a página rode e mostre qualquer coisa diferente de uma mensagem de erro.

NOTA: os níveis do erro e as mensagens mudam com as diferentes versões do PHP. Este capítulo mostra as mensagens de erro do PHP 8.

FATAL
páginas 358-359

Um **erro fatal** indica que o interpretador PHP pensou que a sintaxe do código PHP era válida, portanto tentou executar o código, mas algo o impediu de rodar corretamente.

O interpretador PHP paralisa na linha de código na qual encontra um erro fatal, ou seja, os usuários podem ver uma parte da página que foi criada antes de o interpretador PHP descobrir o erro.

Desde o PHP 7, a maioria dos erros fatais cria um objeto de exceção. Isso dá aos programadores uma chance de se recuperar do erro.

Se encontrar um erro iniciado pelo nome de nível Deprecated, isso significa que certo recurso está previsto para ser removido do PHP no futuro.

NÃO FATAL
páginas 360-361

Um erro **não fatal** criará uma mensagem de erro para indicar que *pode* haver um problema, mas o código continuará a rodar.

- Um **Aviso** é um erro não fatal que adverte que o interpretador PHP encontrou um erro que *provavelmente* causará um problema.
- Um **Alerta** é um erro não fatal que adverte sobre *possíveis* problemas que o interpretador PHP encontrou.

No PHP 8, muitos alertas sofreram upgrade e agora são avisos.

Se vir um erro que inicia com o nome de nível Strict, ele conterá um conselho sobre os melhores modos de escrever seu código PHP.

ERROS DE ANÁLISE

Um erro de análise é causado por um problema na sintaxe do código. Ele impede que uma página seja exibida porque o interpretador PHP não consegue entender o código. Você deve corrigir os erros de análise para o código rodar.

Em geral, os erros de análise são causados por um erro de digitação, como aspas diferentes ou ponto e vírgula, parênteses ou chaves/colchetes ausentes. Esses erros simples podem impedir que o interpretador PHP leia o código.

Na linha 2 do exemplo, a variável usa aspas diferentes: uma é aspa simples e a outra é dupla.

A mensagem de erro informa que o problema se encontra na linha 3 porque o interpretador PHP só percebeu que o erro ocorreu *após* ter encontrado outra aspa simples.

Quando chegou em outra aspa simples na linha 3, tratou a aspa como se ela fechasse a variável da linha 2.

A mensagem informa que há um `unexpected identifier 'pencil'` na linha 3 porque o texto *após* a segunda aspa simples é a palavra `pencil`.

Para corrigir os erros de análise, encontre a linha em que o erro foi informado. Leia a linha da esquerda para a direita e verifique cada instrução. Se não vir um problema, examine a linha executada antes.

Quando `display_errors` é definida para `Off`, um erro de análise mostra ao usuário uma tela em branco. Nesses casos, você deve encontrar o erro e corrigi-lo antes de a página mostrar qualquer coisa.

```
section_b/c10/development/parse-error-1.php                    PHP
1  <?php
2  $username = 'Ivy";
3  $order    = ['pencil', 'pen', 'notebook',];
4  ?>
5  <h1>Basket</h1>
6  <?= $username ?>
7  <?php foreach ($order as $item) { ?>
8      <?= $item ?><br>
9  <?php } ?>
```

RESULTADO

Parse error: syntax error, unexpected identifier "pencil" in /Users/Jon/Sites/localhost/phpbook/section_b/c10/development/parse-error-1.php on line 3

NOTA: se você usar um editor de código com destaque da sintaxe, as cores do código costumam dar uma dica quanto ao local de um erro de sintaxe.

PHP — section_b/c10/development/parse-error-2.php

```php
1 <?php
2 $username = 'Ivy'
3 $order    = ['pencil', 'pen', 'notebook',];
4 ?>...
```

RESULTADO

Parse error: syntax error, unexpected variable "$order" in /Users/Jon/Sites/localhost/phpbook/section_b/c10/development/parse-error-2.php on line 3

No fim da linha 2, deve haver um ponto e vírgula. A mensagem informa **unexpected variable '$order'** na linha 3 porque a declaração anterior não terminou com ponto e vírgula.

Como os dois primeiros exemplos mostram, os erros de análise costumam ocorrer em uma linha antes da especificada pelo erro. Se você não conseguir ver um problema na linha informada, examine a linha de código anterior executada.

PHP — section_b/c10/development/parse-error-3.php

```php
1 <?php
2 $username = 'Ivy';
3 $order    = ['pencil', 'pen', 'notebook',);
```

RESULTADO

Parse error: Unclosed '[' does not match ')' in /Users/Jon/Sites/localhost/phpbook/section_b/c10/development/parse-error-3.php on line 3

Na linha 3, é criado um array. Ele inicia com um colchete de abertura, mas termina com um parêntese de fechamento.

Aqui, a mensagem de erro mostra a linha correta e o problema exato. Ela informa **unclosed '[' does not match ')'** na linha 3.

PHP — section_b/c10/development/parse-error-4.php

```php
1 <?php
2 $username = 'Ivy';
3 order     = ['pencil', 'pen', 'notebook',];
4 ?> ...
```

RESULTADO

Parse error: syntax error, unexpected identifier "order" in /Users/Jon/Sites/localhost/phpbook/section_b/c10/development/parse-error-4.php on line 3

Na linha 3, o nome da variável não inicia com um símbolo $.

A mensagem de erro mostra **unexpected identifier 'order'** na linha 3 porque order não é uma palavra-chave ou uma instrução que o interpretador PHP pode seguir (ele não sabe que deve ser um nome de variável porque não existe um símbolo $ antes).

Para encontrar um erro de análise, comente a segunda metade da página. Se ainda vir o mesmo erro, o problema estará na primeira metade dela. Se não, estará na segunda metade. Repita o processo para limitar ainda mais a origem.

EXPERIMENTE: para saber se você entende os problemas nesta seção, tente corrigir os erros descritos no arquivo e, então, execute os exemplos de novo.

ERROS FATAIS

Um erro fatal é gerado quando o interpretador PHP encontra um problema que o impede de processar mais código, ou seja, os usuários podem ver apenas uma página parcial, até o ponto em que o erro fatal foi encontrado.

Se você vir um erro fatal, isso significa que o interpretador PHP achou que a sintaxe estava correta, mas encontrou um problema que o impediu de executar mais código.

Se parte da página HTML foi criada antes de o erro ocorrer, o usuário pode ver uma página parcial antes dele. Se não, pode ver uma página em branco.

Nos erros fatais, você deve descobrir por que o interpretador PHP não consegue processar o código e, então, corrigir o problema para a página inteira ser exibida.

Na linha 4, este exemplo tenta multiplicar um inteiro (armazenado em $price na linha 2) por uma string (armazenada em $quantity na linha 3).

A mensagem de erro informa Unsupported operand types int * string para indicar que um inteiro não pode ser multiplicado por uma string. O problema é descoberto antes que qualquer conteúdo seja exibido, portanto o cabeçalho mostrando Basket e o texto com Total: não são mostrados para o visitante.

Para impedir que o erro ocorra de novo, a página pode validar ambos os valores antes de tentar multiplicá-los.

Até o PHP 7.4, este exemplo gerava um aviso, não um erro fatal.

section_b/c10/development/fatal-error-1.php

```php
<?php
$price    = 7;
$quantity = 'five';
$total    = $price * $quantity;
?>
<h1>Basket</h1>
Total: $<?= $total ?>
```

RESULTADO

Fatal error: Uncaught TypeError: Unsupported operand types: int * string in /Users/Jon/Sites/localhost/phpbook/section_b/c10/development/fatal-error-1.php:4 Stack trace: #0 {main} thrown in /Users/Jon/Sites/localhost/phpbook/section_b/c10/development/fatal-error-1.php on line 4

NOTA: antes do PHP 7, uma página não podia se recuperar de um erro fatal. No PHP 7, os erros fatais começaram a criar um objeto de exceção, dando ao código uma oportunidade para tratar o problema (como visto nas páginas 372-373). Se as exceções não são tratadas (ou interceptadas), então elas se tornam um erro fatal. Por isso, essas mensagens de erro iniciam com a palavra Uncaught [significando que o erro não foi interceptado e tratado].

```php
<?php
function total(int $price, int $quantity) {...}
?>
<h2>Basket</h2>
<?= totals(3, 5) ?>
```

RESULTADO

Basket

Fatal error: Uncaught Error: Call to undefined function totals() in /Users/Jon/Sites/localhost/phpbook/section_b/c10/development/fatal-error-2.php:8 Stack trace: #0 {main} thrown in **/Users/Jon/Sites/localhost/phpbook/section_b/c10/development/fatal-error-2.php** on line **8**

Na linha 2, uma função `total()` é declarada (a definição da função completa está no código de download). Na linha 8, o código chama uma função `totals()`.

A mensagem de erro mostra `Call to undefined function totals()` porque não existe nenhuma função `totals()`; ela deveria chamar `total()`. O cabeçalho `Basket` é mostrado porque o interpretador PHP só para de executar o código *após* o erro ser encontrado.

```php
<?php
function total(int $price, int $quantity) {...}
?>
<h2>Basket</h2>
<?= total(3) ?>
```

RESULTADO

Basket

Fatal error: Uncaught ArgumentCountError: Too few arguments to function total(), 1 passed in /Users/Jon/Sites/localhost/phpbook/section_b/c10/development/fatal-error-3.php on line 8 and exactly 2 expected in /Users/Jon/Sites/localhost/phpbook/section_b/c10/development/fatal-error-3.php:2 Stack trace: #0 /Users/Jon/Sites/localhost/phpbook/section_b/c10/development/fatal-error-3.php(8): total(3) #1 {main} thrown in **/Users/Jon/Sites/localhost/phpbook/section_b/c10/development/fatal-error-3.php** on line **2**

Na linha 8, a função `total()` é chamada, mas apenas com um argumento (não dois).

A mensagem de erro informa `Too few arguments to function total()` porque a função requer dois argumentos.

Também declara que 1 argumento foi passado e exatamente 2 são esperados. Para corrigir isso, a função deve ser chamada com o número correto de argumentos.

```php
<?php $basket = new Basket(); ?><h2>Basket</h2>
```

RESULTADO

Fatal error: Uncaught Error: Class 'Basket' not found in /Applications/MAMP/htdocs/phpbook/section_b/c10/development/fatal-error-4.php:1 Stack trace: #0 {main} thrown in **/Applications/MAMP/htdocs/phpbook/section_b/c10/development/fatal-error-4.php** on line **1**

Na linha 1, é criado um objeto usando uma classe `Basket`, mas a definição da classe não foi incluída na página.
A mensagem mostra `Class 'Basket' not found`. Não é possível continuar a mostrar o resto da página porque ele não consegue criar o objeto. Para corrigir isso, a definição da classe deve ser incluída primeiro.

NOTA: quando um objeto de exceção é criado (ou gerado) dentro de uma função ou um método, o **rastreamento de pilha** (mostrado nas mensagens de erro) especifica o nome do arquivo e a linha de código que chamou a função ou o método.

TRATAMENTO DE ERROS

ERROS NÃO FATAIS (AVISO OU ALERTA)

Um erro não fatal é gerado quando o interpretador PHP acha que pode haver um problema, mas tentará continuar a rodar o resto do código.

Um aviso indica que há um erro que provavelmente causará um problema e um alerta indica que *pode* haver um erro.

Ambos se chamam erros não fatais. São criados quando o interpretador PHP os encontra, mas não impedem a execução da página.

Todos os erros devem ser corrigidos, pois podem ter efeitos graves no resto da página (como mostrado no exemplo a seguir).

Neste exemplo, são declaradas três variáveis:

- A linha 2 declara $price. Seu valor é o número 7.
- A linha 3 declara $quantity. Seu valor é uma string com '0a'.
- A linha 4 declara $total. Seu valor deve ser o valor em $price multiplicado pelo valor em $quantity.

A linha 4 cria um aviso informando A non-numeric value encountered porque o valor armazenado em $quantity é uma string.

Como o primeiro caractere da string é o número 0, o interpretador PHP tenta usar o primeiro caractere 0 (e ignora o resto da string; veja a página 61). Então a página continua a rodar e mostra o valor armazenado em $total.

section _ b/c10/development/warning-1.php   PHP

```php
<?php
$price    = 7;
$quantity = '0a';
$total    = $price * $quantity;
?>
<h1>Basket</h1>
Total: $<?= $total ?>
```

RESULTADO

Warning: A non-numeric value encountered in /Users/Jon/Sites/localhost/phpbook/section_b/c10/development/warning-1.php on line 4

Basket

Total: $0

Isso poderia acabar sendo um grande problema no site porque o total é mostrado como zero dólar.

Você pode usar a função var _ dump() do PHP (página 193) para verificar os valores nas variáveis e seu tipo de dado.

PHP — section_b/c10/development/warning-2.php

```
1  <?php $list = false; ?>
2  <h1>Basket</h1>
3  <?php foreach ($list as $item) { ?>
4      Item: <?= $item ?><br>
5  <?php } ?>
```

RESULTADO

Basket

Warning: foreach() argument must be of type array|object, bool given in /Users/Jon/Sites/localhost/phpbook/section_b/c10/development/warning-2.php on line 3

PHP — section_b/c10/development/warning-3.php

```
1  <?php include 'header.php'; ?>
2  <h1>Basket</h1>
```

RESULTADO

Warning: include(header.php): Failed to open stream: No such file or directory in /Users/Jon/Sites/localhost/phpbook/section_b/c10/development/warning-3.php on line 1

Warning: include(): Failed opening 'header.php' for inclusion (include_path='.:/Applications/MAMP/bin/php/php8.0.0/lib/php') in /Users/Jon/Sites/localhost/phpbook/section_b/c10/development/warning-3.php on line 1

Basket

PHP — section_b/c10/development/warning-4.php

```
1  <?php $list = ['pencil', 'pen', 'notebook',]; ?>
2  <?= $list ?>
```

RESULTADO

Warning: Array to string conversion in /Users/Jon/Sites/localhost/phpbook/section_b/c10/development/warning-4.php on line 2
Array

Na linha 1, a variável $list deve conter um array, mas recebeu um valor booleano false. Na linha 3, um loop foreach itera o array de itens em $list.

A mensagem de erro mostra foreach() argument must be of type array|object porque não consegue fazer um loop em um booleano.

NOTA: não é gerado um erro se foreach é usado com um array sem elementos ou um objeto sem propriedades.

Na linha 1, é incluído um cabeçalho, mas o arquivo de inclusão não pode ser encontrado. Como resultado, são mostradas duas mensagens de erro:

- Failed to open stream: No such file or directory... mostra que o arquivo não é encontrado.
- Failed opening... for inclusion significa que o arquivo não pôde ser incluído.

O interpretador PHP tenta mostrar o código restante após um arquivo de inclusão que não existe.

Na linha 1, a variável $list armazena um array. Na linha 2, o atalho para o comando echo é usado para escrever o conteúdo da variável $list.

Isso cria um erro: Array to string conversion, indicando que a página tenta converter um array em uma string, mas não consegue. Portanto, o conteúdo não pode ser mostrado (até o PHP 8 isso era um alerta, não um aviso).

DEPURAÇÃO: RASTREANDO ERROS

Um site deve ser totalmente testado antes de ficar ativo e todos os erros devem ser corrigidos. Se um erro não estiver na linha que a mensagem de erro sugere, existem várias técnicas que podem ajudar a rastreá-lo.

1. Escreva notas que mostram na tela como o interpretador intercepta um erro antes que ele ocorra. O comando echo é usado para exibir notas nas linhas: 2, 9, 17, 24.

   A mensagem na linha 9 será mostrada apenas se a função total() for chamada (como na linha 18).

2. Comentar as seções do código reduz a quantidade de código que pode ser um problema. As linhas 20 e 23 comentam o cabeçalho e o rodapé, confirmando que o erro *não* está nesses arquivos. Você também pode comentar as chamadas para as funções (e incorporar o código nos valores retornados) para testar se os erros são criados em uma função.

3. A função var_dump() do PHP escreve os valores armazenados nas variáveis e seu tipo de dado para que você possa verificar se a variável contém o valor esperado.

   É usada na linha 26 para verificar o valor em $basket. Ela mostra que o valor do terceiro elemento no array $basket é uma string, não um número.

RESULTADO

1: Start of page

2: Before function called

3: Inside total() function

Warning: A non-numeric value encountered in **/Applications/MAMP/htdocs/phpbook/section_b/c10/development/tracking-down-errors.php** on line **12**

Basket

Total: $2.00

4: End of page

$basket: array(3) { ["pen"]=> float(1.2) ["pencil"]=> float(0.8) ["paper"]=> string(3) "two" }

Test total() function:

3: Inside total() function

4

```
PHP                section _b/c10/development/tracking-down-errors.php

 1  <?php
 2  echo '<p><i>1: Start of page</i></p>';
 3  $basket['pen']     = 1.20;
 4  $basket['pencil']  = 0.80;
 5  $basket['paper']   = 'two';
 6
 7  function total(array $basket): int
 8  {
 9      echo '<p><i>3: Inside total() function</i></p>';
10      $total = 0;
11      foreach ($basket as $item => $price) {
12          $total = $total + $price;
13      }
14      return $total;
15  }
16
17  echo '<p><i>2: Before function called</i></p>';
18  $total = total($basket);
19  ?>
20  <?php // include 'header.php'  ?>
21  <h3>Basket</h3>
22  <p><b>Total: $<?= number_format($total, 2) ?></b></p>
23  <?php // include 'footer.php'  ?>
24  <?php echo '<p><i>4: End of page</i></p>'; ?>
25  <hr><!-- All remaining code is test code -->
26  <p><b>$basket:</b><?= var_dump($basket) ?></p>
27  <b>Test total() function:</b>
28  <?php
29  $testbasket['pen']     = 1.20;
30  $testbasket['pencil']  = 0.80;
31  $testbasket['paper']   = 2;
32  ?>
33  <?= total($testbasket) ?>
```

NOTA: recuar o código entre as chaves, usando quatro espaços, facilita encontrar os problemas, como uma chave de fechamento ausente.

Os valores escritos usando o comando echo nas Etapas numeradas com 1 não são recuados. Isso facilita ver onde foram adicionados.

Alguns editores do PHP conseguem rodar cada linha de código por vez; isso é conhecido como **percorrer** o código. A cada linha, você pode verificar os valores para descobrir onde o código pode ter erro. Também é possível definir **pontos de interrupção** nos quais o código pode parar de rodar (e o conteúdo das variáveis pode ser verificado).

4. É possível escrever casos de teste para as funções e os métodos, e verificar se estão realizando a tarefa esperada.

Quando um script usa funções ou métodos, testar cada um de forma isolada é uma boa maneira de verificar se funcionam corretamente (em vez de verificá-los no contexto da página inteira).

Você pode ver um teste da função total() sendo feito no fim da página. Um array $testbasket é criado usando valores que podem testar a função. A função total() é chamada para verificar se ela retorna o valor certo.

Observe que a mensagem echo na linha 9 é mostrada de novo quando a função total() é chamada uma segunda vez na linha 33.

Alguns programadores escrevem páginas básicas para testar cada função (em vez de depurar o código para ver se há um problema). Se você sabe que uma função funciona separadamente, as declarações que estão na função não devem estar causando problema. Isso permite focar os valores sendo passados para a função.

Se os valores para a função parecem ser incorretos, é possível rastrear de onde eles estão vindo para encontrar a origem do erro.

ATIVANDO UM SITE

Quando um site está pronto para ser lançado, as configurações devem ser alteradas para que o interpretador PHP não exiba mensagens de erro em suas páginas. Portanto, salve essas mensagens em um **arquivo de log** e verifique-o regularmente.

Mesmo quando um site foi testado com cuidado, podem passar erros ou pode haver problemas no host. Portanto, no site ativo, use as configurações no arquivo `php.ini` ou no `.htaccess` para:

- Impedir que mensagens de erro apareçam na tela.
- Salvar as mensagens de erro em um arquivo de log.

Os arquivos de log podem ser abertos em um editor de texto ou de código. As mensagens no arquivo iniciam com a data e a hora em que o erro ocorreu, depois vêm as mensagens idênticas às mostradas na tela. Se você executou os exemplos até agora no capítulo, o arquivo de log terá os erros abaixo.

Os erros devem ser corrigidos em uma cópia de **desenvolvimento** do site (em um servidor de teste ou em sua máquina local), não em um site ativo. Para cada erro no arquivo de log:

1. Tente recriar o erro para entender o que fez a mensagem ser registrada.
2. Use as técnicas mostradas nas páginas anteriores para encontrar o código que causa o erro.
3. Corrija o código que causa o erro.

Assim que o problema for corrigido, o site deverá ser testado de novo antes que a nova versão do código seja carregada no site ativo, pois uma correção pode criar novos problemas.

```
[27-Jan-2021 14:56:44 UTC] PHP Parse error:  syntax error, unexpected string content "Finding an error";" in /Users/Jon/Sites/localhost/phpbook/section_b/c10/development/sample-error.php on line 2
[27-Jan-2021 14:56:51 UTC] PHP Parse error:  syntax error, unexpected identifier "pencil" in /Users/Jon/Sites/localhost/phpbook/section_b/c10/development/parse-error-1.php on line 3
[27-Jan-2021 14:57:02 UTC] PHP Parse error:  syntax error, unexpected variable "$order" in /Users/Jon/Sites/localhost/phpbook/section_b/c10/development/parse-error-2.php on line 3
[27-Jan-2021 14:57:04 UTC] PHP Parse error:  Unclosed '[' does not match ')' in /Users/Jon/Sites/localhost/phpbook/section_b/c10/development/parse-error-3.php on line 3
[27-Jan-2021 14:57:06 UTC] PHP Parse error:  syntax error, unexpected identifier "order" in /Users/Jon/Sites/localhost/phpbook/section_b/c10/development/parse-error-4.php on line 3
```

O interpretador PHP também pode salvar os erros em um banco de dados, mas isso não é coberto no livro, pois os iniciantes (e a maioria dos sites) os salvam em um arquivo de log.

Os arquivos de log podem ocupar muito espaço em disco no servidor da web, portanto o administrador do servidor precisa assegurar que eles sejam arquivados ou excluídos com regularidade.

FUNÇÕES PARA O TRATAMENTO DE ERROS

Quando o interpretador PHP gera um erro fatal ou não fatal, pode chamar uma função definida pelo usuário denominada **tratamento de erro**. Nos sites ativos, essa função pode impedir que os usuários vejam uma página que está em branco ou foi cortada abruptamente.

LIDANDO COM ERROS NÃO FATAIS

Quando o interpretador PHP gera um erro não fatal, o resto do arquivo continua a rodar. Isso pode causar problemas sérios. Por exemplo, na página 360, um erro tornou $0 o custo de um pedido.

Em geral, para corrigir os erros, o código deve ser alterado. Até que sejam corrigidos, você pode usar uma **função de tratamento de erro** para tentar manipular qualquer erro não fatal.

A função set_error_handler() predefinida do PHP informa ao interpretador PHP o nome da função definida pelo usuário que ele deve chamar quando ocorre um erro não fatal. Ao informar a set_error_handler() o nome da função de tratamento de erro que ela deve rodar, seu nome não é seguido de parênteses.

Por exemplo, essa função poderia exibir uma mensagem amigável e, então, parar qualquer execução do código.

Você pode especificar em quais níveis de erro o tratamento de erro funciona em um segundo parâmetro, mas é melhor usá-lo para todos os erros não fatais ao aprender o PHP.

LIDANDO COM ERROS FATAIS

Os erros fatais param a execução da página e a função especificada em set_error_handler() não roda.

Desde o PHP 7, o interpretador PHP converte a maioria dos erros fatais em exceções. Você aprenderá sobre exceções e como tratá-las depois do próximo exemplo. Se um erro fatal é convertido em uma exceção e não é tratado, ele volta a ser um erro fatal.

É possível citar uma função definida pelo usuário denominada **função de finalização**, que sempre é chamada: uma página termina de rodar, o comando exit é usado ou um erro fatal paralisa a execução da página.

A função de finalização pode verificar se houve um erro durante a execução da página e, em caso afirmativo, ela mostra uma mensagem de erro amigável e registra o erro. A função register_shutdown_function() do PHP pede ao interpretador PHP o nome da função a chamar quando uma página para de rodar (é usada nas páginas 376-377). Note que, ao especificar o nome da função de finalização, ela não deve ser seguida de parênteses.

set_error_handler('*name*')
— FUNÇÃO DE TRATAMENTO DE ERRO NÃO FATAL

register_shutdown_function('*name*')
— FUNÇÃO DE TRATAMENTO DE ERRO FATAL

FUNÇÃO DE TRATAMENTO DE ERRO NÃO FATAL

Qualquer erro não fatal e não descoberto pode causar problemas em um site ativo. Se isso ocorre, a função de tratamento de erro assegura que o erro seja registrado, que os usuários vejam uma mensagem de erro amigável e que o código pare.

Neste exemplo, a função `set_error_handler()` do PHP especifica que o interpretador PHP deve chamar uma função `handle_error()` se encontrar um erro não fatal.

Se um site usar sua própria função para tratar os erros não fatais, o interpretador PHP não executará seu código de tratamento de erro, a menos que a função retorne um valor `false`. E, se o código de tratamento de erro do interpretador PHP não for executado, o erro não será adicionado ao arquivo de log de erros do PHP (portanto, os desenvolvedores não saberiam que ele ocorreu).

Essa função de tratamento de erro não pode retornar `false` porque impede que o resto da página seja executado (após ter mostrado uma mensagem de erro amigável). Assim, a função terá que salvar a mensagem de erro no arquivo de log antes de a página parar de rodar.

Quando o interpretador PHP chama uma função de tratamento de erro, ele passa quatro argumentos à função contendo dados sobre o erro (os valores que apareceriam na mensagem de erro):

- Nível do erro (como inteiro).
- Mensagem de erro (como string).
- Caminho para o arquivo no qual ocorreu o erro.
- A linha de código na qual o erro foi descoberto.

A definição da função `handle_error()` deve nomear os parâmetros para usar esses valores.

Neste exemplo, os dados sobre o erro são usados para criar a mensagem de erro adicionada ao arquivo de log. Essa mensagem seguirá um formato parecido com os formatos que o interpretador PHP cria.

O PHP tem uma função predefinida `error_log()` que pode ser usada para adicionar uma mensagem de erro ao arquivo de log. Seu único parâmetro é a mensagem de erro que deve usar.

Como houve um erro, a função também tentará definir o status de resposta HTTP para 500, indicando que houve um erro no servidor. Isso pode ser feito usando a função `http_response_code()` do PHP (apenas se for chamada *antes* que algo seja escrito na página). Seu único parâmetro é o código do status de resposta a usar.

Antes de exibir a mensagem de erro para o visitante, a página usa o comando `require_once` para incluir o arquivo de cabeçalho. Isso assegura que a página de erro tenha o mesmo design do resto da página. O comando `require_once` é usado no lugar de `include` para assegurar que o cabeçalho apenas será incluído se não foi ainda adicionado à página.

Assim que uma mensagem de erro amigável é mostrada, o comando `require_once` é usado de novo para incluir o rodapé da página.

Por fim, o comando `exit` impede o interpretador PHP de executar mais código na página.

PHP
`c10/live/error-handling-function.php`

```php
<?php
① set_error_handler('handle_error');

② function handle_error($level, $message, $file = '', $line = 0)
   {
③      $message = $level . ' ' . $message . ' in ' . $file . ' on line ' . $line;
④      error_log($message);
⑤      http_response_code(500);

⑥      require_once 'includes/header.php';
⑦      echo "<h1>Sorry, a problem occurred</h1>
           The site's owners have been informed. Please try again later.";
⑧      require_once 'includes/footer.php';
⑨      exit;
   }
⑩ $username = $_GET['username'];
?>
<?php include 'includes/header.php'; ?>
<h1>Welcome, <?= $username ?></h1>
<?php include 'includes/header.php'; ?>
```

RESULTADO

Sorry, a problem occurred
The site's owners have been informed. Please try again later.

1. A função `set_error_handler()` do PHP pede ao interpretador PHP para chamar a função `handle_error()` se ele encontra um erro não fatal (mas não usa parênteses após o nome da função).

2. A função `handle_error()` é definida. Ela usa quatro parâmetros para representar os dados que o interpretador PHP passa para a função: nível do erro, mensagem de erro, nome do arquivo onde estava o erro e número da linha.

3. Uma mensagem de erro é criada usando as informações nos quatro parâmetros nomeados na Etapa 2.

4. A função `error_log()` do PHP é usada para escrever a mensagem de erro no arquivo de log de erro do PHP.

5. A função `http_response_code()` do PHP define o código de resposta HTTP para 500, indicando que houve um erro do servidor.

6. O cabeçalho é incluído (se ainda não foi) para assegurar que o cabeçalho do site e os estilos CSS sejam incluídos.

7. Uma mensagem de erro amigável é escrita na página usando o comando `echo`.

8. O rodapé é incluído.

9. `exit` paralisa a execução de mais código.

10. Quando a página tenta acessar uma chave que *não* está no array superglobal `$_GET`, é gerado um erro não fatal.

TRATAMENTO DE ERROS

EXCEÇÕES

Quando o código deveria funcionar normalmente, mas uma situação excepcional o impede de fazer isso, um **objeto de exceção** pode ser criado, dando ao código uma oportunidade de se recuperar dos problemas.

Quando um objeto de exceção é criado, o interpretador PHP para de executar a página e procura o código que foi escrito para tratar a situação excepcional. Isso dá ao programa uma oportunidade para se recuperar do problema:

- Se ele encontra o código para tratar a situação, roda esse código e continua a execução *após* as declarações que a causaram.
- Se não consegue encontrar nenhum código para lidar com a situação, gera um erro fatal que inicia com a mensagem Uncaught exception, então a página para de rodar.

Os programadores dizem que as exceções são **geradas** e o código para tratar isso **intercepta** a exceção.

As propriedades do objeto de exceção armazenarão o nome do arquivo e a linha na qual o problema foi encontrado, como faz uma mensagem de erro.

Se o problema ocorre em uma função ou em um método, também mantém algo chamado **rastreamento de pilha**, que registra quais linhas de código chamaram a função ou o método.

O rastreamento de pilha pode ser muito útil ao encontrar a origem do problema porque muitas páginas diferentes ou linhas de código podem chamar a mesma função ou método. E, quando um problema é causado passando dados incorretos para uma função ou um método, é importante saber onde foi chamada a função ou o método.

Os objetos de exceção podem ser criados de dois modos:

- Desde o PHP 7, a maioria dos erros fatais resulta no interpretador PHP criando um **objeto de exceção de erro** usando a classe Error predefinida. Isso permite que os programas se recuperem de um erro fatal ou mostrem uma mensagem amigável (em vez de a página encerrar abruptamente).
- Os programadores podem gerar seu próprio **objeto de exceção personalizado** usando uma classe definida pelo usuário com base em uma classe predefinida chamada Exception.

As exceções só devem ser usadas quando os programadores sabem que o código *deve* funcionar, mas uma **situação excepcional** o impede de fazê-lo.

Uma situação excepcional ocorre quando você pode antecipar que pode haver um problema, mas não consegue usar o código para evitá-lo. Por exemplo:

- Os sites baseados em bancos de dados contam com o banco de dados; se ele não consegue conectar o banco, isso **é** uma situação excepcional.
- Ao coletar dados do formulário, os usuários podem inserir valores inválidos; isso **não** é excepcional e deve ser tratado no código de validação.

O código usado para tratar a exceção pode permitir que o site se recupere do erro e continue a rodar ou mostrar ao usuário uma mensagem útil.

Quando um programador antecipa uma situação que poderia impedir o código de fazer seu trabalho (mas não consegue impedir a situação usando o código, como um código de validação), ele pode gerar seu próprio objeto de exceção personalizado se essa situação ocorrer. Isso permite que o programa se recupere ou registre uma descrição específica do problema (junto com um rastreamento de pilha).

Para criar um objeto de exceção personalizado, crie uma classe de exceção personalizada. Isso pode ser feito em uma linha de código porque todas as exceções personalizadas **estendem** uma classe predefinida Exception.

Quando uma classe estende outra, ela **herda** as propriedades e os métodos da classe que está estendendo, portanto as classes de exceção personalizadas têm todas as propriedades e os métodos da classe Exception predefinida.

A classe Exception e a classe Error predefinida implementam uma **interface** chamada Throwable. Uma interface descreve os nomes das propriedades e/ou os métodos que um objeto implementará, além dos dados que devem retornar. A tabela abaixo mostra os métodos na interface Throwable. Todos os objetos de exceção terão esses métodos.

MÉTODO	RETORNA
getMessage()	Uma mensagem de exceção. Para as exceções de erro, é a mensagem de erro fatal gerada pelo interpretador PHP. Para as exceções personalizadas, é uma mensagem criada pelo programador
getCode()	Um código de exceção usado para identificar o tipo de exceção. Para as exceções de erro, esse código seria gerado pelo interpretador PHP. Para as exceções personalizadas, o código seria definido pelo programador
getFile()	O nome do arquivo no qual a exceção foi criada
getLine()	O número da linha na qual a exceção foi criada
getTraceAsString()	O rastreamento de pilha como string
getTrace()	O rastreamento de pilha como array

Para criar uma classe de exceção personalizada, use:

- A palavra-chave class.
- Um nome da classe. Em geral, esse nome identifica o objetivo do código no qual a situação excepcional foi encontrada.
- A palavra-chave extends para mostrar que essa classe estenderá outra classe existente.
- O nome da classe que estenderá (no caso, a classe Exception predefinida). Isso significa que herdará as propriedades e os métodos da classe que ela estende.
- Um par de chaves.

Para criar, ou gerar, uma exceção usando uma classe de exceção personalizada escrita, use:

- A palavra-chave throw (isso não só cria o objeto de exceção como também pede ao interpretador PHP para procurar o código que o interceptou quando criado).
- A palavra-chave new (para criar um novo objeto).
- O nome da classe de exceção personalizada.

Entre parênteses adicione:

- Mensagem de erro descrevendo o problema.
- Código opcional para identificar o problema.

```
class CustomExceptionName extends Exception {} ;
throw new CustomExceptionName ($message[, $code] );
```

NOME DA CLASSE DE EXCEÇÃO PERSONALIZADA

NOME DA CLASSE DE EXCEÇÃO · MENSAGEM · CÓDIGO

LIDANDO COM EXCEÇÕES COM TRY CATCH

Se você sabe que, em situações excepcionais, um código pode resultar em uma exceção e é possível se recuperar do problema, essa situação pode ser manipulada usando uma declaração try... catch.

Em uma declaração try... catch, a palavra-chave try é seguida por um bloco de código que mantém as declarações que o interpretador PHP deve tentar executar, mas que podem causar uma exceção. Se uma exceção é gerada no bloco try, o interpretador PHP:

- Para de executar o código.
- Procura o bloco catch que deve vir após.
- Verifica se o bloco catch pode tratar a situação (porque nomeia a classe usada para criar o objeto de exceção ou uma interface implementada).
- Em caso afirmativo, executa as declarações nesse bloco catch.

Entre parênteses após a palavra-chave catch, especifique:

- A classe usada para criar o objeto de exceção ou uma interface implementada (nas páginas 374-375, veja como especificar mais de um bloco catch, cada um capaz de tratar as exceções criadas usando diferentes classes).
- O nome de uma variável que manterá o objeto de exceção no bloco catch (normalmente chamada $e).

Se uma exceção não é gerada no bloco try, o interpretador PHP pula o bloco catch.

O bloco catch também pode ser seguido por um bloco finally opcional. As declarações no bloco finally serão executadas se uma exceção foi ou não gerada.

Assim que uma exceção é tratada, o interpretador PHP executa a linha de código que aparece após o bloco catch. Ele faz isso sem adicionar detalhes sobre o que disparou a exceção ao arquivo de log de erro do PHP. Ou seja, os programadores não saberiam com que frequência ocorreu a situação excepcional.

Se você deseja registrar os detalhes de uma exceção que foi tratada no log de erros, pode usar a função error_log() predefinida do PHP. Só precisa de um argumento: o objeto de exceção gerado. O interpretador PHP vai pegar os dados sobre o problema, armazenados no objeto de exceção, convertê-los em uma string e adicioná-los ao arquivo de log de erros.

```
try {
    // Tente fazer algo que pode gerar uma exceção
} catch (ExceptionClassName $e) {
    // Faça algo para tratar a exceção, se gerada
} finally () {
    // Faça algo se ocorreu ou não uma exceção
}
```

FUNÇÃO DE TRATAMENTO DE EXCEÇÃO PADRÃO

O interpretador PHP pode executar uma função definida pelo usuário para tratar as exceções que não foram tratadas por um bloco `catch` (porque não foram geradas em um bloco `try` ou não usaram a classe especificada pelo bloco `catch`).

Os programadores podem especificar o nome de uma função definida pelo usuário, chamada **tratamento de exceção padrão**, que o interpretador PHP deve chamar se uma exceção não é tratada por um bloco `catch`.

A função `set_exception_handler()` predefinida do PHP especifica o nome de uma função definida pelo usuário a chamar. Seu único parâmetro é o nome da função. Seu nome não deve ser seguido de parênteses.

set _ exception _ handler('*name*')

NOME DA FUNÇÃO

A função de tratamento de exceção básica abaixo:

- Adiciona detalhes do problema ao arquivo de log de erros.
- Define o código de resposta HTTP correto (500).
- Exibe uma mensagem para o usuário.
- Impede a execução de mais código na página.

Veja um exemplo usando uma função de tratamento de exceção padrão nas páginas 376-377.

Uma função de tratamento de exceção mais complexa poderia verificar a classe usada para criar a exceção e responder a cada uma de modo diferente

```php
function handle _ exception($e)
{
    error _ log($e);
    http _ response _ code(500);
    echo '<h1>Sorry, an error occurred please try again later.</h1>';
    exit;
}
```

USANDO TRY CATCH PARA TRATAR AS EXCEÇÕES

1. Neste exemplo, o bloco try contém o código que pode causar uma exceção.

2. Imagine que o arquivo de inclusão contenha o código usado para exibir anúncios e que normalmente funciona, mas um problema nesse código às vezes resulta em uma exceção.

3. Se é gerada uma exceção no bloco try, o interpretador PHP procura um bloco catch que possa tratá-la.

A palavra-chave catch é seguida por parênteses. Entre parênteses:

- O nome da classe indica que o bloco catch será executado para qualquer objeto de exceção criado usando a classe Exception.
- $e é o nome de uma variável que armazena o objeto de exceção para que seus dados possam ser usados no bloco catch.

4. Um anúncio com espaço reservado é mostrado. Esse resultado é melhor do que a página parar de rodar quando a exceção é encontrada.

5. A função error_log() do PHP adiciona o erro ao arquivo de log de erros do PHP. Seu único argumento é o objeto de exceção criado dentro do arquivo de inclusão.

```
section _ b/c10/live/try-catch.php                    PHP

<?php include 'includes/header.php'; ?>

<?php
try {
    include 'includes/ad-server.php';
} catch (Exception $e) {
    echo '<img src="img/advert.png" alt="Newsletter">';
    error _ log($e);
}
?>
<h1>Latest Products</h1>
...
<?php include 'includes/footer.php'; ?>
```

NOTA: para este exemplo, o arquivo de inclusão ad-server.php no código de download gera uma exceção para assegurar que o bloco catch seja executado.

Na página 374, você aprenderá como um conjunto de blocos catch pode usar um código diferente para tratar os objetos de exceção criados com classes diferentes.

GERANDO EXCEÇÕES PERSONALIZADAS

A classe `ImageHandler` abaixo manipula as imagens usando GD. Ela gera exceções personalizadas se utilizada incorretamente (a próxima página mostrará como usar a classe).

1. Uma classe de exceção personalizada `ImageHandlerException` é criada. Ela herdará as propriedades e os métodos da classe `Exception` predefinida do PHP.

2. Quando um objeto é criado usando a classe `ImageHandler`, o método `__construct()` verifica se a imagem é um dos tipos de mídia permitidos. Se não é, uma exceção é gerada usando a classe `ImageHandlerException`.

   A mensagem de erro mostra que o formato da imagem não é aceito e recebe um código de erro 1.

3. Quando o método `resizeImage()` é chamado, se o usuário tentar criar uma imagem que é maior que a imagem original carregada, uma exceção será gerada porque isso resultará em uma qualidade de imagem pior.

   A mensagem de erro informa que a imagem original é pequena demais e recebe o código de erro 2.

PHP section_b/c10/live/classes/ImageHandler.php

```php
<?php
(1) class ImageHandlerException extends Exception {};

class ImageHandler
{
    public    $fileTypes = ['image/jpeg', 'image/png',];        // Tipos de mídia permitidos
    ...
    public function __construct(string $filepath, string $filename)
    {
        ...
(2)     if (!in_array($this->mediaType, $this->fileTypes)) {    // Se o tipo de mídia não é permitido
            throw new ImageHandlerException('File not an accepted image format', 1);
        }
        ...
    }
    public function resizeImage(int $newWidth, int $newHeight, string $uploadPath)
    {
(3)     if (($this->origWidth < $newWidth)
        or ($this->origHeight < $newHeight)) {                  // Se a imagem original é muito pequena
            throw new ImageHandlerException('Original image too small', 2);
        }
        // Código para redimensionar e gravar a imagem vem aqui...
    }
}
```

INTERCEPTANDO DIFERENTES TIPOS DE EXCEÇÃO

Essa página permite que os usuários se registrem no site enviando seu e-mail e carregando uma imagem de perfil. Em geral, funciona bem, mas, em situações excepcionais, a imagem pode não ser salva. Em tais casos, a exceção é tratada para que o código possa continuar a rodar e salvar o e-mail dos visitantes (mesmo que não salve a imagem). O exemplo usa dois blocos catch para tratar os diferentes tipos de exceção que podem ocorrer quando um usuário carrega a imagem.

1. O arquivo ImageHandler.php da página anterior é incluído. Ele tem a definição da classe para ImageHandlerException e a classe ImageHandler usada para redimensionar e salvar as imagens carregadas.

2. Um bloco try contém declarações que criam um objeto ImageHandler para representar a imagem de perfil que o usuário carregou, redimensionar e salvar a imagem e, então, exibi-la. É seguido de dois blocos catch.

3. Os parênteses do primeiro bloco catch contêm o nome da classe ImageHandlerException, ou seja, o interpretador executará esse bloco catch se o código no bloco try criou um objeto de exceção usando a classe ImageHandlerException. Dentro do bloco catch, o objeto de exceção será armazenado em uma variável $e.

4. As exceções que a classe ImageHandler cria são amigáveis, portanto o método getMessage() do objeto de exceção (herdado da classe Exception predefinida) recebe uma mensagem de erro e a armazena na variável $message. A mensagem informa ao usuário que a imagem tinha o tipo de mídia errado ou era muito pequena.

Se o primeiro bloco catch lidasse com a exceção, o interpretador PHP executaria o resto da página, pulando qualquer bloco catch restante.

5. Se o primeiro bloco catch não foi executado (porque a exceção gerada no bloco try não foi criada usando a classe ImageHandler), o segundo bloco catch será.

Os parênteses do segundo bloco catch nomeiam a interface Throwable, indicando que deve interceptar *qualquer* exceção que implementa a interface Throwable. Portanto, tratará *qualquer* exceção do bloco try ainda não tratada. Isso inclui os erros fatais do PHP que podem ter sido gerados pelo interpretador (por exemplo, se a imagem não pôde ser salva porque o disco estava cheio).

Em geral, os blocos catch tentam interceptar classes de exceção específicas, não todas as exceções como essa, mas isso se justificaria se:

- A exceção puder evitar uma ação crítica, como impedir um usuário de se registrar (é melhor ter o e-mail dele do que nada).
- For uma medida temporária enquanto a causa precisa do problema é determinada.

6. O bloco catch lida com a situação de modo diferente. A variável $message armazena uma mensagem informando ao usuário que a imagem não foi salva. Ele não mostra a mensagem de erro do objeto de exceção porque pode conter informações que confundiriam o usuário ou forneceriam a hackers informações confidenciais.

7. A função error_log() do PHP é chamada para adicionar informações sobre a exceção ao log de erros do PHP.

Assim que o código for executado nesse bloco catch, o resto da página será executado. Por exemplo, o resto da página poderia salvar o e-mail do visitante em um BD. Se a exceção não fosse tratada, nenhum dado fornecido pelo usuário seria salvo.

PHP   section_b/c10/live/throwing-exceptions.php

```php
<?php
① include 'classes/ImageHandler.php';                           // Inclusão da classe
   $message = '';                                               // Inicialização de variáveis
   $thumb   = '';
   $email   = '';

   if ($_SERVER['REQUEST_METHOD'] == 'POST') {                  // Se o formulário foi enviado
       $email = $_POST['email'] ?? '';                          // Obtém o e-mail do usuário
       if ($_FILES['image']['error'] == 0) {                    // Se nenhum erro na carga
           $file = $_FILES['image']['name'];                    // Obtém o nome do arquivo
           $temp = $_FILES['image']['tmp_name'];                // Obtém o nome do arquivo temporário

           try {                                                // Tenta redimensionar imagem
               $image = new ImageHandler($temp, $file);         // Cria objeto
②              $thumb = $image->resizeImage(300, 300, 'uploads/'); // Redimensiona a imagem
               $message = '<img src="uploads/' . $thumb . '">'; // Salva a imagem na variável $message
③         } catch (ImageHandlerException $e) {                  // Se ocorreu ImagehandlerException
④             $message = $e->getMessage();                     // Obtém a mensagem de erro
⑤         } catch (Throwable $e) {                              // Se houver outra razão
⑥             $message = 'We were unable to save your image';  // Mensagem genérica
⑦             error_log($e);                                   // Log de erro
           }
       }
       // Este é o local onde a página deveria salvar o endereço de e-mail
   }
?>
<?php include 'includes/header.php' ?>
<h1>Join Us</h1>
<?= $message ?>
...
```

RESULTADO

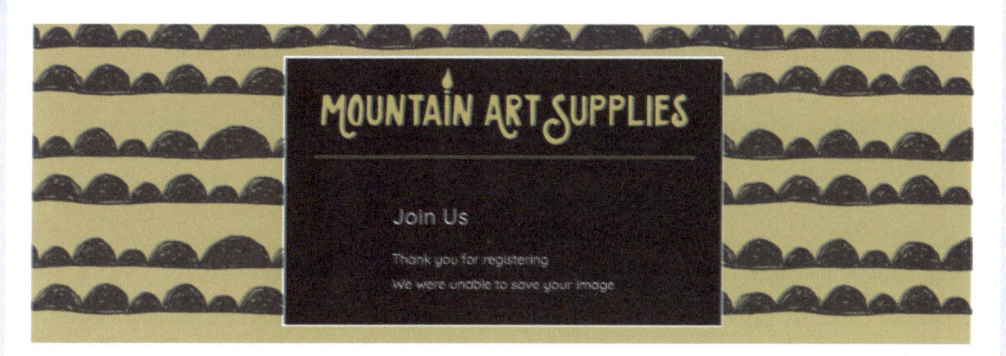

MOUNTAIN ART SUPPLIES

Join Us

Thank you for registering
We were unable to save your image

TRATAMENTO DE ERROS

TRATAMENTO DE ERRO E EXCEÇÃO PADRÃO

Este exemplo mostra como manipular cada erro de exceção não tratada com consistência.

Primeiro, set_exception_handler() do PHP especifica que a função handle_exception() definida pelo usuário deve ser chamada se uma exceção é gerada e não é tratada por um bloco catch. Essa função:

- Registra o problema.
- Define o código de status da resposta HTTP.
- Exibe uma mensagem de erro amigável.
- Paralisa a execução do código.

Depois, set_error_handler() do PHP especifica que error_handler() deve ser chamada quando um erro não fatal é gerado.

error_handler() converte os erros não fatais em exceções para que sejam tratados do mesmo modo como os erros fatais (que geram exceções).

Por fim, register_shutdown_function() do PHP especifica que a função handle_shutdown() definida pelo usuário deve ser chamada quando *qualquer* página termina de executar. É chamada quando os erros fatais não são convertidos em exceções de erro ou não são tratados pelo tratamento de erro padrão.

A função handle_shutdown() verificará se um erro foi gerado quando a página estava em execução usando a função error_get_last() predefinida do PHP. Se houve um, o erro é convertido em uma exceção e a função de tratamento de exceções é chamada para tratá-lo.

EXCEÇÕES NÃO INTERCEPTADAS

1. A função set_exception_handler() do PHP especifica uma função definida pelo usuário para chamar, caso uma exceção seja gerada e não tratada por um bloco catch.
2. A função handle_exception() é definida. Seu único parâmetro é o objeto de exceção gerado.
3. A exceção é registrada no arquivo de log de erros do PHP.
4. O código de resposta HTTP é definido para 500.
5. Se ainda não foi, o cabeçalho é incluído.
6. É exibida uma mensagem de erro amigável.
7. Se ainda não ocorreu, o rodapé é incluído.
8. Depois, o interpretador não executará mais nenhum código.

ERROS NÃO FATAIS

9. A função set_error_handler() especifica uma função definida pelo usuário para chamar, caso o interpretador PHP gere um erro não fatal.
10. O tratamento de erro padrão recebe informação sobre o erro (seu tipo e mensagem, o arquivo e a linha na qual ocorreu), como descrito na página 366.
11. Os dados do erro são usados para criar uma nova exceção. Fazer isso permite que o site trate todos os erros não fatais do mesmo modo como os erros fatais e as exceções (usando a mesma função handle_exception()).

O objeto de exceção é gerado usando a classe ErrorException predefinida do PHP, que foi adicionada ao PHP para que os erros possam ser convertidos em exceções. O segundo parâmetro é um código de erro opcional (um inteiro) para representar a exceção (aqui é 0).

PHP c10/live/includes/functions.php

```php
<?php ...
① set_exception_handler('handle_exception');              // Configura o manipulador
② function handle_exception($e)                           // de exceção
  {
③     error_log($e);                                      // Log de erro
④     http_response_code(500);                            // Configura o código de resposta
⑤     require_once 'header.php';                          // Assegura que o cabeçalho
                                                          // foi incluído
⑥     echo "<h1>Sorry, a problem occurred</h1>
           <p>The site's owners have been informed. Please try again later.</p>";
⑦     require_once 'footer.php';                          // Adiciona rodapé
⑧     exit;                                               // Para de executar o código
  }

⑨ set_error_handler('handle_error');                      // Configura o manipulador
⑩ function handle_error($type, $message, $file = '', $line = 0)   // de erro
  {
⑪     throw new ErrorException($message, 0, $type, $file, $line); // Dispara uma ErrorException
  }

⑫ register_shutdown_function('handle_shutdown');          // Configura o manipulador
⑬ function handle_shutdown()                              // de shutdown (desligamento)
  {
⑭     $error = error_get_last();                          // Foi um erro no script?
⑮     if ($error) {                                       // Se uma exceção foi disparada
⑯         $e = new ErrorException($error['message'], 0, $error['type'],
                                   $error['file'], $error['line']);
⑰         handle_exception($e);                           // Chama o manipulador
      }                                                   // de exceção
```

ERROS FATAIS

12. A função `register_shutdown_function()` predefinida do PHP pede ao interpretador PHP para chamar a função `handle_shutdown()` definida pelo usuário quando uma página para de ser executada. Faz isso porque alguns erros fatais não são convertidos em exceções e não são gerenciados pelo tratamento de erro padrão.

13. A função `handle_shutdown()` é definida.

14. A função `error_get_last()` predefinida do PHP verifica se um erro foi gerado durante a execução da página. Se foi, os detalhes do último erro gerado serão retornados em um array; se não, retornará `null`. O valor retornado é armazenado em `$error`.

15. Uma declaração if verifica se a variável `$error` tem um valor, indicando se houve um erro.

16. Se houve, o erro é convertido em uma exceção.

NOTA: a palavra-chave `throw` **não** é usada aqui, pois o tratamento de exceção padrão não interceptará as exceções geradas em uma função de finalização. Em vez disso, o objeto é criado como qualquer outro.

17. `handle_exception()` é chamada. O objeto de exceção criado na Etapa 16 é passado como um argumento.

EXPERIMENTE: example.php no código de download tem linhas que foram comentadas para testar os tratamentos de erro e de exceção. Retire o comentário, uma linha por vez.

TRATAMENTO DE ERROS

COMO OS ERROS DO SERVIDOR DA WEB SÃO EXIBIDOS

Se um servidor da web não puder encontrar o arquivo solicitado ou um erro no servidor o impedir de processar a solicitação do navegador, o servidor da web retorna um código de erro e uma página da web para o navegador.

Nas páginas 180-181, você viu como os servidores enviam cabeçalhos HTTP para o navegador junto com o arquivo solicitado. Um desses cabeçalhos é o **código de status da resposta** indicando se a solicitação teve sucesso ou não.

- Quando um servidor processa com sucesso a solicitação, ele retorna o código 200 com o arquivo solicitado.
- Se o arquivo não pode ser encontrado, ele retorna o código 404 com uma página de erro descrevendo o problema.
- Se um erro no servidor impediu uma página de ser exibida, ele retorna o código 500 e uma página de erro informa que ocorreu um erro interno do servidor.

As páginas de erro que o servidor da web cria quando não consegue responder a uma solicitação não são muito amigáveis, mas você pode criar suas próprias **páginas de erro personalizadas** para o servidor enviar, em vez das páginas de erro dele.

As páginas de erro personalizadas permitem fornecer uma descrição mais clara do problema para os visitantes. Elas também podem ter a mesma aparência do resto do site.

Para enviar uma página de erro personalizada, adicione uma diretiva ErrorDocument ao arquivo .htaccess e especifique:

- O código de status que deve ser usado para o arquivo.
- O caminho para o arquivo que ele deve exibir para esse código.

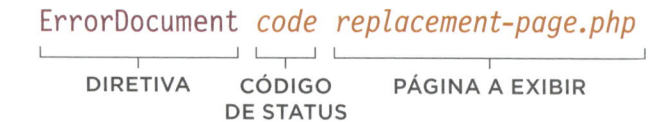

```
ErrorDocument code replacement-page.php
```
DIRETIVA — CÓDIGO DE STATUS — PÁGINA A EXIBIR

A página de erro padrão que o Apache envia quando um arquivo não pode ser encontrado:

Not Found
The requested URL /phpbook/section_b/c10/missing.php was not found on this server.

A página de erro padrão que o Apache envia quando um erro interno impede que uma página seja exibida:

Internal Server Error
The server encountered an internal error or misconfiguration and was unable to complete your request.

PHP — section_b/c10/live/.htaccess

```
ErrorDocument 404 /code/section_b/c10/live/page-not-found.php
ErrorDocument 500 /code/section_b/c10/live/error.php
```
①

PHP — section_b/c10/live/page-not-found.php

```
<?php require_once 'includes/header.php'; ?>
<h1>Sorry! We cannot find that page.</h1>
<p>Try the <a href="index.php">home page</a> or email us at
  <a href="mailto:hello@eg.link">hello@eg.link</a>.</p>
<?php require_once 'includes/footer.php'; ?>
```
②

PHP — section_b/c10/live/error.php

```
<?php include 'includes/header.php'; ?>
<h1>Sorry! An error occurred.</h1>
<p>The site owners have been informed. Please try again soon.</p>
<?php include 'includes/footer.php'; ?>
```
③

RESULTADO

MOUNTAIN ART SUPPLIES
Sorry! We cannot find that page.
Try the home page or email us at hello@eg.link

RESULTADO

MOUNTAIN ART SUPPLIES
Sorry! An error occurred.
The site owners have been informed. Please try again soon.

1. O arquivo `.htaccess` usa a diretiva `ErrorDocument` a fim de definir os caminhos para as páginas de erro personalizadas que devem ser exibidas quando:

a) Um arquivo não pode ser encontrado.

b) Há um erro do servidor.

2. O arquivo `page-not-found.php` explica de forma amigável que o arquivo não pôde ser encontrado.

3. O arquivo `error.php` informa aos visitantes que ocorreu } um erro.

EXPERIMENTE: solicite uma página na pasta `live` deste capítulo que não existe, por exemplo, `missing.php`

NOTA: as páginas dos erros não devem incluir um código que conecta um banco de dados porque, se houvesse um erro no banco de dados, a página de erro não seria mostrada.

TRATAMENTO DE ERROS

RESUMO
TRATAMENTO DE ERROS

> As mensagens de erro ajudam a determinar o problema.

> Ao desenvolver um site, exiba os erros na tela.

> Quando um site ficar ativo, não exiba os erros na tela. Em vez disso, escreva as mesmas mensagens de erro em um arquivo de log.

> Uma função de tratamento de erro pode ser executada quando um erro não fatal for gerado.

> Exceções são objetos criados em circunstâncias excepcionais que impedem a execução normal da página.

> Quando um objeto de exceção é criado (ou gerado), o interpretador procura um bloco de código alternativo para executar.

> As exceções podem ser interceptadas usando uma declaração `try...  catch` ou uma função de tratamento de exceção.

> Os erros podem ser convertidos em exceções, de forma que todos os problemas são tratados do mesmo modo.

C

SITES ORIENTADOS A BANCOS DE DADOS

Os sites orientados a bancos de dados usam um BD para armazenar grande parte do conteúdo mostrado em suas páginas, além de outros dados, como informações sobre os membros do site.

Como o PHP pode acessar e atualizar os dados em um BD, os sites orientados a bancos de dados podem:

- Permitir que usuários com menos conhecimento criem ou atualizem o conteúdo do site usando formulários em uma página da web (eles não precisam saber como escrever código nem usar FTP para atualizar os arquivos no servidor).
- Criar páginas customizadas para cada membro do site usando os dados do banco de dados.

Este livro usa um software chamado **MySQL** para criar e gerenciar o BD do site. O banco de dados armazena dados em uma série de tabelas (cada tabela lembra uma planilha). Como os dados em uma tabela normalmente *se relacionam* aos dados em outra, ele se chama **banco de dados relacional** (sempre que nos referirmos ao MySQL, as informações também se aplicam ao MariaDB, apresentado na página 15).

O PHP vem com um conjunto de classes predefinidas chamado **PHP Data Objects** (**PDO**) que pode ser usado para acessar e atualizar os dados no banco de dados.

Portanto, para criar sites orientados a banco de dados você precisará aprender:

- Como a **Linguagem de Consulta Estruturada** ou **SQL** (pronunciada como *és-quiú-él* ou *esse-que-éle*, em português) é usada para solicitar dados em um BD e atualizar os dados que ele armazena.
- Como usar PDO para executar os comandos SQL que solicitam dados em um banco de dados e disponibilizam esses dados no código PHP.
- Como usar PDO para executar comandos SQL que atualizam os dados armazenados em um BD.

O MySQL não vem com uma interface gráfica do usuário, mas há uma ferramenta gratuita chamada **phpMyAdmin** que permite gerenciar o banco de dados e exibir seu conteúdo. Você aprenderá a usá-la na introdução desta seção.

Antes de ler os capítulos nesta seção, será preciso entender como os BDs armazenam os dados usados em um site e como gerenciar o BD usando o phpMyAdmin.

SITE DE EXEMPLO

Uma aplicação de exemplo será desenvolvida na segunda metade deste livro. Ela demonstra como criar sites orientados a bancos de dados e outros conceitos que você aprenderá. Começamos apresentando o site de exemplo para ajudá-lo a entender o BD de exemplo com o qual irá trabalhar.

COMO OS BANCOS DE DADOS ARMAZENAM DADOS

Depois, você aprenderá como os bancos de dados armazenam os dados. Os dados são estruturados em uma série de tabelas. Você também verá os tipos de dados que o MySQL usa (que são diferentes dos tipos de dados do PHP).

COMO USAR O PHPMYADMIN

O phpMyAdmin é uma ferramenta que roda em um servidor da web. É como um site que você pode usar para gerenciar um banco de dados MySQL. Você aprenderá como:

- Criar novos bancos de dados.
- Exibir dados em bancos de dados.
- Fazer backups dos bancos de dados.

COMO CRIAR UM BANCO DE DADOS

Em seguida, aprenderá a configurar o BD usado para a aplicação de exemplo desenvolvida no resto do livro. O banco de dados mantém o conteúdo do site e dados sobre seus membros.

Primeiro, você aprenderá a criar um banco de dados vazio. Então, executará um código SQL (fornecido no código de download) que:

- Cria as tabelas que o BD de exemplo usa.
- Adiciona dados a cada uma das tabelas.

NOTA: todos os exemplos restantes contam com esse banco de dados, portanto ele deve ser criado e preenchido com dados para que seja possível avançar.

CRIANDO CONTAS DO USUÁRIO DO BANCO DE DADOS

Enfim, você aprenderá a criar contas do usuário do BD. O código PHP precisa de uma conta do usuário para conectar-se ao banco de dados (como um programa de e-mail precisa de uma conta de e-mail para enviar e receber e-mails).

INTRODUÇÃO DO SITE DE EXEMPLO

O site de exemplo criado no resto do livro é um **sistema de gerenciamento de conteúdo** (CMS, sigla em inglês), uma ferramenta que permite atualizar o conteúdo de um site sem escrever código.

O sistema de gerenciamento de conteúdo desenvolvido no resto deste livro mostra o trabalho em uma coleção de arte, mas poderia ser usado como um CMS para muitos tipos diferentes de site.

No topo de cada página, após o nome do site (Creative Folk), a barra de navegação mostra as seções ou as **categorias** do site.

A home page (abaixo) é um arquivo chamado `index.php`. Depois da navegação, há informações sobre os seis artigos mais recentes. Quando um novo artigo é carregado, ele aparece na home page e o artigo mais antigo em destaque não é mais exibido.

Cada **artigo** mostra uma parte do trabalho criativo. Todos os artigos são exibidos usando o mesmo arquivo `article.php`; seu trabalho é pegar um artigo por vez no banco de dados e inserir os dados na página.

A página do artigo mostra uma imagem com a obra de arte, seu título, a data em que o artigo foi adicionado ao site, uma descrição do trabalho, a categoria da arte e o nome do criador.

Cada artigo também tem uma opção "published"; o artigo não será exibido para o público até que essa opção tenha sido selecionada.

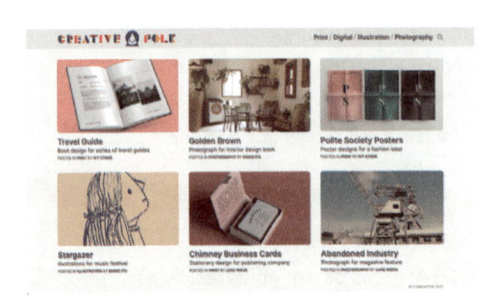

Nos capítulos posteriores, o site se desenvolve permitindo ao público fazer upload de seus próprios trabalhos, indicar de quais itens ele gosta e comentar sobre os artigos.

Os artigos são agrupados em **categorias** (que são como seções do site). Todas as categorias são exibidas usando a mesma página category.php. Ela mostra o nome e a descrição da categoria, seguida de um resumo de cada artigo na categoria.

Para cada artigo, você pode ver sua imagem, título, uma breve descrição do trabalho, categoria e autor (são os mesmos dados mostrados para os seis artigos mais recentes na home page).

Cada categoria também tem uma opção para indicar se o nome deve aparecer na barra de navegação principal ou ficar oculto.

Cada artigo é escrito por um **membro** do site; o membro é o **autor** do artigo. O perfil de cada um é mostrado usando o mesmo arquivo member.php.

Ele mostra o nome do autor, a data em que ele se associou ao site e sua imagem de perfil, seguida de uma lista de seus artigos. As informações sobre cada artigo correspondem às informações mostradas na categoria e nas home pages (imagem, título, breve descrição, nome da categoria e autor).

No fim do livro, os membros públicos terão permissão para enviar seu próprio trabalho, indicar seus itens preferidos e comentar sobre os artigos.

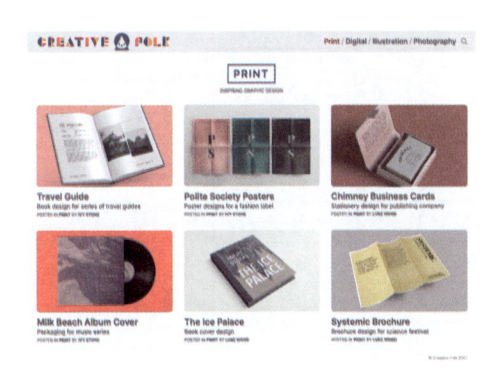

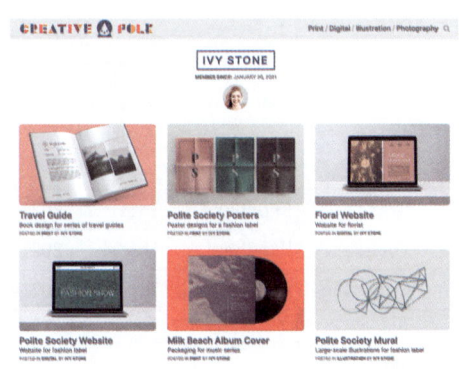

COMO UM BANCO DE DADOS RELACIONAL ARMAZENA DADOS

Os bancos de dados relacionais armazenam os dados em tabelas. Um BD pode ser composto por muitas tabelas. Veja abaixo as tabelas do banco de dados para o site de exemplo desenvolvido no resto do livro.

Um **sistema de gerenciamento de banco de dados relacional** (**RDBMS**), como MySQL ou MariaDB, é um tipo de software que pode armazenar múltiplos bancos de dados (como um servidor da web pode hospedar múltiplos sites).

O software DB pode ser instalado:

- No mesmo computador do servidor da web (MAMP e XAMPP instalam MySQL ou MariaDB no computador para você).
- Em um computador separado que o servidor da web pode acessar (como um programa de e-mail que conecta um servidor de e-mail).

TABELAS

Existem quatro **tabelas** no banco de dados para o site de exemplo. Cada uma representa um conceito com o qual a aplicação trabalha:

- `article` representa cada artigo individual e dados sobre ele (ex.: título e data da criação).
- `category` representa as seções do site que agrupam os artigos afins em tópicos.
- `image` armazena dados sobre as imagens que aparecem nos artigos.
- `member` contém informações sobre cada membro individual do site.

article

id	title	summary	content	created	category_id	member_id	image_id	published
1	Systemic	Brochure…	This…	2021-01-26	1	2	1	1
2	Forecast	Handbag…	This…	2021-01-28	3	2	2	1
3	Swimming	Photos…	This…	2021-02-02	4	1	3	1

category

id	name	description	navigation
1	Print	Inspiring graphic design	1
2	Digital	Powerful pixels	1
3	Illustration	Hand-drawn visual…	1

Os bancos de dados relacionais têm esse nome porque as tabelas têm informações relacionadas a outras tabelas.

LINHAS
Cada **linha** em uma tabela (também chamada de registro ou tupla) armazena um dos itens que a tabela representa. Cada linha na tabela `article` representa um artigo; cada linha na tabela `member` representa uma pessoa.

COLUNAS
Cada **coluna** em uma tabela (também chamada de atributo) armazena uma característica dos itens que a tabela representa. Por exemplo, as colunas na tabela `member` armazenam nome, sobrenome, e-mail, senha, data de associação e nome de arquivo da imagem de perfil dos membros.

CAMPOS
Campo é uma parte de informação em uma linha.

CHAVE PRIMÁRIA
A primeira coluna de cada tabela se chama id porque pode ser usada para *identificar* uma linha individual dessa tabela (ex.: pode identificar um artigo individual, uma categoria, um membro ou uma imagem). Para funcionar, cada linha da tabela precisa ter um valor exclusivo na coluna id. Nessas tabelas, esse valor é criado usando um recurso do MySQL chamado **autoincremento**, que adiciona 1 ao número que foi usado na linha anterior. Essa coluna também é conhecida como **chave primária** da tabela.

image

id	file	alt
1	systemic-brochure.jpg	Brochure for Systemic Science Festival
2	forecast.jpg	Illustration of a handbag
3	swimming-pool.jpg	Photography of swimming pool

LINHA —

member

id	forename	surname	email	password	joined	picture
1	Ivy	Stone	ivy@eg.link	c63j-82ve-…	2021-01-26 12:04:23	ivy.jpg
2	Luke	Wood	luke@eg.link	saq8-2f2k-…	2021-01-26 12:15:18	NULL
3	Emiko	Ito	emi@eg.link	sk3r-vd92-…	2021-02-12 10:53:47	emi.jpg

COLUNA

TIPOS DE DADOS NOS BANCOS DE DADOS

É preciso especificar um tipo de dado para cada coluna de qualquer tabela, além do número máximo de caracteres que cada campo nessa coluna pode armazenar.

O MySQL tem mais tipos de dados que o PHP, mas o BD de exemplo usa apenas os cinco mostrados abaixo.

NOTA: o MySQL não tem um tipo de dado booleano. Os booleanos são representados com o tipo `tinyint` com um valor 0 para `false` e 1 para `true`.

TIPO DADO	DESCRIÇÃO
int	Número inteiro
tinyint	Números inteiros até 255 (usados para booleanos)
varchar	Caracteres alfanuméricos até 65.535
text	Caracteres alfanuméricos até 65.535
timestamp	Data e hora

Com exceção do tipo de dado `text`, você deve especificar o número máximo de:

- Bytes usados em uma coluna contendo texto.
- Dígitos usados em uma coluna armazenando números.

```
int(5)
```
TIPO DE DADO — TAMANHO MÁX.

Especificar um tamanho máximo para cada coluna reduz o tamanho do BD e agiliza o desempenho. Nas tabelas abaixo, os tipos de dados são mostrados sob os nomes da coluna, seguidos do número máximo de dígitos ou de bytes que a coluna pode armazenar entre parênteses.

ARTICLE

id int(11)	title varchar(254)	summary varchar(1000)	content text	created timestamp	category_id int(11)	member_id int(11)	image_id int(11)	published tinyint(1)
1	Systemic	Brochure...	This...	2021-01-26	1	2	1	1
2	Forecast	Handbag...	This...	2021-01-28	3	2	2	1
3	Swimming	Photos...	This...	2021-02-02	4	1	3	1

CATEGORY

id int(11)	name varchar(24)	description varchar(254)	navigation tinyint(1)
1	Print	Inspiring graphic design	1
2	Digital	Powerful pixels	1
3	Illustration	Hand-drawn visual...	1

EVITE DUPLICAR OS DADOS EM UM BANCO DE DADOS

Evite duplicar os mesmos dados em um BD relacionando o dado em uma tabela ao dado em outra com **chaves primária** e **estrangeira**.

A primeira coluna em cada tabela abaixo é uma **chave primária**; ela armazena um valor que identifica cada linha da tabela.

Observando a tabela `article`, à esquerda e abaixo:

- A coluna `category_id` mostra a categoria do artigo. Seu valor corresponde a uma chave primária na tabela `category`.
- A coluna `member_id` mostra quem escreveu o artigo. Seu valor corresponde a uma chave primária na tabela `member`.
- A coluna `image_id` mostra qual imagem deve ser exibida com o artigo. Seu valor corresponde a uma chave primária na tabela `image`.

As colunas `category_id`, `member_id` e `image_id` da tabela `article` se chamam **chaves estrangeiras**. Elas mostram que:

- O primeiro artigo está na categoria Print.
- O primeiro e o segundo artigos são de Luke Wood.
- O terceiro artigo usa a imagem swimming-pool.jpg na tabela `image`.

Esses valores descrevem a relação entre os dados nas diferentes tabelas e evitam duplicar os nomes da categoria e do autor em múltiplas linhas da tabela `article`. Evitar a duplicação torna o BD menor e mais rápido, reduzindo o risco de erros, caso os dados sejam atualizados apenas em um local quando forem alterados.

image

id int(11)	file varchar(254)	alt varchar(1000)
1	systemic-brochure.jpg	Brochure for Systemic Science Festival
2	polite-society-posters.jpg	Posters for Polite Society
3	swimming-pool.jpg	Photography of swimming pool

member

id int(11)	forename varchar(254)	surname varchar(254)	email varchar(254)	password varchar(254)	joined timestamp	picture varchar(254)
1	Ivy	Stone	ivy@eg.link	c63j-82ve-…	2021-01-26 12:04:23	ivy.jpg
2	Luke	Wood	luke@eg.link	saq8-2f2k-…	2021-01-26 12:15:18	NULL
3	Emiko	Ito	emi@eg.link	sk3r-vd92-…	2021-02-12 10:53:47	emi.jpg

SITES ORIENTADOS A BANCOS DE DADOS

USANDO PHPMYADMIN PARA TRABALHAR COM O MYSQL

Em um site orientado a bancos de dados, em geral o BD é atualizado por usuários que interagem com as páginas do site. Em certas oportunidades, no entanto, você precisará realizar tarefas adicionais usando phpMyAdmin.

USANDO PHPMYADMIN

Existem trabalhos conhecidos como tarefas de **administração** que você precisa realizar ao executar um site orientado a bancos de dados. Elas incluem:

- Criar novos bancos de dados.
- Fazer backup dos BDs existentes.
- Adicionar novas tabelas e colunas a um BD.
- Verificar se o site adiciona ou atualiza os dados corretamente quando novos recursos são adicionados.
- Criar contas do usuário que controlam quem pode acessar/editar o conteúdo do BD.

O MySQL não vem com uma interface visual própria que você pode usar para realizar essas tarefas de admin, mas existe uma ferramenta de fonte aberta e gratuita chamada **phpMyAdmin** que ajuda.

A phpMyAdmin é escrita em PHP e roda em seu servidor da web; é como um site que você pode usar para gerenciar o BD. As próximas páginas mostram como ela é usada para realizar algumas tarefas de admin.

COMO ENCONTRAR A PHPMYADMIN

Ao instalar MAMP ou XAMPP, a phpMyAdmin será instalada em seu computador. Insira a URL http://localhost/phpmyadmin/ em seu navegador para acessar.

Se você adicionou um número de porta às URLs para executar os exemplos de código, provavelmente terá que adicionar o mesmo número para acessar a phpMyAdmin. Exemplo: http://localhost:8888/phpmyadmin/

As empresas de hospedagem com suporte para MySQL têm muitos modos diferentes de permitir realizar as tarefas de admin, portanto você precisa verificar como sua empresa permite fazer isso. Em vez de lhe dar acesso a uma versão completa da phpMyAdmin, em geral elas usam:

- Ferramentas próprias para criar BDs/contas do usuário.
- Uma versão restrita da phpMyAdmin para fazer backup, inspecionar e atualizar o conteúdo do BD.
- Suas próprias URLs para acessar a phpMyAdmin.

USANDO PHPMYADMIN PARA ADMINISTRAR UM BANCO DE DADOS

A tela da phpMyAdmin tem três áreas principais. Diferentes versões da phpMyAdmin podem variar um pouco, mas a funcionalidade e a posição dos itens na página devem ser iguais.

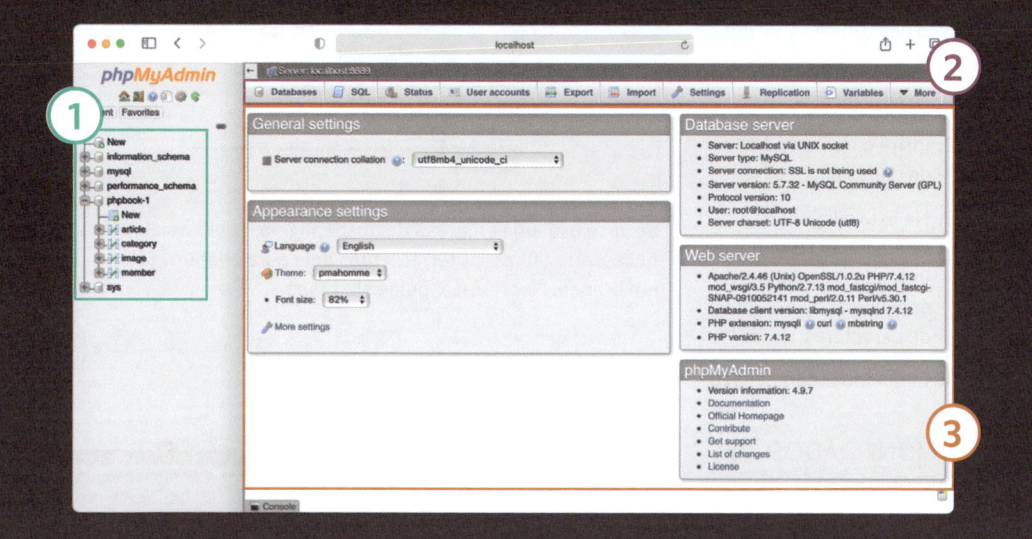

1: BANCOS DE DADOS E TABELAS

Uma instalação do MySQL pode manter vários bancos de dados (como um servidor da web pode hospedar vários sites).

Os nomes dos bancos de dados são mostrados no menu à esquerda. Ao clicar no nome de um BD, os símbolos + na lista expandem para mostrar os nomes das tabelas no BD.

2: GUIAS

Representam coisas que você pode fazer com a interface. Ao:

- Abrir a phpMyAdmin, as guias mostram as tarefas que você pode realizar com o software MySQL.
- Clicar em um BD no menu à esquerda, as guias mudam para as tarefas que você pode realizar nesse banco de dados.

3: JANELA PRINCIPAL

É onde você faz as tarefas de admin (ex.: mostra o conteúdo do BD e permite atualizar colunas ou adicionar linhas).

Em geral, o MySQL cria alguns BDs próprios, como: information_schema, mysql, performance_schema e sys. Os iniciantes não devem editá-los.

SITES ORIENTADOS A BANCOS DE DADOS

CONFIGURANDO O BANCO DE DADOS DE EXEMPLO

Para trabalhar nos demais exemplos no livro, começaremos criando um novo BD e importando dados para ele.

CRIE UM BD EM BRANCO
Primeiro, crie um BD em branco usando phpMyAdmin:

1. Clique em New no topo da lista de BDs.

2. Insira o nome do banco de dados phpbook-1.

3. Na lista suspensa, selecione utf8mb4_unicode_ci para especificar o conjunto de caracteres.

4. Clique no botão Create.

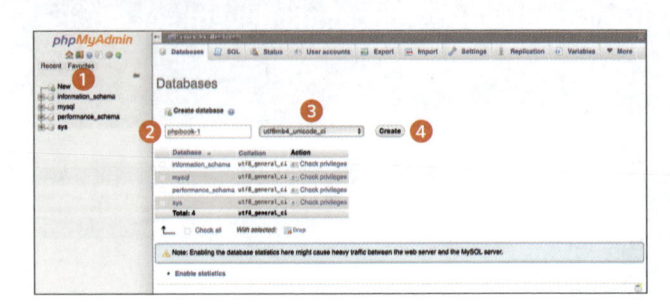

Se você usa uma empresa de hospedagem, talvez seja necessário utilizar as ferramentas dela para criar um BD em branco. Nesse caso, pule esta etapa.

ADICIONE DADOS AO BANDO DE DADOS
Assim que criar o BD, você pode adicionar dados.

1. Clique no nome do BD na lista de bancos de dados.

2. Clique na guia Import.

3. Em File to import, clique no botão Choose file e selecione o arquivo phpbook-1.sql na pasta section_c/intro no código de download.

4. Clique em Go (na parte inferior da página, não mostrada) para importar os dados de exemplo para o BD.

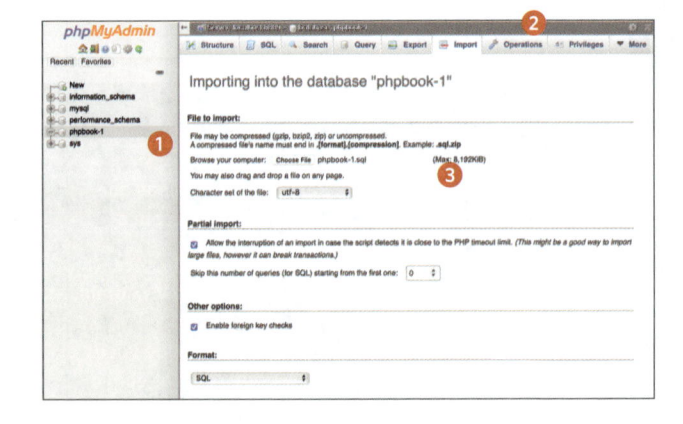

EXPLORANDO O BANCO DE DADOS DE EXEMPLO

Quando tiver importado os dados, veja as tabelas criadas e explore seu conteúdo e sua estrutura.

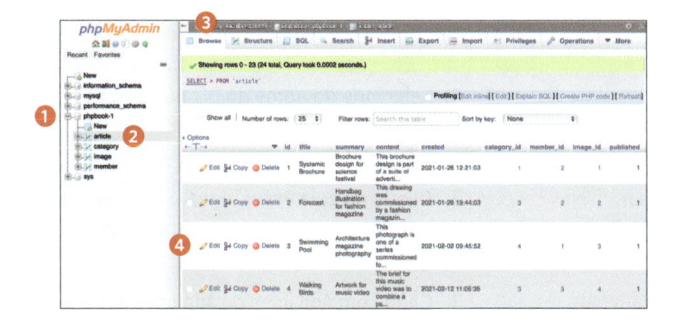

EXPLORE O CONTEÚDO DO BANCO DE DADOS
É possível explorar o conteúdo do BD clicando no nome dele.

1. Clique no nome do BD no painel da lista de bancos de dados.
2. Selecione a tabela article.
3. Clique na guia Browse.
4. Cada linha da tabela representa um artigo.

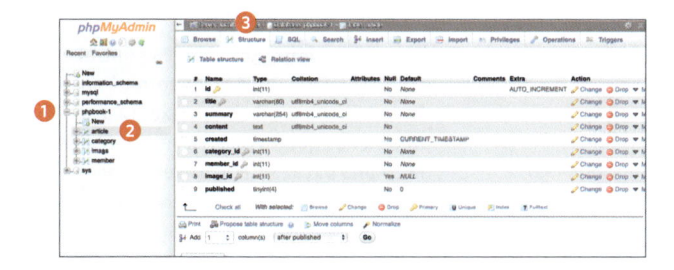

ESTRUTURA DA TABELA
Para cada tabela, você pode ver os nomes da coluna, os tipos de dados e os tamanhos do campo.

1. Clique no nome do BD.
2. Selecione a tabela article.
3. Clique na guia Structure.

Cada coluna é listada como uma linha na tabela vista.

Para saber como adicionar manualmente tabelas e colunas, veja http://notes.re/mysql/create-manually [conteúdo em inglês].

É possível ver o nome de cada coluna, seguido do tipo de dado (com seu tamanho máximo entre parênteses). Collation contém a codificação dos caracteres.

Null indica se um valor pode ser nulo. A coluna Default especifica um valor que a coluna deve usar como padrão, caso nenhum valor seja especificado.

SITES ORIENTADOS A BANCOS DE DADOS

CRIANDO CONTAS DO USUÁRIO DO BANCO DE DADOS

O software MySQL permite criar diferentes **contas de usuário**. Cada uma tem um nome de usuário e uma senha para fazer login no BD. Você pode controlar quais dados cada conta de usuário pode acessar e atualizar.

Cada conta de usuário do MySQL permite especificar:

- Quais BDs o usuário pode acessar.
- As tabelas que ele pode acessar ou atualizar.
- Outras tarefas que o usuário pode realizar.

Quando o MySQL é instalado, ele vem com uma conta conhecida como **conta root**, uma conta principal que pode criar e excluir contas de usuário e bancos de dados.

Por motivos de segurança, não use a conta root em seu código PHP. Crie uma conta de usuário que possa apenas:

- Acessar o BD usado para esse site em particular (não todos os bancos de dados hospedados no mesmo servidor).
- Realizar as tarefas que a aplicação precisa; não permita que faça tarefas avançadas (como criar ou excluir tabelas) se o site não requer isso.

Na página à direita, veja como a conta root (configurada quando o servidor foi instalado) permite exibir e criar contas de usuário na phpMyAdmin.

Se estiver usando uma empresa de hospedagem da web e não conseguir ver essas opções, deverá consultar seus arquivos de ajuda, pois cada host opera de modo diferente e a empresa pode ter:

- Criado um nome de usuário e uma senha para você.
- Suas próprias ferramentas para criar e atualizar os usuários.

1. Selecione do nome do BD no painel à esquerda para o qual deseja criar um usuário.

2. Clique na guia `Privileges`. Será exibida uma tabela dos usuários com acesso ao banco de dados.

3. Clique em `Add user` ou `Add user account`.

4. Especifique um nome de usuário.

5. Insira uma senha ou use a opção `Generate`.

6. Em `Database for user account`, se a opção `Grant all privileges on database phpbook-1` estiver marcada, desmarque-a.

7. As opções `Global privileges` controlam o que o usuário pode fazer com o banco de dados inteiro. O site de exemplo só precisa das quatro opções selecionadas na coluna `Data`: `Select`, `Insert`, `Update` e `Delete`; ele não usa os outros recursos, portanto não estão ativados.

Você pode ver opções sob as mostradas na tela; deixe as configurações como estão.

8. Salve os detalhes do usuário usando o botão `Go` na parte inferior da página (não mostrado nas capturas de tela).

Também é possível selecionar cada tabela no painel à esquerda e definir os privilégios que um usuário possui para a tabela.

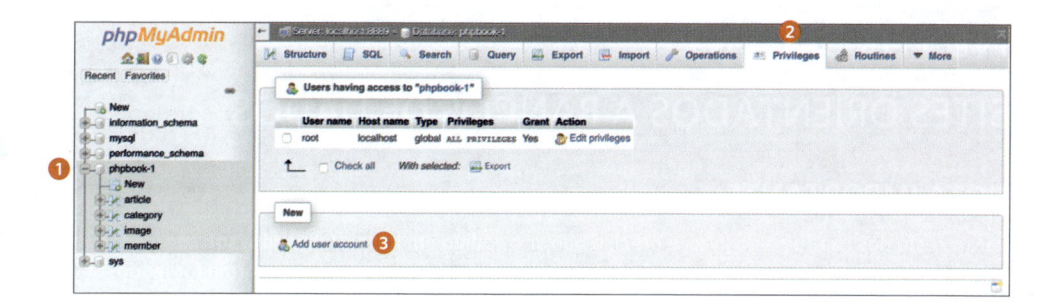

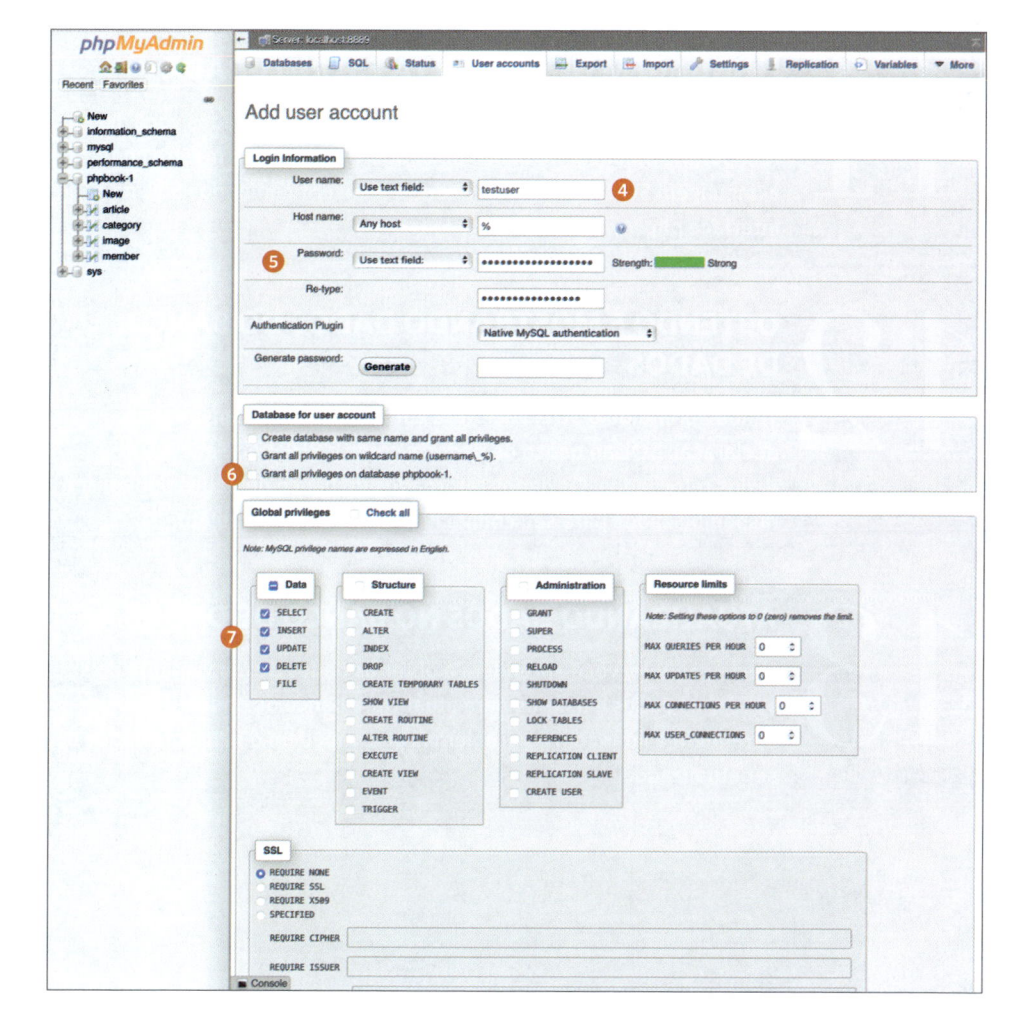

SITES ORIENTADOS A BANCOS DE DADOS

NESTA SEÇÃO
SITES ORIENTADOS A BANCOS DE DADOS

NOTA IMPORTANTE:

Para o resto dos capítulos do livro, é preciso baixar o código em **http://phpandmysql.com/code/** e executá-lo localmente. Também será útil ter o código de exemplo aberto conforme for lendo os capítulos.

11 LINGUAGEM DE CONSULTA ESTRUTURADA

SQL é uma linguagem que permite especificar quais dados você deseja recuperar e atualizar no banco de dados. Este capítulo mostra como a linguagem SQL funciona, fazendo você inserir comandos SQL na interface phpMyAdmin.

12 OBTENDO E MOSTRANDO DADOS DO BANCO DE DADOS

Tendo aprendido o SQL, você verá como o PDO pode enviar uma declaração SQL ao banco de dados e como o PHP pode acessar os dados retornados. Os dados retornados do banco de dados podem ser disponibilizados para seu código PHP como array ou objeto.

13 ATUALIZANDO DADOS NO BANCO DE DADOS

Neste capítulo, você aprenderá a obter os dados de um visitante do site, validar os dados e usá-los para atualizar o banco de dados. Também aprenderá a lidar com os problemas que impedem o banco de dados de ser atualizado.

11
STRUCTURED QUERY LANGUAGE (LINGUAGEM DE CONSULTA ESTRUTURADA)

A Linguagem de Consulta Estruturada (SQL) é usada para: se comunicar com os bancos de dados; solicitar dados; adicionar novos dados; editar os dados existentes; e excluir dados.

Neste capítulo, você aprenderá a usar o SQL para realizar as seguintes tarefas:

- **Selecionar** dados em um banco de dados.
- **Criar** novas linhas em uma tabela do banco de dados.
- **Atualizar** os dados já armazenados no banco de dados.
- **Excluir** linhas das tabelas do banco de dados.

Uma instrução para obter ou alterar os dados armazenados no banco de dados é conhecida como **declaração SQL**. Uma declaração SQL que apenas solicita informações também pode ser chamada de **consulta SQL** porque você está *solicitando* dados ao banco de dados. Você aprenderá a escrever consultas SQL antes de aprender a criar, atualizar ou excluir os dados de um banco de dados.

Para aprender a linguagem SQL, você usará a phpMyAdmin. Assim que aprender como o SQL funciona neste capítulo, os dois capítulos seguintes mostrarão como uma página PHP usa o PDO (PHP Data Objects) para executar as declarações SQL que obtêm ou atualizam os dados no banco de dados.

Alguns exemplos neste capítulo atualizam os dados armazenados no banco de dados que formam a base do site de exemplo principal no livro, portanto devem ser executados uma vez, na ordem em que aparecem no capítulo. Se não forem executados nessa ordem, os exemplos posteriores poderão não funcionar. Se isso acontecer, ou se você quiser executá--los de novo, exclua o banco de dados e configure-o de novo usando as instruções na introdução desta seção.

STRUCTURED QUERY LANGUAGE...

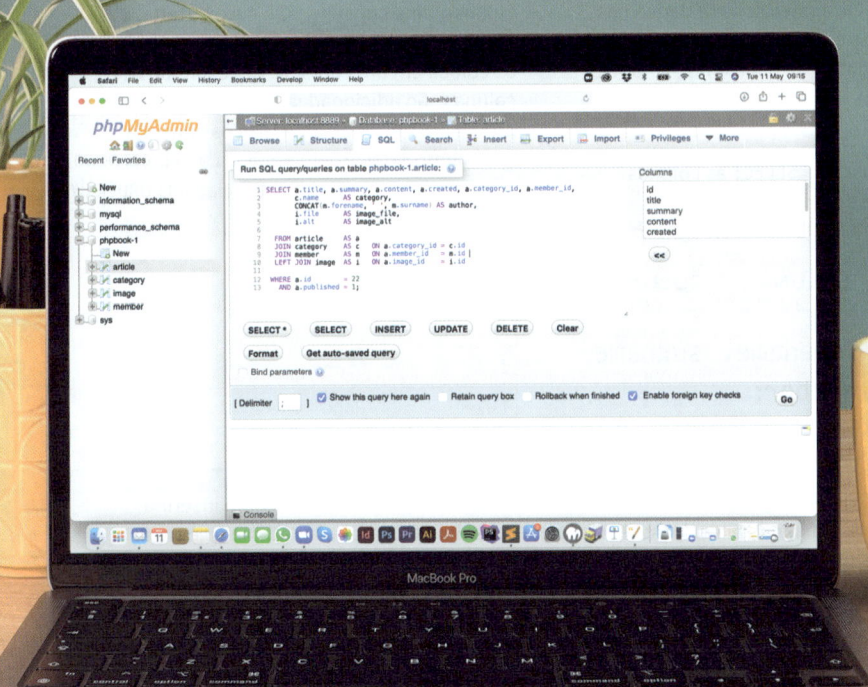

OBTENDO DADOS EM UM BANCO DE DADOS

Para pedir dados ao banco de dados, use o comando SELECT do SQL, então especifique quais dados deseja. O banco de dados criará um **conjunto de resultados** contendo os dados solicitados.

O comando SELECT indica que você deseja obter dados no BD. É seguido dos nomes das colunas que contêm os dados desejados. Cada nome da coluna deve ser separado por vírgula.

A cláusula FROM é seguida do nome da tabela da qual você deseja coletar os dados. Uma declaração SQL *deve* terminar com ponto e vírgula (embora muitos desenvolvedores omitam isso e normalmente ainda funcione).

COLUNAS A SELECIONAR ⟶ `SELECT column1, column2`
AS COLUNAS DA TABELA ESTÃO EM ⟶ `FROM table;`

A declaração SQL abaixo solicita dados nas colunas forename e surname da tabela member. Ela retorna os dados de cada linha na tabela. É possível lê-los literalmente; nesse caso, você quer:

- Selecionar com SELECT as colunas forename e surname.
- Obter com FROM na tabela member.

Quando uma consulta SQL é **executada**, o banco de dados obtém os dados solicitados e os coloca em um conjunto de resultados. As colunas são adicionadas ao conjunto na mesma ordem em que são nomeadas na consulta. Para controlar a ordem em que cada linha é adicionada ao conjunto, use a cláusula ORDER BY (veja a página 406).

COLUNA 1 COLUNA 2

`SELECT forename, surname`
`FROM member;`

TABELA

conjunto de registros	
forename	surname
Ivy	Stone
Luke	Wood
Emiko	Ito

Os comandos SQL podem ser escritos com letras maiúsculas ou minúsculas. Neste livro, estão em letras maiúsculas para diferenciá-los dos nomes da tabela e da coluna, que usam as mesmas letras do banco de dados.

A página à direita mostra como inserir a consulta SQL na phpMyAdmin e como é exibido o conjunto de resultados que a consulta gera.

1. Abra a phpMyAdmin e selecione o banco de dados **phpbook-1**. Se ainda não o criou, veja a página 392.
2. Selecione a guia SQL.
3. Digite a consulta SQL da página à esquerda na área de texto.
4. Clique em Go.

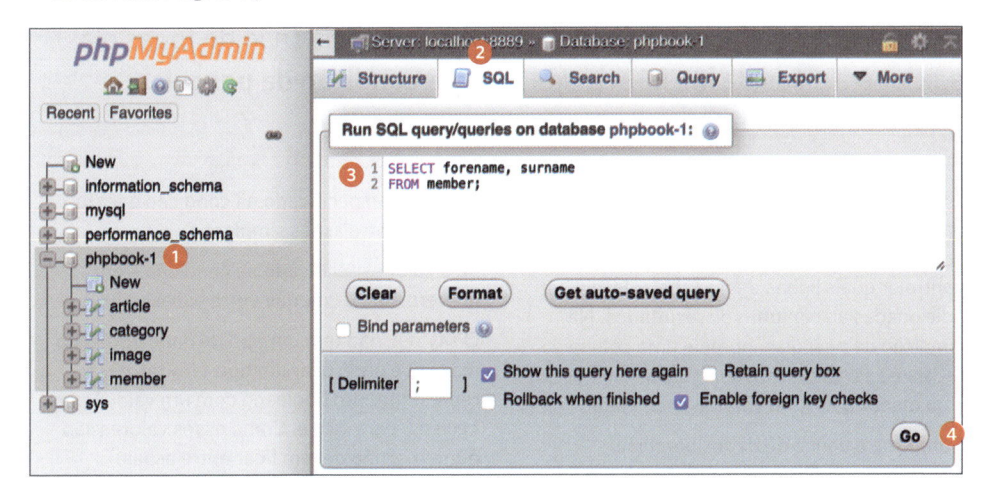

5. Ao clicar em Go, a consulta SQL é executada. Então o MySQL retorna o conjunto de resultados para phpMyAdmin, que exibe o conjunto em uma tabela.

Para o resto do capítulo, em vez de mostrar as capturas de tela da phpMyAdmin, as consultas SQL e seus conjuntos de resultados serão mostrados como na página à esquerda.

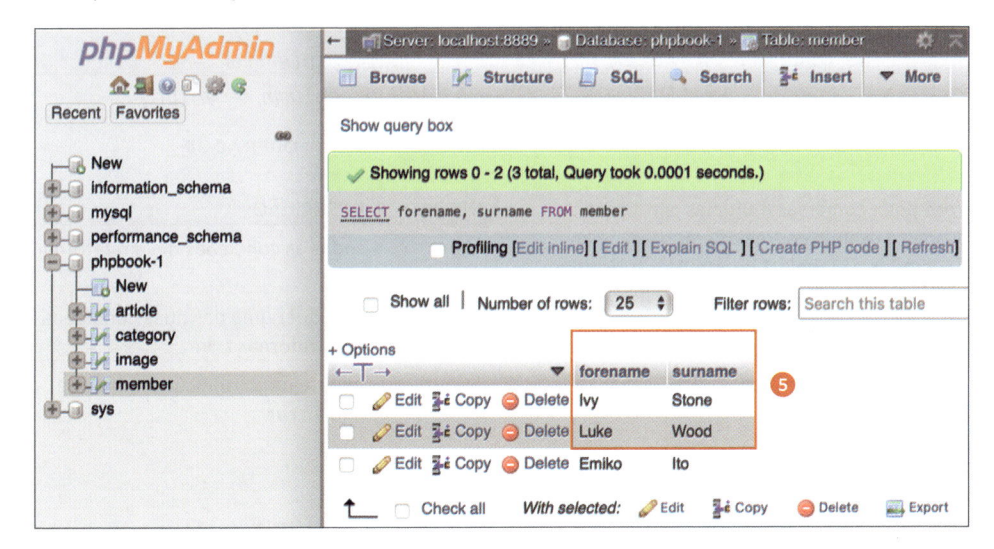

RETORNANDO LINHAS ESPECÍFICAS DE UMA TABELA

Para obter os dados de linhas específicas da tabela (não de todas elas), adicione a cláusula WHERE seguida de uma **condição da pesquisa**.

Uma vez que você especificou quais colunas de dados deseja obter de uma tabela, é possível adicionar uma condição da pesquisa para controlar quais linhas dessa tabela devem ser adicionadas ao conjunto de resultados. Na condição de pesquisa, nomeie uma coluna da tabela e se o valor deve ser igual a =, maior que > ou menor que < um valor especificado.

Conforme o banco de dados percorre as linhas da tabela, se a condição resulta em true, adiciona uma nova linha ao conjunto de resultados e copia os dados das colunas nomeadas após o comando SELECT para o conjunto.

Se o valor especificado na condição é texto, coloque entre aspas simples.

Se o valor especificado na condição é um número, não o coloque entre aspas.

O MySQL não tem um tipo de dado booleano, mas você pode usar um tipo tinyint para representar um booleano com um valor 1 para true e 0 para false. Como esses valores são números, não devem ficar entre aspas.

```
COLUNAS A SELECIONAR       →  SELECT column(s)
AS COLUNAS DA TABELA ESTÃO EM →  FROM table
LINHAS A ADICIONAR AO      →  WHERE column = value;
CONJUNTO DE RESULTADOS                     |
                                        OPERADOR
```

Você pode combinar múltiplas condições de pesquisa usando os três operadores lógicos mostrados na tabela à direita. Eles funcionam como os operadores lógicos do PHP mostrados nas páginas 56-57. Cada condição da pesquisa fica entre parênteses para assegurar que seja executada isoladamente.

OPERADOR	DESCRIÇÃO
AND	Todas as condições devem retornar true
OR	Qualquer uma das duas condições deve retornar true
NOT	Inverte uma condição; verifica se não é true

```
COLUNAS A SELECIONAR       →  SELECT column(s)
AS COLUNAS DA TABELA ESTÃO EM →  FROM table
LINHAS A ADICIONAR AO      →  WHERE (column < value) AND (column > value);
CONJUNTO DE RESULTADOS              |_____|  |   |_____|
                                      CONDIÇÃO 1    OPERADOR   CONDIÇÃO 2
                                                    LÓGICO
```

USANDO OPERADORES DE COMPARAÇÃO NO SQL

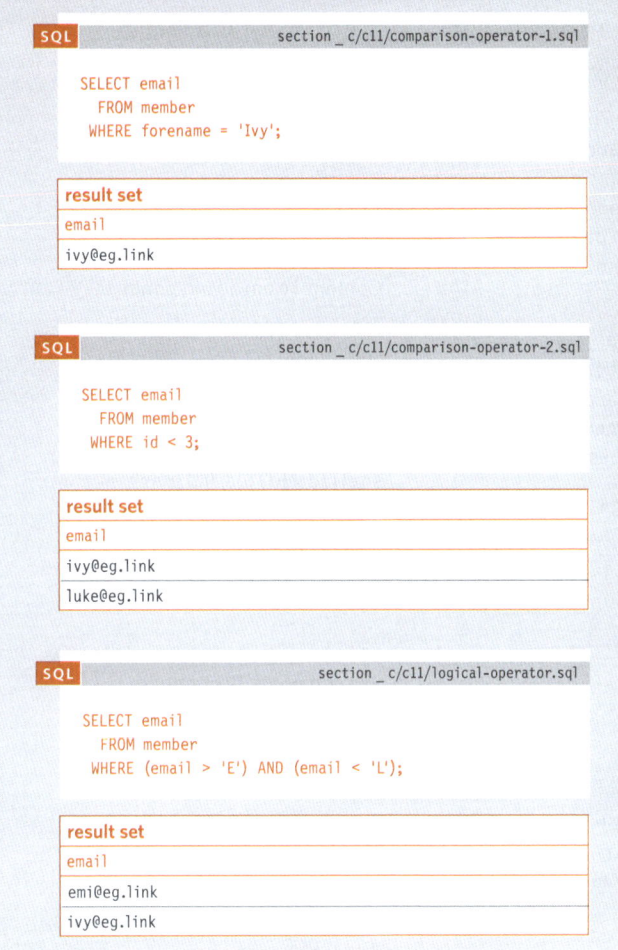

```
section _ c/c11/comparison-operator-1.sql
SELECT email
  FROM member
 WHERE forename = 'Ivy';
```

result set
email
ivy@eg.link

Este exemplo seleciona os e-mails de todos os membros que têm um valor Ivy na coluna **forename** da tabela **member**. Insira o SQL em phpMyAdmin, como mostrado na página 401.

EXPERIMENTE: encontre o e-mail de qualquer membro cujo nome seja Luke.

```
section _ c/c11/comparison-operator-2.sql
SELECT email
  FROM member
 WHERE id < 3;
```

result set
email
ivy@eg.link
luke@eg.link

Este exemplo encontra os e-mails dos membros que têm um valor inferior a 3 na coluna **id** da tabela **member**.

EXPERIMENTE: encontre os e-mails dos membros cuja id é menor ou igual a 3.

```
section _ c/c11/logical-operator.sql
SELECT email
  FROM member
 WHERE (email > 'E') AND (email < 'L');
```

result set
email
emi@eg.link
ivy@eg.link

Este exemplo usa o operador AND para encontrar os resultados em que o e-mail de um membro atende a duas condições; ele começa com:

1. Uma letra maior que E.
2. Uma letra menor que L.

EXPERIMENTE: encontre os e-mails de quaisquer membros que sejam iniciados pelas letras G-L.

PESQUISANDO RESULTADOS COM LIKE E CURINGAS

O operador LIKE pode ser usado em uma condição da pesquisa para encontrar linhas de dados nas quais o valor em certa coluna inicia, termina ou contém caracteres específicos.

O operador LIKE encontra linhas de dados nas quais uma coluna contém caracteres que correspondem a um **padrão** especificado. Por exemplo, o padrão pode ser usado para encontrar as linhas nas quais o valor em certa coluna:

- Inicia com uma letra especificada.
- Termina com um número especificado.
- Contém uma palavra especificada ou um conjunto de caracteres (normalmente usado para criar os recursos da pesquisa).

Um padrão pode usar **símbolos curinga** para especificar onde poderiam estar outros caracteres (como mostrado na tabela à direita):

- % indica zero ou mais caracteres.
- _ indica um caractere individual.

VALOR	CORRESPONDE A COLUNAS CUJO VALOR
To%	Inicia com To
%day	Termina com day
%to%	Contém to em algum ponto
h_ll	Tem um caractere no lugar do sublinhado (ex.: hall, hell, hill, hull)
%h_ll%	Contém h, algum caractere, então dois lls (ex.: hall, hell, chill, hilly, shellac, chilled, hallmark, hullabaloo)
1%	Inicia com 1
%!	Termina com !

O valor não diferencia maiúsculas e minúsculas, ou seja, procurar o nome Ivy também resultaria nos valores IVY e ivy.

COLUNAS A SELECIONAR → SELECT column(s)
AS COLUNAS DA TABELA ESTÃO EM → FROM table
LINHAS A ADICIONAR AO CONJUNTO DE RESULTADOS → WHERE column LIKE '%value%';

OPERADOR LIKE   SÍMBOLOS CURINGA

PESQUISANDO VALORES

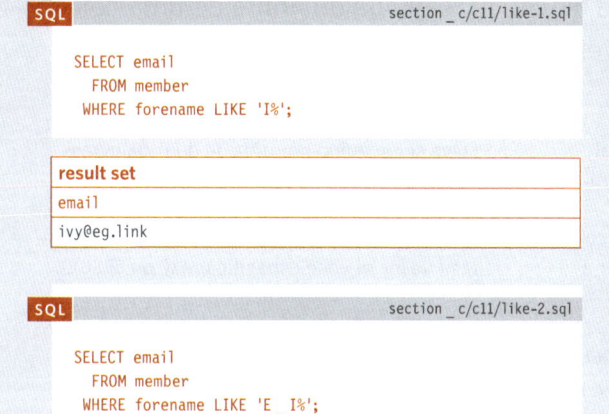

```sql
SELECT email
  FROM member
 WHERE forename LIKE 'I%';
```
section _ c/c11/like-1.sql

result set

email
ivy@eg.link

Este exemplo pesquisa os e-mails de todos os membros cujo nome comece com a letra I (maiúscula ou minúscula).

EXPERIMENTE: encontre os membros cujo nome comece com a letra E.

```sql
SELECT email
  FROM member
 WHERE forename LIKE 'E_I%';
```
section _ c/c11/like-2.sql

result set

email
emi@eg.link

Este exemplo obtém os e-mails de todos os membros cujo nome:

- Começa com a letra E.
- Seguida por outro caractere.
- Então a letra I.
- Depois quaisquer outros caracteres.

(Retornaria nomes incluindo Eli, Elias, Elijah, Elisha, Emi, Emiko, Emil, Emilio, Emily, Eoin e Eric.)

EXPERIMENTE: encontre os membros cujo nome corresponde a 'L_K%'.

```sql
SELECT email
  FROM member
 WHERE forename LIKE 'Luke';
```
section _ c/c11/like-3.sql

result set

email
luke@eg.link

Este exemplo pequisa o e-mail de qualquer pessoa cujo nome seja Luke. Como não há caracteres curinga, retorna apenas as correspondências exatas.

EXPERIMENTE: encontre os membros chamados Ivy.

CONTROLANDO A ORDEM DAS LINHAS EM UM CONJUNTO DE RESULTADOS

Para controlar a ordem na qual as linhas são adicionadas a um conjunto de resultados, use a cláusula ORDER BY, seguida do nome de uma coluna cujos valores ordenarão os resultados, então ASC para ascendente ou DESC para descendente.

A ORDER BY pode ser adicionada ao final de uma consulta para controlar a ordem em que as linhas são adicionadas ao conjunto de resultados. Os valores na coluna especificada são usados para controlar a ordem dos resultados.

Deve ser seguido por uma de duas palavras-chave: ASC para ascendente ou DESC para descendente (se você não especificar, classifica na ordem ascendente, mas seu SQL será mais fácil de ler se você especificar ASC ou DESC).

```
COLUNAS A SELECIONAR    →   SELECT column(s)
AS COLUNAS DA TABELA ESTÃO EM  →   FROM table
CONTROLA A ORDEM DOS RESULTADOS →   ORDER BY column ASC ;
                                    └───┬───┘ └──┬──┘ └─┬─┘
                                    CLÁUSULA  COLUNA  DIREÇÃO
                                    ORDER BY
```

É possível classificar a ordem em que as linhas são adicionadas ao conjunto de resultados usando valores de múltiplas colunas. Cada nome da coluna é separado por vírgula. Se a primeira coluna usada para classificar os valores tiver valores idênticos, consultará a segunda coluna na lista.

Por exemplo, se classificasse os membros pelo nome e mais de um compartilhasse o mesmo nome (armazenado na coluna forename), você poderia ordená-los pelo sobrenome (armazenados na coluna surname).

```
COLUNAS A SELECIONAR    →   SELECT column(s)
AS COLUNAS DA TABELA ESTÃO EM  →   FROM table
CONTROLA A ORDEM DOS RESULTADOS →   ORDER BY column1 ASC, column2 DESC ;
                                    └───┬───┘ └──┬──┘ └─┬─┘ └──┬──┘ └─┬─┘
                                    CLÁUSULA   COLUNA 1  DIREÇÃO  COLUNA 2  DIREÇÃO
                                    ORDER BY
```

CLASSIFICANDO OS RESULTADOS

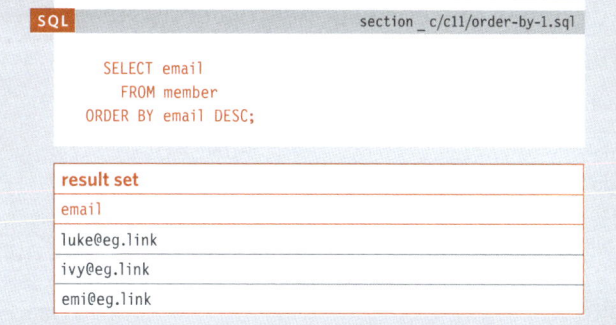

```
SQL                          section_c/c11/order-by-1.sql
    SELECT email
      FROM member
  ORDER BY email DESC;
```

result set
email
luke@eg.link
ivy@eg.link
emi@eg.link

Este exemplo obtém todos os e-mails e os classifica na ordem descendente.

EXPERIMENTE: inverta a ordem dos resultados mudando DESC para ASC.

```
SQL                          section_c/c11/order-by-2.sql
    SELECT title, category_id
      FROM article
  ORDER BY category_id ASC, title ASC;
```

result set (mostrando 10 primeiras linhas de 24)	
title	category_id
Chimney Business Cards	1
Milk Beach Album Cover	1
Polite Society Posters	1
Systemic Brochure	1
The Ice Palace	1
Travel Guide	1
Chimney Press Website	2
Floral Website	2
Milk Beach Website	2
Polite Society Website	2

Este exemplo obtém os valores das colunas title e category_id da tabela article e os ordena por category_id primeiro na ordem ascendente, então title em ordem alfabética.

O conjunto completo de resultados contém mais linhas que as mostradas à esquerda (uma para cada artigo), mas não há espaço suficiente para mostrar todas aqui.

EXPERIMENTE: selecione as colunas title e member_id da tabela article e ordene os resultados por member_id primeiro, então title em ordem alfabética.

STRUCTURED QUERY LANGUAGE...

CONTANDO E AGRUPANDO RESULTADOS

Quando a função COUNT() do SQL é usada após o comando SELECT, ela adiciona o número total de linhas que correspondem à consulta ao conjunto de resultados. Agrupar os resultados permite contar quantas linhas contêm o mesmo valor.

Para contar o número de linhas em uma tabela, chame COUNT() após o comando SELECT e especifique a tabela. Use um asterisco (conhecido como curinga) como argumento da função COUNT().

FUNÇÃO

```
SELECT COUNT(*)
  FROM table;
```

Se você adiciona uma condição da pesquisa à consulta, a função COUNT() retorna o número de linhas que correspondem à consulta com essa condição.

```
SELECT COUNT(*)
  FROM table
 WHERE column LIKE '%value%';
```

Se especifica um nome da coluna como argumento da função COUNT(), conta o número de linhas em que o valor na coluna especificada não é NULL.

```
SELECT COUNT(column)
  FROM table;
```

A cláusula GROUP BY pode ser usada com a função COUNT() do SQL para determinar quantas linhas têm o mesmo valor em uma coluna. Por exemplo, pode contar quantos artigos um membro escreveu ou quantos artigos estão em uma categoria. Na declaração SELECT:

1. Selecione um nome da coluna que pode conter valores idênticos (ex.: member_id ou category_id).
2. Use COUNT(*) para contar o número de linhas.
3. Especifique a tabela na qual está a coluna.
4. Use a cláusula GROUP BY, seguida do nome da coluna que pode conter valores idênticos, para que agrupe o número de linhas que compartilham o mesmo valor nessa consulta, e conte-as.

COLUNA QUE PODE TER O MESMO VALOR

```
SELECT column, COUNT(*)
  FROM table
 GROUP BY column;
```

COLUNA QUE PODE TER O MESMO VALOR

CONTANDO O NÚMERO DE RESULTADOS CORRESPONDENTES

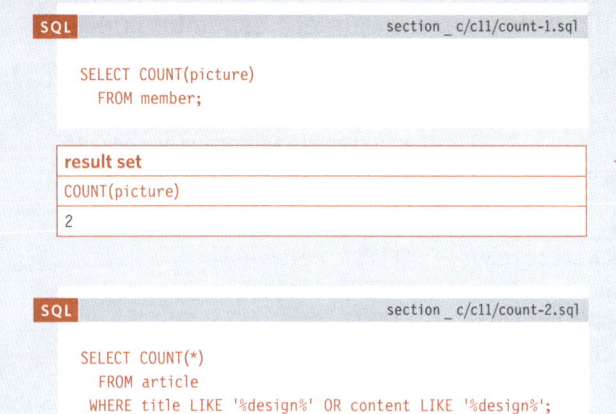

SQL — section _ c/c11/count-1.sql

```sql
SELECT COUNT(picture)
  FROM member;
```

result set

COUNT(picture)
2

Este exemplo usa a função `COUNT()` do SQL para retornar o número de membros que forneceram uma imagem de perfil. Se o valor na coluna picture for NULL, eles não serão contados.

EXPERIMENTE: conte o número de membros com e-mail.

SQL — section _ c/c11/count-2.sql

```sql
SELECT COUNT(*)
  FROM article
 WHERE title LIKE '%design%' OR content LIKE '%design%';
```

result set

COUNT(*)
9

Este exemplo usa a função `COUNT()` do SQL para retornar o número de artigos em que a coluna `title` ou a `content` contém o termo `design`.

EXPERIMENTE: encontre o número de artigos que contêm o termo photo.

SQL — section _ c/c11/count-3.sql

```sql
SELECT member_id, COUNT(*)
  FROM article
 GROUP BY member_id;
```

result set

member_id	COUNT(*)
1	10
2	8
3	6

Esta consulta conta o número de artigos de cada membro. A declaração SELECT obtém a coluna `member_id` e a função `COUNT()` conta o número de linhas correspondentes. A cláusula FROM indica que está examinando a tabela `article`. A cláusula GROUP BY agrupa os valores na coluna `member_id` para que você possa ver a id do membro e o número de artigos que ele escreveu.

EXPERIMENTE: calcule o número de artigos em cada categoria.

LIMITANDO E PULANDO OS RESULTADOS

LIMIT restringe o número de resultados adicionados a um conjunto de resultados. OFFSET pede ao BD para pular um número específico de registros e adicionar os subsequentes ao conjunto.

Para limitar o número total de linhas adicionadas ao conjunto de resultados, use a cláusula LIMIT.

A instrução seguinte adicionaria ao conjunto de resultados apenas os cinco primeiros resultados que correspondem à consulta.

```
COLUNAS A SELECIONAR      → SELECT column(s)
AS COLUNAS DA TABELA ESTÃO EM → FROM table
LIMITA O NÚMERO DE LINHAS → LIMIT 5;
                                  │     │
                               CLÁUSULA  MÁX DE
                                LIMIT  RESULTADOS
```

A cláusula OFFSET pode ser usada após a cláusula LIMIT para pular as primeiras correspondências que teriam sido adicionadas ao conjunto de resultados.

A instrução abaixo pularia os primeiros seis resultados que correspondem à consulta, então adicionaria os três seguintes ao conjunto de resultados.

```
COLUNAS A SELECIONAR      → SELECT column(s)
AS COLUNAS DA TABELA ESTÃO EM → FROM table
LIMITA E PULA AS LINHAS   → LIMIT 3 OFFSET 6;
                                     │        │
                                  CLÁUSULA  RESULTADOS
                                   OFFSET    A PULAR
```

A LIMIT e a OFFSET costumam ser usadas quando uma consulta gera muitos resultados. Os resultados são divididos em páginas separadas usando uma técnica chamada **paginação**. Os resultados da pesquisa do Google são um exemplo bem conhecido.

Após a primeira página de resultados, há links para páginas adicionais que mostram mais resultados que correspondem à mesma consulta. Aprenda a usar esses comandos para adicionar paginação no próximo capítulo.

LIMITANDO O NÚMERO DE RESULTADOS CORRESPONDENTES

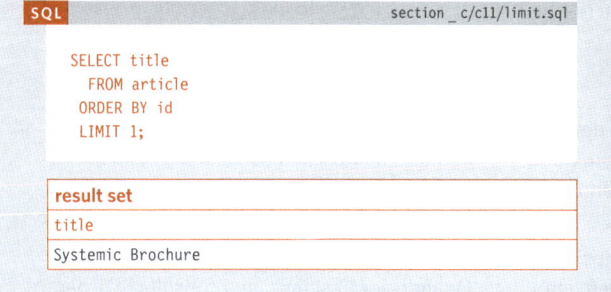

```
SQL                              section _ c/c11/limit.sql
    SELECT title
      FROM article
    ORDER BY id
    LIMIT 1;
```

result set
title
Systemic Brochure

Este exemplo solicita os títulos do artigo ordenados pelo valor na coluna id. Ele usa a cláusula LIMIT para adicionar apenas a primeira correspondência ao conjunto de resultados.

EXPERIMENTE: obtenha os cinco primeiros artigos na categoria print.

```
SQL                              section _ c/11/offset.sql
    SELECT title
      FROM article
    ORDER BY id
    LIMIT 3 OFFSET 9;
```

result set
title
Polite Society Mural
Stargazer Website and App
The Ice Palace

Este exemplo solicita os títulos do artigo ordenados pelo valor na coluna id. Ele usa a cláusula OFFSET para pular os primeiros nove resultados que correspondem à consulta, então usa a cláusula LIMIT para adicionar as três correspondências seguintes ao conjunto de resultados.

EXPERIMENTE: pule as seis primeiras correspondências e retorne as seis seguintes.

USANDO JOIN PARA OBTER DADOS DE DUAS TABELAS

Join permite solicitar dados em mais de uma tabela. Os dados das duas tabelas são adicionados a uma linha no conjunto de resultados.

Ao planejar um banco de dados, você deve criar uma tabela para cada conceito que o site representa e evitar a duplicação de dados em mais de uma tabela.

No site de exemplo, dados sobre artigos, categorias, membros e imagens residem em diferentes tabelas. A primeira coluna nessas tabelas mantém um valor que é usado para identificar cada linha da tabela. Por exemplo, o valor na coluna id da tabela category pode identificar cada categoria. Esse valor se chama **chave primária**.

A tabela article precisa armazenar em qual categoria cada artigo reside. Em vez de duplicar os nomes da categoria para cada artigo, ela tem uma coluna chamada category _ id. O valor nessa coluna é conhecido como **chave estrangeira** e corresponde à chave primária da categoria na qual está cadastrada.

As chaves primária e estrangeira descrevem como os dados em uma coluna da tabela podem se **relacionar** aos dados em uma linha em outra tabela. Abaixo, veja a relação entre o segundo artigo e a categoria na qual ele está.

Quando você escreve uma consulta SQL para coletar informações sobre um artigo e deseja incluir informações de outra tabela (como o nome da categoria), o artigo é o assunto primário da consulta. Portanto, a tabela article é conhecida como **tabela à esquerda**.

Quando obtém dados adicionais sobre o artigo de uma segunda tabela (como a tabela category), a segunda tabela é conhecida como **tabela à direita**.

Uma cláusula JOIN descreve como os valores se relacionam.

article

id	title	summary	content	created	category_id	member_id	image_id	published
1	Systemic Bro…	Brochure…	This bro…	2021-01-26	1	2	1	1
2	Forecast	Handbag…	This dra…	2021-01-29	3	2	2	1
3	Swimming Pool	Architec…	This pho…	2021-02-02	4	1	3	1

category

id	name	description	navigation
1	Print	Inspiring graphic design	1
2	Digital	Powerful pixels	1
3	Illustration	Hand-drawn visual storytelling	1

Até o momento neste capítulo, as consultas coletaram dados de uma tabela no banco de dados por vez. Quando JOIN é usada para obter dados de mais de uma tabela, você especifica o nome da tabela na qual está uma coluna, assim como o nome dela. Para tanto, use:

- O nome da tabela na qual estão os dados.
- Seguido de um ponto.
- Seguido do nome da coluna.

A consulta abaixo seleciona todos os títulos e resumos do artigo na tabela article e também obtém o nome da categoria na qual está cada artigo na tabela category.

1. O comando SELECT é seguido dos nomes das colunas das quais os dados devem ser retornados.

2. O comando FROM é seguido do nome da tabela à esquerda (a principal da consulta). Nesse caso, é a tabela article.

3. A cláusula JOIN é seguida do nome da tabela à direita (a que mantém as informações adicionais). Nesse caso, é a tabela category.

Então, a junção (JOIN) informa ao banco de dados o nome de uma coluna nas tabelas à esquerda e à direita cujos valores irão corresponder.

Para tanto, use a palavra-chave ON, seguida de:

- Coluna na tabela à esquerda que armazena uma chave estrangeira.
- Sinal de igual.
- Coluna na tabela à direita que armazena uma chave primária.

```
SELECT article.title , article.summary , category.name
  FROM article
  JOIN category ON article.category_id = category.id ;
```
                                        CHAVE ESTRANGEIRA   CHAVE PRIMÁRIA

O conjunto de resultados abaixo mostra as três primeiras linhas de dados que seriam adicionadas ao conjunto (o conjunto completo manteria todos os artigos).

NOTA: os nomes da coluna no conjunto de resultados não usam os nomes da tabela porque os dados foram obtidos nessas tabelas e combinados em um único conjunto.

conjunto de registros (mostrando as 3 primeiras linhas de 24)

title	summary	name
Milk Beach Website	Website for music series	Digital
Wellness App	App for health facility	Digital
Stargazer Website and App	Website and app for music festival	Digital

Para selecionar uma linha individual, ou um subconjunto de linhas, pode ser adicionada uma condição da pesquisa após JOIN. Por exemplo, a consulta abaixo retornaria apenas os detalhes dos artigos que estão na categoria print.

A condição da pesquisa também pode ser seguida por cláusulas que ordenam, limitam e pulam os resultados quando eles são adicionados ao conjunto de resultados (como mostrado nos exemplos anteriores neste capítulo).

```
SELECT article.title, article.summary, category.name
  FROM article
  JOIN category ON article.category_id = category.id
  WHERE category.id = 1;
```

COMO JOIN FUNCIONA SE FALTAM DADOS

Quando o banco de dados tenta aplicar JOIN em uma linha de dados, mas faltam dados, você pode especificar se é para adicionar os dados disponíveis ao conjunto de resultados ou pular a linha e não adicioná-la ao conjunto.

Imagine que você quisesse obter dados para cada imagem carregada para um artigo. Poderia usar JOIN para obter os dados da imagem (como a JOIN que obteve o título do artigo e o nome da categoria que estão na página anterior).

A coluna image_id da tabela article é uma chave estrangeira porque seu valor é a chave primária da tabela image que mantém a imagem do artigo.

Mas há uma diferença importante. Embora cada artigo *deva* pertencer a uma categoria (o banco de dados impõe isso usando algo chamado restrição que você encontrá na página 431), um artigo não *precisa* ter uma imagem.

Se uma imagem não é carregada para um artigo, a coluna image_id da tabela article contém o valor NULL.

Na tabela article abaixo, a coluna image_id de um dos artigos tem um valor NULL porque não há imagens para o artigo, ou seja, JOIN não encontraria nenhum dado de imagem correspondente na tabela image.

A página à direita mostra dois tipos de JOIN que podem ser usados para especificar se a consulta ainda deve adicionar o resto dos dados que consegue encontrar ao conjunto de resultados ou se deve pular a linha inteira de dados porque a imagem correspondente não pôde ser encontrada.

article									
id	title	summary	content	created	category_id	member_id	image_id	published
4	Walking Birds	Artwork…	The brie…	2021-02-12	3	3	4	1
5	Sisters	Editoria…	The arti…	2021-02-27	3	3	NULL	1
6	Micro-Dunes	Photogra…	This pho…	2021-03-03	4	1	6	1

image		
id	file	alt
4	birds.jpg	Collage of two birds
6	micro-dunes.jpg	Photograph of tiny sand dunes

JUNÇÃO INTERNA

Uma **junção interna** adiciona dados ao conjunto de resultados se o banco de dados tem *todos* os dados para realizar a junção. Para criar uma junção interna, use a cláusula JOIN ou INNER JOIN.

Se essa consulta fosse feita nas tabelas da página à esquerda, o artigo com id 5 não seria adicionado ao conjunto de resultados porque sua coluna image_id tem um valor NULL (portanto, a junção não pode ser criada).

```
SELECT article.id, article.title, image.file
  FROM article
  JOIN image ON article.image_id = image.id;
```

conjunto de registros (mostrando as 5 primeiras linhas de 23)		
id	title	file
1	Systemic Brochure	systemic-brochure.jpg
2	Forecast	forecast.jpg
3	Swimming Pool	swimming-pool.jpg
4	Walking Birds	birds.jpg
6	Micro-Dunes	micro-dunes.jpg

JUNÇÃO EXTERNA À ESQUERDA

Uma **junção externa à esquerda** adiciona todos os dados solicitados da tabela à esquerda ao conjunto de resultados. Então, usa NULL para qualquer valor que não consegue obter na tabela à direita. Para criar uma junção externa à esquerda, use a cláusula LEFT JOIN ou LEFT OUTER JOIN.

Se essa consulta fosse feita nas tabelas na página à esquerda, o título do artigo que tem uma id 5 seria adicionado ao conjunto de resultados, mas o valor da coluna file receberia o valor NULL porque nenhum dado correspondente é encontrado para a imagem.

```
     SELECT article.id, article.title, image.file
       FROM article
LEFT JOIN image ON article.image_id = image.id;
```

conjunto de registros (mostrando as 5 primeiras linhas de 24)		
id	title	file
1	Systemic Brochure	systemic-brochure.jpg
2	Forecast	forecast.jpg
3	Swimming Pool	swimming-pool.jpg
4	Walking Birds	birds.jpg
5	Sisters	NULL

OBTENDO DADOS DE MÚLTIPLAS TABELAS

Um comando SELECT pode ser seguido de múltiplas cláusulas JOIN para coletar dados em mais de duas tabelas.

Para coletar os dados de múltiplas tabelas, adicione mais de uma cláusula JOIN:

- Após a declaração SELECT, especifique os nomes de todas as colunas das quais deseja dados (usando o nome da tabela, um ponto e o nome da coluna).
- Use uma cláusula JOIN para indicar a relação entre os dados em cada uma das tabelas.

A consulta abaixo coleta dados sobre um artigo em três tabelas: article, category e image.

A tabela article é a tabela à esquerda. Ela mantém o título e o resumo dos artigos.

A tabela category fornece o nome da categoria na qual está cada artigo. Como cada artigo deve estar em uma categoria, a cláusula JOIN é usada.

A tabela image fornece o nome de arquivo e o texto alternativo da imagem usada com cada artigo. Como cada artigo não precisa ter uma imagem, é usada uma cláusula LEFT JOIN para assegurar que todos os dados disponíveis ainda sejam adicionados ao conjunto de resultados.

```
SELECT article.title, article.summary,
       category.name,
       image.file, image.alt
  FROM article
  JOIN category  ON article.category_id = category.id
  LEFT JOIN image ON article.image_id    = image.id
 ORDER BY article.id ASC;
```

conjunto de registros (mostrando as 3 primeiras linhas de 24)					
title	summary	name		file	alt
Systemic Brochure	Brochure design for...	Print		systemic-brochure.jpg	Brochure...
Forecast	Handbag illustration...	Illustration		forecast.jpg	Illustrati...
Swimming Pool	Architecture magazine...	Photography		swimming-pool.jpg	Photograph...

USANDO MÚLTIPLOS JOINS

```
SQL                                    section_c/c11/joins.sql

①  SELECT article.id, article.title,
          category.name,
          image.file, image.alt

②    FROM article
③    JOIN category  ON article.category_id = category.id
④    LEFT JOIN image ON article.image_id    = image.id

⑤   WHERE article.category_id = 3
       AND article.published    = 1
⑥   ORDER BY article.id DESC;
```

result set				
id	title	name	file	alt
21	Stargazer	Illustration	stargazer-masc…	Illustrat…
17	Snow Search	Illustration	snow-search.jpg	Illustrat…
10	Polite Society…	Illustration	polite-society…	Mural for…
5	Sisters	Illustration	NULL	NULL
4	Walking Birds	Illustration	birds.jpg	Collage…
2	Forecast	Illustration	forecast.jpg	Illustrat…

EXPERIMENTE: obtenha os mesmos dados dos artigos que estão na categoria e têm uma id 2.

EXPERIMENTE: adicione o nome e o sobrenome do autor na tabela member.

A consulta à esquerda coleta dados sobre vários artigos que residem em uma categoria especificada.

1. A declaração SELECT é seguida dos nomes das colunas que devem ser adicionadas ao conjunto de resultados. Os dados são coletados nas tabelas article, category e image.

2. A cláusula FROM indica que a tabela à esquerda é article.

3. A primeira junção (JOIN) indica que os dados na tabela category devem vir da linha cuja coluna id tem o mesmo valor da coluna category_id da tabela article.

4. A segunda junção (JOIN) indica que os dados na tabela image devem ser selecionados na linha cuja coluna id tem o mesmo valor da coluna image_id da tabela article. Como é um LEFT JOIN, NULL será usado para qualquer dado ausente.

5. A cláusula WHERE restringe os resultados às linhas de dados nas quais a tabela article tem um valor 3 na coluna category_id e um valor 1 na coluna published.

6. A cláusula ORDER BY controla a ordem em que os resultados são adicionados ao conjunto de resultados, usando as ids do artigo na ordem descendente.

ALIASES

Os aliases da tabela facilitam ler as consultas que usam junções. Os aliases da coluna especificam os nomes da coluna no conjunto de resultados.

Nas consultas SQL complexas, nas quais as junções selecionam dados em várias tabelas, é possível dar a cada nome da tabela um alias.

Um alias [codinome] da tabela é como um atalho para um nome da tabela e reduz a quantidade de texto na consulta.

Esse alias é criado após os comandos FROM ou JOIN. Após o nome da tabela, use o comando AS, então especifique um alias para essa tabela. Nos outros lugares na consulta, use o alias em vez do nome completo da tabela.

```
SELECT t1.column1 , t1.column2 , t2.column3
   FROM table1 AS t1
   JOIN table2 AS t2 ON t1.column4 = t2.column1 ;
```

CRIA O ALIAS — ALIAS DA TABELA 1 — ALIAS DA TABELA 2

Os nomes das colunas no conjunto de resultados, em geral, são tirados dos nomes das colunas nas tabelas nas quais os dados são coletados.

Os aliases da coluna permitem mudar o nome de uma coluna no conjunto de resultados. Também podem dar um nome a uma coluna que contenha o resultado de uma função COUNT().

Para criar um alias da coluna, após especificar o nome de uma coluna na qual deseja obter os dados, use o comando AS e o nome que a coluna deve usar no conjunto de resultados.

Ou, após a função COUNT(), use o comando AS e um nome da coluna para count no conjunto de resultados .

COLUNA DO BANCO DE DADOS — ALIAS DO CONJUNTO DE RESULTADOS

```
SELECT column1 AS newname1
   FROM table;
```

FUNÇÃO COUNT — ALIAS DO CONJUNTO DE RESULTADOS

```
SELECT COUNT(*) AS members
   FROM members;
```

STRUCTURED QUERY LANGUAGE...

USANDO ALIASES PARA OS NOMES DA COLUNA

```sql
section_c/c11/table-alias.sql

SELECT a.id, a.title,
       c.name,
       i.file, i.alt

  FROM article      AS a
  JOIN category     AS c  ON a.category_id = c.id
  LEFT JOIN image   AS i  ON a.image_id    = i.id

 WHERE a.category_id = 3
   AND a.published   = 1
 ORDER BY a.id DESC;
```

result set

id	title	name	file	alt
21	Stargazer	Illustration	stargazer-masc...	Illustrat...
17	Snow Search	Illustration	snow-search.jpg	Illustrat...
10	Polite Society...	Illustration	polite-society...	Mural for...
5	Sisters	Illustration	NULL	NULL
4	Walking Birds	Illustration	birds.jpg	Collage...
2	Forecast	Illustration	forecast.jpg	Illustrat...

```sql
section_c/c11/column-alias.sql

SELECT forename AS firstname, surname AS lastname
  FROM member;
```

result set

firstname	lastname
Ivy	Stone
Luke	Wood
Emiko	Ito

Esta consulta obtém os mesmos dados do exemplo anterior, mas especifica aliases para os nomes da tabela após os comandos FROM e JOIN:

a para a tabela article.

c para a tabela category.

i para a tabela image.

Então os aliases são usados no lugar dos nomes completos da tabela após o comando SELECT e as cláusulas WHERE, AND e ORDER BY.

EXPERIMENTE: mude os aliases:

art para a tabela article.
cat para a tabela category.
img para a tabela image.

Este exemplo seleciona os valores das colunas forename e surname da tabela member e usa aliases para lhes dar novos nomes da coluna no conjunto de resultados.

EXPERIMENTE: conte o número de artigos na tabela article e use um alias para chamar a coluna de articles.

COMBINANDO COLUNAS E ALTERNATIVAS A NULL

CONCAT() adiciona dados de duas colunas em uma no conjunto de resultados. COALESCE() especifica um valor a usar se uma coluna contém NULL.

A função CONCAT() do SQL é usada para obter valores em duas ou mais colunas, e unir (ou concatenar) os valores em uma coluna no conjunto de resultados.

Em geral, é inserida uma string entre os valores nas duas colunas para separá-las. Quando os valores das suas colunas são unidos, é usado um alias para especificar o nome dessa coluna no conjunto de resultados.

Como em qualquer função, uma vírgula separa os argumentos que a função CONCAT() une para criar o novo valor. Abaixo, os valores de duas colunas são unidos e um espaço é usado para separar os dados em duas colunas.

Se o valor de uma coluna for NULL, os valores nas outras colunas também serão tratados como NULL.

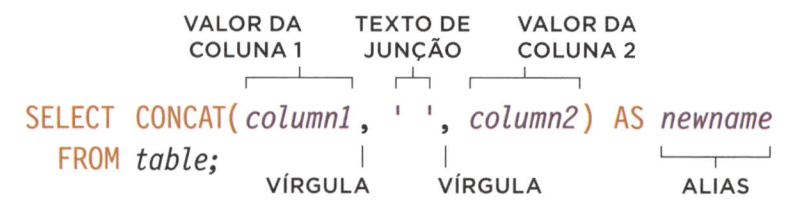

```
SELECT CONCAT(column1, ' ', column2) AS newname
    FROM table;
```
- VALOR DA COLUNA 1
- TEXTO DE JUNÇÃO
- VALOR DA COLUNA 2
- VÍRGULA
- VÍRGULA
- ALIAS

Se você sabe que um valor na coluna pode ser NULL, pode usar a função COALESCE() do SQL para indicar:

- O nome de outra coluna cujo valor ela pode tentar usar em seu lugar (se esse valor não é NULL, ele será usado).
- Um valor-padrão a usar se todas as colunas especificadas têm um valor NULL.

Quando uma linha é adicionada ao conjunto de resultados, se o valor na primeira opção de colunas for NULL, ela verificará o valor na segunda opção. Se os valores em todas as colunas alternativas também forem NULL, ela usará o valor-padrão.

Quando a função COALESCE() é usada, você deve fornecer um alias para o nome da coluna no conjunto de resultados, pois os dados podem ter vindo de várias colunas.

```
SELECT COALESCE(column1, column2, default) AS newname
    FROM table;
```
- 1ª OPÇÃO DE DADOS
- 2ª OPÇÃO DE DADOS
- VALOR-PADRÃO
- ALIAS

STRUCTURED QUERY LANGUAGE...

CONCAT E COALESCE

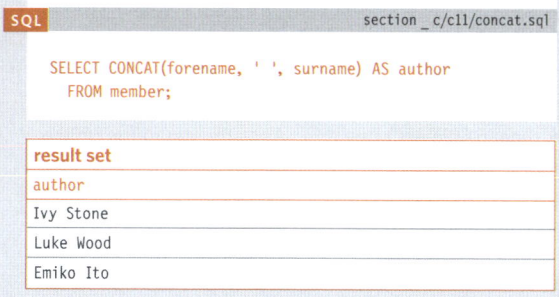

```sql
section _ c/c11/concat.sql
SELECT CONCAT(forename, ' ', surname) AS author
   FROM member;
```

result set

author
Ivy Stone
Luke Wood
Emiko Ito

Este exemplo usa a função `CONCAT()` para unir os valores das colunas `forename` e `surname` em uma coluna chamada `author` no conjunto de resultados.

Foi adicionado um espaço entre os valores nas duas colunas para assegurar que um espaço apareça entre o nome e o sobrenome.

EXPERIMENTE: adicione o e-mail aos valores selecionados e chame o alias de `author_details`.

```sql
section _ c/c11/coalesce.sql
SELECT COALESCE(picture, forename, 'friend') AS profile
   FROM member;
```

result set

profile
ivy.jpg
Luke
emi.jpg

Este exemplo usa a função `COALESCE()` do SQL para especificar valores alternativos que podem ser usados se o valor na coluna `profile` da tabela member é NULL (porque o usuário não carregou uma imagem de perfil). Aqui a declaração SELECT procura:

- Um valor na coluna `picture` da tabela member.
- Se o valor for NULL, o valor em `forename` será usado.
- Se for NULL, o texto `friend` será mostrado.

Um alias especifica o nome que a coluna deve usar no conjunto de resultados. Aqui, ela se chama `profile`.

EXPERIMENTE: se o usuário não forneceu uma imagem, use o valor-padrão `placeholder.png`.

CONSULTAS DO ARTIGO PARA O CMS DE EXEMPLO

O CMS usa consultas SQL para exibir informações sobre um artigo individual e os resumos de um conjunto de artigos. Essas consultas reúnem as técnicas vistas neste capítulo.

1. A consulta SQL abaixo obtém dados sobre um artigo individual de todas as quatro tabelas do banco de dados. A declaração SELECT é seguida dos nomes das colunas nas quais os dados serão coletados.

2. Os aliases da coluna são usados para fornecer o nome da categoria, o nome de arquivo da imagem e o texto alternativo dos novos nomes da coluna no conjunto de resultados.

3. A função `CONCAT()` une o nome e o sobrenome do membro que escreveu o artigo, e um alias da coluna informa que o conjunto de resultados deve armazenar o nome em uma coluna chamada `author`.

4. A tabela à esquerda é `article`. Três junções mostram as relações com os dados em outras tabelas.

Após os comandos `FROM` e `JOIN`, cada nome da tabela recebe um alias. Sempre que a consulta especifica uma coluna de dados, esses aliases são usados no lugar dos nomes completos da tabela.

5. A cláusula `WHERE` especifica a id do artigo a coletar. É retornada apenas se a coluna `published` tem o valor 1.

`section_c/c11/article.sql` — SQL

```sql
SELECT a.title, a.summary, a.content, a.created, a.category_id, a.member_id,
       c.name      AS category,
       CONCAT(m.forename, ' ', m.surname) AS author,
       i.file      AS image_file,
       i.alt       AS image_alt
FROM article        AS a
JOIN category       AS c   ON a.category_id = c.id
JOIN member         AS m   ON a.member_id   = m.id
LEFT JOIN image     AS i   ON a.image_id    = i.id
WHERE a.id          = 22
  AND a.published = 1;
```

result set

title	summary	content	created	category_id	member_id	category	author	image_file	image_alt
Polite…	Poster…	These…	2021-0…	1	1	Print	Ivy St…	polite-so…	Photogra…

1. A consulta SQL abaixo obtém informações de resumo sobre todos os artigos em uma categoria específica usando os dados de todas as quatro tabelas do banco de dados.

A declaração SELECT é seguida dos nomes das colunas nas quais os dados serão coletados.

2. Como no exemplo à esquerda, os aliases fornecem o nome da categoria, o arquivo de imagem e o texto alternativo dos novos nomes da coluna no conjunto de resultados.

A função CONCAT() é novamente chamada para unir o nome e o sobrenome do autor.

3. As junções são idênticas ao exemplo à esquerda.

4. A cláusula WHERE especifica a id da categoria na qual os artigos devem estar e se o artigo deve ser publicado. Então os resultados são classificados pela id do artigo em ordem descendente.

SQL section_c/c11/article-list.sql

```
① SELECT a.id, a.title, a.summary, a.category_id, a.member_id,
          c.name        AS category,
②         CONCAT(m.forename, ' ', m.surname) AS author,
          i.file        AS image_file,
          i.alt         AS image_alt

   FROM  article     AS a
③  JOIN  category    AS c   ON a.category_id = c.id
   JOIN  member      AS m   ON a.member_id   = m.id
   LEFT JOIN image   AS i   ON a.image_id    = i.id

④  WHERE a.category_id = 1
     AND a.published   = 1
   ORDER BY a.id DESC;
```

result set

id	title	summary	category_id	member_id	category	author	image_file	image_alt
24	Travel Guide	Book de…	1	1	Print	Ivy Stone	feathervi…	Two page…
22	Polite Societ…	Poster…	1	1	Print	Ivy Stone	polite-so…	Photogra…
20	Chimney Busin…	Station…	1	2	Print	Luke Wood	chimney-c…	Business…
14	Milk Beach Al…	Packagi…	1	1	Print	Ivy Stone	milk-beac…	Vinyl LP…
12	The Ice Palace	Book co…	1	2	Print	Luke Wood	the-ice-p…	The Ice…
1	Systemic Broc…	Brochure…	1	2	Print	Luke Wood	systemic-…	Brochure…

EXPERIMENTE: selecione os mesmos dados sobre cada artigo, mas use uma cláusula WHERE diferente para selecionar os artigos escritos por um membro individual do site.

EXPERIMENTE: selecione os mesmos dados sobre cada artigo, mas use a cláusula LIMIT para buscar os seis artigos mais recentes publicados no banco de dados (em qualquer categoria).

EXPERIMENTE: selecione os mesmos dados sobre cada artigo, mas use a cláusula LIKE do SQL para buscar dados sobre os artigos cujo título tem o termo design.

ADICIONANDO DADOS AO BANCO DE DADOS

O comando INSERT INTO do SQL adiciona uma nova linha de dados à tabela. Ele pode adicionar dados a apenas uma tabela por vez.

O comando INSERT INTO pede ao banco de dados para inserir os dados em uma tabela. Após o comando, insira:

- O nome da tabela à qual deseja adicionar dados.
- Parênteses mantendo os nomes das colunas às quais você deseja adicionar dados.

O comando VALUES é seguido de parênteses contendo os valores que você quer adicionar às colunas.

Os valores devem aparecer na mesma ordem em que as colunas foram especificadas. As strings devem estar entre aspas simples; os números não.

```
                            TABELA        COLUNAS
ONDE FICAM OS DADOS  →  INSERT INTO table (column1, column2)
OS VALORES A ADICIONAR →  VALUES ('value1', 'value2');
                                   NOVOS VALORES
```

No banco de dados de exemplo, a coluna id de cada tabela é a chave primária dela, portanto cada linha precisa de um valor exclusivo na coluna id.

Para assegurar que o valor da coluna id seja único, ele é criado usando um recurso do MySQL chamado **autoincremento**. Ele gera um número para a coluna e assegura que ela seja exclusiva, aumentando esse número em 1 sempre que uma nova linha é adicionada à tabela.

Como esse valor é criado pelo banco de dados, quando uma nova linha é adicionada à tabela, você não especifica a id do nome da coluna nem um valor para essa coluna.

As quatro outras colunas têm **valores-padrão**, ou seja, você não precisa especificar um valor para elas ao adicionar uma linha de dados. O valor-padrão para:

- A coluna `created` da tabela `article` é a data e a hora em que a linha foi adicionada ao banco de dados.
- A coluna `image_id` da tabela `article` é NULL. Se nenhuma imagem for fornecida, essa coluna manterá NULL.
- A coluna `published` da tabela `article` é 0. Se essa coluna não está definida para 1, o artigo não está publicado.
- A coluna `joined` da tabela `member` é a data e a hora em que a linha foi adicionada ao banco de dados.

```sql
section_c/c11/insert-1.sql
INSERT INTO category (name, description, navigation)
VALUES ('News', 'Latest news from Creative Folk', 0);
```

category

id	name	description	navigation
1	Print	Inspiring graphic design	1
2	Digital	Powerful pixels	1
3	Illustration	Hand-drawn visual storytelling	1
4	Photography	Capturing the moment	1
5	News	Latest news from Creative Folk	0

```sql
section_c/c11/insert-2.sql
INSERT INTO image (file, alt)
VALUES ('bicycle.jpg', 'Photo of bicycle'),
       ('ghost.png',   'Illustration of ghost'),
       ('stamp.jpg',   'Polite Society stamp');
```

image

id	file	alt
22	polite-society-posters.jpg	Photograph of three posters...
23	golden-brown.jpg	Photograph of the interior...
24	featherview.jpg	Two pages from a travel boo...
25	bicycle.jpg	Photo of bicycle
26	ghost.png	Illustration of ghost
27	stamp.jpg	Polite Society stamp

Os dados extras que esses exemplos adicionam ao BD serão excluídos dos demais exemplos deste capítulo.

É preciso executar todos os exemplos na mesma ordem em que eles aparecem no livro. Se você não fizer isso, encontrará erros.

O SQL à esquerda adiciona uma categoria chamada News à tabela category.

O SQL deve especificar um valor para as colunas name, description e navigation. Não deve fornecer um valor para a coluna id porque o banco de dados adiciona isso usando o recurso de autoincremento.

A nova linha é destacada na tabela category à esquerda.

Este exemplo adiciona três linhas à tabela image, cada uma contendo os detalhes de uma imagem diferente.

Para cada imagem, o SQL deve especificar o nome de arquivo e o texto alternativo. Não deve fornecer um valor para a coluna id, pois o banco de dados adiciona isso usando o recurso de autoincremento.

Os valores de cada linha ficam entre parênteses, como ocorre quando uma linha é adicionada ao banco de dados.

Cada conjunto de parênteses é separado por vírgula. Há ponto e vírgula (não uma vírgula) após a última linha de dados.

As novas linhas foram destacadas na tabela image.

Se a phpMyAdmin mostrar apenas 25 linhas de dados, há uma opção acima do conjunto de resultados para mostrar todos os dados na tabela.

ATUALIZANDO OS DADOS NO BANCO DE DADOS

O comando UPDATE do SQL permite atualizar os dados no BD. O comando SET indica quais colunas atualizar e seus novos valores. A cláusula WHERE controla qual(is) linha(s) da tabela deve(m) ser atualizada(s).

O comando UPDATE informa ao banco de dados que você deseja atualizar os dados nele. É seguido do(s) nome(s) da(s) tabela(s) a atualizar.

Depois, o comando SET é usado para especificar as colunas que você quer atualizar e os novos valores para elas. Você só precisa fornecer os nomes e os valores para as colunas a atualizar (as outras colunas manterão os valores que já têm).

A cláusula WHERE é usada para especificar quais linhas devem ser atualizadas, assim como é usada ao solicitar linhas de dados específicas no banco de dados (se não for usada, cada linha da tabela será atualizada).

Se a condição da pesquisa corresponde a mais de uma linha, cada linha correspondida é atualizada com os mesmos valores. Para atualizar os dados em várias tabelas ao mesmo tempo, a declaração SQL usaria um comando JOIN.

```
                                 TABELA           COLUNA       NOVO VALOR
         TABELA  →   UPDATE  table
  NOVOS VALORES  →      SET  column1 = 'value1' , column2 = 'value2'
LINHA(S) A ATUALIZAR →  WHERE  column  = 'value' ;
                             CONDIÇÃO DA PESQUISA: LINHA A ATUALIZAR
```

Em geral, você desejará atualizar apenas uma linha por vez. Em tais casos, a cláusula WHERE usaria a chave primária da tabela para especificar qual linha deve ser atualizada. No banco de dados de exemplo, a chave primária de cada tabela é o valor na coluna id.

Para atualizar várias linhas em uma tabela, use uma condição da pesquisa que seleciona mais de uma linha. Por exemplo, para ocultar todos os artigos de um autor, o valor na coluna published seria atualizado para 0 e a condição da pesquisa especificaria a id do autor.

```
SQL                                    section _ c/c11/update-1.sql

   UPDATE category
      SET name = 'Blog', navigation = 1
    WHERE id = 5;
```

category			
id	name	description	navigation
1	Print	Inspiring graphic design	1
2	Digital	Powerful pixels	1
3	Illustration	Hand-drawn visual storytelling	1
4	Photography	Capturing the moment	1
5	Blog	Latest news from Creative Folk	1

```
SQL                                    section _ c/c11/update-2.sql

   UPDATE category
      SET navigation = 0
    WHERE navigation = 1;
```

category			
id	name	description	navigation
1	Print	Inspiring graphic design	0
2	Digital	Powerful pixels	0
3	Illustration	Hand-drawn visual storytelling	0
4	Photography	Capturing the moment	0
5	Blog	Latest news from Creative Folk	0

O SQL à esquerda atualiza a linha adicionada à tabela category no último exemplo. Funciona apenas com essa linha porque a cláusula WHERE especifica que a categoria deve ter uma id 5.

Ele muda o valor na coluna name para Blog e o valor na coluna navigation para 1.

Veja que a linha atualizada é destacada na tabela category à esquerda.

O SQL à esquerda atualiza cada linha na tabela category na qual a coluna navigation tem um valor 1 (porque a cláusula WHERE especifica qualquer linha em que navigation = 1).

Ele atualiza o valor na coluna navigation para 0. Isso impede que todas as categorias sejam mostradas na barra de navegação.

Há vezes em que você desejaria dar aos usuários a capacidade de afetar várias linhas em uma tabela, mas este exemplo também destaca a importância de assegurar que seu SQL atualize apenas as linhas que você deseja em uma tabela.

BACKUP DO BANCO DE DADOS: Como uma declaração SQL pode atualizar muitas linhas no BD, é bom fazer um backup dele antes de executar novas consultas.

Se a consulta SQL afetar sem querer mais dados do que deveria, o backup poderá ser usado para restaurar os dados originais antes de a consulta ser executada.

Para fazer um backup do seu banco de dados em phpMyAdmin:

1. Selecione o BD.
2. Clique na guia Export.
3. Use as opções mostradas e pressione Go. O SQL será gerado e você deve salvá-lo em um arquivo de texto. É como o arquivo usado para criar o BD.

EXPERIMENTE: use um comando SQL em phpMyAdmin para mostrar todas as categorias de novo.

NOTA: você **deve** reativar as categorias para exibi-las nos próximos capítulos.

EXCLUINDO DADOS DO BANCO DE DADOS

O comando DELETE do SQL remove uma ou mais linhas de uma tabela. O comando FROM indica a tabela da qual os dados são removidos. A cláusula WHERE indica qual(is) linha(s) deve(em) ser excluída(s).

É possível excluir uma ou mais linhas de uma tabela ao mesmo tempo. Primeiro, use o comando DELETE FROM, seguido do nome da tabela da qual deseja excluir os dados.

Então, use uma condição da pesquisa para especificar quais linhas excluir (se não fizer isso, ele excluirá todas as linhas de dados da tabela). Para selecionar uma linha, a condição pode especificar a coluna com uma chave primária.

```
                                          TABELA
                                          ┌───┐
TABELA DA QUAL REMOVER OS DADOS →  DELETE FROM table
            LINHA(S) A REMOVER →   WHERE column = 'value' ;
                                         └─────────────┘
                                         LINHA A ATUALIZAR
```

Se a cláusula WHERE corresponde a mais de uma linha de dado na tabela, cada linha é removida da tabela.

Você não pode excluir os valores em colunas individuais do banco de dados usando o comando DELETE. Use UPDATE e defina o valor da coluna para NULL.

```
SQL                              section_c/c11/delete.sql

DELETE FROM category
  WHERE id = 5;
```

category			
id	name	description	navigation
1	Print	Inspiring graphic design	1
2	Digital	Powerful pixels	1
3	Illustration	Hand-drawn visual storytelling	1
4	Photography	Capturing the moment	1
5	Blog	Latest news from Creative Folk	1

```
SQL                              DO NOT RUN this example

DELETE FROM category
  WHERE navigation = 1;
```

category			
id	name	description	navigation
1	Print	Inspiring graphic design	1
2	Digital	Powerful pixels	1
3	Illustration	Hand-drawn visual storytelling	1
4	Photography	Capturing the moment	1

O SQL à esquerda exclui a linha da tabela `category`, na qual a coluna `id` tem um valor 5, que é a categoria `Blog` adicionada nos exemplos anteriores.

A linha destacada é removida da tabela.

Se a cláusula `WHERE` corresponde a mais de uma linha de dado, exclui todas as linhas correspondentes de dados da tabela.

NÃO EXECUTE ESTE EXEMPLO:

É importante ter cuidado para não excluir mais dados do que você deseja com um comando `DELETE`. Por exemplo, a consulta SQL à esquerda exclui cada categoria usada na navegação do site.

Fazer backup do banco de dados antes de executar uma nova declaração SQL que exclui os dados do banco de dados assegura que você terá uma cópia deles caso a consulta não realize a ação pretendida.

RESTRIÇÕES DE EXCLUSIVIDADE

Os valores em algumas colunas devem ser únicos. Por exemplo, dois artigos não devem ter o mesmo título, duas categorias não devem ter o mesmo nome e dois membros não devem ter o mesmo e-mail.

Se o valor em uma coluna deve ser exclusivo, mas duas linhas têm o mesmo valor nessa coluna, isso se chama **entrada duplicada**.

Para evitar que as linhas no BD tenham o mesmo valor em uma coluna, é possível pedir que o MySQL aplique uma **restrição de exclusividade** (chamada assim porque limita os valores permitidos na coluna para assegurar sua exclusividade).

Essas restrições só devem ser usadas quando necessárias porque sempre que os dados são adicionados, ou dados existentes são atualizados, o banco de dados deve verificar cada linha nessa coluna para assegurar que o valor já não existe. Isso requer mais capacidade de processamento e deixa o BD lento.

Abaixo, veja como adicionar uma restrição de exclusividade para os nomes da categoria na phpMyAdmin e como assegurar que duas categorias não tenham o mesmo nome.

1. Selecione o banco de dados phpbook-1 e a tabela category no menu à esquerda.
2. Selecione a guia Structure.
3. Cada linha na tabela sob isso representa uma coluna no banco de dados. Na linha com a coluna name, clique no menu suspenso More.
4. Clique no link que mostra Unique.

Agora, se uma declaração SQL tentasse adicionar ou atualizar uma categoria usando o mesmo nome de uma que já existe, o banco de dados geraria um erro. Você aprenderá a tratar essa situação na página 491.

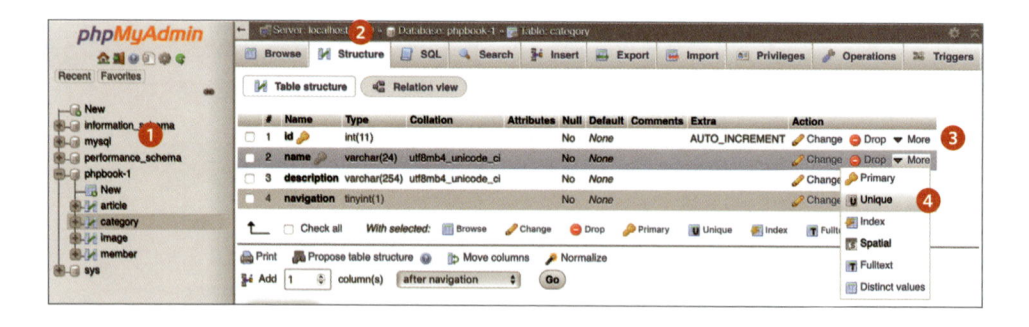

No banco de dados de exemplo, existem três tabelas, cada uma contendo uma coluna que requer uma restrição de exclusividade para assegurar que os valores nela sejam diferentes.

São elas: coluna title na tabela article, coluna name na tabela category e coluna email na tabela member.

RESTRIÇÕES DA CHAVE ESTRANGEIRA

Quando há uma relação entre duas tabelas, uma **restrição da chave estrangeira** verifica se o valor de uma chave estrangeira é uma chave primária válida em outra tabela.

Três colunas na tabela article usam chaves estrangeiras:

- category_id é a id da categoria na qual está o artigo.
- member_id é a id do membro que o escreveu.
- image_id é a id da imagem do artigo.

A tabela article usa as restrições da chave estrangeira para:

- Assegurar que qualquer valor adicionado a essa coluna seja uma chave primária na tabela correspondente (se não, o banco de dados gera um erro).
- Impedir que uma categoria, uma imagem ou um membro seja excluído, caso sua chave primária seja usada como uma chave estrangeira na tabela article.

Para adicionar uma restrição da chave estrangeira a uma coluna da tabela:

1. Selecione a tabela que tem a chave estrangeira.
2. Marque a caixa da coluna com a chave estrangeira.
3. Clique em More, depois em Index para adicionar um índice à coluna. (Índice é uma cópia das colunas selecionadas na tabela que agiliza a pesquisa dos dados na tabela. Use com cuidado, pois pode ocupar espaço extra e deixar o BD lento.)
4. Selecione a exibição Relation.
5. Adicione um nome para a restrição.
6. Selecione a coluna com a chave estrangeira.
7. Selecione a tabela e a coluna que contêm a chave primária, e clique em Save (não mostrado).

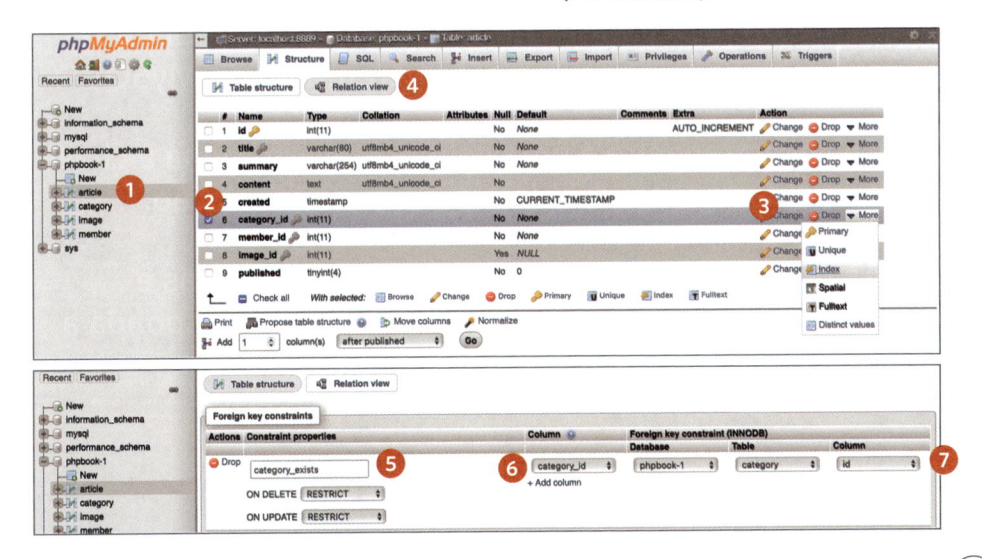

STRUCTURED QUERY LANGUAGE...

RESUMO
STRUCTURED QUERY LANGUAGE (LINGUAGEM DE CONSULTA ESTRUTURADA)

> O SQL é usado para se comunicar com os bancos de dados.

> **SELECT** especifica as colunas dos dados a coletar no banco de dados. Os dados são, então, adicionados a um conjunto de resultados.

> Os comandos **CREATE**, **UPDATE** e **DELETE** são usados para criar, atualizar ou excluir as linhas de dados, respectivamente.

> **FROM** especifica uma tabela com a qual trabalhar.

> **WHERE** especifica com quais linhas de dados trabalhar.

> **JOIN** descreve as relações entre múltiplas tabelas.

> Chave primária é uma coluna que tem um valor exclusivo para identificar cada linha. O valor pode ser criado usando o recurso autoincremento do MySQL.

> Chave estrangeira é uma coluna que armazena a chave primária de outra tabela e descreve sua relação.

> As restrições impedem as entradas duplicadas e asseguram que uma chave estrangeira corresponda a uma chave primária em outra tabela.

12
OBTENDO E MOSTRANDO DADOS DO BANCO DE DADOS

Este capítulo mostra como o PHP pode obter dados em um banco de dados e exibi-los em uma página, e como um arquivo PHP pode ser usado para exibir múltiplas páginas de um site.

O último capítulo apresentou as consultas SQL (que pedem dados ao BD) e mostrou como o BD cria um conjunto de resultados contendo os dados solicitados. Este capítulo mostra como o PHP usa o SQL para obter dados no banco de dados e armazená-los em uma variável para que possam ser usados em uma página. Para tanto, o PHP tem um conjunto de classes predefinidas chamado **PHP Data Objects** (**PDO**).

- Primeiro, um objeto é criado usando a classe `PDO` para gerenciar a conexão com o banco de dados. Esse objeto deve se conectar ao BD antes de solicitar dados a ele, do mesmo modo como um programa FTP se conecta a um servidor FTP antes de você conseguir recuperar os arquivos ou como um programa de e-mail se conecta a um servidor de e-mail para recuperar e-mails.
- Em seguida, um objeto é criado usando a classe `PDOStatement`; esse objeto representa a declaração SQL que você deseja que o BD execute. Você chama os métodos de um objeto `PDOStatement` para executar a declaração SQL que ele representa e coleta os dados do conjunto de resultados que o BD gera.

Em grande parte deste capítulo, cada linha de dado no conjunto de resultados será representada usando um array e armazenada em uma variável para usar na página PHP.

Quando os dados armazenados no BD são fornecidos pelos visitantes, eles devem ser sanitizados antes de ser exibidos em uma página para não correr o risco de um ataque XSS (veja as páginas 244-247).

O capítulo termina mostrando como o PDO pode disponibilizar os dados como objetos em vez de arrays.

OBTENDO E MOSTRANDO DADOS DO BANCO DE DADOS

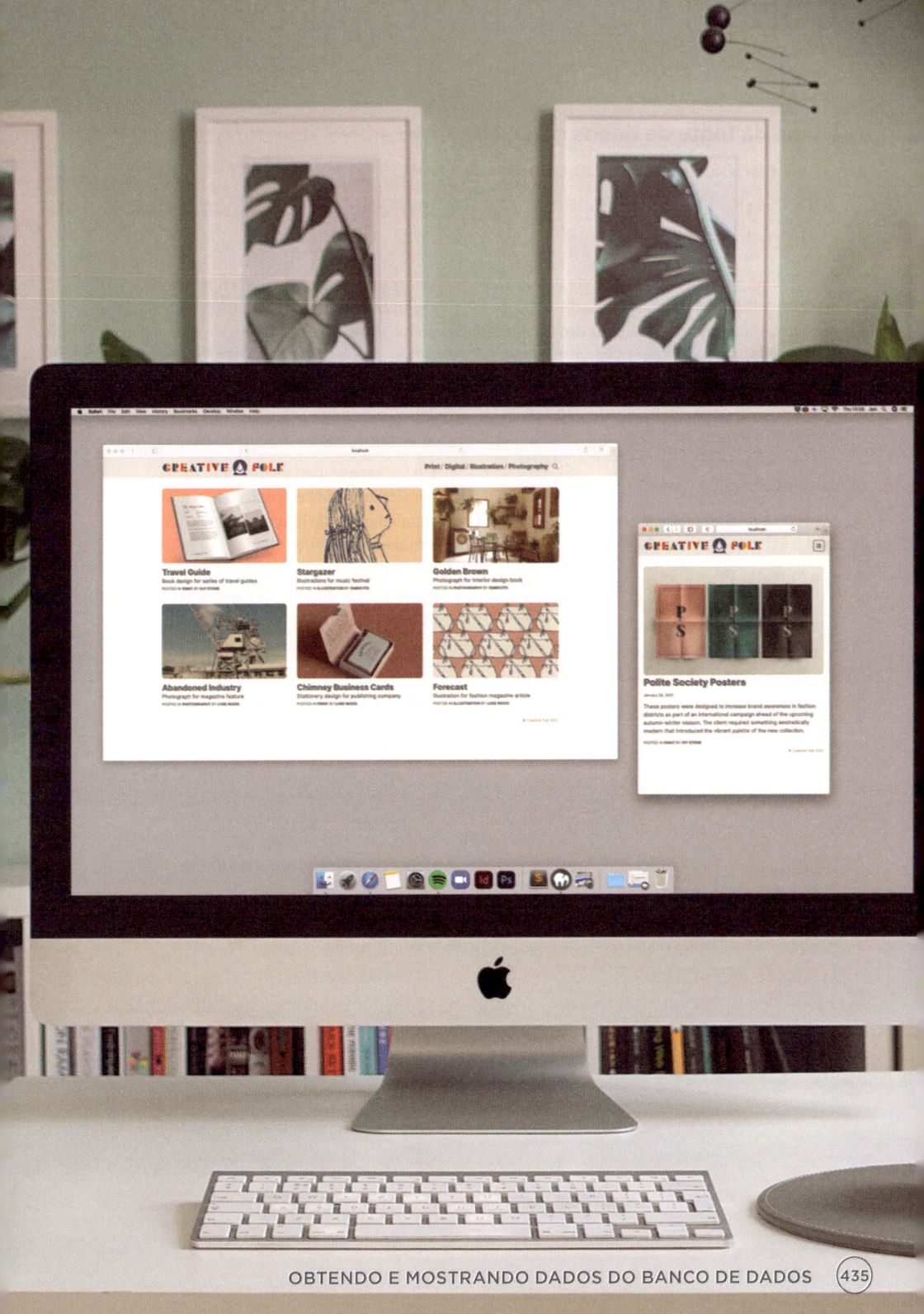

CONECTANDO O BANCO DE DADOS

Nome da fonte de dados ou **DSN** é uma variável que armazena as cinco partes de dados de que o PDO precisa para encontrar o BD e conectá-lo. O DSN é usado para criar um objeto PDO usando a classe PDO predefinida.

Para criar um DSN, cinco partes de dados são armazenadas em variáveis. Os dados nessas variáveis são reunidos para criar um DSN, que é armazenado em uma sexta variável (abaixo, essa variável se chama $dsn).

$type guarda o tipo do banco de dados. É necessário porque o PDO pode trabalhar com muitos tipos de BD. Para MySQL e MariaDB, use o valor mysql.

$server guarda o nome de host do servidor no qual o BD está hospedado. Para esse valor, use:

- localhost se está no mesmo servidor do servidor da web (ex.: se você executa MAMP ou XAMPP).
- O endereço IP ou um nome de domínio do servidor no qual está o BD, se não for o mesmo servidor.

$db contém o nome do BD ao qual conectar. O BD usado nesta seção é phpbook-1.

$port guarda o número da porta do BD. Em geral, MAMP usa a porta 8889; e XAMPP, a porta 3306.

$charset é a codificação de caracteres na qual os dados serão enviados para o banco de dados e a codificação que deve ser usada para retornar os dados. É definido para utf8mb4.

Então, esses cinco valores são usados para criar o DSN e armazená-lo em $dsn (as aspas duplas asseguram que os nomes da variável sejam substituídos por seus valores; veja a página 52). A sintaxe DSN é muito precisa; ela não pode ter espaços extras nem outros caracteres.

- O prefixo indica o tipo de BD sendo usado. É seguido por dois-pontos.
- Há quatro pares de nome/valor. Cada par é separado por ponto e vírgula. O nome é seguido por um sinal =, então pelo valor que ele deve usar (cada um é armazenado em uma das cinco variáveis recém-criadas).

```
$type       = 'mysql';        // Tipo de software do banco de dados
$server     = 'localhost';    // Nome de host
$db         = 'phpbook-1';    // Nome do banco de dados
$port       = '8889';         // Usar porta 3006 para XAMPP
$charset    = 'utf8mb4';      // Codificação UTF-8 usando 4 bytes de dados
$dsn        = "$type:host=$server;dbname=$db;port=$port;charset=$charset";
```

PREFIXO | NOME DE HOST | NOME DO BD | NÚMERO DA PORTA | CODIFICAÇÃO DOS CARACTERES

Com o DSN salvo em uma variável, você pode criar um objeto PDO para gerenciar a conexão entre o código no arquivo PHP e o banco de dados.

Os objetos PDO são criados usando a classe PDO predefinida do PHP. O objeto PDO precisa de:

- Um DSN (mostrado na página à esquerda) para encontrar o BD ao qual se conectar.
- O nome de usuário e a senha de uma conta do usuário que ele pode usar para fazer login no BD (você viu como criar as contas do usuário nas páginas 394-395).

No código abaixo, a variável:

- $username mantém o nome de usuário para uma conta.
- $password mantém a senha dessa conta.

Ao criar um objeto PDO, você também pode definir opções que controlam como ele trabalha com o BD. Abaixo, essas opções são armazenadas em um array chamado $options.

1. A opção PDO::ATTR_ERRMODE controla como qualquer erro que o objeto PDO encontra é tratado. A configuração PDO::ERRMODE_EXCEPTION pede ao PDO para gerar um objeto de exceção usando a classe PDOException predefinida se há um erro. Essa opção deve ser definida para todas as versões anteriores ao PHP 8 (de outra forma, o PDO não geraria erros), mas no PHP 8 é um modo de erro padrão e pode ser omitida.

2. A opção PDO::ATTR_DEFAULT_FETCH_MODE informa ao PDO como disponibilizar cada linha de um conjunto de resultados no código PHP. A configuração PDO::FETCH_ASSOC indica que cada linha do conjunto de resultados deve ser armazenada como um array associativo.

3. A configuração PDO::ATTR_EMULATE_PREPARES ativa/desativa algo chamado modo de emulação. Neste livro, é definida para false e assegura que nenhum tipo de dado inteiro no BD seja retornado para o código PHP como tipos de dados int. Se definida para true, todo valor retornado seria tratado como uma string.

CONTA DO USUÁRIO DO BD
```
$username = 'enter-your-username';
$password = 'enter-your-password';
$options  = [
①    PDO::ATTR_ERRMODE              => PDO::ERRMODE_EXCEPTION,
②    PDO::ATTR_DEFAULT_FETCH_MODE   => PDO::FETCH_ASSOC,
③    PDO::ATTR_EMULATE_PREPARES     => false,
];
```

Com o DSN, os detalhes da conta do usuário, e as opções armazenados em variáveis, é possível criar um objeto PDO usando um construtor, como qualquer outro objeto.

O objeto PDO é armazenado em uma variável chamada $pdo. Como PDO é uma classe predefinida, a definição de classe não precisa ser incluída na página.

```
$pdo = new PDO($dsn, $username, $password, $options);
```
VARIÁVEL — NOME DA CLASSE — DSN — NOME DE USUÁRIO — SENHA — OPÇÕES

NOTA: os cinco valores que o DSN precisa para encontrar e se conectar ao BD podem ser adicionados ao DSN, em vez de ser armazenados nas variáveis primeiro.

Porém, é mais fácil editar ou alterar esses valores se são armazenados em variáveis separadas. Assim como há menos probabilidade de causarem erros porque a sintaxe do DSN é muito precisa.

AS CONEXÕES DO BD PODEM RESIDIR EM UMA INCLUSÃO

Nos sites orientados a bancos de dados, a maioria das páginas se conecta a um BD, portanto o código para criar um objeto PDO que gerencia a conexão com o BD costuma ser armazenado em um arquivo de inclusão.

O arquivo de inclusão mostrado à direita criará um objeto PDO e o armazenará em uma variável $pdo, o que permite que qualquer página que precisa trabalhar com o BD inclua esse arquivo e use o objeto PDO armazenado na variável $pdo. As vantagens de colocar esse código em um arquivo de inclusão são:

- Você não precisa repetir o mesmo código em cada página que se conecta ao BD.
- Se a conexão do BD precisa ser atualizada, só precisa atualizar em um arquivo de inclusão, não em toda página que se conecta ao BD.
- Se você tem uma versão de teste e outra real do site, a conexão do BD só muda em um arquivo.

O arquivo database-connection.php na pasta CMS do código de download deste capítulo é usado para o site de exemplo e para os exemplos deste capítulo. Assim, você deve editar o arquivo para usar o BD (apresentado no início desta seção e usado no capítulo anterior) antes de rodar os exemplos.

Para saber se você pode conectar o BD de exemplo, atualize as variáveis nas Etapas 1 e 2 a fim de usar valores para seu BD. Então tente carregar a home page do site de exemplo. Se o PDO conseguir se conectar ao BD, você verá o site. Reserve uns minutos para navegá-lo.

Se o PDO não conseguiu se conectar, uma função de tratamento de exceção (veja a página 371) pode exibir uma mensagem de erro (se você tiver problemas para se conectar ao BD, veja a nota de solução de problemas na página à direita).

1. Armazene os valores para o DSN mostrado na página anterior.

2. O nome de usuário e a senha da conta do usuário configurados para acessar o BD são armazenados em variáveis. **Devem** ser os valores criados em seu BD.

3. As opções são definidas para assegurar que qualquer erro que o PDO encontra gere uma exceção; peça ao PDO para obter cada linha de dado em um conjunto de resultados como um array e verifique se os inteiros são retornados como tais (não como strings).

4. O DSN é criado usando os dados da Etapa 1.

5. O objeto PDO é criado em um bloco `try` para impedir que os detalhes da conta do usuário sejam exibidos (veja a Etapa 8).

6. Quando o objeto PDO é criado, ele tenta se conectar automaticamente ao BD. Em caso de sucesso, o objeto PDO é armazenado em uma variável $pdo.

7. Se o PDO não consegue se conectar ao BD, gera uma exceção usando a classe PDOException predefinida. Então, o interpretador PHP executa o código no bloco `catch`. Se o bloco `catch` é executado, o objeto de exceção é armazenado na variável $e.

8. A exceção é gerada de novo no bloco `catch`. Isso é importante porque, se o PDO não conseguir se conectar ao BD e não houver um tratamento de exceção para o site, a mensagem de erro mostrará o nome de usuário e a senha do BD. Essa técnica impede que esses dados sejam mostrados.

```
PHP                                                   section_c/c12/cms/includes/database-connection.php

    <?php
    $type     = 'mysql';                  // Tipo de banco de dados
    $server   = 'localhost';              // Servidor no qual o banco de dados reside
①   $db       = 'phpbook-1';              // Nome do banco de dados
    $port     = '8889';                   // Porta de conexão (8889 para MAMP e 3306 para XAMP)
    $charset  = 'utf8mb4';                // Codificação UTF 8 usando 4 bytes para cada caractere

②   $username = 'enter-your-username';    // Nome do usuário do banco de dados
    $password = 'enter-your-password';    // Senha do usuário

    $options = [                          // Opções para o PDO trabalhar
        PDO::ATTR_ERRMODE            => PDO::ERRMODE_EXCEPTION,
③       PDO::ATTR_DEFAULT_FETCH_MODE => PDO::FETCH_ASSOC,
        PDO::ATTR_EMULATE_PREPARES   => false,
    ];                                    // Configura as opções do PDO
    // NÃO ALTERE QUALQUER DAS LINHAS ABAIXO
④   $dsn = "$type:host=$server;dbname=$db;port=$port;charset=$charset";  // Cria o DSN
⑤   try {                                                                 // Tenta executar o seguinte código
⑥       $pdo = new PDO($dsn, $username, $password, $options);             // Cria o objeto PDO
⑦   } catch (PDOException $e) {                                           // Se exceção disparada
⑧       throw new PDOException($e->getMessage(), $e->getCode());          // Relança a exceção
    }
```

RESULTADO

CONECTANDO-SE AO BANCO DE DADOS:

No código de download, cada capítulo remanescente tem seu próprio arquivo para conectar ao BD. Você deve atualizar o arquivo para que o código possa se conectar ao BD antes que os exemplos no capítulo sejam executados.

SOLUÇÃO DE PROBLEMAS:

Se não conseguir se conectar ao BD, substitua a Etapa 8 pela seguinte linha, que carrega o arquivo de solução de problemas: `include 'database-troubleshooting.php';`. Assim que funcionar, substitua o código da Etapa 8 original acima.

COMO UM ARQUIVO PHP PODE MOSTRAR DADOS DIFERENTES

Os sites orientados a BD usam consultas SQL para coletar dados do BD, e em seguida utilizam esses dados para criar páginas da web.

No último capítulo, você viu que as consultas SQL podem solicitar dados sobre:

- Um item individual (um artigo ou um membro).
- Um conjunto de itens afins (resumos dos artigos mais recentes ou todos os artigos de um membro).

No site de exemplo, o arquivo `article.php` é usado para exibir cada página do artigo usando os dados armazenados no BD. A URL da página usa uma string de consulta para indicar qual artigo a consulta SQL deve obter. A página `article.php` usa o PDO para executar a consulta e o BD cria um conjunto de resultados com uma linha de dado para representar o artigo. Esses dados são armazenados em um array e mostrados na página.

A home page (`index.php`) mostrada abaixo usa uma consulta SQL para obter detalhes dos seis artigos mais recentes adicionados ao site. Quando um novo artigo for adicionado ao site, a home page obterá os detalhes desse novo artigo no BD e o mostrará como o artigo mais recente na home page.

Quando uma consulta SQL solicita um conjunto de itens afins, como os seis artigos mais recentes adicionados ao site (ou todo artigo escrito por um membro do site), o conjunto de resultados que o BD cria pode manter várias linhas de dados. Cada linha no conjunto corresponderia a um artigo e pode ser representada em um array. Então, esses dados podem ser exibidos na página.

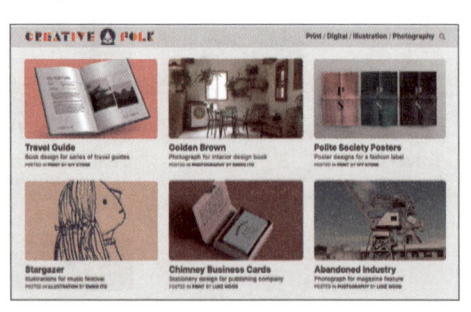

Um único arquivo PHP pode usar múltiplas consultas SQL a fim de obter as informações necessárias no BD para criar a página.

A página de categorias (`category.php`) pode mostrar detalhes sobre qualquer categoria individual do site. Primeiro mostra o nome e a descrição da categoria; isso é seguido pelos resumos de todos os artigos que residem na categoria. São usadas duas consultas SQL:

1. A primeira obtém o nome e a descrição da categoria (essa consulta criará um conjunto de resultados com uma linha de dado).

2. A segunda obtém todos os artigos nessa categoria (essa consulta criará um conjunto de resultados que contém múltiplas linhas de dado, cada uma representando um novo artigo). Se um novo artigo for adicionado à categoria, isso será exibido automaticamente na página.

A página de membros (`member.php`) é usada para mostrar o perfil de cada membro. Primeiro mostra o perfil do membro (nome, imagem e data de associação), seguido pelos resumos de todos os artigos que foram postados. De novo, a página requer duas consultas:

1. A primeira obtém o nome do membro, a imagem do perfil e a data de associação (isso criará um conjunto de resultados com uma linha de dado).

2. A segunda obtém todos os artigos que foram escritos (essa consulta cria um conjunto de resultados que pode conter múltiplas linhas de dados, cada uma representando um novo artigo). Se um membro adicionar um novo artigo ao site, ele será exibido automaticamente na página.

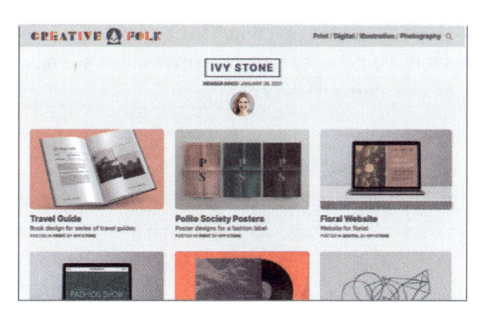

OBTENDO DADOS COM UMA CONSULTA SQL

Quando uma declaração SQL é executada, o BD cria um conjunto de resultados. Cada linha de dado no conjunto pode ser representada como um array associativo.

A consulta SQL abaixo obtém nome e sobrenome de um membro do site. Ela usa uma cláusula WHERE para solicitar dados sobre o membro que tem uma id igual a 1:

```sql
SELECT forename, surname
  FROM member
 WHERE id = 1;
```

Como essa consulta solicita dados sobre *um* membro do site, o conjunto de resultados nunca conterá mais de uma linha de dado.

result set	
forename	surname
Ivy	Stone

Veja abaixo como a linha de dado pode ser representada como um array associativo. Os nomes da coluna no conjunto de resultados são usados como as chaves no array; seus valores são os valores dessa coluna.

```php
$member = [
    'forename' => 'Ivy',
    'surname'  => 'Stone',
];
```

A consulta SQL abaixo obtém nome e sobrenome de cada membro do site.

```sql
SELECT forename, surname
  FROM member;
```

Essa consulta criará um conjunto de resultados que contém múltiplas linhas de dados.

result set	
forename	surname
Ivy	Stone
Luke	Wood
Emiko	Ito

Quando uma consulta SQL cria um conjunto de resultados com múltiplas linhas de dados, é criado um array indexado. O valor de cada elemento nesse array é um array associativo e cada um dos arrays associativos representa uma linha de dados do conjunto de resultados.

```php
$members = [
    0 => ['forename' => 'Ivy',
          'surname'  => 'Stone',],
    1 => ['forename' => 'Luke',
          'surname'  => 'Wood',],
    2 => ['forename' => 'Emiko',
          'surname'  => 'Ito',],
];
```

OBTENDO E MOSTRANDO DADOS DO BANCO DE DADOS

O método `query()` do objeto PDO executa uma consulta SQL e cria um objeto `PDOStatement` para representar o conjunto de resultados que o BD criou. Os métodos do objeto `PDOStatement` coletam os dados do conjunto de resultados.

O método `query()` do objeto PDO tem um parâmetro; uma consulta SQL que o BD deve executar.

Quando o método `query()` é chamado, a consulta SQL é executada e o objeto `PDOStatement` é retornado. O objeto `PDOStatement` representa o conjunto de resultados que o BD criou para a consulta.

A consulta SQL abaixo obtém nome e sobrenome de cada membro do site.

Quando a declaração PHP abaixo é executada, o objeto PDO retorna um objeto `PDOStatement` representando o nome e o sobrenome de cada membro do site. Esse objeto é armazenado em uma variável chamada `$statement`.

CONSULTA SQL A EXECUTAR

`$statement = $pdo->query(" SELECT forename, surname FROM member ");`

- `$statement` — OBJETO PDOStatement
- `$pdo` — OBJETO PDO
- `query(...)` — MÉTODO query()

O método `fetch()` do objeto `PDOStatement` é usado para coletar uma linha de dado no conjunto de resultados. Essa linha é representada usando um array associativo e armazenada em uma variável para que o resto do código na página PHP possa usá-la.

Se a consulta gerou múltiplas linhas de dados, o método `fetchAll()` do objeto `PDOStatement` coleta todos os dados do conjunto de resultados como um array indexado. Cada elemento desse array armazena um array associativo que representa uma linha de dado no conjunto.

`$member = $statement->fetch();`

- `$member` — ARRAY DE RESULTADOS
- `$statement` — OBJETO PDOStatement
- `fetch()` — MÉTODO

`$members = $statement->fetchAll();`

- `$members` — ARRAY DE RESULTADOS
- `$statement` — OBJETO PDOStatement
- `fetchAll()` — MÉTODO

Se a consulta gerar um conjunto de resultados vazio, o método `fetch()` retornará um valor `false`.

Se a consulta gerar um conjunto de resultados vazio, o método `fetchAll()` retornará um array vazio.

OBTENHA UMA LINHA DE DADOS EM UM BD

Este exemplo mostra como um arquivo PHP pode exibir dados sobre qualquer membro individual do site.

1. `database-connection.php` é incluído na página, criando o objeto PDO que gerencia a conexão com o BD e o armazena em uma variável chamada `$pdo`.
2. `functions.php` é incluído. Ele contém a definição da função `html_escape()` (página 247), que usa `htmlspecialchars()` para substituir os caracteres reservados do HTML pelas entidades para ajudar a impedir um ataque XSS.
3. Uma declaração SQL é armazenada em uma variável `$sql`. Ela obtém o nome e o sobrenome do membro cuja id é 1.
4. O método `query()` do objeto PDO é chamado. Seu único argumento é a variável que contém a declaração SQL que ele deve executar. O método `query()` executará a declaração SQL e retornará um objeto `PDOStatement` que contém o conjunto de resultados. O objeto `PDOStatement` retornado é armazenado na variável `$statement`.
5. O método `fetch()` do objeto `PDOStatement` obtém dados sobre esse membro e os armazena como um array associativo em uma variável chamada `$member`.

```
section _ c/c12/examples/query-one-row.php          PHP

<?php
① require '../cms/includes/database-connection.php';
② require '../cms/includes/functions.php';
  $sql      = "SELECT forename, surname
③               FROM member
                WHERE id = 1;";
④ $statement = $pdo->query($sql);
⑤ $member    = $statement->fetch();
?>
<!DOCTYPE html>
<html> ...
  <body>
    <p>
⑥     <?= html_escape($member['forename']) ?>
⑦     <?= html_escape($member['surname']) ?>
    </p>
  </body>
</html>
```

RESULTADO

Ivy Stone

6. O nome do membro é escrito usando `html_escape()` para substituir qualquer caractere reservado do HTML no nome do membro por suas entidades correspondentes.
7. O sobrenome do membro é escrito usando `html_escape()`.

EXPERIMENTE: na Etapa 3, mude a cláusula WHERE do SQL para obter o membro cuja id é 2. Isso exibirá um membro diferente do site.

Depois, mude para solicitar um membro cuja id é 4. Uma mensagem de erro será mostrada porque o BD tem apenas três membros.

VERIFIQUE SE A CONSULTA RETORNOU DADOS

Se uma consulta SQL não encontrar nenhum dado correspondente quando o método `fetch()` do objeto `PDOStatement` for chamado, retornará um valor `false`.

Se o arquivo tentar exibir os dados do membro, o interpretador PHP gerará um erro `Undefined index` porque a variável `$member` contém o valor `false`, não um array.

Para evitar tais erros, o arquivo pode verificar se algum dado foi encontrado. Se não, pode informar ao usuário que a página não pôde ser encontrada.

PHP `section_c/c12/examples/checking-for-data.php`

```php
<?php
require '../cms/includes/database-connection.php';
require '../cms/includes/functions.php';
$sql        = "SELECT forename, surname
               FROM member
               WHERE id = 4;";
$statement  = $pdo->query($sql);
$member     = $statement->fetch();
if (!$member) {
    include 'page-not-found.php';
}
?>
<!DOCTYPE html>
<html> ...
  <body>
    <p>
      <?= html_escape($member['forename']) ?>
      <?= html_escape($member['surname']) ?>
    </p>
  </body>
</html>
```

RESULTADO

Sorry! We cannot find that page.

Try the home page or email us hello@eg.link

NOTA: page-not-found.php é como o arquivo nas páginas 378-379, mas realiza duas tarefas extras. Primeiro, define o código da resposta HTTP para 404 (veja a página 242).

Então, após uma mensagem informando que a página não foi encontrada, o comando `exit` impede que mais código seja executado (neste arquivo ou no arquivo que o incluiu).

1. A consulta SQL solicita o membro cuja id é 4 (o BD não tem um membro cuja id é 4).

2. O método `fetch()` é chamado. Ele retorna um valor `false`, que é armazenado na variável `$member`.

3. Antes de tentar exibir os dados, uma declaração if verifica se o valor em `$member` é `false` (usando o operador not; página 54). Em caso afirmativo, o membro não foi encontrado.

4. O arquivo `page-not-found.php` é incluído na página para informar aos usuários que a página não foi encontrada.

EXPERIMENTE: na Etapa 1, mude a id para 2.

OBTENHA MÚLTIPLAS LINHAS DE DADOS EM UM BD

Este exemplo mostra como um arquivo PHP pode obter e exibir dados sobre cada membro do site. Se um novo membro for adicionado ao BD, a página mostrará automaticamente seus detalhes.

section _ c/c12/examples/query-multiple-rows.php — PHP

```php
<?php
require '../cms/includes/database-connection.php';
require '../cms/includes/functions.php';
$sql       = "SELECT forename, surname
              FROM member;";
$statement = $pdo->query($sql);
$members   = $statement->fetchAll();
?>
<!DOCTYPE html>
<html> ...
  <body>
    <?php foreach ($members as $member) { ?>
      <p>
        <?= html_escape($member['forename']) ?>
        <?= html_escape($member['surname']) ?>
      </p>
    <?php } ?>
  </body>
</html>
```

1. database-connection.php é incluído para criar um objeto PDO, que é armazenado em uma variável $pdo. É incluído functions.php porque contém a função html_escape().

2. A declaração SQL a executar é armazenada em uma variável $sql. Ela obtém o nome e o sobrenome de cada membro.

3. O método query() do objeto PDO é chamado. Seu parâmetro é a declaração SQL a executar.

O método query() executa a consulta SQL e retorna um objeto PDOStatement contendo o conjunto de resultados, que é armazenado na variável $statement.

4. O método fetchAll() do objeto PDOStatement obtém cada linha de dado no conjunto de resultados. Ele retorna os dados como um array indexado, que é armazenado em $members. Cada elemento desse array representa uma linha do conjunto. O valor de cada elemento é um array associativo representando um membro.

RESULTADO

Ivy Stone

Luke Wood

Emiko Ito

5. Um loop foreach percorre os elementos no array indexado armazenado em $members. Sempre que o loop é executado, o array associativo que representa um membro do site é armazenado em uma variável $member.

6. O nome e o sobrenome do membro são exibidos.

NOTA: se uma consulta não retorna dados, fetchAll() retorna um array vazio, portanto as declarações no loop não são executadas (se fossem, causariam um erro Undefined index).

LOOPS PARA BUSCAR UMA LINHA DE DADOS POR VEZ

`PHP` section_c/c12/examples/query-multiple-rows-while-loop.php

```php
<?php
require '../cms/includes/database-connection.php';
require '../cms/includes/functions.php';
$sql       = "SELECT forename, surname
              FROM member;";
$statement = $pdo->query($sql);
?>
<!DOCTYPE html>
<html> ...
  <body>
    <?php while ($row = $statement->fetch()) { ?>
      <p>
        <?= html_escape($row['forename']) ?>
        <?= html_escape($row['surname']) ?>
      </p>
    <?php } ?>
  </body>
</html>
```

(1) require '../cms/includes/database-connection.php'; require '../cms/includes/functions.php';
(2) $sql = "SELECT forename, surname FROM member;";
(3) $statement = $pdo->query($sql);
(4) <?php while ($row = $statement->fetch()) { ?>
(5) <?= html_escape($row['forename']) ?> <?= html_escape($row['surname']) ?>

RESULTADO

Ivy Stone

Luke Wood

Emiko Ito

NOTA: em geral, um site não deve mostrar muitas informações sobre uma página (deve dividir os resultados em várias páginas). Mas, se uma página precisa trabalhar com grandes quantidades de dados (mais do que seria mostrado em uma página da web típica), essa abordagem deve ser usada para evitar usar muita memória. É porque `fetchAll()` coleta todos os dados e os armazena em um array na memória do interpretador PHP, ao passo que o loop `while` apenas coleta uma linha de dado por vez no BD.

É possível usar um loop `while` a fim de pedir ao objeto `PDOStatement` para coletar uma linha de dado no BD por vez, como mostrado neste exemplo.

1. `database-connection.php` e `functions.php` são incluídos.

2. A declaração SQL a executar é armazenada em uma variável `$sql`.

3. O método `query()` do objeto PDO é chamado para executar o SQL e gerar o objeto `PDOStatement` que representa o conjunto de resultados.

4. A condição do loop `while` chama o método `fetch()`, o que retornará uma linha de dado por vez a partir do conjunto de resultados. O array que representa essa linha de dado é armazenado em uma variável `$row` para que possa ser usada pelas declarações dentro do loop.

Assim que o loop for executado uma vez, ele chamará o método `fetch()` de novo, que recupera automaticamente a próxima linha de dados no conjunto de resultados e a armazena em `$row`. Quando não há mais linhas no conjunto, o método `fetch()` retorna `false` e o loop para de ser executado.

5. Dentro do loop, o conteúdo do array que contém o nome do membro é escrito.

USANDO DADOS QUE PODEM MUDAR EM UMA CONSULTA SQL

Sempre que uma página é solicitada, ela pode usar diferentes valores na consulta SQL para obter diferentes dados no BD. Em tais casos, a consulta SQL deve ser **preparada** primeiro e, então, **executada**.

ETAPA 1: PREPARE

As declarações SQL usam **espaços reservados** para representar os valores que podem mudar sempre que a declaração é executada. Um espaço reservado SQL age como uma variável, mas seu nome inicia com dois-pontos, não com $.

Quando uma consulta SQL tem um espaço reservado, em vez de chamar o método `query()` do objeto PDO para executar a consulta, é chamado o método `prepare()`.

O método `prepare()` também retorna um objeto PDOStatement, mas, nesse ponto, o objeto PDOStatement apenas representa a declaração SQL (não o conjunto de resultados).

ETAPA 2: EXECUTE

Em seguida, a declaração SQL é executada chamando o método `execute()` do objeto PDOStatement.

Requer um argumento: um array contendo os valores que devem ser usados para substituir os espaços reservados.

O nome e o valor do espaço reservado a usar podem ser fornecidos como um array associativo:

- **chave** é o nome do espaço reservado na consulta SQL (pode ter dois-pontos antes, mas não é requerido).
- **valor** é o valor usado para substituir o espaço reservado (o valor costuma já estar armazenado em uma variável).

ESPAÇO RESERVADO

```
$sql        = "SELECT forename, surname FROM member WHERE id = :id ;";
$statement  = $pdo->prepare($sql);
$statement->execute(['id' => $id]);
```
NOME DO ESPAÇO RESERVADO — VALOR A USAR

A consulta SQL acima tem um espaço reservado chamado `:id`. O método `execute()` substitui `:id` pelo valor armazenado na variável `$id`. Os programadores chamam isso de **declaração preparada**.

NUNCA adicione valores a partir de uma string de consulta nem de um formulário em uma string para criar uma declaração SQL (como mostrado abaixo). Isso expõe seu site a uma invasão conhecida como **ataque de injeção de SQL**. As declarações preparadas evitam esse risco.

❌ `$sql = 'SELECT * FROM member WHERE id=' . $id;`
❌ `$sql = 'SELECT * FROM member WHERE id=' . $_GET['id'];`

MOSTRANDO DIFERENTES DADOS NA MESMA PÁGINA

PHP — section_c/c12/examples/prepared-statement.php

```php
<?php
require '../cms/includes/database-connection.php';
require '../cms/includes/functions.php';
$id        = 1;
$sql       = "SELECT forename, surname
              FROM member
              WHERE id = :id;";
$statement = $pdo->prepare($sql);
$statement->execute(['id' => $id]);
$member    = $statement->fetch();
if (!$member) {
    include 'page-not-found.php';
}
?>
<!DOCTYPE html>
<html> ...
  <body>
    <p>
      <?= html_escape($member['forename']) ?>
      <?= html_escape($member['surname']) ?>
    </p>
  </body>
</html>
```

RESULTADO

Ivy Stone

EXPERIMENTE: na Etapa 2, mude o valor armazenado em $id para o número 2. Então, salve e atualize a página.

A página exibirá os dados de outro membro. Se a $id estiver definida para 4, o arquivo page-not-found.php é mostrado.

1. database-connection.php e functions.php são incluídos.

2. Uma variável chamada $id armazena o inteiro 1, que corresponde à id do membro que a consulta irá recuperar no BD.

3. A declaração SQL a executar é armazenada em uma variável $sql. A parte dos dados que pode mudar (a id do membro a obter) usa o espaço reservado :id.

4. O método prepare() do objeto PDO é chamado. Ele retornará um objeto PDOStatement que representa a consulta. Isso é armazenado em uma variável chamada $statement.

5. O método execute() do objeto PDOStatement é chamado para executar a consulta e gerar o conjunto de resultados. Seu argumento é um array que contém o nome e o valor do espaço reservado que ele deve substituir.

6. O método fetch() do objeto PDOStatement é usado para coletar a linha de dados no conjunto de resultados e armazená-la como um array associativo em uma variável $member.

7. Se nenhum dado for retornado, o usuário será informado que a página não foi encontrada.

VINCULANDO VALORES A UMA CONSULTA SQL

Os métodos `bindValue()` e `bindParam()` do objeto `PDOStatement` oferecem outro modo de criar uma declaração preparada e substituir um espaço reservado em uma consulta SQL.

Quando os métodos `bindValue()` e `bindParam()` são usados para substituir um espaço reservado em uma consulta SQL, eles devem ser chamados após o método `prepare()` do objeto `PDOStatement` e antes do método `execute()`. Ambos têm três parâmetros:

- O nome do espaço reservado.
- Uma variável cujo valor substitui o espaço reservado.
- Um valor para indicar o tipo de dado do valor (desnecessário se o tipo é uma string).

A tabela abaixo mostra os valores usados no terceiro parâmetro do método `bindValue()` para especificar o tipo de dado do valor que substitui o espaço reservado na consulta SQL.

TIPO DE DADO	VALOR
String	PDO::PARAM_STR
Inteiro	PDO::PARAM_INT
Booleano	PDO::PARAM_BOOL

A diferença entre `bindValue()` e `bindParam()` é o ponto no qual o interpretador PHP obtém o valor na variável e o utiliza para substituir o espaço reservado na consulta SQL.

- Com `bindValue()`, o interpretador obtém o valor da variável quando `bindValue()` é chamado.
- Com `bindParam()`, o interpretador obtém o valor da variável quando `execute()` é chamado. Portanto, se o valor armazenado na variável muda entre o tempo em que `bindParam()` e `execute()` são chamados, o valor atualizado é usado.

Abaixo, o espaço reservado `:id` na consulta SQL seria substituído pelo valor armazenado em uma variável `$id`.

O resto do livro usa a técnica mostrada na página anterior para vincular os dados porque você não precisa especificar o tipo de dado para cada valor e ela usa menos código.

```
$sql        = "SELECT * FROM member WHERE id = :id ;";
$statement  = connection->prepare($sql);
$statement->bindValue('id', $id, PDO::PARAM_INT);
```

ESPAÇO RESERVADO — `:id`

ESPAÇO RESERVADO — `'id'`
VARIÁVEL — `$id`
TIPO DE DADO — `PDO::PARAM_INT`

VINCULANDO UM INTEIRO A UMA CONSULTA SQL

PHP — section_c/c12/examples/bind-value.php

```php
<?php
require '../cms/includes/database-connection.php';
require '../cms/includes/functions.php';
$id        = 1;
$sql       = "SELECT forename, surname
              FROM member
              WHERE id = :id;";
$statement = $pdo->prepare($sql);
$statement->bindValue('id', $id, PDO::PARAM_INT);
$statement->execute();
$member    = $statement->fetch();
if (!$member) {
    include 'page-not-found.php';
}
?>
<!DOCTYPE html>
<html> ...
  <body>
    <p>
      <?= html_escape($member['forename']) ?>
      <?= html_escape($member['surname']) ?>
    </p>
  </body>
</html>
```

① `$statement->bindValue('id', $id, PDO::PARAM_INT);`
② `$statement->execute();`

RESULTADO

Ivy Stone

Este exemplo parece igual ao anterior, mas usa o método `bindValue()` do objeto `PDOStatement` para substituir o espaço reservado na consulta.

1. Após o método `prepare()` do objeto PDO ser chamado para criar um objeto `PDOStatement` que representa a consulta SQL, o método `bindValue()` do objeto `PDOStatement` é chamado para substituir o espaço reservado na consulta SQL. Ele usa três argumentos:

   - O nome do espaço reservado na consulta SQL.
   - O nome da variável que contém o valor que deve ser usado para o espaço reservado.
   - `PDO::PARAM_INT` para indicar que o valor é um inteiro.

2. O método `execute()` do objeto `PDOStatement` é chamado para executar a consulta. Ele não precisa de argumentos porque o espaço reservado na consulta SQL já foi substituído por um valor.

EXPERIMENTE: na Etapa 2, mude o valor armazenado em `$id` para o número 2. Então, salve e atualize a página. A página exibe os dados de outro membro. Se `$id` é definida para 4, `page-not-found.php` é incluído.

USANDO UM ÚNICO ARQUIVO PARA EXIBIR MUITAS PÁGINAS

Quando um arquivo PHP é usado para exibir muitas páginas de um site, uma string de consulta pode ser adicionada ao final da URL para informar ao arquivo PHP quais dados ele precisa coletar no BD.

Uma página PHP pode coletar um valor da string de consulta e usá-lo em uma consulta SQL para especificar quais dados devem ser coletados no BD.

Abaixo, o link para `member.php` tem uma string de consulta que contém a `id` do nome e um valor 1. Esse valor corresponde à coluna `id` da tabela `member`.

```
<a href="member.php?id=1">Ivy Stone</a>
```

A página `member.php` usa a função `filter_input()` do PHP para obter o valor na string de consulta. Como as colunas id no BD são inteiros, a função usa o filtro de inteiros. O valor retornado é armazenado em uma variável `$id`:

- Se for um inteiro, `$id` irá contê-lo.
- Se não for, `$id` conterá `false`.
- Se id não estiver na string de consulta, `$id` manterá `null`.

Então, uma declaração if verifica se `$id` contém `false` ou `null` (porque um inteiro válido não foi usado na string de consulta). Nesse caso, a página não conseguirá obter os dados do membro no BD, portanto o arquivo `page-not-found.php` é incluído. O arquivo:

- Envia um código de resposta HTTP com um valor 404.
- Informa ao visitante que a página não pôde ser encontrada.
- Usa o comando `exit` para paralisar a execução do código.

```php
$id = filter_input(INPUT_GET, 'id', FILTER_VALIDATE_INT);
if (!$id) {
    include 'page-not-found.php';
}
```

Se a string de consulta *continha* um inteiro válido, a página pode continuar tentando obter dados no BD e armazená-los em uma variável `$member`. Então, uma segunda declaração if pode verificar se os dados do membro não foram encontrados. Se não foram, o arquivo `page-not-found.php` é incluído (paralisando a execução do código).

O resto da página será mostrado apenas se os dados do membro foram coletados com sucesso no BD.

Para mostrar os dados de um membro diferente do site, a string de consulta conteria a id da linha dele na tabela `members` do banco de dados.

USANDO STRINGS DE CONSULTA PARA MOSTRAR A PÁGINA CERTA

PHP   section _ c/c12/examples/query-strings.php?id=1

```php
<?php
require '../cms/includes/database-connection.php';
require '../cms/includes/functions.php';

$id = filter_input(INPUT_GET, 'id', FILTER_VALIDATE_INT);
if (!$id) {                                  // Se nenhum id
    include 'page-not-found.php';            // Página não encontrada
}

$sql        = "SELECT forename, surname
               FROM member
               WHERE id = :id;";             // Consulta SQL
$statement = $pdo->prepare($sql);            // Prepara
$statement->execute([':id' => $id]);         // Excecuta
$member    = $statement->fetch();            // Obtém dados

if (!$member) {                              // Se nenhum dado
    include 'page-not-found.php';            // Página não encontrada
}
?>
<!DOCTYPE html>
<html> ...
  <body>
    <p>
      <?= html_escape($member['forename']) ?>
      <?= html_escape($member['surname']) ?>
    </p>
  </body>
</html>
```

RESULTADO

Ivy Stone

Este exemplo se baseia nos anteriores e usa uma string de consulta para informar à página a id do membro a exibir.

1. A função `filter_input()` do PHP obtém a id do membro na string de consulta. Se for um inteiro, `$id` armazenará esse número. Se não, armazenará `false`. Se não existir, armazenará `null`.

2. Uma declaração if verifica se `$id` contém o valor `false` ou `null`.

3. Nesse caso, `page-not-found.php` é incluído, pois não há nenhuma id do membro na string de consulta para especificar qual membro exibir.

4. Se a página ainda continuar rodando, a string de consulta encontrou um membro, portanto a página tenta obter os dados do membro no BD.

5. Outra declaração if verifica se `$member` tem um valor `false`.

6. Se tem, um membro não foi encontrado e `page_not_found.php` é incluído.

7. Do contrário, os dados do membro são usados para criar a página HTML.

EXPERIMENTE: mude o número na string de consulta para 4 e a página não encontrada será exibida.

EXIBINDO OS DADOS DO BD NAS PÁGINAS HTML

Primeiro obtenha os dados no banco de dados e armazene-os em variáveis. Então, use os dados nessas variáveis para criar a página HTML.

Para facilitar a leitura do código, crie uma separação clara em seus arquivos PHP entre:

- O código que obtém dados no BD.
- O código que gera a página HTML.

A página à direita mostra isso usando uma linha pontilhada. A parte do arquivo que cria a página HTML deve conter o mínimo de código PHP possível; veja abaixo os três tipos de código mais necessários.

FUNÇÕES

As funções costumam ser usadas para assegurar que os dados sejam formatados de modo correto. A função `html_escape()` já foi usada em muitas páginas para impedir um ataque XSS substituindo qualquer caractere reservado do HTML por entidades.

À direita, é possível ver outra função que está no arquivo `functions.php` deste capítulo. É usada para assegurar que as datas geradas pelo BD sejam formatadas de um modo consistente e de leitura mais fácil.

Primeiro, a data e a hora que o BD armazena são convertidas em um registro de tempo do Unix usando a função `strtotime()` do PHP. Então são convertidas em um formato de leitura mais fácil usando a função `date()` do PHP.

```
function format_date(string $string): string
{
    $date = strtotime($string);
    return date('F d, Y', $date);
}
```

DECLARAÇÕES CONDICIONAIS

Uma declaração condicional pode examinar os dados retornados do BD e usá-los para decidir o que o código HTML deve mostrar. Por exemplo, se o usuário não fez upload de uma imagem de perfil, o banco de dados retornará NULL como o nome de arquivo para sua imagem de perfil.

A imagem de perfil pode ser exibida usando o operador de coalescência nula; se foi fornecida uma imagem, ela será mostrada; se não, o espaço reservado será exibido.

```
html_escape($member['picture'] ?? 'blank.png');
```

LOOPS

Como já visto em vários exemplos, um loop é normalmente usado para percorrer cada linha do conjunto de resultados que um banco de dados retornou.

À direita, veja um loop `foreach` usado para repetir as mesmas declarações de cada membro do site para quem o banco de dados retorna detalhes.

FORMATANDO OS DADOS USADOS NAS PÁGINAS HTML

```
PHP                                             section_c/c12/examples/formatting-data-in-html.php

    <?php
    require '../cms/includes/database-connection.php';    // Cria um objeto PDO
    require '../cms/includes/functions.php';              // Funções
①   $sql        = "SELECT id, forename, surname, joined, picture FROM member; ";  // Instrução SQL
    $statement  = $pdo->query($sql);                      // Executa a consulta SQL
    $members    = $statement->fetchAll();                 // Obtém os dados
    ?>
    <!DOCTYPE html> ...
    <body> ...
②   <?php foreach ($members as $member) { ?>
      <div class="member-summary">
③       <img src="../cms/uploads/ <?= html_escape($member['picture']) ?? 'blank.png') ?>"
             alt=" <?= html_escape($member['forename']) ?>" class="profile">
        <h2><?= html_escape($member['forename'] . ' ' . $member['surname']) ?></h2>
④       <p>Member since:<br><?= format_date($member['joined']) ?></p>
      </div>
    <?php } ?> ...
    </body>
```

RESULTADO

Ivy Stone — Member since: January 26, 2021

Luke Wood — Member since: January 26, 2021

Emiko Ito — Member since: February 12, 2021

1. A página coleta dados sobre cada membro do site.

2. Um loop **foreach** repete o mesmo conjunto de declarações para cada membro do site.

3. Um operador de coalescência nula verifica se uma imagem de perfil foi fornecida. Se foi, o nome de arquivo é usado em uma tag **<img>**. Se não, um arquivo de imagem de espaço reservado **blank.png** é mostrado.

4. A data em que o membro se associou é formatada usando **format_date()**.

O loop repete as mesmas declarações para cada membro do site.

UMA FUNÇÃO PARA EXECUTAR DECLARAÇÕES SQL

Fazer o PDO executar uma consulta SQL e retornar o conjunto de resultados requer duas ou três declarações; escrever uma função definida pelo usuário permite fazer isso em uma.

Quando uma consulta SQL não usar parâmetros, o método **query()** do objeto PDO executará uma consulta SQL e retornará um objeto PDOStatement representando o conjunto de resultados:

```
$statement = $pdo->query($sql);
```

Quando uma consulta SQL usar parâmetros, o método **prepare()** do objeto PDO deve ser chamado para criar um objeto PDOStatement que representa a consulta. Então, **execute()** do objeto PDOStatement deve ser chamado para fazer a consulta:

```
$statement = $pdo->prepare($sql);
$statement->execute($sql);
```

Após as etapas, um dos métodos do objeto PDOStatement deve coletar os dados no conjunto de resultados.

A função abaixo tem três parâmetros:

- **$pdo** é o objeto PDO usado para gerenciar a conexão com o banco de dados.
- **$sql** é a consulta SQL a ser executada.
- **$arguments** é um array de nomes do parâmetro SQL e seus valores de substituição; note que o valor-padrão é **null** se esse argumento não é fornecido.

A função verifica se não foi fornecido nenhum argumento:

- Se não, executará o método **query()** e retornará o objeto PDOStatement que foi gerado.
- Se foi, chamará o método **prepare()** para criar um objeto PDOStatement, chamará o método **execute()** desse objeto para executar a consulta e, então, retornará o objeto PDOStatement.

```php
function pdo(PDO $pdo, string $sql, array $arguments = null)
{
    if (!$arguments) {
        return $pdo->query($sql);
    }
    $statement = $pdo->prepare($sql);
    $statement->execute($arguments);
    return $statement;
}
```

Quando a função `pdo()` definida pelo usuário é chamada, é usado um **encadeamento de métodos** para executar a consulta e retornar os dados em uma única declaração.

Quando um objeto `PDOStatement` foi criado e a declaração SQL foi executada, um dos três métodos a seguir é chamado para obter dados no conjunto de resultados e armazená-los em uma variável:

- `fetch()` obtém uma linha de dados.
- `fetchAll()` obtém múltiplas linhas de dados.
- `fetchColumn()` obtém um valor em uma coluna.

Quando uma função ou um método retorna um objeto, o **encadeamento de métodos** permite chamar um método do objeto que é retornado na mesma declaração.

Abaixo, quando a função pdo() for chamada, ela retornará um objeto `PDOStatement`. A chamada da função é seguida por um operador de objeto e por uma chamada para um método do objeto `PDOStatement` que é retornado.

A FUNÇÃO RETORNA UM OBJETO PDOStatement · O MÉTODO RETORNA DADOS DO OBJETO PDOStatement

```
$members = pdo($pdo, $sql )->fetchAll();
$member  = pdo($pdo, $sql, $arguments)->fetch();
```

A FUNÇÃO RETORNA UM OBJETO PDOStatement · O MÉTODO RETORNA DADOS DO OBJETO PDOStatement

A definição da função `pdo()` foi adicionada ao arquivo de inclusão `functions.php` deste capítulo. Será usada no resto deste e no próximo capítulo.

No Capítulo 14, você aprenderá outra técnica na qual as classes definidas pelo usuário são usadas para criar objetos que obtêm e mudam os dados armazenados no banco de dados.

Ao fornecer argumentos para o método `execute()` do objeto `PDOStatement`, você pode fornecer um array associativo no qual as chaves correspondem aos nomes dos parâmetros na declaração SQL (já mostrada) ou pode fornecer um array indexado no qual os valores estão na mesma ordem em que os espaços reservados aparecem na declaração SQL (veja a página 459).

FUNÇÃO PDO PERSONALIZADA SEM PARÂMETROS

Este exemplo mostra como a função `pdo()` definida na página anterior obtém dados no BD quando uma consulta SQL não tem parâmetros.

1. `database-connection.php` é incluído. Ele cria o objeto PDO e o armazena em uma variável `$pdo`.
2. `functions.php` é incluído. Ele contém a função `pdo()` (mostrada na página anterior).
3. A consulta SQL para obter nome e sobrenome de cada membro é armazenada em uma variável `$sql`.
4. A função `pdo()` é chamada com dois argumentos:
   - O objeto PDO criado na Etapa 1.
   - A consulta SQL armazenada na variável `$sql` na Etapa 3.

Isso retornará um objeto `PDOStatement` e seu método `fetchAll()` é chamado na mesma declaração para obter todos os dados no conjunto de resultados. Esses dados serão armazenados como um array na variável `$members`.

5. Um loop `foreach` exibe os dados armazenados no array `$members`.

```
section _c/c12/examples/pdo-function-no-parameters.php    PHP
```

```php
<?php
① require '../cms/includes/database-connection.php';
② require '../cms/includes/functions.php';
③ $sql = "SELECT forename, surname
          FROM member;";
④ $members = pdo($pdo, $sql)->fetchAll();
?>
<!DOCTYPE html>
<html> ...
  <body>
⑤   <?php foreach ($members as $member) { ?>
      <p>
        <?= html_escape($member['forename']) ?>
        <?= html_escape($member['surname']) ?>
      </p>
    <?php } ?>
  </body>
</html>
```

RESULTADO

Ivy Stone

Luke Wood

Emiko Ito

EXPERIMENTE: na Etapa 3, atualize a declaração SQL para obter os e-mails dos membros, assim como seus nomes. Na Etapa 5, exiba o e-mail após o nome.

FUNÇÃO PDO PERSONALIZADA COM PARÂMETROS

Este exemplo mostra como a função `pdo()` definida na página 456 obtém dados no BD quando uma consulta SQL usa parâmetros.

1. A string de consulta contém a id do membro que exibirá.
2. A consulta SQL obtém o nome e o sobrenome de um membro cuja id é representada por um espaço reservado `:id`.
3. A função `pdo()` é chamada com três argumentos:
   - O objeto PDO criado em `database-connection.php`.
   - A consulta SQL armazenada na variável `$sql` na Etapa 2.
   - Um array associativo contendo o nome de um espaço reservado SQL e o valor que ele deve usar.

NOTA: o array é criado *no* argumento, em vez de ser armazenado em uma variável primeiro:
`['id' => $id]`

Isso retornará um objeto `PDOStatement`. Seu método `fetch()` é usado na mesma declaração para coletar a linha individual de dados que a consulta SQL gera. Esses dados são armazenados em `$member`.

4. Os dados armazenados em `$member` são escritos na página.

PHP section_c/c12/examples/pdo-function-with-parameters.php?id=1

```php
<?php
require '../cms/includes/database-connection.php';
require '../cms/includes/functions.php';
$id = filter_input(INPUT_GET, 'id', FILTER_VALIDATE_INT);
if (!$id) {
    include 'page-not-found.php';
}

$sql = "SELECT forename, surname
        FROM member
        WHERE id = :id; ";
$member = pdo($pdo, $sql, ['id' => $id])->fetch();

if (!$member) {
    include 'page-not-found.php';
}
?> ...
<p>
    <?= html_escape($member['forename']) ?>
    <?= html_escape($member['surname']) ?>
</p>
```

RESULTADO

Ivy Stone

EXPERIMENTE: na Etapa 3, substitua o array associativo usado como terceiro parâmetro apenas pela variável `$id` entre colchetes:

```
$member = pdo($pdo, $sql, [$id]);
```

Dessa forma, o terceiro parâmetro se torna um array indexado (não um array associativo). Se essa técnica for usada, os valores no array deverão estar na mesma ordem em que os espaços reservados aparecem na declaração SQL.

COMO POUCOS ARQUIVOS PHP CONTROLAM O SITE INTEIRO

As doze páginas a seguir mostram como quatro arquivos PHP são usados para exibir mais de cinquenta páginas do site de exemplo.

Cada um dos quatro arquivos PHP é dividido em duas partes:

- Primeiro, há o código que coleta dados no BD e os armazena em variáveis.
- Depois, os dados nessas variáveis são usados para criar as páginas HTML que são retornadas para o visitante.

Pense nesses arquivos como um template [modelo]. Sempre que um dos arquivos é solicitado, ele pode coletar dados diferentes no BD, inseri-los na parte relevante da página HTML e, então, enviar o HTML para o navegador do visitante.

Cada página usa quatro arquivos de inclusão:

- `database-connection.php` cria um objeto PDO que gerencia a conexão com o BD.
- `functions.php` contém as funções que obtêm dados no BD e também os formata.
- `header.php` contém o cabeçalho usado para cada página e cria a navegação.
- `footer.php` contém o rodapé usado para cada página.

`index.php`
A home page mostra resumos dos seis artigos mais recentes postados no site.

Quando um novo artigo for salvo no BD, essa página será atualizada automaticamente para mostrar os detalhes do novo artigo (e o mais antigo dos seis não será mais exibido).

A estrutura da página HTML sempre fica igual, mas o conteúdo exibido do BD pode mudar.

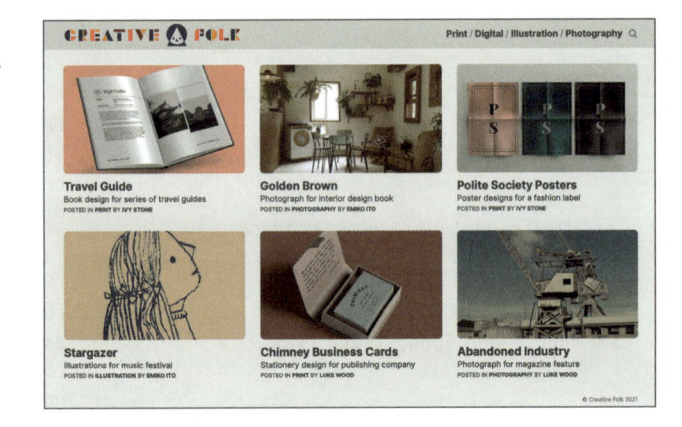

`category.php`

O arquivo de categorias pode mostrar o título e a descrição de qualquer categoria, seguidos dos resumos de cada artigo postado nessa categoria. A estrutura da página HTML fica igual, mas os dados mostrados podem mudar.

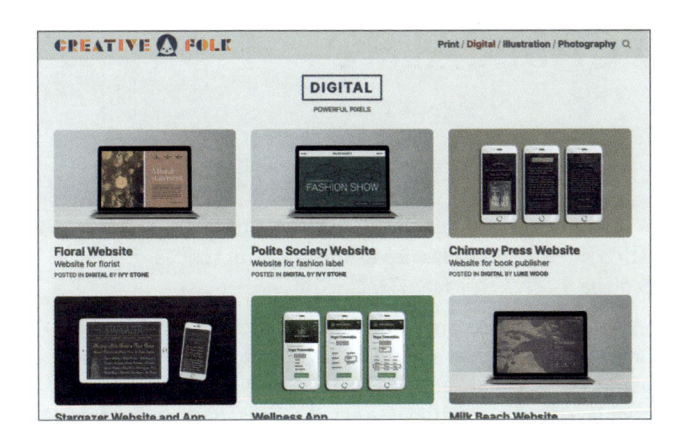

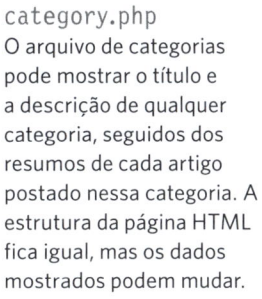

Uma string de consulta após a URL guarda a id da categoria que deve ser coletada no BD e mostrada na página. Exemplo: `category.php?id=1`

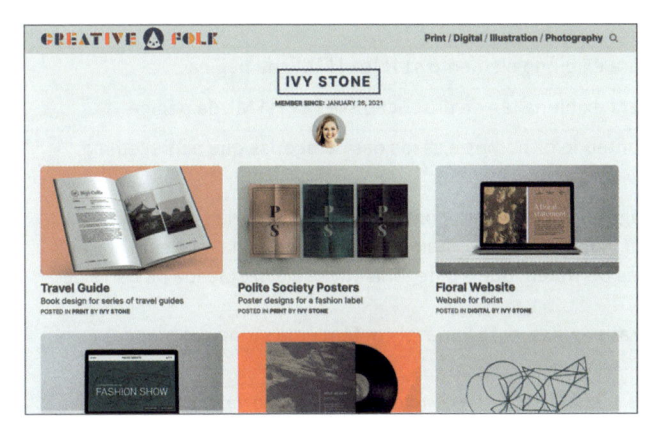

`member.php`

O arquivo de membros pode mostrar o perfil de qualquer membro do site. É seguido pelos resumos dos artigos que eles escreveram.

Uma string de consulta após a URL contém a id do membro que deve ser coletada no BD e mostrada na página. Exemplo: `member.php?id=1`

`article.php`

O arquivo de artigos pode mostrar qualquer artigo. Imagem, categoria, título, data, conteúdo e autor estão no mesmo lugar em todo o artigo, mas os dados mostrados podem mudar.

Uma string de consulta após a URL contém a id do artigo que deve ser coletado no BD e mostrado na página. Exemplo: `article.php?id=1`

ARQUIVOS DO CABEÇALHO E DO RODAPÉ

O cabeçalho de todas as páginas no site são iguais. Portanto, em vez de repetir o código em cada arquivo, ele é colocado na inclusão `header.php`.

Antes de o arquivo ser incluído em uma página, quatro partes de dados (mostradas abaixo) devem ser armazenadas em variáveis. Por essa razão, é importante examinar primeiro o arquivo.

As duas primeiras partes de informação são usadas nos elementos de descrição `<title>` e `<meta>` HTML.

As duas variáveis seguintes são usadas para criar a barra de navegação. A primeira contém um array das categorias que devem ser mostradas; a segunda é usada para destacar a categoria se o visitante a examina.

VARIÁVEL	VALOR
`$title`	Um valor para exibir no elemento `<title>` HTML da página
`$description`	Um valor para exibir na tag de descrição `<meta>` HTML da página
`$navigation`	Um array contendo os nomes e as ids das categorias que aparecem na barra de navegação
`$section`	Se é uma página de categorias, contém a id da categoria sendo exibida Se é uma página de artigos, contém a id da categoria na qual está o artigo Esses valores permitem que a categoria ativa seja destacada na barra de navegação Para as outras páginas, essa variável contém uma string em branco

1. O conteúdo da variável `$title` é exibido dentro do elemento `<title>`.
2. O conteúdo da variável `$description` é exibido dentro da tag de descrição `<meta>`.
3. Um loop `foreach` percorre cada categoria no array `$navigation`.

Sempre que o loop é executado, a id e o nome de uma categoria são armazenados como um array associativo em uma variável chamada `$link`.

4. É criado um link para `category.php`. A string de consulta inclui a id da categoria para informar ao arquivo `category.php` qual categoria deve ser mostrada.
5. Um operador ternário determina se essa categoria deve ser destacada.

A condição verifica se o valor em `$section` é o mesmo da id da categoria atual no loop. Se os valores correspondem, `class="on"` e `aria-current="page"` são adicionados ao link para indicar que é a categoria atual.

6. O nome da categoria é escrito no link.
7. Após os links para as páginas da categoria, há um link para a página de pesquisa.
8. `footer.php` contém apenas uma declaração PHP para mostrar o ano atual após um aviso de copyright.
9. `site.js` contém o JavaScript para a navegação responsiva do site.

```
                                                                section _ c/c12/cms/includes/header.php

        <!DOCTYPE html>
        <html lang="en-US">
          <head>
            <meta charset="UTF-8">
            <meta name="viewport" content="width=device-width, initial-scale=1">
①           <title><?= html_escape($title) ?></title>
②           <meta name="description" content="<?= html_escape($description) ?>">
            <link rel="stylesheet" type="text/css" href="css/styles.css">
            <link rel="preconnect" href="https://fonts.gstatic.com">
            <link rel="stylesheet"
              href="https://fonts.googleapis.com/css2?family=Inter:wght@400;700&display=swap">
            <link rel="shortcut icon" type="image/png" href="img/favicon.ico">
          </head>
          <body>
            <header>
              <div class="container">
                <a class="skip-link" href="#content">Skip to content</a>
                <div class="logo">
                  <a href="index.php"><img src="img/logo.png" alt="Creative Folk"></a>
                </div>
                <nav role="navigation">
                  <button id="toggle-navigation" aria-expanded="false">
                    <span class="icon-menu"></span><span class="hidden">Menu</span>
                  </button>
                  <ul id="menu">
③                   <?php foreach ($navigation as $link) { ?>
④                   <li><a href="category.php?id= <?= $link['id'] ?> "
⑤                     <?= ($section == $link['id'] ) ? 'class="on" aria-current="page"' : '' ?>>
⑥                     <?= html _escape($link['name']) ?>
                    </a></li>
                    <?php } ?>
                    <li><a href="search.php">
⑦                     <span class="icon-search"></span><span class="search-text">Search</span>
                    </a></li>
                  </ul>
                </nav>
              </div><!-- /.container -->
            </header>
```

```
                                                                section _ c/c12/cms/includes/footer.php

⑧       <footer><div class="container">&copy; Creative Folk <?= date('Y');?></div></footer>
      </body>
⑨     <script src="js/site.js"></script>
    </html>
```

HOME PAGE

A home page (`index.php`) mostra os resumos dos seis artigos mais recentes carregados no site. Ela começa coletando os dados necessários para criar a página HTML e os armazena em variáveis.

1. Tipos restritos são ativados para assegurar que o tipo de dado correto seja usado quando as funções são chamadas (veja as páginas 126-127).
2. `database-connection.php` é incluído para criar o objeto PDO que gerencia a conexão com o banco de dados; é armazenado em uma variável chamada `$pdo`.
3. `functions.php` é incluído, pois contém as definições da função `pdo()` e as funções para formatar os dados mostrados na página.
4. A variável `$sql` armazena o SQL para obter os resumos dos artigos mais recentes adicionados ao site.
5. A consulta SQL é executada usando a função `pdo()`. Retorna um objeto `PDOStatement` que representa o conjunto de resultados. Então, o método `fetchAll()` do objeto `PDOStatement` obtém todos os resumos como um array e eles são armazenados na variável `$articles`.

As cinco etapas a seguir obtêm os dados usados no arquivo `header.php` e os armazena em variáveis.

6. A instrução SQL para obter a id e o nome das categorias que aparecem na navegação é armazenada em `$sql`.
7. A consulta é executada e os resultados são armazenados em uma variável `$navigation`.
8. Se um usuário está em uma página de categorias ou artigos, `$section` contém a id da seção na qual está. A home page não está em uma categoria, portanto armazena uma string em branco.
9. `$title` contém o texto do elemento `<title>`.
10. `$description` contém o texto que será mostrado na tag de descrição `<meta>`.

O resto do arquivo, abaixo da linha pontilhada, usa apenas o PHP para exibir os dados armazenados nas variáveis. Isso separa o código PHP, que obtém os dados, do HTML retornado para o navegador.

11. O arquivo `header.php` (na página anterior) é incluído. Ele exibirá os dados coletados e armazenados nas variáveis nas Etapas 6-10.
12. Um loop `foreach` percorre cada elemento no array `$articles` criado na Etapa 5 e exibe os resumos do artigo. Sempre que o loop é executado, os dados para um resumo do artigo individual são armazenados em uma variável `$article`.
13. É criado um link para a página `article.php` que exibe qualquer artigo individual no site. A string de consulta contém a id do artigo que deve ser exibido.
14. A imagem do artigo é exibida. Se nenhuma imagem foi fornecida, uma imagem de espaço reservado é mostrada (usando a técnica da página 455).
15. Se foi fornecido um texto alternativo, ele é mostrado no atributo `alt` (se não, o valor do atributo estará em branco).
16. O título do artigo é mostrado em um elemento `<h2>`.
17. O resumo do artigo é exibido.
18. É criado um link para o arquivo `category.php`. A id da categoria é adicionada à string de consulta. O nome da categoria é mostrado dentro do link.
19. É criado um link para o arquivo `member.php`. A id do membro que escreveu o artigo é adicionada à string de consulta para se ligar à página de perfil dele. O nome desse membro é usado como o texto do link.
20. O arquivo `footer.php` (na página anterior) é incluído na página.

```php
    <?php
①   declare(strict_types = 1);                          // Usa tipos restritos
②   require 'includes/database-connection.php';         // Cria objeto PDO
③   require 'includes/functions.php';                   // Inclui funções

    $sql = "SELECT a.id, a.title, a.summary, a.category_id, a.member_id,
                   c.name AS category,
                   CONCAT(m.forename, ' ', m.surname) AS author,
                   i.file       AS image_file,
                   i.alt        AS image_alt
④             FROM article     AS a
              JOIN category    AS c ON a.category_id = c.id
              JOIN member      AS m ON a.member_id   = m.id
              LEFT JOIN image  AS i ON a.image_id    = i.id
             WHERE a.published = 1
          ORDER BY a.id DESC
             LIMIT 6; ";                                // Instrução SQL para obter os últimos artigos
⑤   $articles = pdo($pdo, $sql)->fetchAll();            // Obtém resumos

⑥   $sql = "SELECT id, name FROM category WHERE navigation = 1; "; // Instrução SQL para obter as categorias
⑦   $navigation = pdo($pdo, $sql)->fetchAll();          // Obtém categorias de navegação

⑧   $section     = '';                                  // Categoria corrente
⑨   $title       = 'Creative Folk';                     // Conteúdo da tag <title>
⑩   $description = 'A collective of creatives for hire'; // Conteúdo da descrição meta
    ?>
⑪   <?php include 'includes/header.php'; ?>
      <main class="container grid" id="content">
⑫        <?php foreach ($articles as $article) { ?>
            <article class="summary">
⑬             <a href="article.php?id= <?= $article['id'] ?> ">
⑭               <img src="uploads/<?= html_escape($article['image_file'] ?? 'blank.png') ?> "
⑮                    alt="<?= html_escape($article['image_alt']) ?>">
⑯               <h2><?= html_escape($article['title']) ?> </h2>
⑰               <p><?= html_escape($article['summary']) ?> </p>
              </a>
              <p class="credit">
                Posted in <a href="category.php?id= <?= $article['category_id'] ?>">
⑱               <?= html_escape($article['category']) ?> </a>
                by <a href="member.php?id= <?= $article['member_id'] ?>">
⑲               <?= html_escape($article['author']) ?> </a>
              </p>
            </article>
         <?php } ?>
      </main>
⑳   <?php include 'includes/footer.php'; ?>
```

PÁGINA DAS CATEGORIAS

O arquivo `category.php` exibe o nome e a descrição de uma categoria individual seguidos pelos resumos dos artigos nessa categoria.

1. Tipos restritos são ativados para assegurar que o tipo de dado correto seja usado quando as funções são chamadas.
2. `database-connection.php` e `functions.php` são incluídos na página.
3. `filter_input()` procura a id do nome na string de consulta e verifica se seu valor é um inteiro. Se é, `$id` contém o número; se não, contém `false`. Se o valor não estava na string de consulta, contém `null`.
4. Se não havia um inteiro válido na string de consulta, `page-not-found.php` é incluído (ele termina com o comando `exit` que paralisa a execução de mais código).
5. A consulta SQL para obter a id, o nome e a descrição da categoria especificada é armazenada em `$sql`.
6. A função `pdo()` é usada para executar a consulta SQL, então o método `fetch()` do objeto `PDOStatement` obtém os dados e os armazena na variável `$category`.
7. Se a categoria não foi encontrada no BD, `page-not-found.php` é incluído e a página é encerrada.
8. Se a página ainda estiver em execução, a variável `$sql` contém a instrução SQL para obter os resumos dos artigos na categoria escolhida.
9. A consulta é executada, então o método `fetchAll()` do objeto `PDOStatement` obtém os resumos como um array e eles são armazenados na variável `$articles`.
10. A instrução SQL para obter a id e o nome das categorias que aparecem na navegação é armazenada na variável `$sql`.
11. A consulta é executada, o método `fetchAll()` obtém os dados retornados e eles são armazenados em `$navigation`.
12. A id da categoria é armazenada em `$section`. É usada para destacar essa categoria na navegação.
13. O nome da categoria é armazenado em `$title` e mostrado no elemento `<title>`.
14. A descrição da categoria é armazenada em `$description` para usar na tag de descrição `<meta>`.

Com todos os dados requeridos pela página armazenados em variáveis, o resto do arquivo abaixo da linha pontilhada cria o HTML retornado ao navegador.

15. O arquivo `header.php` é incluído na página.
16. O nome da categoria é escrito em um elemento `<h1>`.
17. A descrição da categoria é escrita sob o nome da categoria em um elemento `<p>`.
18. Um loop `foreach` percorre o array que contém todos os resumos do artigo na categoria, o que foi armazenado na variável `$articles` na Etapa 9. Sempre que o loop é executado, o resumo de um artigo diferente é armazenado em uma variável `$article`.
19. O código para exibir o resumo de um artigo é similar ao código utilizado para mostrar os resumos dos artigos na home page (veja a página anterior).

Se a categoria ainda não tiver artigos, a variável `$articles` manterá um array vazio; como o método `fetchAll()` do objeto `PDOStatement` que retorna um array vazio quando nenhum dado corresponde à consulta SQL.

Quando um loop `foreach` tentar trabalhar com um array vazio, as declarações no loop não serão executadas, ou seja, a página *não* exibirá um erro Undefined index se uma consulta não retornar dados.

20. O arquivo `footer.php` é incluído na página.

```php
<?php
①  declare(strict_types = 1);                                    // Usa tipos restritos
②  require 'includes/database-connection.php';                   // Cria objeto PDO
   require 'includes/functions.php';                             // Inclui funções
③  $id = filter_input(INPUT_GET, 'id', FILTER_VALIDATE_INT);     // Valida id
   if (!$id) {                                                   // Se id é inválido
④      include 'page-not-found.php';                             // Página não encontrada
   }
⑤  $sql = "SELECT id, name, description FROM category WHERE id=:id; ";  // Instrução SQL
⑥  $category = pdo($pdo, $sql, [$id])->fetch();                  // Obtém dados da categoria
   if (!$category) {                                             // Se a categoria não for encontrada
⑦      include 'page-not-found.php';                             // Página não encontrada
   }

⑧  $sql = "SELECT a.id, a.title, a.summary, a.category_id, a.member_id,
                  c.name AS category,
                  CONCAT(m.forename, ' ', m.surname) AS author,
                  i.file AS image_file,
                  i.alt  AS image_alt
             FROM article     AS a
             JOIN category    AS c    ON a.category_id = c.id
             JOIN member      AS m    ON a.member_id   = m.id
             LEFT JOIN image  AS i    ON a.image_id    = i.id
            WHERE a.category_id = :id AND a.published = 1
            ORDER BY a.id DESC; ";                               // Instrução SQL
⑨  $articles = pdo($pdo, $sql, [$id])->fetchAll();               // Obtém artigos

⑩  $sql = "SELECT id, name FROM category WHERE navigation = 1; ";  // Instrução SQL para obter categorias
⑪  $navigation  = pdo($pdo, $sql)->fetchAll();                   // Obtém categorias de navegação
⑫  $section     = $category['id'];                               // Categoria corrente
⑬  $title       = $category['name'];                             // Conteúdo da tag <title>
⑭  $description = $category['description'];                      // Conteúdo da descrição meta
   ?>
⑮  <?php include 'includes/header.php'; ?>
   <main class="container" id="content">
     <section class="header">
⑯     <h1><?= html_escape($category['name']) ?></h1>
⑰     <p><?= html_escape($category['description']) ?></p>
     </section>
     <section class="grid">
⑱   <?php foreach ($articles as $article) { ?>
⑲   <!-- O código para exibir os resumos do artigo é igual ao mostrado na p465 -->
     <?php } ?>
     </section>
   </main>
⑳  <?php include 'includes/footer.php'; ?>
```

PÁGINA DOS ARTIGOS

O arquivo `article.php` é usado para exibir cada artigo individual no site. A string de consulta contém a id do artigo que a página deve exibir. Como nas outras páginas, esse arquivo começa coletando os dados no BD e os armazena em variáveis.

1. Tipos restritos são ativados e os arquivos requeridos, `database-connection.php` e `functions.php`, são incluídos na página.
2. `filter_input()` procura a id do nome na string de consulta e verifica se seu valor é um inteiro. Se é, `$id` contém o número; se não, contém `false`. Se o valor não estava na string de consulta, contém `null`.
3. Se não havia um inteiro válido na string de consulta, `page-not-found.php` é incluído (ele termina com o comando `exit` que paralisa a execução de mais código).
4. A instrução SQL para obter os dados do artigo é armazenada em `$sql`.
5. A função `pdo()` é usada para executar a consulta SQL e o método `fetch()` é usado para coletar os dados do artigo armazenados em `$article`.
6. Se o artigo não foi encontrado no BD, `page-not-found.php` é incluído e a página é interrompida.
7. Se a página ainda estiver em execução, a instrução SQL para obter as categorias na navegação é armazenada em `$sql`.
8. A consulta é executada, então o método `fetchAll()` obtém os dados e eles são armazenados em `$navigation`.
9. A id da categoria à qual o artigo pertence é armazenada em `$section` para que possa ser destacada na barra de navegação.
10. O título do artigo é armazenado em `$title`.
11. O resumo do artigo é armazenado em `$description`.

Com todos os dados que a página requer armazenados em variáveis, o resto do arquivo abaixo da linha pontilhada cria o HTML retornado ao navegador.

12. O arquivo `header.php` é incluído na página.
13. Se uma imagem foi carregada para o artigo, seu nome de arquivo é escrito no atributo `src` de uma tag `<img>`.

Se uma imagem não foi carregada, uma imagem de espaço reservado é mostrada.

14. Se um texto alternativo foi fornecido para a imagem, ele é mostrado no atributo `alt` da tag `<img>`. Se não, o atribuo ficará em branco.
15. O título do artigo é mostrado em um elemento `<h1>`.
16. A data em que o artigo foi criado é exibida. Ela usa a função `format_date()` mostrada na página 454 para assegurar que as datas sejam formatadas com consistência.
17. O conteúdo do artigo é exibido.
18. É criado um link para o arquivo `category.php`. A id da categoria na qual está o artigo é adicionada à string de consulta para que mostre essa página da categoria.
19. O nome da categoria é usado como o texto do link.
20. É criado um link para o arquivo `member.php`. A id do membro que escreveu o artigo é adicionada à string de consulta para que ela mostre o perfil desse membro.
21. O nome do membro que escreveu o artigo é usado como o texto do link.
22. O arquivo `footer.php` é incluído na página.

```php
    <?php
    declare(strict_types = 1);                              // Usa tipos restritos
①   require 'includes/database-connection.php';            // Cria objeto PDO
    require 'includes/functions.php';                       // Inclui funções
②   $id = filter_input(INPUT_GET, 'id', FILTER_VALIDATE_INT);  // Valida id
    if (!$id) {                                             // Se id é inválido
③       include 'page-not-found.php';                       // Página não encontrada
    }
    $sql = "SELECT a.title, a.summary, a.content, a.created, a.category_id, a.member_id,
                   c.name       AS category,
                   CONCAT(m.forename, ' ', m.surname) AS author,
                   i.file AS image_file, i.alt  AS image_alt
④           FROM article       AS a
             JOIN category      AS c  ON a.category_id = c.id
             JOIN member        AS m  ON a.member_id   = m.id
             LEFT JOIN image    AS i  ON a.image_id    = i.id
             WHERE a.id = :id  AND a.published = 1; ";     // Instrução SQL
⑤   $article = $article = pdo($pdo, $sql, [$id])->fetch(); // Obtém dados do arquivo
    if (!$article) {                                        // Se o artigo não for encontrado
⑥       include 'page-not-found.php';                       // Página não encontrada
    }
⑦   $sql = "SELECT id, name FROM category WHERE navigation = 1;"; // Instrução SQL para obter as categorias
⑧   $navigation  = pdo($pdo, $sql)->fetchAll();             // Obtém categorias de navegação
⑨   $section     = $article['category_id'];                 // Categoria corrente
⑩   $title       = $article['title'];                       // Conteúdo da tag <title>
⑪   $description = $article['summary'];                     // Conteúdo da descrição meta
    ?>
⑫  <?php include 'includes/header.php'; ?>
     <main class="article container">
       <section class="image">
⑬       <img src="uploads/<?= html_escape($article['image_file']) ?? 'blank.png') ?>"
⑭            alt="<?= html_escape($article['image_alt']) ?>">
       </section>
       <section class="text">
⑮       <h1><?= html_escape($article['title']) ?></h1>
⑯       <div class="date"> <?= format_date($article['created']) ?></div>
⑰       <div class="content"> <?= html_escape($article['content']) ?></div>
        <p class="credit">
⑱         Posted in <a href="category.php?id=<?= $article['category_id'] ?>">
⑲         <?= html_escape($article['category']) ?></a>
⑳         by <a href="member.php?id=<?= $article['member_id'] ?>">
㉑            <?= html_escape($article['author']) ?></a>
        </p>
      </section>
    </main>
㉒  <?php include 'includes/footer.php'; ?>
```

PÁGINA DOS MEMBROS

O arquivo `member.php` mostra os detalhes de um membro individual e os resumos dos artigos que ele escreveu. A string de consulta contém a id do membro que a página deve exibir.

1. Tipos restritos são ativados e os arquivos requeridos, `database-connection.php` e `functions.php`, são incluídos na página.
2. `filter_input()` procura a id do nome na string de consulta e verifica se seu valor é um inteiro. Se é, `$id` contém o número; se não, contém `false`. Se o valor não estava na string de consulta, contém `null`.
3. Se não havia um inteiro válido na string de consulta, `page-not-found.php` é incluído (ele termina com o comando `exit` que paralisa a execução de mais código).
4. A instrução SQL para obter os dados do membro é armazenada em `$sql`.
5. A função `pdo()` executa a consulta SQL, então o método `fetch()` obtém os dados do membro, que são armazenados em `$member`.
6. Se `$member` não foi encontrado no BD, `page-not-found.php` é incluído e a página é interrompida.
7. Se a página ainda está em execução, a instrução SQL para obter os resumos dos artigos desse membro é armazenada em `$sql`.
8. A consulta é executada, o método `fetchAll()` obtém os dados retornados e os dados são armazenados em `$articles`.
9. A instrução SQL para obter as categorias para a navegação é armazenada em `$sql`.
10. A consulta é executada, o método `fetchAll()` obtém os dados retornados e eles são armazenados em `$navigation`.
11. Como a página do membro não está em uma categoria, a variável `$section` está em branco.
12. O nome do membro é armazenado em `$title` para que possa ser mostrado no título da página.
13. O nome do membro, seguido das palavras `Creative Folk`, é armazenado em `$description` para usar na tag de descrição `<meta>`.

Assim que os dados requeridos são coletados no BD e armazenados em variáveis, o resto do arquivo abaixo da linha pontilhada cria o código HTML para retornar ao navegador.

14. O arquivo `header.php` é incluído na página.
15. O nome e o sobrenome do membro são escritos dentro de um elemento `<h1>`.
16. A data em que o membro se associou é exibida usando a função `format_date()` para assegurar que a data seja formatada de modo consistente.
17. Se o usuário carregou uma imagem do perfil, o nome de arquivo é escrito no atributo `src` de uma tag `<img>`. Se nenhuma imagem foi fornecida, uma imagem de espaço reservado é mostrada.
18. O nome do membro é mostrado no atributo `alt` da tag `<img>`.
19. Um loop `foreach` percorre o array `$articles` criado na Etapa 7. Ele contém os detalhes dos artigos que o membro escreveu.
20. O código para exibir o resumo de um artigo é idêntico ao usado para exibir os artigos na home page mostrada na página 465.

Se o autor não escreveu nenhum artigo, as declarações dentro do loop não serão executadas.

21. O arquivo `footer.php` é incluído na página.

```php
    <?php
    declare(strict_types = 1);                              // Usa tipos restritos
①   require 'includes/database-connection.php';             // Cria objeto PDO
    require 'includes/functions.php';                       // Inclui funções
②   $id = filter_input(INPUT_GET, 'id', FILTER_VALIDATE_INT); // Valida id
    if (!$id) {                                             // Se id é inválido
③       include 'page-not-found.php';                       // Página não encontrada
    }
④   $sql = "SELECT forename, surname, joined, picture FROM member WHERE id = :id; "; // Instrução SQL
⑤   $member = pdo($pdo, $sql, [$id])->fetch();              // Obtém dados do membro
    if (!$member) {                                         // Se o array está vazio
⑥       include 'page-not-found.php';                       // Página não encontrada
    }
    $sql = "SELECT a.id, a.title, a.summary, a.category_id, a.member_id,
                   c.name      AS category,
                   CONCAT(m.forename, ' ', m.surname) AS author,
                   i.file      AS image_file,
                   i.alt       AS image_alt
⑦            FROM article    AS a
             JOIN category   AS c  ON a.category_id = c.id
             JOIN member     AS m  ON a.member_id   = m.id
             LEFT JOIN image AS i  ON a.image_id    = i.id
            WHERE a.member_id = :id AND a.published = 1
            ORDER BY a.id DESC; ";                          // Instrução SQL
⑧   $articles   = pdo($pdo, $sql, [$id])->fetchAll();       // Artigos do membro
⑨   $sql = "SELECT id, name FROM category WHERE navigation = 1; "; // Instrução SQL para obter as categorias
⑩   $navigation = pdo($pdo, $sql)->fetchAll();              // Obtém as categorias
⑪   $section     = '';                                      // Categoria corrente
⑫   $title       = $member['forename'] . ' ' . $member['surname']; // Conteúdo da tag <title>
⑬   $description = $title . ' on Creative Folk';            // Descrição meta
    ?>
⑭   <?php include 'includes/header.php'; ?>
      <main class="container" id="content">
        <section class="header">
⑮        <h1><?= html_escape($member['forename'] . ' ' . $member['surname']) ?></h1>
⑯        <p class="member"><b>Member since:</b> <?= format_date($member['joined']) ?></p>
⑰        <img src="uploads/<?= html_escape($member['picture']) ?? 'blank.png' ?> "
⑱             alt="<?= html_escape($member['forename']) ?>" class="profile"><br>
        </section>
        <section class="grid">
⑲        <?php foreach ($articles as $article) { ?>
⑳        <!-- O código para exibir os resumos do artigo é igual ao mostrado na p465 -->
         <?php } ?>
        </section>
      </main>
㉑   <?php include 'includes/footer.php'; ?>
```

CRIANDO UM RECURSO DE PESQUISA

A página de pesquisa mostra como usar o SQL para pesquisar dados no BD e, quando uma consulta do banco de dados pode retornar muitas linhas, como a paginação é usada para exibir os resultados em múltiplas páginas.

Quando os visitantes inserirem um termo na caixa de pesquisa e enviarem o formulário, o BD pesquisará esse termo nas colunas `title`, `summary` e `description` da tabela `article`. Se o termo da pesquisa é encontrado nessas colunas, um resumo do arquivo é adicionado ao conjunto de resultados para que os visitantes possam ver quais artigos correspondem à consulta.

A página de pesquisa executa duas consultas SQL:

- Uma conta o número total dos resultados correspondentes.
- A outra obtém os detalhes de resumo desses artigos.

Abaixo, veja a consulta SQL que conta o número de artigos que contém o termo da pesquisa.

O termo é repetido três vezes na consulta; primeiro para verificar a coluna `title`, depois a coluna `summary` e, por fim, a coluna `content`. Não é possível reutilizar um espaço reservado em uma consulta SQL, portanto um nome do espaço reservado diferente é usado para pesquisar cada coluna (`:term1`, `:term2` e `:term3`).

Três resultados da pesquisa são mostrados por página para demonstrar, quando o BD encontra muitos resultados correspondentes, como você pode:

- Mostrar um subconjunto desses resultados por página.
- Adicionar links sob os resultados que permitem aos visitantes solicitarem o próximo conjunto de correspondências (ou o anterior).

Isso se chama **paginação** porque os resultados são divididos em múltiplas páginas. Os links para cada página mostrando os resultados da pesquisa precisam de três pares de nome/valor na string de consulta para que a página de pesquisa saiba quais artigos obter no BD e exibir para o usuário:

- `term` mantém o termo da pesquisa.
- `show` indica quantos resultados mostrar por página.
- `from` informa quantas correspondências foram mostradas.

O valor `show` é usado com a cláusula LIMIT do SQL para que o BD retorne o número certo de artigos para mostrar na página.

O valor `from` é usado com a cláusula OFFSET do SQL para informar ao BD que ele apenas deve começar a adicionar os resultados ao conjunto de resultados *após* ter encontrado o número especificado de correspondências.

```
SELECT COUNT(title)
  FROM article
 WHERE title    LIKE :term1
    OR summary  LIKE :term2
    OR content  LIKE :term3
   AND published = 1;
```

```
LIMIT  :show
OFFSET :from
```

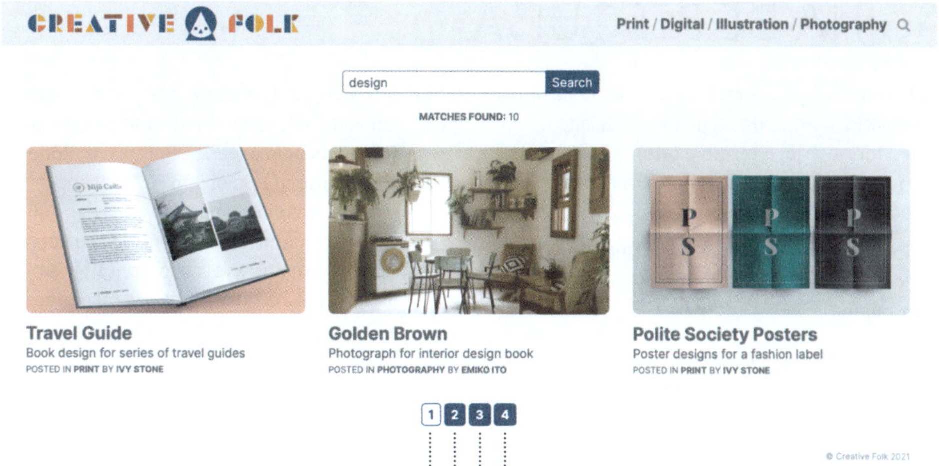

```
                                    search.php? term=design
            search.php? term=design&show=3&from=3
            search.php? term=design&show=3&from=6
            search.php? term=design&show=3&from=9
```

```
FROM   SHOW          PAGE
(  0  ÷  3  )  +  1  =  1
(  3  ÷  3  )  +  1  =  2
(  6  ÷  3  )  +  1  =  3
(  9  ÷  3  )  +  1  =  4
```

Para criar links de paginação, a página de pesquisa precisa de três partes de dados; cada uma é armazenada em uma variável:

- `$count` é o número de resultados que correspondem à pesquisa.
- `$show` é o número de resultados a exibir por página.
- `$from` é o número de resultados a pular antes de adicionar correspondências ao conjunto de resultados.

A fim de calcular o número de páginas necessárias para mostrar os resultados, divida `$count` (o número de correspondências) por `$show` (o número de resultados mostrados por página). Acima, existem 10 correspondências e 3 são mostradas por página. 10 ÷ 3 = 3,3333; e esse número é arredondado usando a função `ceil()` do PHP para obter o número de páginas necessárias para mostrar os resultados.

```
$total_pages = ceil($count / $show);
```

Para determinar a página atual, divida `$from` (o número de resultados a pular) por `$show` (o número de resultados por página), então adicione 1. Os cálculos para determinar a página atual são mostrados à direita e acima.

```
$current_page = ceil($from / $show) + 1;
```

Um loop `for` é usado para criar os links de paginação. Ele define um contador para 1 e verifica se o contador é menor que o número total de páginas. Se for, adiciona um link à página, então aumenta o contador. O loop é executado até o contador chegar no número total de páginas necessárias para exibir os resultados.

```
for ($i = 1; $i <= $total_pages; $i++) {
  // Exibir outro link
}
```

PÁGINA DE PESQUISA

Quando os usuários inserem um termo da pesquisa no formulário no topo da página `search.php` e enviam o formulário, o termo é retornado para a mesma página que, então, encontra artigos correspondentes e exibe os resultados.

1. Tipos restritos são ativados e `functions.php` e `database-connection.php` são incluídos na página.

2. `filter_input()` obtém três valores na string de consulta e os armazena em variáveis:
   - `$term` contém o termo da pesquisa.
   - `$show` obtém o número de resultados para mostrar por página (o número-padrão, 3, é usado se nenhum valor é fornecido).
   - `$from` obtém o número de resultados a pular (um número-padrão 0 é usado se nenhum valor é fornecido)

3. Duas variáveis são inicializadas porque são necessárias para criar a página HTML, mas só recebem valores se há um termo de pesquisa (`$count` contém um valor 0 e `$articles` é um array vazio).

4. Uma declaração `if` verifica se `$term` contém um termo da pesquisa; é porque a próxima parte da página que tenta encontrar correspondências no BD só deve ser executada quando um termo da pesquisa for fornecido.

5. O array `$arguments` armazena os nomes dos três espaços reservados na consulta SQL e os valores pelos quais devem ser substituídos. Cada um é substituído pelo mesmo termo da pesquisa porque as consultas SQL não podem reutilizar o mesmo nome do espaço reservado.

O símbolo curinga % é adicionado antes e depois do termo da pesquisa para que a consulta SQL possa encontrar correspondências mesmo quando outros caracteres apareçam em um lado do termo.

6. A primeira consulta SQL conta quantos artigos na tabela `article` contém o termo da pesquisa na coluna `title`, `summary` ou `content`.

7. A função `pdo()` é usada para executar a consulta SQL (usando o termo da pesquisa fornecido pelo usuário). Então, o método `fetchColumn()` do objeto `PDOStatement` é usado para obter o número de artigos que correspondem ao termo. Como seu nome sugere, o método `fetchColumn()` obtém o valor de uma coluna no conjunto de resultados. O valor retornado é armazenado em `$count`.

8. Uma declaração `if` verifica se houve correspondências. Em caso afirmativo, os resumos do artigo são coletados. Caso contrário, não é necessário tentar coletá-los.

9. Mais dois elementos são adicionados ao array `$arguments` para que possam ser usados na segunda consulta SQL:
   - `show` é o número de resultados a exibir por página.
   - `from` é o número de resultados a pular (ambos são armazenados nas variáveis da Etapa 2).

10. A segunda consulta SQL obtém os resumos dos artigos correspondentes que serão mostrados nesta página; é armazenada em `$sql`.

11. A cláusula `WHERE` encontra os artigos que contêm o termo da pesquisa na coluna `title`, `summary` ou `content` da tabela `article`.

12. A cláusula `ORDER BY` ordena os resultados pela id do artigo, na ordem descendente, portanto os últimos são os primeiros.

13. A cláusula `LIMIT` restringe o número de resultados adicionados ao conjunto de resultados a quantos resultados da pesquisa devem ser mostrados por página.

14. A cláusula `OFFSET` controla quantas correspondências são puladas antes de os dados serem adicionados ao conjunto.

15. A declaração SQL é executada usando os valores no array `$arguments` atualizado. Então, o método `fetchAll()` do objeto `PDOStatement` é chamado para obter todos os resumos correspondentes, que são armazenados em `$articles`.

```php
<?php
declare(strict_types = 1);                              // Usa tipos restritos
require 'includes/database-connection.php';             // Cria objeto PDO
require 'includes/functions.php';                       // Inclui funções

$term  = filter_input(INPUT_GET, 'term');                       // Obtém o termo a pesquisar
$show  = filter_input(INPUT_GET, 'show', FILTER_VALIDATE_INT) ?? 3; // Limite
$from  = filter_input(INPUT_GET, 'from', FILTER_VALIDATE_INT) ?? 0; // Deslocamento
$count = 0;                                             // Configura contador com 0
$articles = [];                                         // Configura artigos para um array vazio

if ($term) {                                            // Se o termo de pesquisa é fornecido
    $arguments['term1'] = '%$term%';                    // Armazena o termo em um array
    $arguments['term2'] = '%$term%';                    // três vezes como marcadores de posição
    $arguments['term3'] = '%$term%';                    // porque não podem ser repetidos na instrução SQL

    $sql = "SELECT COUNT(title) FROM article
            WHERE title   LIKE :term1
               OR summary LIKE :term2
               OR content LIKE :term3
              AND published = 1; ";                     // Como muitos artigos podem corresponder ao termo
    $count = pdo($pdo, $sql, $arguments)->fetchColumn(); // Retorna o valor obtido
    if ($count > 0) {                                   // Se o artigo corresponde ao termo
        $arguments['show'] = $show;                     // Adiciona ao array para paginação
        $arguments['from'] = $from;                     // Adiciona ao array para paginação
        $sql = "SELECT a.id, a.title, a.summary, a.category_id, a.member_id,
                       c.name         AS category,
                       CONCAT(m.forename, ' ', m.surname) AS author,
                       i.file         AS image_file,
                       i.alt          AS image_alt
                  FROM article    AS a
                  JOIN category   AS c   ON a.category_id = c.id
                  JOIN member     AS m   ON a.member_id   = m.id
             LEFT JOIN image      AS i   ON a.image_id    = i.id
                 WHERE a.title   LIKE :term1
                    OR a.summary LIKE :term2
                    OR a.content LIKE :term3
                   AND a.published = 1
              ORDER BY a.id DESC
                 LIMIT :show
                OFFSET :from; ";                        // Encontra os artigos correspondentes
        $articles = pdo($pdo, $sql, $arguments)->fetchAll(); // Executa a consulta e recupera os resultados
    }
}
```

PÁGINA DE PESQUISA (CONTINUAÇÃO)

Em seguida, a página continua calculando os valores necessários para criar links de paginação.

1. Se o número em $count é maior que $show, os valores dos links de paginação precisam ser calculados.
2. O número total de páginas necessárias para mostrar os resultados (armazenados em $total_pages) é calculado:
   - Dividindo $count por $show.
   - Arredondando para cima com a função ceil() do PHP.
3. A página atual (armazenada em $current_page) é calculada:
   - Dividindo o valor em $show pelo valor em $from.
   - Arredondando para cima com a função ceil() do PHP.
   - Adicionando 1 ao número.
4. O SQL para obter as categorias a mostrar na barra de navegação é armazenado em $sql.
5. A consulta é executada, o método fetchAll() obtém as categorias e elas são armazenadas em $navigation.
6. Como a página da pesquisa não está em uma categoria, a variável $section armazena uma string vazia.
7. O título da página é armazenado em $title, que consiste no texto Search results for e no termo da pesquisa (com escape aplicado em header.php).
8. O texto da metadescrição é armazenado na variável $description.

O resto do texto cria a página HTML retornada ao navegador.

9. O formulário da pesquisa retorna os dados para a página.
10. Se o usuário inseriu um termo da pesquisa, ele é sanitizado e mostrado na entrada da pesquisa.
11. Se há um valor em $term, o número de artigos correspondentes é mostrado.
12. Os resumos do artigo são exibidos com um loop foreach, como nos exemplos anteriores (página 465).
13. Uma declaração if verifica se $count contém um número maior que $show. Em caso afirmativo, os links da paginação são exibidos.
14. Elementos <nav> e <ul> são adicionados para manter os links da paginação, com cada link em um elemento <li>.
15. Um loop for é usado para criar os links da paginação. Seus parênteses contêm três expressões:
    - $i = 1 cria um contador $i e o define para 1.
    - $i <= $total_pages é a condição que verifica se o código no loop deve ser executado. Se o contador for menor que as páginas totais necessárias para mostrar os resultados da pesquisa, o bloco de código subsequente será executado.
    - $i++ aumenta o contador em 1 sempre que é executada.
16. No loop, é criado um link para cada página. O atributo href usa uma string de consulta com três valores que informam a search.php quais resultados mostrar:
    - term é o termo da pesquisa.
    - show são os resultados a mostrar por página.
    - from é o número de resultados a pular. Ex.: para Página um $i é 1, então (1 - 1) * 3 pula 0 resultado; para Página dois $i é 2, então (2 - 1) * 3 pula 3 resultados; para Página três $i é 3, então (3 - 1) * 3 pula 6 resultados.
17. Se o valor no contador corresponde ao valor em $current_page, o link deve indicar que é a página atual de resultados. Para tanto, o valor active é adicionado ao atributo class e um atributo aria-current é adicionado com um valor true.
18. No link, o contador é usado como texto do link para mostrar o número da página. O loop é executado até o valor no contador ficar igual ao valor em $total_pages.

```php
①   if ($count > $show) {                          // Se a quantidade correspondente é maior que a quantidade a exibir
②       $total_pages  = ceil($count / $show);      // Calcula o total de páginas
③       $current_page = ceil($from / $show) + 1;   // Calcula a página corrente
    }
④   $sql = "SELECT id, name FROM category WHERE navigation = 1; "; // Instrução SQL para obter as categorias
⑤   $navigation  = pdo($pdo, $sql)->fetchAll();    // Obtém as categorias de navegação

⑥   $section     = '';                             // Categoria corrente
⑦   $title       = 'Search results for ' . $term;  // Conteúdo da tag <title>
⑧   $description = $title . ' on Creative Folk';   // Conteúdo da descrição meta
    ?>
    <?php include 'includes/header.php'; ?>
      <main class="container" id="content">
        <section class="header">
          <form action="search.php" method="get" class="form-search">
            <label for="search"><span>Search for: </span></label>
⑩           <input type="text" name="term" value="<?= html_escape($term) ?>"
                   id="search" placeholder="Enter search term"
            /><input type="submit" value="Search" class="btn" />
          </form>
⑪         <?php if ($term) { ?><p><b>Matches found:</b> <?= $count ?></p><?php } ?>
        </section>

        <section class="grid">
⑫         <?php foreach ($articles as $article) { ?>
          <!-- The code to display the article summaries is the same as shown on p465 -->
          <?php } ?>
        </section>

⑬       <?php if ($count > $show) { ?>
⑭       <nav class="pagination" role="navigation" aria-label="Pagination navigation">
          <ul>
⑮         <?php for ($i = 1; $i <= $total_pages; $i++) { ?>
            <li>
⑯            <a href="?term=<?= $term ?>&show=<?= $show ?>&from=<?= (($i - 1) * $show) ?>"
⑰               class="btn" <?= ($i == $current_page) ? 'active' aria-current="true' : '' ?>">
⑱               <?= $i ?>
              </a>
            </li>
          <?php } ?>
          </ul>
        </nav>
        <?php } ?>
      </main>
    <?php include 'includes/footer.php'; ?>
```

COLOCANDO DADOS EM UM OBJETO

PDO pode representar cada linha de dados em um conjunto de resultados como um objeto, em vez de um array (e os métodos desse objeto podem trabalhar com os dados retornados). O modo de busca do PDO (fetch) especifica como os dados devem ser representados.

Os modos de busca controlam como um objeto PDOStatement retorna cada linha de dados no conjunto de resultados. Pode ser:

- Um array associativo com cada nome da coluna do conjunto usado como uma chave do array.
- Um objeto com cada nome da coluna do conjunto usado como propriedade do objeto.

O arquivo database-connection.php na página 439 usou o array $options para definir o modo de busca a fim de retornar cada linha de dado como um array associativo.

Para definir o modo de busca padrão para retornar cada linha de dados como um objeto, em vez de um array, use o valor PDO::FETCH_OBJ.

ARRAY → PDO::ATTR_DEFAULT_FETCH_MODE => PDO::FETCH_ASSOC;
OBJETO → PDO::ATTR_DEFAULT_FETCH_MODE => PDO::FETCH_OBJ;

Cada objeto PDOStatement também tem um método setFetchMode(), que pode ser usado para definir o modo de busca desse objeto PDOStatement individual. Isso sobrescreve o método de busca padrão.

setFetchMode() é chamado após o método execute(). Seu único parâmetro é o modo de busca a usar. Abaixo, informa que cada linha de dado do conjunto de resultados deve ser retornada como um objeto.

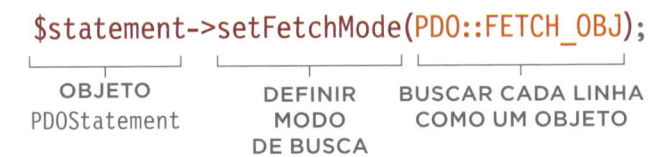

$statement->setFetchMode(PDO::FETCH_OBJ);

OBJETO PDOStatement | DEFINIR MODO DE BUSCA | BUSCAR CADA LINHA COMO UM OBJETO

O modo de busca também pode ser especificado como um argumento dos métodos fetch() e fetchAll(). Quando fetchAll() é usado para recuperar múltiplas linhas de dados no conjunto de resultados, cada objeto é armazenado em um elemento separado de um array indexado.

O objeto é criado usando uma classe chamada **classe-padrão**; é um objeto em branco (sem propriedades nem métodos). O nome da classe é stdClass. O exemplo na página 480 mostrará como os dados podem ser adicionados a um objeto criado usando uma classe existente.

$statement->fetch(PDO::FETCH_OBJ);

OBJETO PDOStatement | OBTER DADOS | BUSCAR CADA LINHA COMO UM OBJETO

OBTENDO E MOSTRANDO DADOS DO BANCO DE DADOS

DEFININDO O MODO DE BUSCA PARA OBTER UM OBJETO

PHP   section_c/c12/examples/fetching-data-as-objects.php

```php
<?php
require '../cms/includes/database-connection.php';
require '../cms/includes/functions.php';
$sql = "SELECT id, forename, surname
        FROM member;";                          // SQL
$statement = $pdo->query($sql);                 // Executa
$statement->setFetchMode(PDO::FETCH_OBJ);       // Busca modo
$members   = $statement->fetchAll();            // Obtém dados
?>
<!DOCTYPE html>
<html> ...
  <body>
    <?php foreach ($members as $member) { ?>
      <p>
        <?= html_escape($member->forename) ?>
        <?= html_escape($member->surname) ?>
      </p>
    <?php } ?>
  </body>
</html>
```

RESULTADO

Ivy Stone

Luke Wood

Emiko Ito

EXPERIMENTE: na Etapa 2, solicite o e-mail do membro também, então exiba-o na Etapa 7.

EXPERIMENTE: substitua a Etapa 7 por `<?php var_dump($member) ?>` para ver o objeto criado para cada linha de dado.

Neste exemplo, cada linha do conjunto de resultados é representada por uma propriedade do objeto.

1. `database-connection.php` e `functions.php` são incluídos.

2. A consulta é armazenada em `$sql`.

3. O método `query()` do objeto PDO executa a consulta. Isso retornará um objeto PDOStatement que representa a consulta e o conjunto de resultados gerado.

4. O método `setFetchMode()` do objeto PDOStatement é chamado. O argumento `PDO::FETCH_OBJ` indica que cada linha do conjunto de resultados deve ser retornada como um objeto.

5. O método `fetchAll()` do objeto PDOStatement obtém cada linha de dado no conjunto de resultados. Ele retorna um array indexado e o valor de cada elemento nesse array é um objeto que representa uma linha de dado.

6. Um loop `foreach` é usado para percorrer cada elemento do array.

7. O nome do membro é mostrado usando as propriedades do objeto que contêm o nome e o sobrenome.

COLOCANDO DADOS EM UM OBJETO COM UMA CLASSE

PDO pode retornar cada linha do conjunto de resultados como um objeto criado usando uma classe definida pelo usuário. Os objetos criados com essa classe obterão automaticamente qualquer método na definição da classe.

Para adicionar dados de cada linha de um conjunto de resultados a um objeto criado usando uma definição de classe existente, use o método `setFetchMode()` do objeto PDOStatement com dois parâmetros:

- O modo de busca `PDO::FETCH_CLASS`.
- O nome da classe a usar.

O nome da classe fica entre aspas e a definição da classe deve ser incluída na página antes de `setFetchMode()` ser chamado.

Na página à direita, veja uma definição da classe usada para criar objetos que representam os membros do site. A classe está em um arquivo `Member.php`, armazenado em outra pasta chamada `classes`.

As propriedades do objeto correspondem aos nomes das duas colunas na tabela `member` do banco de dados.

- Quando um nome da coluna no conjunto de resultados corresponde a um nome da propriedade na classe, o valor é atribuído a essa propriedade.
- Se o conjunto de resultados tem um nome da coluna que não é uma propriedade na classe, esse nome é adicionado como uma propriedade extra do objeto.

Qualquer objeto que o PDO cria usando essa classe também terá métodos que estão na definição da classe.

Quando `fetchAll()` é usado para recuperar várias linhas de dados no conjunto de resultados, cada objeto é armazenado em um elemento diferente em um array indexado.

```
$statement->setFetchMode(PDO::FETCH_CLASS, 'Member');
```

- `$statement` — OBJETO PDOStatement
- `->setFetchMode(` — DEFINIR MODO DE BUSCA
- `PDO::FETCH_CLASS,` — BUSCAR DADOS NA CLASSE EXISTENTE
- `'Member'` — NOME DA CLASSE

Quando objetos são criados a partir de classes nomeadas, valores são atribuídos às propriedades do objeto antes de o método `__construct()` da classe (veja a página 160) ser chamado. Isso pode levar a resultados inesperados.

CRIANDO UM OBJETO COM UMA CLASSE EXISTENTE

```php
section _ c/c12/examples/classes/Member.php
<?php
class Member
{
  public $forename;
  public $surname;
  public function getFullName(): string
  {
    return $this->forename . ' ' . $this->surname;
  }
}
```

```php
section_c/c12/examples/fetching-data-into-class.php
<?php
require '../cms/includes/database-connection.php';
require '../cms/includes/functions.php';
require 'classes/Member.php';
$sql = "SELECT forename, surname
        FROM member
        WHERE id = 1;";
$statement = $pdo->query($sql);
$statement->setFetchMode(PDO::FETCH_CLASS, 'Member');
$member = $statement->fetch();
?>
<!DOCTYPE html>
<html> ...
  <p><?= html_escape($member->getFullName()) ?></p> ...
</html>
```

RESULTADO

Ivy Stone

1. A classe Member é definida com duas propriedades e um método.

2. database-connection.php, functions.php e Member.php são incluídos.

3. A consulta é armazenada em $sql.

4. O método query() do objeto PDO executa a consulta e cria um objeto PDOStatement para representar o conjunto de resultados.

5. O método setFetchMode() do objeto PDOStatement é chamado:

   - PDO::FETCH_CLASS pede ao PDO para adicionar dados a um objeto criado usando uma classe existente.
   - Member é o nome da classe usada para criar o objeto.

6. O método fetch() do objeto PDOStatement obtém uma linha de dados no conjunto de resultados. O objeto retornado é armazenado na variável $member.

7. O método getFullName() do objeto é chamado para obter o nome completo do membro.

EXPERIMENTE: substitua a Etapa 6 por <?php var_dump($member) ?> para ver o objeto criado para o membro.

RESUMO

OBTENDO E MOSTRANDO DADOS DO BANCO DE DADOS

› Um objeto `PDO` representa e gerencia a conexão com o banco de dados.

› Um objeto `PDOStatement` representa uma declaração SQL e o conjunto de resultados gerado. Pode retornar cada linha de dado como um array associativo ou um objeto.

› Quando um conjunto de resultados tem mais de uma linha, cada linha pode ser armazenada em um elemento do array indexado.

› Strings de consulta podem ser usadas para especificar quais dados uma página deve coletar no banco de dados.

› A declaração SQL pode usar espaços reservados para os valores que podem mudar sempre que a página é solicitada.

› Verifique se os dados do banco de dados criados pelos visitantes de um site têm o escape aplicado antes de serem exibidos em uma página.

13
ATUALIZANDO DADOS NO BANCO DE DADOS

Um site pode fornecer ferramentas que permitem aos usuários adicionar novos dados ao BD e atualizar ou excluir os dados existentes já armazenados.

Para tanto, as páginas PHP precisam realizar as seguintes tarefas:

1. **Coletar os dados:** o Capítulo 6 mostrou como obter dados em formulários e URLs.

2. **Validar os dados:** o Capítulo 6 também mostrou como verificar se os dados requeridos foram fornecidos e se eles estão em um formato válido (e como mostrar mensagens aos usuários se há erros).

3. **Atualizar o banco de dados:** o Capítulo 11 introduziu as declarações SQL que criam, atualizam ou excluem dados do BD. O Capítulo 12 mostrou como as declarações SQL podem ser executadas usando o PDO.

4. **Fornecer feedback:** uma mensagem informará aos usuários se eles tiveram ou não sucesso.

Como você já aprendeu a realizar a maioria dessas tarefas, este capítulo foca como controlar quando cada uma delas deve ser executada. A ordem na qual as declarações são executadas é conhecida com **fluxo de controle**. Neste capítulo, uma série de declarações if informa ao interpretador PHP quando realizar cada tarefa. Por exemplo, se os dados que um usuário forneceu não são válidos, não há motivos para criar ou executar o SQL para atualizar o BD. Do mesmo modo, você só precisa mostrar uma mensagem de sucesso se as alterações no BD tiveram êxito.

Você também aprenderá a executar uma série de declarações SQL Inter-relacionadas usando algo chamado **transações** e como as alterações só são salvas se todas as declarações SQL tiveram sucesso (se uma delas falha, então nenhuma alteração no banco de dados é salva).

ATUALIZANDO DADOS NO BANCO DE DADOS

ADICIONANDO DADOS A UMA TABELA

Para adicionar uma nova linha a uma tabela do banco de dados, use o comando INSERT do SQL, que só pode adicionar dados a uma tabela por vez.

1. A declaração SQL abaixo adiciona uma categoria à tabela category. Ela tem parâmetros para as colunas name, description e navigation (o valor para a coluna id é gerado pelo banco de dados).

2. Os dados que cada coluna usará são fornecidos em um array associativo com exatamente um elemento para cada parâmetro na declaração SQL. O array não deve conter qualquer elemento extra, pois isso causaria um erro.

3. O método prepare() do objeto PDO precisa de uma declaração SQL como argumento para que possa criar um objeto PDOStatement. Então, o método execute() do objeto PDOStatement usa os valores no array para executar o SQL.

①
```
$sql = "INSERT INTO category (name, description, navigation)
        VALUES (:name, :description, :navigation);";
```

②
```
$category = ['name']        = 'News';
$category = ['description'] = 'News about Creative Folk';
$category = ['navigation']  = 1;
```

③
```
$statement = $pdo->prepare($sql);
$statement->execute($category);
```

À direita, a nova linha foi destacada. Os recursos de autoincremento fornecem à coluna id um valor 5. No site de exemplo, se houvesse um problema, o objeto PDO geraria uma exceção e isso seria tratado pela função de manipulação de exceção padrão.

category			
id	name	description	navigation
1	Print	Inspiring graphic design	1
2	Digital	Powerful pixels	1
3	Illustration	Hand-drawn visual storytelling	1
4	Photography	Capturing the moment	1
5	News	News about Creative Folk	1

ATUALIZANDO OS DADOS EM UMA TABELA

Para atualizar as linhas existentes em uma tabela do BD, use o comando UPDATE do SQL, que pode atualizar múltiplas tabelas usando JOIN.

1. Esta declaração SQL atualiza uma categoria existente. Os três primeiros parâmetros contêm os valores para usar nas colunas name, description e navigation. A cláusula WHERE usa um parâmetro para especificar a id da linha a ser atualizada.

2. Os dados usados para substituir os parâmetros são fornecidos em um array, que tem exatamente um elemento para cada parâmetro na declaração SQL. Não deve conter elementos extras porque isso causaria um erro.

3. A declaração é executada como uma consulta com parâmetros. Abaixo, veja a função pdo() definida pelo usuário (apresentada na página 456) que é usada para executar a declaração SQL. Essa abordagem será usada no resto do capítulo.

```
① $sql = "UPDATE category
             SET name        = :name,
                 description = :description,
                 navigation  = :navigation
             WHERE id = :id;";

② $category = ['id']           = 5;
  $category = ['name']         = 'News';
  $category = ['description']  = 'Updates from Creative Folk';
  $category = ['navigation']   = 0;

③ pdo($pdo, $sql, $category);
```

category			
id	name	description	navigation
1	Print	Inspiring graphic design	1
2	Digital	Powerful pixels	1
3	Illustration	Hand-drawn visual storytelling	1
4	Photography	Capturing the moment	1
5	News	Updates from Creative Folk	0

À esquerda, a quinta categoria foi atualizada.

NOTA: se a condição da pesquisa especificada na cláusula WHERE correspondesse a mais de uma linha, o comando UPDATE do SQL atualizaria todas as linhas correspondentes.

EXCLUINDO OS DADOS DE UMA TABELA

O comando DELETE do SQL exclui as linhas de dados de uma tabela. Uma condição da pequisa restringe quais linhas devem ser excluídas. JOIN pode ser usado para excluir os dados de múltiplas tabelas.

1. A declaração SQL abaixo usa o comando DELETE, seguido da cláusula FROM e do nome da tabela da qual a(s) linha(s) será(ão) excluída(s).

2. Em seguida, a condição da pesquisa especifica quais linhas devem ser excluídas da tabela. Abaixo, a linha a excluir é especificada usando um valor na coluna id.

3. A id da linha a excluir é armazenada em $id. Então, a id é fornecida à função pdo() usando um array indexado que é criado *no próprio argumento*.

① `$sql = "DELETE FROM category`
② `            WHERE id = :id;";`

③
```
$id = 5;
pdo($pdo, $sql, [$id]);
```

À direita, a quinta categoria foi excluída da tabela.

NOTA: se a condição da pesquisa na cláusula WHERE corresponder a mais de uma linha, o comando DELETE do SQL excluirá todas as linhas correspondentes.

category			
id	name	description	navigation
1	Print	Inspiring graphic design	1
2	Digital	Powerful pixels	1
3	Illustration	Hand-drawn visual storytelling	1
4	Photography	Capturing the moment	1

OBTENDO A ID DE UMA NOVA LINHA DE DADOS

Quando uma coluna da tabela do BD usar uma id de autoincremento e uma nova linha de dado for adicionada à tabela, o método `lastInsertId()` do objeto PDO retornará a id que o BD criou para a nova linha.

No site de exemplo, a primeira coluna em cada tabela se chama id. Ela contém uma chave primária que é usada para identificar com exclusividade cada linha da tabela. Quando uma nova linha é adicionada à tabela, o recurso de autoincremento do MySQL é usado para criar o valor usado na coluna id da nova linha.

Quando uma declaração SQL que insere uma nova linha de dado na tabela é executada, o método `lastInsertId()` do objeto PDO pode obter o valor que o MySQL gerou para a coluna id. Isso pode ser armazenado em uma variável e usado posteriormente no código.

Você verá essa técnica usada quando um novo artigo for criado e uma imagem for carregada ao mesmo tempo.

- A imagem é adicionada à tabela image primeiro.
- O método `lastInsertId()` é usado para obter sua id.
- O artigo é adicionado à tabela article por último porque usa a id da nova imagem na coluna image_id da tabela article.

Veja abaixo que o método `lastInsertId()` é chamado após a função `pdo()` ser chamada para adicionar uma nova linha ao banco de dados.

```
pdo($pdo, $sql, $arguments);
$new_id =$pdo->lastInsertId();
```

DESCOBRINDO QUANTAS LINHAS MUDARAM

Quando uma declaração SQL usa um comando UPDATE ou DELETE, ela pode mudar mais de uma linha de dados por vez. O método rowCount() do objeto PDOStatement retorna o número de linhas afetadas.

Quando um comando UPDATE ou DELETE é executado, pode alterar zero, uma ou muitas linhas do banco de dados, dependendo de quantas correspondem à condição da pesquisa na cláusula WHERE.

Quando a consulta abaixo for executada, se a tabela category não tiver uma categoria com a id 100, não excluirá nada do banco de dados:

```
DELETE FROM category
 WHERE id = 100;
```

Quando a consulta abaixo é executada, ela pode atualizar zero, uma ou muitas linhas, dependendo de quantas linhas tinham um valor 0 na coluna navigation.

```
UPDATE category
   SET navigation = 1
 WHERE navigation = 0;
```

Quando o método execute() do objeto PDOStatement é chamado, ele retorna true se uma declaração SQL é executada e false, se não. Mas, como os exemplos mostram, isso não informa se alguma linha do BD mudou.

Para determinar quantas linhas foram alteradas quando uma declaração SQL foi executada, o objeto PDOStatement tem um método chamado rowCount(), que retornará o número de linhas que mudaram.

O método rowCount() deve ser chamado na próxima declaração após o método execute() e o valor retornado pode ser armazenado em uma variável.

Se você executar uma declaração SQL usando a função pdo() definida no último capítulo, o método rowCount() poderá ser chamado na mesma declaração que chama a função pdo() (usando o encadeamento de métodos).

```
$sql = "UPDATE category
           SET navigation = 1
         WHERE navigation = 0;";
$result = $pdo($pdo, $sql)->rowCount();
```

IMPEDINDO VALORES DUPLICADOS NAS COLUNAS

Os valores em algumas colunas devem ser únicos. No site de exemplo, dois artigos não podem ter o mesmo título, duas categorias não podem ter o mesmo nome e dois membros não podem ter o mesmo e-mail.

Na página 430, foi adicionada uma restrição de exclusividade às colunas subsequentes do BD para assegurar que duas linhas não tivessem o mesmo valor nestas colunas:

- Coluna `title` da tabela `article`.
- Coluna `name` da tabela `category`.
- Coluna `email` da tabela `member`.

Quando uma nova linha é adicionada a essas tabelas (ou uma linha existente é atualizada), se outra linha já tiver o mesmo valor nessas colunas, o PDO irá gerar um objeto de exceção porque não é possível salvar os dados (eles violariam a restrição de exclusividade).

PDO usa a classe `PDOException` para criar um objeto `PDOException`; é como os objetos de exceção vistos na página 368, mas contém dados extras específicos do PDO. Abaixo, veja como tratar as declarações SQL que podem violar a restrição de exclusividade.

1. O código para criar uma nova linha nessas tabelas, ou atualizar uma existente, é colocado em um bloco `try`.

2. Se o PDO gera uma exceção ao executar o código no bloco `try`, o bloco `catch` subsequente é executado e o objeto de exceção é armazenado em uma variável `$e`.

3. O objeto `PDOException` tem uma propriedade `errorInfo`. Seu valor é um array indexado de dados sobre o erro. O segundo elemento no array é um código de erro (http://notes.re/PDO/error-codes tem uma lista completa de códigos de erro) [conteúdo em inglês]. Se o código de erro é 1062, uma restrição de exclusividade impede que os dados sejam salvos e o usuário deve ser informado que o valor já foi usado.

4. Se é outro código de erro, a exceção é gerada de novo usando a palavra-chave `throw` (veja a página 369) e será manipulada pela função de tratamento de exceção padrão.

```
try {
    pdo($pdo, $sql, $args);
} catch (PDOException $e) {
    if ($e->errorInfo[1] === 1062) {
        // Informar ao usuário que um valor já foi usado
    } else {
        throw $e;
    }
}
```
① `try {`
② `} catch (PDOException $e) {`
③ `if ($e->errorInfo[1] === 1062) {`
④ `} else { throw $e; }`

CRIANDO PÁGINAS DA WEB PARA EDITAR DADOS DO BD

Após ver como o PDO adiciona, atualiza e exclui os dados no BD, o resto deste capítulo mostrará como criar páginas admin e formulários que permitem que os usuários mudem os dados armazenados em um banco de dados.

Veja as seis páginas admin que permitem que os usuários criem, atualizem e excluam categorias e artigos.

As páginas admin estão todas em uma pasta `admin`. Experimente-as no navegador antes de ver o código.

categories.php
Esta página lista todas as categorias. Também há links para criar, atualizar e excluir categorias e artigos.

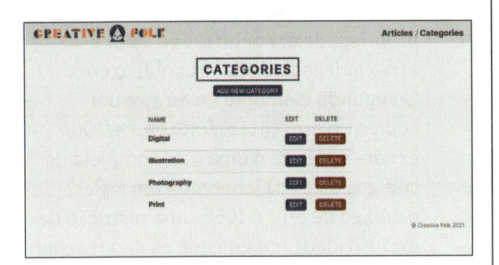

articles.php
Esta página lista todos os artigos. Ela tem links que permitem aos proprietários do site criar, atualizar e excluir artigos.

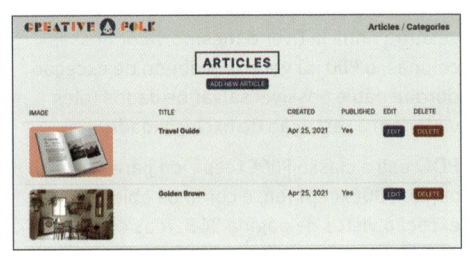

Os links para criar ou editar as categorias apontam para `category.php`.

- Ao criar uma categoria, não há nenhuma string de consulta.
- Ao editar uma categoria, a string de consulta contém a id do nome e seu valor é a id da categoria a editar. Ex: `category.php?id=2`.

Os links para excluir uma categoria apontam para uma página chamada `category-delete.php` e a string de consulta contém a id da categoria a excluir.

Os links para criar ou editar os artigos apontam para `article.php`.

- Ao criar um artigo, não há nenhuma string de consulta.
- Ao editar um artigo, a string de consulta contém a id do nome e seu valor é a id do artigo a editar. Ex: `article.php?id=2`.

Os links para excluir um artigo apontam para uma página `article-delete.php` e a string de consulta contém a id do artigo a excluir.

ATUALIZANDO DADOS NO BANCO DE DADOS

category.php
Esta página fornece um formulário para criar uma nova categoria ou atualizar uma existente.

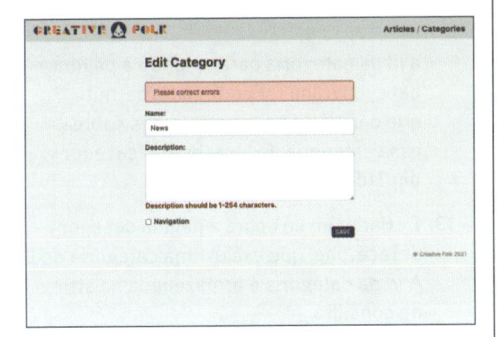

Quando o formulário é enviado, os dados são validados:

- Se forem válidos, a página atualizará o BD e retornará o usuário para a página categories.php. Uma mensagem é enviada na string de consulta para que a página de categorias mostre que os dados foram salvos.
- Se inválidos, o formulário será mostrado de novo com mensagens abaixo dos campos do formulário que precisam de correção.

category-delete.php
Esta página pede que os usuários confirmem se desejam excluir uma categoria.

Se o usuário pressionar o botão confirm, a categoria será excluída e haverá o retorno para a página categories.php. Uma mensagem será enviada na string de consulta e exibida na página de categorias para informar ao usuário que a categoria foi excluída.

article.php
A página de artigos fornece um formulário para criar um novo artigo ou atualizar um existente.

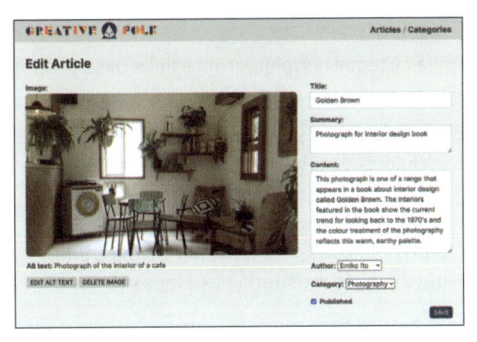

Quando o formulário é enviado, os dados são validados.

- Se forem válidos, a página atualizará o BD e retornará o usuário para a página articles.php. Uma mensagem é enviada na string de consulta para que a página de artigos mostre que os dados foram salvos.
- Se inválidos, o formulário será mostrado de novo com mensagens abaixo dos campos do formulário que precisam de correção.

article-delete.php
Esta página pede que os usuários confirmem se desejam excluir um artigo.

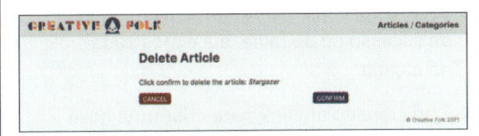

Se o usuário pressionar o botão confirm, o artigo será excluído e haverá o retorno para a página articles.php. Uma mensagem será enviada na string de consulta e exibida na página de artigos para informar ao usuário que o artigo foi excluído.

CRIANDO, ATUALIZANDO E EXCLUINDO CATEGORIAS

A página `categories.php` fornece links para criar, atualizar e excluir as categorias.

1. Tipos restritos são usados e dois arquivos são incluídos: `database-connection.php` cria um objeto PDO e `functions.php` contém funções definidas pelo usuário, inclusive a função `pdo()`, funções para formatar dados e uma nova função mostrada nas Etapas 15-19.

2. Se a string de consulta contém uma mensagem de sucesso, ela é armazenada em uma variável `$success`. Se não, `$success` terá o valor `null`.

3. Se a string de consulta tira uma mensagem de falha, ela é armazenada em `$failure`. Se não, `$failure` mantém `null`.

4. A variável `$sql` contém a consulta SQL para obter dados sobre cada categoria armazenada no banco de dados.

5. A função `pdo()` executa a consulta e o método `fetchAll()` do objeto `PDOStatement` obtém os dados da categoria e os armazena em `$categories`.

6. O arquivo do cabeçalho das páginas admin é incluído.

7. Se a string de consulta tem uma mensagem de sucesso ou de falha, ela é mostrada na página.

8. É adicionado um link para criar uma nova categoria. Quando um link para `category.php` não tem uma string de consulta, `category.php` sabe que deve criar uma nova categoria.

9. Uma tabela é adicionada à página. A primeira linha contém três cabeçalhos da coluna: `name`, `edit` e `delete`.

10. Um loop `foreach` é usado para exibir dados sobre as categorias existentes com links para editá-los ou excluí-los.

11. A primeira coluna mostra o nome da categoria.

12. Então, é criado um link para a página `category.php`. A string de consulta contém a id da categoria para, quando a página `category.php` for carregada, permitir que o usuário edite os detalhes sobre essa categoria. Ex.: `<a href="category.php?id=1">`.

13. É criado um link para a página `category-delete.php`, que exclui uma categoria do BD. A id da categoria é armazenada na string de consulta.

14. O rodapé das páginas admin é incluído.

15. Uma nova função que redireciona os usuários para outra página é adicionada a `functions.php`. Ela permite que mensagens de sucesso ou de falha sejam adicionadas à string de consulta da página para a qual o usuário é enviado. Tem três parâmetros:

    - Nome do arquivo para enviar ao usuário.
    - Array opcional para criar a string de consulta.
    - Código de resposta HTTP opcional (o padrão é 302).

16. A variável `$qs` é criada para manter uma string de consulta. Seu valor é atribuído usando um operador ternário. Se `$parameters` contém um array, é adicionada uma interrogação a `$qs` e a função `http_build_query()` predefinida do PHP cria a string de consulta a partir dos valores no array. Para cada elemento no array, a chave se torna um nome na string e seu valor é adicionado após um sinal de igual (caracteres não permitidos em uma URL também têm o escape aplicado; página 280).

17. O valor em `$qs` é unido ao final da URL da página para a qual o usuário é enviado.

18. A função `header()` do PHP é chamada para redirecionar o visitante. O primeiro argumento informa ao navegador a página a solicitar; o segundo é o código de resposta HTTP.

19. `exit` interrompe a execução de mais código.

PHP   c13/cms/admin/categories.php

```php
   <?php
   declare(strict_types = 1);                         // Usa tipos restritos
①  include '../includes/database-connection.php';    // Conexão do banco de dados
   include '../includes/functions.php';              // Inclui funções

②  $success = $_GET['success'] ?? null;              // Verifica se há mensagem de sucesso
③  $failure = $_GET['failure'] ?? null;              // Verifica se há mensagem de falha

④  $sql = "SELECT id, name, navigation FROM category;"; // Instrução SQL para obter todas as categorias
⑤  $categories = pdo($pdo, $sql)->fetchAll();        // Obtém todas as categorias
   ?>
⑥  <?php include '../includes/admin-header.php' ?>
   <main class="container" id="content">
     <section class="header">
       <h1>Categories</h1>
⑦     <?php if ($success) {?><div class="alert alert-success"><?=$success ?></div><?php } ?>
       <?php if ($failure) {?><div class="alert alert-danger"><?=$failure ?></div><?php } ?>
⑧     <p><a href="category.php" class="btn btn-primary">Add new category</a></p>
     </section>

     <table class="categories">
⑨     <tr><th>Name</th><th class="edit">Edit</th><th class="delete">Delete</th></tr>
⑩     <?php foreach ($categories as $category) { ?>
       <tr>
⑪       <td><?= html_escape($category['name']) ?></td>
⑫       <td><a href="category.php?id=<?= $category['id'] ?>"
               class="btn btn-primary">Edit</a></td>
⑬       <td><a href="category-delete.php?id=<?= $category['id'] ?>"
               class="btn btn-danger">Delete</a></td>
       </tr>
       <?php } ?>
     </table>
   </main>
⑭  <?php include '../includes/admin-footer.php'; ?>
```

PHP   c13/cms/includes/functions.php

```php
⑮  function redirect(string $location, array $parameters = [], $response_code = 302)
   {
⑯     $qs = $parameters ? '?' . http_build_query($parameters) : ''; // Cria uma string de consulta
⑰     $location = $location . $qs;                    // Cria um novo caminho
⑱     header('Location: ' . $location, $response_code); // Redireciona para uma nova página
⑲     exit;                                           // Interrompe o código
   }
```

CRIANDO E ATUALIZANDO DADOS

O código para criar ou atualizar artigos e categorias é dividido em quatro partes. Cada parte usa um conjunto de declarações `if` que determinam qual código é executado.

A: CONFIGURE A PÁGINA
Primeiro, as páginas verificam se estão criando ou atualizando os dados. Para tanto, verificam se a string de consulta tem um nome `id` com um valor inteiro.

- Não: a página está sendo usada para criar uma nova linha no BD. Nesse ponto, o interpretador PHP pulará para a Parte B.
- Sim: a página tenta editar uma linha existente de dados e deve carregar os dados para poder editar.

Se os dados que o usuário deseja editar não são retornados, ele é informado de que o artigo ou a categoria não foi encontrado.

B: OBTENHA E VALIDE OS DADOS DO USUÁRIO
Então, a página verifica se o formulário foi enviado.

- Não: pule para a Parte D.
- Sim: os dados devem ser coletados e validados.

É criado um array com um elemento para cada parte de dado que a página recebe. O valor desse elemento é atribuído validando os dados com as funções apresentadas no Capítulo 6. Se os dados são:

- Válidos: o elemento no array contém uma string em branco.
- Inválidos: o array armazena uma mensagem de erro indicando quais dados são esperados do controle.

Os valores no array são reunidos em uma string.

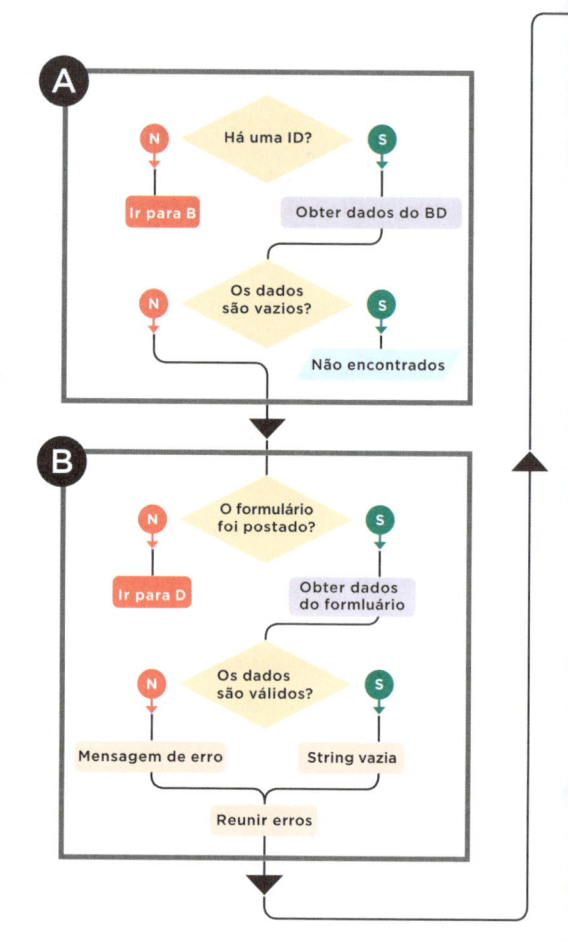

Os fluxogramas ajudam a descrever qual código deve ser executado em diferentes situações. Consulte-os ao percorrer o código.

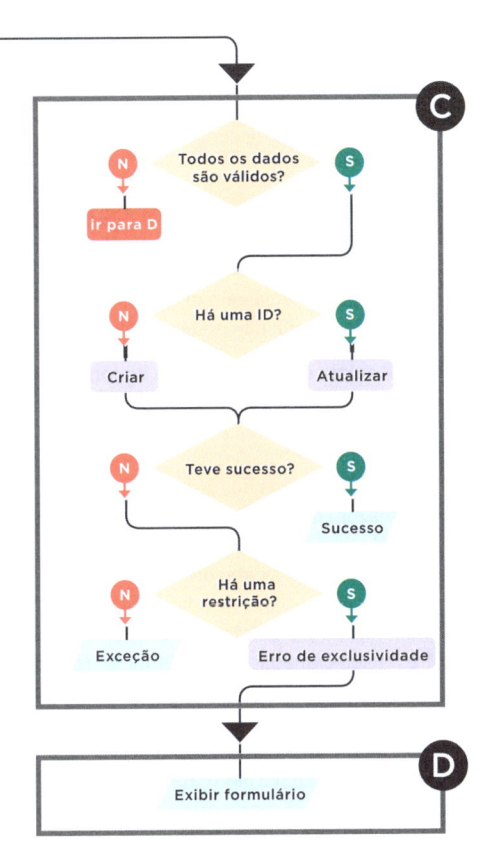

C: SALVE OS DADOS DO USUÁRIO
Nesta parte, a página verifica se os dados são válidos.

- Não: pule para a Parte D.
- Sim: continue a executar o código na Parte C.

Então, verifique se havia uma id na string de consulta:

- Não: o SQL cria um novo artigo ou categoria.
- Sim: o SQL atualiza o artigo ou a categoria.

Depois, verifique se o SQL foi executado com sucesso:

- Não: verifique o tipo de exceção gerada.
- Sim: o usuário vê uma mensagem de sucesso.

Se foi gerada uma exceção, verifique se foi causada por uma restrição de exclusividade:

- Não: gere de novo a exceção.
- Sim: é exibida uma mensagem descrevendo o problema.

D: EXIBA O FORMULÁRIO
O formulário é mostrado:

- Se não havia uma id e o formulário não foi enviado, o formulário estará em branco.
- Se havia uma id, mas o formulário não foi enviado, o formulário mostra os dados existentes a editar.
- Se o formulário foi enviado e os dados não são válidos, o formulário mostra os dados que o usuário forneceu com mensagens de erro informando como corrigi-los.

OBTENDO E VALIDANDO OS DADOS DA CATEGORIA

O código para `category.php` está dividido nas próximas seis páginas. Primeiro, veja o código das Partes A e B (como descrito na página anterior). A Parte A configura a página e determina se uma nova categoria é criada ou uma existente é atualizada.

1. Tipos restritos são ativados e os arquivos requeridos são incluídos. São necessários `database-connection.php`, `functions.php` e `validate.php` (que mantêm as funções de validação criadas no Capítulo 6).

2. Se a página estiver editando uma categoria existente, a URL terá uma string de consulta com a id do nome; seu valor será a id da categoria a editar.

A função `filter_input()` do PHP é usada para verificar se existe uma id e seu valor é um inteiro. A variável `$id` armazenará:

- O inteiro se ele existe.
- `false` se o valor não é um inteiro válido.
- `null` se a id do nome não está na string de consulta.

3. O array `$category` é declarado para conter detalhes sobre a categoria. É inicializado com valores que podem ser mostrados no formulário na Parte D (ver página 503) quando uma nova categoria é criada e o formulário não tem nenhum valor a exibir.

4. O array `$errors` é inicializado com strings em branco para cada elemento (porque nenhum erro foi descoberto ainda). Os valores no array são mostrados na Parte D após cada controle do formulário (página 503).

5. Uma declaração `if` verifica se há um inteiro válido para a id da categoria na string de consulta.

6. Se há, o SQL para obter a categoria que o usuário deseja editar no BD fica em `$sql`.

7. A função `pdo()` executa a consulta e o método `fetch()` coleta os dados da categoria. O array retornado é armazenado na variável `$category` (sobrescrevendo os valores criados na Etapa 3).

8. Se havia uma id na string de consulta, mas o BD não encontrou uma categoria correspondente, a variável `$category` conterá `false` e o bloco de código subsequente será executado.

9. A função `redirect()` (página 495) envia o usuário para a página `categories.php`. O segundo argumento é um array usado para exibir uma mensagem de falha, informando que a categoria não pôde ser encontrada.

A Parte B coleta e valida os dados do formulário:

10. Uma declaração `if` testa se o formulário foi enviado.

11. Se foi, os valores do formulário são armazenados no array `$category` criado na Etapa 4. **Nota:** a opção de navegação (que indica se a categoria deve ou não ser mostrada na barra de navegação) é enviada apenas para o servidor se a caixa de opção está selecionada. Assim, a função `isset()` do PHP é usada para verificar se um valor para o controle do formulário foi enviado, então um operador de igualdade verifica se seu valor é 1. Se é, a chave navigation conterá o valor 1; se não, conterá 0.

12. O nome da categoria e a descrição são validados usando a função `is_text()` no arquivo de inclusão `validate.php`. Se são inválidos, mensagens de erro são armazenadas no array `$errors`.

13. Os valores no array `$errors` são reunidos e armazenados em uma variável `$invalid`.

Na próxima página, veja como a página decide se é para salvar ou não os dados no BD.

```php
<?php
// Parte A: configuração
declare(strict_types = 1);                                  // Usa tipos restritos
include '../includes/database-connection.php';              // Conexão com banco de dados
include '../includes/functions.php';                        // Inclui funções
include '../includes/validate.php';                         // Inclui validação

// Inicialização de variáveis
$id = filter_input(INPUT_GET, 'id', FILTER_VALIDATE_INT);   // Obtém id e valida
$category = [
    'id'          => $id,
    'name'        => '',
    'description' => '',
    'navigation'  => false,
];                                                          // Inicializa array da categoria
$errors = [
    'warning'     => '',
    'name'        => '',
    'description' => '',
];                                                          // Inicializa array de erros

// Se há uma id, a página está em edição da categoria, assim configura a categoria corrente
if ($id) {                                                  // Se conseguir obter uma id
    $sql = "SELECT id, name, description, navigation
            FROM category
            WHERE id = :id; ";                              // Instrução SQL
    $category = pdo($pdo, $sql, [$id])->fetch();            // Obtém dados da categoria
    if (!$category) {                                       // Se nenhuma categoria for encontrada
        redirect('categories.php', ['failure' => 'Category not found']);   // Mostrar erro
    }
}

// Parte B: obtenção e validação dos dados do formulário
if ($_SERVER['REQUEST_METHOD'] == 'POST') {                 // Se formulário for enviado
    $category['name']        = $_POST['name'];              // Obtém o nome
    $category['description'] = $_POST['description'];       // Obtém a descrição
    $category['navigation']  = (isset($_POST['navigation'])
        and ($_POST['navigation'] == 1)) ? 1 : 0;           // Obtém a navegação

    // Verifica se todos os dados são válidos e cria mensagens de erro se forem inválidos
    $errors['name'] = (is_text($category['name'], 1, 24))
        ? '' : 'Name should be 1-24 characters.';           // Valida o nome
    $errors['description'] = (is_text($category['description'], 1, 254))
        ? '' : 'Description should be 1-254 characters.';   // Valida a descrição

    $invalid = implode($errors);                            // Une as mensagens de erro
```

SALVANDO DADOS DA CATEGORIA

Na Parte C desta página, o arquivo `category.php` determina se o banco de dados deve ou não salvar os dados e, em caso positivo, se uma nova categoria deve ser adicionada ou se uma categoria existente deve ser atualizada.

1. Uma declaração `if` verifica se `$invalid` contém texto. Se tem, a condição é avaliada como `true`, indicando que há erros que o usuário precisa corrigir. O bloco de código subsequente armazena uma mensagem de aviso no array `$errors`.

2. Se não, os dados são válidos e podem ser processados.

3. Os dados do array `$category` são copiados para a variável `$arguments` porque:

    - Quando a função `pdo()` executa a declaração SQL, ela usa os valores salvos em `$category` para substituir os espaços reservados.
    - Nem sempre a declaração SQL precisa de todos os elementos armazenados no array `$category` e a função `pdo()` não poderá ser executada se algum elemento não for removido (veja a Etapa 9).

4. Se `$id` contém um número (armazenado como `true`), significa que a página atualiza uma categoria existente.

5. A variável `$sql` contém a declaração SQL para atualizar a categoria. Ela começa com o comando UPDATE e o nome da tabela a atualizar.

6. A cláusula SET é seguida pelos nomes das colunas que serão atualizadas e pelos espaços reservados que serão substituídos pelos valores dessas colunas.

7. A cláusula WHERE indica a id da linha na tabela `category` que deve ser atualizada.

8. Se `$id` não tinha um número, significa que a página adiciona uma nova categoria ao BD.

9. A função `unset()` do PHP remove do array `$arguments` o elemento que contém a id do artigo. Isso é feito porque o array de dados que contém os valores usados para substituir os espaços reservados na declaração SQL não pode conter elementos extras.

10. A variável `$sql` tem a declaração SQL para criar uma nova categoria. Ela inicia com:

    - INSERT para adicionar uma nova linha ao BD.
    - INTO seguido do nome da tabela à qual os dados serão adicionados.
    - Os nomes das colunas que receberão valores, entre parênteses.

11. O comando VALUES é seguido pelos nomes dos espaços reservados que representam os novos valores. Também ficam entre parênteses.

12. A declaração SQL é executada em um bloco `try` porque o nome da categoria tem uma restrição de exclusividade e, se o usuário tentasse fornecer um nome já usado, seria gerada uma exceção.

13. A função `pdo()` executa a declaração SQL.

14. Se o código no bloco `try` ainda está em execução, a declaração SQL foi executada com sucesso, portanto a função `redirect()` (página 495) é chamada. O primeiro argumento indica que o usuário deve ser retornado para a página `categories.php`. O segundo argumento é um array indicando que a categoria foi salva: `['success'=> 'Category saved']` A função `redirect()` obterá os dados e pedirá ao navegador para solicitar a seguinte página: `category.php?success=Category%20saved`.

PHP   c13/cms/admin/category.php

```php
            // Parte C: verifica se os dados são válidos e, em caso afirmativo, atualiza o banco de dados
①           if ($invalid) {                          // Se os dados são válidos
                $errors['warning'] = 'Please correct errors'; // Cria mensagem de erro
②           } else {                                 // Caso contrário
③               $arguments = $category;              // Configura array de argumentos para instrução SQL
④               if ($id) {                           // Se há uma id
⑤                   $sql = "UPDATE category
⑥                           SET name = :name, description = :description,
                                navigation = :navigation
⑦                           WHERE id = :id; ";       // Instrução SQL para atualizar categoria
⑧               } else {                             // Se não há uma id
⑨                   unset($arguments['id']);         // Remove id do array de categoria
⑩                   $sql = "INSERT INTO category (name, description, navigation)
⑪                           VALUES (:name, :description, :navigation); "; // Cria a categoria
                }

                // Quando executar a instrução SQL, três coisas podem ocorrer:
                // Categoria salva | Nome já em uso | Exceção disparada por outra razão
⑫               try {                                // Inicia um bloco try para executar a instrução SQL
⑬                   pdo($pdo, $sql, $arguments);     // Executa a instrução SQL
⑭                   redirect('categories.php', ['success' => 'Category saved']); // Redirecionada
⑮               } catch (PDOException $e) {          // Se uma exceção PDO ocorreu
⑯                   if ($e->errorInfo[1] === 1062) { // Se for erro por entrada duplicada
⑰                       $errors['warning'] = 'Category name already in use'; // Armazena mensagem de erro
⑱                   } else {                         // Caso seja um erro inesperado
                        throw $e;                    // Dispara novamente a exceção
                    }
                }
            }
        }
        ?>
```

Redirecionar o visitante para `categories.php` quando a categoria foi salva impede que o usuário envie novamente os dados ou atualize a página.

15. Se os dados da categoria não puderam ser salvos, será gerada uma exceção e o interpretador PHP executará o código no bloco `catch`. A finalidade do bloco `catch` é verificar se a exceção foi gerada porque o nome da categoria não era exclusivo. Dentro do bloco `catch`, o objeto de exceção será armazenado em uma variável `$e`.

16. A condição de uma declaração `if` verifica a propriedade `errorInfo` do objeto de exceção, que contém um array indexado.

Um código de erro é armazenado no elemento cuja chave é 1. Se o código de erro é 1062, indica que a restrição de exclusividade foi violada e o nome da categoria já está em uso.

17. Uma mensagem de erro é armazenada no array `$errors` informando ao usuário que o nome da categoria já está em uso.

18. Se o objeto de exceção tem um código de erro diferente, a exceção é gerada de novo e será tratada pela função de tratamento de exceção padrão.

UM FORMULÁRIO PARA CRIAR OU EDITAR DADOS DA CATEGORIA

A Parte D do processo envolve mostrar ao visitante um formulário que ele possa usar para criar ou editar as informações da categoria. O mesmo formulário é mostrado ao usuário se ele cria ou edita uma categoria.

1. O atributo `action` da tag `<form>` de abertura aponta para a mesma página (`category.php`). A string de consulta contém uma chave `id` e seu valor é armazenado no atributo `$id`. Se a categoria já foi criada, conterá a id da categoria; se não, será `null`. O formulário é enviado usando HTTP POST.

2. Se o formulário fosse enviado e os dados não fossem válidos, ou se o nome da categoria já estivesse em uso, uma mensagem de erro seria armazenada no array `$errors` como um valor para a chave `warning`. Uma declaração `if` verifica se existe uma mensagem de erro.

3. Em caso afirmativo, ela será exibida acima do formulário.

4. Uma entrada de texto permite ao usuário inserir ou atualizar o nome da categoria. Se um nome já foi fornecido, ele é mostrado no atributo `value` da entrada de texto. A função `html_escape()` assegura de que qualquer caractere HTML reservado nesse valor seja substituído por entidades. Isso evita o risco de um ataque XSS.

   Quando a página for carregada pela primeira vez para criar uma nova categoria, o usuário não terá nenhum dado da categoria. Por isso que é importante inicializar o array `$category` na Parte A (especificando os nomes da chave e definindo seus valores para strings em branco) para que a página tenha valores que possam ser exibidos nos controles do formulário.

5. O array `$errors` também foi inicializado na Parte A. Ele tem um elemento para cada entrada de texto. Se o formulário fosse enviado e o nome da categoria não fosse válido, o valor associado à chave `name` conteria uma mensagem de erro descrevendo o problema e isso seria mostrado abaixo da entrada de texto.

   Se o formulário não foi enviado ou não houve erros, ele conterá uma string em branco (porque foi inicializado na Parte A) e essa string é mostrada abaixo da entrada de texto (se o array `$errors` não foi inicializado na Parte A, tentar exibir essa mensagem resultará em um erro `Undefined index`).

6. Uma entrada `<textarea>` permite ao usuário fornecer uma descrição da categoria. Se um valor já foi fornecido, ele é exibido entre as tags de abertura e de fechamento.

7. Se houve um problema ao validar a descrição, uma mensagem de erro é mostrada abaixo.

8. Uma caixa de opção indica se o nome da categoria deve ou não ser exibido na navegação.

9. Um operador ternário verifica se a opção de navegação recebeu um valor 1. Se recebeu, adiciona o atributo `checked` à entrada da caixa de opção para marcá-la. Se não, escreve uma string em branco.

10. Um botão de envio é adicionado ao final do formulário.

```php
<?php include 'includes/admin-header.php'; ?>
  <main class="container admin" id="content">
    <form action="category.php?id=<?= $id ?>" method="post" class="narrow">

      <h2>Edit Category</h2>
      <?php if ($errors['warning']) { ?>
        <div class="alert alert-danger"><?= $errors['warning'] ?></div>
      <?php } ?>

      <div class="form-group">
        <label for="name">Name: </label>
        <input type="text" name="name" id="name"
               value="<?= html_escape($category['name']) ?>" class="form-control">
        <span class="errors"> <?= $errors['name'] ?></span>
      </div>

      <div class="form-group">
        <label for="description">Description: </label>
        <textarea name="description" id="description" class="form-control">
          <?= html_escape($category['description']) ?></textarea>
        <span class="errors"><?= $errors['description'] ?></span>
      </div>

      <div class="form-check">
        <input type="checkbox" name="navigation" id="navigation"
               value="1" class="form-check-input"
               <?= ($category['navigation'] === 1) ? 'checked' : '' ?>>
        <label class="form-check-label" for="navigation">Navigation</label>
      </div>

      <input type="submit" value="save" class="btn btn-primary btn-save">

    </form>
  </main>
<?php include 'includes/admin-footer.php'; ?>
```

EXCLUINDO UMA CATEGORIA

Quando os usuários clicam no link para excluir uma categoria, a página obtém o nome da categoria no BD e o exibe, pedindo para confirmar se desejam excluí-la (isso impede que alguém clique sem querer em um link que exclui uma categoria).

Se o usuário confirma que deseja excluir a categoria, a página recarrega e tenta excluí-la. Se tem êxito, o usuário é enviado para categories.php e é mostrada uma mensagem informando que funcionou.

1. Tipos restritos são ativados e os arquivos requeridos são incluídos.
2. `filter_input()` verifica a id do nome na string de consulta. Se existe e contém um inteiro válido, é armazenada em `$id`. Se seu valor não é um inteiro válido, `$id` armazena `false`. Se não existe, `$id` armazena `null`.
3. A variável `$category`, que conterá o nome da categoria, é inicializada para armazenar uma string em branco.
4. Uma declaração `if` verifica se o valor em `$id` *não* equivale a `true` (se foi definida para `false` ou `null` na Etapa 2). Em caso afirmativo, o usuário é enviado para categories.php com uma mensagem informando que a categoria não foi encontrada.
5. Se a página ainda está em execução, a variável `$sql` armazena uma consulta SQL para obter o nome da categoria.
6. A função `pdo()` executa a consulta SQL e o método `fetchColumn()` tenta obter o nome da categoria. Se a categoria foi encontrada, seu nome é armazenado em `$category`. Se não, `fetchColumn()` retorna `false`.
7. Uma declaração `if` verifica se o valor em `$category` é `false`. Se é, o usuário é enviado para categories.php com uma mensagem informando que a categoria não foi encontrada.
8. Se o formulário foi enviado...
9. Um bloco `try` é criado para excluir a categoria.
10. O SQL para excluir a categoria é armazenado em `$sql`.
11. A função `pdo()` é usada para excluir a categoria.
12. Se a declaração SQL é executada sem erro, a função `redirect()` é usada para enviar o usuário para categories.php, com uma mensagem confirmando que a categoria foi excluída.
13. Se foi gerada uma exceção ao executar a declaração SQL, o bloco `catch` é executado.
14. Se o código de erro é 1451, uma restrição de integridade impede a categoria de ser excluída (porque ela ainda tem artigos).
15. Nesse caso, a função `redirect()` é usada para enviar o visitante para a página categories.php com uma mensagem de falha informando que a categoria contém artigos que devem ser movidos ou excluídos primeiro.
16. Se não, o erro é gerado de novo e será manipulado pelo tratamento de exceção padrão.
17. O formulário é usado para mostrar o nome da categoria e pedir ao usuário para confirmar se a categoria deve ser excluída. O atributo `action` na tag `<form>` envia o formulário para category-delete.php. A string de consulta contém a id da categoria a excluir.
18. É exibido o nome da categoria a excluir.
19. O botão de envio é usado para confirmar que a categoria pode ser excluída.

```php
<?php
declare(strict_types = 1);                          // Usa tipos restritos
include '../includes/database-connection.php';      // Conexão com banco de dados
include '../includes/functions.php';                // Inclui funções

$id = filter_input(INPUT_GET, 'id', FILTER_VALIDATE_INT);// Obtém e valida a id
$category = '';                                     // Inicializa nome da categoria

if (!$id) {                                         // Se a id é inválida
    redirect('categories.php', ['failure' => 'Category not found']);  // Redireciona com o erro
}

$sql = "SELECT name FROM category WHERE id = :id;"; // Instrução SQL para obter o nome da categoria
$category = pdo($pdo, $sql, [$id])->fetchColumn();  // Obtém o nome da categoria
if (!$category) {                                   // Se não há categoria
    redirect('categories.php', ['failure' => 'Category not found']);     // Redireciona com o erro
}

if ($_SERVER['REQUEST_METHOD'] == 'POST') {         // Se o formulário foi enviado
    try {                                           // Tenta excluir os dados
        $sql = "DELETE FROM category WHERE id = :id;"; // Instrução SQL para excluir categoria
        pdo($pdo, $sql, [$id]);                     // Exclui categoria
        redirect('categories.php', ['success' => 'Category deleted']);   // Redireciona
    } catch (PDOException $e) {                     // Pega a exceção
        if ($e->errorInfo[1] === 1451) {            // Se restrição de integridade
            redirect('categories.php', ['failure' => 'Category contains articles that
            must be moved or deleted before you can delete it']);   // Redireciona
        } else {                                    // Caso contrário
            throw $e;                               // Dispara novamente a exceção
        }
    }
}?>
<?php include 'includes/admin-header.php'; ?>

  <main class="container admin" id="content">
    <h2>Delete Category</h2>
    <form action="category-delete.php?id=<?= $id ?>" method="POST" class="narrow">
      <p>Click confirm to delete the category <?= html_escape($category) ?></p>
      <input type="submit" name="delete" value="confirm" class="btn btn-primary">
      <a href="categories.php" class="btn btn-danger">cancel</a>
    </form>
  </main>

<?php include 'includes/admin-footer.php'; ?>
```

CRIANDO E EDITANDO ARTIGOS

O arquivo `article.php` usado para criar e editar artigos compartilha um fluxo de controle muito parecido com `category.php`, mas deve coletar mais dados e também permite que os usuários façam upload de imagens, aumentando a complexidade.

O arquivo `article.php` permite que os usuários:

- Criem ou editem o texto de um artigo.
- Façam upload de uma imagem do artigo.

É mais complicado do que `category.php` porque:

- Mais dados são armazenados sobre cada artigo, portanto há mais dados para coletar e validar.
- Os dados sobre o artigo se ligam aos dados em outras tabelas (a categoria e o membro que os escreveu).
- Os usuários têm a opção de fazer upload de uma imagem para o artigo com um texto alternativo descrevendo-o.

Para salvar um artigo e sua imagem no BD, o código PHP deve trabalhar com as tabelas `article` e `image`.

Como o SQL só pode inserir novas linhas de dados em uma tabela por vez, as declarações SQL usadas para criar e editar um artigo usarão **transações**.

As transações permitem que o BD verifique se as alterações em um conjunto de declarações SQL serão executadas com sucesso e só salvarão essas alterações se elas tiverem êxito. Se houver um problema com apenas uma declaração SQL na transação, nenhuma alteração será salva.

Como visto, o fluxo de controle determina quais declarações executar. A capacidade de fazer upload das imagens pode tornar esse fluxo muito mais complexo. Imagine que um usuário já fez o upload de um artigo e da imagem; ele pode querer editar esses dados e:

- Atualizar o artigo, mas deixar a imagem como está. Isso atualizaria apenas a tabela `article`.
- Atualizar o artigo e a imagem. Isso envolveria excluir o antigo arquivo de imagem e os dados correspondentes das tabelas `image` e `article` primeiro, então fazer o upload do novo arquivo de imagem e, por fim, atualizar as tabelas `article` e `image` com novos dados.
- Apenas mudar o texto alternativo da imagem, nada mais. Isso significaria apenas atualizar a tabela `image`.

Quanto mais opções o usuário tem em uma página, mais complexo fica o fluxo de controle e mais difícil é seguir o código.

Para impedir que o fluxo de controle fique complexo demais, limite o número de ações que um usuário pode realizar em uma página. Por exemplo, os usuários devem excluir uma imagem antes de fazer o upload da nova e há uma página separada para editar o texto alternativo.

Ao criar um artigo, os usuários podem fornecer uma imagem e texto ao mesmo tempo.

NOTA: a maioria dos navegadores não permite que o código no lado do servidor preencha o controle de upload do arquivo HTML. Portanto, se um artigo é enviado, mas não passa na validação, os usuários precisarão selecionar a imagem de novo.

Quando os usuários precisarem fazer upload da imagem de novo, eles também serão forçados a reinserir o texto alternativo.

Ao atualizar um artigo:

- Se o usuário não fez upload de uma imagem, a parte do formulário que permite carregar uma imagem é exibida (como acima).
- Se ele fez upload de uma imagem, são mostrados a imagem e o texto alternativo, em vez do formulário.

Assim que uma imagem é carregada, há dois links abaixo dela que permitem:

- Editar o texto alternativo.
- Excluir a imagem (e o texto alternativo).

A página articles.php, que lista todos os artigos, é incluída no código de download e funciona como a página categories.php, vista nas páginas 494-495.

As duas páginas a seguir apresentarão as transações que são usadas em article.php.

Então, há oito páginas para mostrar como article.php funciona, pois tem mais de 230 linhas de código.

ATUALIZANDO DADOS NO BANCO DE DADOS 507

TRANSAÇÕES: MÚLTIPLAS DECLARAÇÕES SQL

Uma transação é usada para agrupar um conjunto de declarações SQL. Se todas as declarações têm sucesso, as alterações são salvas no BD. Se uma delas falhar, nenhuma alteração será salva.

Algumas tarefas requerem mais de uma declaração SQL. Por exemplo, quando uma imagem é carregada para um artigo, o código PHP deve:

- Adicionar os dados da imagem à tabela `image`.
- Obter a ID que o BD criou para a imagem (usando o recurso de autoincremento).
- Adicionar a ID da nova imagem à tabela `article` na coluna `image_id`.

E mais, o BD só pode adicionar dados a uma tabela por vez; assim, sempre que um novo artigo é adicionado, ele deve adicionar os dados às tabelas `image` e `article` usando declarações SQL separadas.

Quando cada declaração SQL é executada, cada uma é chamada de **operação**. Uma transação representa uma tarefa que pode envolver múltiplas operações do BD.

Incorporando mais de uma operação em uma transação, o PDO pode verificar se todas as declarações SQL na transação serão executadas com sucesso:

- Se não causam uma exceção, pode **aceitar** as alterações no banco de dados.
- Se houver um problema ao executar uma das declarações, o PDO irá gerar uma exceção. O código PHP pode pedir ao PDO para assegurar de que nenhuma alteração seja salva no BD. Isso é conhecido como **reverter** a transação.

As transações são realizadas usando blocos `try` e `catch`.

- O bloco `try` contém o código que você tenta executar.
- O bloco `catch` é usado para manipular uma exceção, caso ela seja gerada no bloco `try`.

As declarações dentro do bloco `try` pedem ao PDO para:

- Iniciar uma transação.
- Executar todas as declarações SQL individuais que formam a transação.
- Aceitar as alterações no BD.

Se executar uma das declarações resultar em uma exceção, o interpretador PHP executará imediatamente o código que fica no bloco `catch` subsequente.

O bloco `catch` precisa:

- Usar o PDO para assegurar que o BD reverta qualquer alteração feita para que contenha os mesmos dados de antes de a transação ter iniciado.
- Gerar de novo a exceção para que possa ser interceptada pela função de tratamento de exceção padrão.

Assim, fica assegurado que todas as declarações SQL serão executadas ou, se uma exceção for gerada no bloco `try`, nenhuma alteração será armazenada.

O objeto PDO tem três métodos que permitem iniciar uma transação, aceitar as alterações no BD ou revertê-las para que o BD tenha os mesmos dados de antes das alterações serem feitas.

As transações utilizam os três métodos do objeto PDO mostrados na tabela à direita.

Os dois primeiros são usados no bloco `try`; o terceiro é usado no bloco `catch`.

MÉTODO	DESCRIÇÃO
beginTransaction()	Inicia uma transação
commit()	Salva as alterações no BD
rollBack()	Desfaz as alterações na transação

1. Um bloco `try` contém o código para executar todas as declarações SQL na transação.
2. A primeira declaração chama o método `beginTransaction()` do objeto PDO para iniciar a transação.
3. Isso é seguido do código para executar as declarações SQL envolvidas na transação.
4. A última declaração no bloco `try` chama o método `commit()` do objeto PDO para salvar as alterações.
5. Se uma exceção é gerada com qualquer declaração SQL em execução, o código no bloco `try` para de executar e o bloco subsequente lida com a exceção.
6. O método `rollBack()` do objeto PDO é chamado para assegurar que nenhuma alteração no bloco `try` seja armazenada no BD.
7. O objeto de exceção é gerado de novo para que possa ser tratado pela função de tratamento de exceção padrão.

```
① try {
②     $pdo->beginTransaction();
③     // Executar as declarações SQL aqui
④     $pdo->commit();
⑤ } catch (PDOException $e) {
⑥     $pdo->rollBack();
⑦     throw $e;
   }
```

ARTIGOS: CONFIGURE A PÁGINA (PARTE A)

A página `article.php` usa um fluxo de controle parecido com `category.php`. Se a string de consulta:

- Tem um nome id, seu valor deve ser a id de um artigo que o usuário tenta editar.
- Não tem um nome id, significa que a página está sendo usada para criar um novo artigo.

1. Tipos restritos são declarados e os arquivos requeridos incluídos.

2. O caminho da pasta de upload é armazenado em `$uploads` (página 306). Os tipos de imagem permitidos são armazenados em `$file_types`. As extensões de arquivo permitidas são armazenadas em `$file_exts`. O tamanho máximo do arquivo é salvo em `$max_size`.

3. A função `filter_input()` verifica um nome id na string de consulta. Se tem um inteiro válido, é armazenado em `$id`. Se é inválido, `$id` armazena `false`. Se não há um, `$id` contém `null`.

4. Para verificar se um arquivo foi carregado, a página tenta obter o local temporário do arquivo e o armazena em `$temp`. O operador de coalescência nula é usado para armazenar uma string vazia em `$temp` se uma imagem não foi carregada.

5. A variável `$destination` é inicializada. Se uma imagem foi carregada, ela será atualizada para manter o caminho para onde a imagem seria salva.

6. O array `$article` é declarado e inicializado com valores-padrão. Esses valores-padrão dão ao formulário na Parte D algo para mostrar quando um usuário irá criar um novo artigo, mas ainda não forneceu valores. Para o código de exemplo caber na página à direita, cada linha de código declara dois elementos do array; no código de download, cada um está em uma nova linha.

7. O array `$errors` é inicializado com strings em branco. Os valores nesse array são mostrados após cada controle do formulário.

8. Uma declaração if verifica se foi fornecida uma id na string de consulta. Se foi, a página está editando um artigo e os dados do artigo devem ser coletados no BD.

9. `$sql` armazena a consulta SQL para obter os dados do artigo.

10. A função `pdo()` executa a declaração SQL e o método `fetch()` do objeto `PDOStatement` coleta os dados do artigo. Os valores retornados sobrescrevem os dados armazenados no array `$article` criado na Etapa 6. Se o artigo não for encontrado, `$article` conterá `false`.

11. Se a variável `$article` tem o valor `false`, o usuário é redirecionado para `articles.php` com uma mensagem de falha indicando que o artigo não pôde ser encontrado.

12. Se uma imagem foi salva para o artigo, o elemento `image_file` do array `$article` terá um valor, portanto `$saved_image` tem um valor `true`. Se não há imagem, tem um valor `false`.

13. Todos os autores e as categorias são coletados no BD. São usados para criar caixas suspensas para selecionar o autor e a categoria, e validar os valores selecionados. Primeiro, `$sql` contém uma consulta SQL para obter a id, o nome e o sobrenome de cada membro.

14. A função `pdo()` executa a consulta e o método `fetchAll()` do objeto `PDOStatement` coleta os resultados e os armazena na variável `$authors` (um array indexado é retornado e o valor para cada elemento é um array associativo dos detalhes do membro).

15. Em seguida, a variável `$sql` contém a consulta SQL para obter a id e o nome de todas as categorias.

16. A função `pdo()` executa a consulta e o método `fetchAll()` do objeto `PDOStatement` obtém os dados da categoria; eles são armazenados em `$categories`.

```php
<?php
// Part A: configuração
declare(strict_types = 1);                                  // Usa tipos restritos
include '../includes/database-connection.php';              // Conexão com base de dados
include '../includes/functions.php';                        // Inclui funções
include '../includes/validate.php';                         // Incluir funções de validação
$uploads    = dirname(__DIR__, 1) . DIRECTORY_SEPARATOR . 'uploads' . DIRECTORY_SEPARATOR;
$file_types = ['image/jpeg', 'image/png', 'image/gif',];    // Tipos de arquivos permitidos
$file_exts  = ['jpg', 'jpeg', 'png', 'gif',];               // Extensões de arquivos permitidas
$max_size   = 5242880;                                      // Tamanho máximo do arquivo
// Inicializa variáveis que são necessárias ao código PHP
$id          = filter_input(INPUT_GET, 'id', FILTER_VALIDATE_INT); // Obtém id e valida
$temp        = $_FILES['image']['tmp_name'] ?? '';          // Imagem temporária
$destination = '';                                          // Local para gravar arquivo
// Inicializa variáveis que são necessárias ao código HTML
$article = [
    'id'        => $id,   'title'       => '',
    'summary'   => '',    'content'     => '',
    'member_id' => 0,     'category_id' => 0,
    'image_id'  => null,  'published'   => false,
    'image_file'=> '',    'image_alt'   => '',
];                                                          // Dados do artigo
$errors = [
    'warning' => '', 'title'    => '', 'summary'    => '', 'content'   => '',
    'author'  => '', 'category' => '', 'image_file' => '', 'image_alt' => '',
];                                                          // Mensagens de erro
// Se há uma id, página está em edição de artigo, assim obtém os dados do artigo corrente
if ($id) {                                                  // Se tem id
    $sql     = "SELECT a.id, a.title, a.summary, a.content,
                       a.category_id, a.member_id, a.image_id, a.published,
                       i.file    AS image_file,
                       i.alt     AS image_alt
                FROM article  AS a
                LEFT JOIN image AS i ON a.image_id = i.id
                WHERE a.id = :id;";                         // Instrução SQL para obter o artigo
    $article = pdo($pdo, $sql, [$id])->fetch();             // Obtém o artigo
    if (!$article) {                                        // Se nenhum artigo for encontrado
        redirect('articles.php', ['failure' => 'Article not found']); // Redireciona
    }
}
$saved_image = $article['image_file'] ? true : false;       // Tem uma imagem carregada
// Instrução SQL para obter todos os membros
$sql        = "SELECT id, forename, surname FROM member;";  // Instrução SQL para obter todos os membros
$authors    = pdo($pdo, $sql)->fetchAll();                  // Obtém todos os membros
$sql        = "SELECT id, name FROM category;";             // Instrução SQL para obter todas as categorias
$categories = pdo($pdo, $sql)->fetchAll();                  // Obtém todas as categorias
```

ARTIGOS: OBTENHA E VALIDE OS DADOS (PARTE B)

Estas duas páginas mostram o código da Parte B, que coleta e valida os dados que o usuário enviou.

1. Uma declaração if verifica se o formulário foi postado.

2. O elemento image_file é adicionado ao array $errors e um operador ternário atribui um valor a ele. Se um arquivo não pôde ser carregado porque era maior que o tamanho máximo de upload no php.ini ou no .htaccess, ele armazena um erro; senão, armazena uma string em branco.

3. Uma declaração if verifica se um arquivo foi carregado e se não houve erros. Em caso afirmativo, o arquivo será validado.

4. Uma imagem foi carregada e o texto alternativo é coletado e armazenado no array $article.

5. O tipo de mídia da imagem é um arquivo permitido (na Etapa 2 da página anterior) e uma string em branco é adicionada ao valor no elemento image_file do array $errors. Se não, é adicionada uma mensagem de erro.

6. Se a extensão do arquivo é permitida (na Etapa 2 da página anterior), uma string em branco é adicionada ao valor no elemento image_file do array $errors. Se não, é adicionada uma mensagem de erro.

7. Se o arquivo é maior que o tamanho máximo (na Etapa 2 da página anterior), uma mensagem mostrando que é grande demais é adicionada ao valor em image_file.

8. Uma chave image_alt é adicionada ao array $errors. Se o texto alternativo tem entre 1 e 254 caracteres de comprimento, ele armazena uma string em branco; se não, armazena uma mensagem de erro.

9. Uma declaração if verifica se as chaves image_file e image_alt do array $errors estão vazias. Se estão, a imagem pode ser processada.

10. A função create_filename() (em functions.php e apresentada nas páginas 296-297) remove os caracteres indesejados do nome de arquivo e verifica se é exclusivo. O nome é armazenado na chave image_file do array $article.

11. A variável $desination contém o caminho para onde a imagem será carregada, criado reunindo o caminho para a pasta de uploads (armazenada na variável $uploads na Etapa 2 da página anterior) e o nome de arquivo criado na etapa anterior.

12. Os dados do artigo são coletados no formulário. Se um artigo é atualizado, esses valores sobrescrevem os existentes coletados no BD nas Etapas 9-10 da página anterior.

13. A opção para publicar o artigo é uma caixa de opção. Ela só é enviada para o servidor se foi marcada. Um valor 1 é atribuído se foi marcada e 0 se não. É porque 0 e 1 são os valores que o BD armazena para representar os valores booleanos true e false.

14. Cada parte do texto é validada com as funções criadas no Capítulo 6. Se os dados são válidos, o elemento armazena uma string em branco. Do contrário, armazena uma mensagem de erro para esse controle do formulário.

15. As funções is_member_id() e is_category_id() foram adicionadas ao arquivo validate.php. Elas fazem um loop no array de membros e categorias coletados nas Etapas 13-16 da página anterior para verificar se o valor fornecido é válido.

16. Os valores no array $errors são reunidos em uma string usando a função implode() do PHP e salvos em uma variável $invalid. Isso será usado para informar se os dados devem ser salvos ou não no BD.

```
PHP                                                            c13/cms/admin/article.php

     // Parte B: obtenção e validação dos dados do formulário
①    if ($_SERVER['REQUEST_METHOD'] == 'POST') {              // Se o formulário foi enviado
         // Se arquivo é maior que o limite em php.ini ou .htaccess, armazena mensagem de erro
②        $errors['image_file'] = ($_FILES['image']['error'] === 1) ? 'File too big ' : '';

         // Se imagem foi carregada, obtém dados da imagem e a valida
③        if ($temp and $_FILES['image']['error'] === 0) {     // Se arquivo foi carregado
④            $article['image_alt'] = $_POST['image_alt'];     // Obtém texto alternativo
             // Valida arquivo de imagem
⑤            $errors['image_file'] .= in_array(mime_content_type($temp), $file_types)
                 ? '' : 'Wrong file type. ';                  // Verifica o tipo de arquivo
             $ext = strtolower(pathinfo($_FILES['image']['name'], PATHINFO_EXTENSION));
⑥            $errors['image_file'] .= in_array($ext, $file_extensions)
                 ? '' : 'Wrong file extension. ';             // Verifica a extensão
⑦            $errors['image_file'] .= ($_FILES['image']['size'] <= $max_size)
                 ? '' : 'File too big. ';                     // Verifica o tamanho
⑧            $errors['image_alt']  = (is_text($article['image_alt'], 1, 254))
                 ? '' : 'Alt text must be 1-254 characters.'; // Verifica o texto alternativo
             // Se arquivo de imagem é válido, especifica o local para gravá-lo
⑨            if ($errors['image_file'] === '' and $errors['image_alt'] === '') { // Se válido
⑩                $article['image_file'] = create_filename($_FILES['image']['name'], $uploads);
⑪                $destination = $uploads . $article['image_file'];  // Destino
             }
         }

         // Obtém dados do artigo
         $article['title']       = $_POST['title'];                    // Título
         $article['summary']     = $_POST['summary'];                  // Resumo
⑫        $article['content']     = $_POST['content'];                  // Conteúdo
         $article['member_id']   = $_POST['member_id'];                // Autor
         $article['category_id'] = $_POST['category_id'];              // Categoria
⑬        $article['published']   = (isset($_POST['published'])
             and ($_POST['published'] == 1)) ? 1 : 0;                  // Foi publicado?

         // Valida dados do artigo e cria mensagens de erro se for inválido
         $errors['title']    = is_text($article['title'], 1, 80)
             ? '' : 'Title must be 1-80 characters';
⑭        $errors['summary']  = is_text($article['summary'], 1, 254)
             ? '' : 'Summary must be 1-254 characters';
         $errors['content']  = is_text($article['content'], 1, 100000)
             ? '' : 'Article must be 1-100,000 characters';
         $errors['member']   = is_member_id($article['member_id'], $authors)
⑮            ? '' : 'Please select an author';
         $errors['category'] = is_category_id($article['category_id'], $categories)
             ? '' : 'Please select a category';
⑯        $invalid = implode($errors);                                  // Une os erros
```

ARTIGOS: SALVE AS ALTERAÇÕES (PARTE C)

Estas duas páginas mostram o código da Parte C.

1. Uma declaração `if` verifica se `$invalid` contém mensagens de erro. Se tem, o array `$errors` armazena uma mensagem pedindo que os usuários corrijam os erros do formulário.

2. Se não, os dados são válidos e podem ser processados.

3. Os dados em `$article` são copiados para `$arguments`. A função `pdo()` usará os valores em `$arguments`. O formulário HTML na Parte D usa os valores em `$article`.

4. Um bloco `try` contém o código para atualizar o BD.

5. É iniciada uma transação porque são necessárias duas declarações SQL para criar ou atualizar um artigo. Se uma falha, ambas devem falhar.

6. Se `$destination` tem um valor (Etapa 11, página 513) uma imagem foi carregada. A imagem deve ser processada *antes* dos dados do artigo porque a tabela `article` precisa armazenar a id criada para a imagem.

7. Imagick é usada para redimensionar e salvar a imagem:

   - Um objeto Imagick é criado para representar a imagem carregada (seu caminho está em `$temp` — Etapa 4, página 511).
   - É redimensionada para 1200 x 700 pixels.
   - A imagem é salva no caminho em `$destination`.

8. `$sql` contém a declaração SQL para adicionar o nome de arquivo da imagem e o texto alternativo à tabela `image` do BD.

9. A função `pdo()` executa a declaração SQL. Os argumentos (o arquivo da imagem e o texto alternativo) são passados para a função `pdo()` como um array indexado.

10. A id da imagem é coletada usando o método `lastInsertId()` do objeto PDO e armazenada na chave `image_id` do array `$arguments` (criado na Etapa 3).

11. Os elementos com as chaves `image_file` e `image_alt` são removidos do array `$arguments` porque o array deve ter apenas um elemento para cada espaço reservado na segunda declaração SQL.

12. Uma declaração `if` verifica se uma id foi especificada. Se foi, um artigo está sendo atualizado e a variável `$sql` contém uma declaração SQL para atualizar o BD.

13. Se não há id, um novo artigo é criado, então a id é removida do array `$arguments` e `$sql` contém o SQL para adicionar um novo artigo ao BD.

14. A função `pdo()` executa a declaração SQL.

15. O método `commit()` do objeto PDO é chamado para salvar no BD ambas as alterações na transação.

16. Se o código ainda está em execução, o artigo foi salvo e `redirect()` envia o usuário para `articles.php`.

17. Se o PDO gera uma exceção no bloco `try`, o bloco `catch` é executado. O objeto de exceção é armazenado em `$e`.

18. O método `rollBack()` do objeto PDO impede que o BD salve as alterações na transação.

19. Se uma imagem foi salva no servidor na Etapa 7, o método `unlink()` do PHP é usado para excluí-la.

20. Se o código de erro do objeto PDOException é 1062, o título é usado, portanto um erro é armazenado em `$errors`.

21. Do contrário, a exceção é gerada de novo.

22. Se a próxima linha é executada, o artigo deve ter dados inválidos. Se o artigo já tinha uma imagem (Etapa 12, página 511), ele é mantido no array `$article`. Se não, `image_file` é definido para uma string em branco.

```php
        // Parte C: verifica se os dados são válidos e, em caso afirmativo, atualiza o banco de dados
        if ($invalid) {                             // Se válido
            $errors['warning'] = 'Please correct the errors below';// Armazena mensagem
        } else {                                    // Caso contrário
            $arguments = $article;                  // Grava dados do artigo
            try {                                   // Tenta inserir os dados
                $pdo->beginTransaction();           // Inicia transação
                if ($destination) {                 // Se a imagem é válida
                    $imagick = new \Imagick($temp);    // Cria objeto Imagick
                    $imagick->cropThumbnailImage(1200, 700);// Cria imagem redimensionada
                    $imagick->writeImage($destination);    // Grava arquivo
                    $sql = "INSERT INTO image (file, alt)
                            VALUES (:file, :alt);";    // Instrução SQL para adicionar imagem
                    pdo($pdo, $sql, [$arguments['image_file'], $arguments['image_alt'],]);
                    $arguments['image_id'] = $pdo->lastInsertId(); // Obtém id da nova imagem
                }
                unset($arguments['image_file'], $arguments['image_alt']); // Remove dados da imagem
                if ($id) {
                    $sql = "UPDATE article
                            SET title = :title, summary = :summary, content = :content,
                                category_id = :category_id, member_id = :member_id,
                                image_id = :image_id, published = :published
                            WHERE id = :id;";          // Instrução SQL para atualizar artigo
                } else {
                    unset($arguments['id']);           // Remove id do array de categoria
                    $sql = "INSERT INTO article (title, summary, content, category_id,
                                    member_id, image_id, published)
                            VALUES (:title, :summary, :content, :category_id, :member_id,
                                    :image_id, :published);"; // Instrução SQL para atualizar artigo
                }
                pdo($pdo, $sql, $arguments);        // Instrução SQL para adicionar artigo
                $pdo->commit();                     // Confirma alterações
                redirect('articles.php', ['success' => 'Article saved']);    // Redireciona
            } catch (PDOException $e) {             // Se PDOException disparada
                $pdo->rollBack();                   // Desfaz as alterações
                if (file_exists($destination)) {    // Se o arquivo de imagem existe
                    unlink($destination);           // Apaga arquivo de imagem
                } // Se a exceção foi PDOException e foi uma restrição de integridade
                if ($e->errorInfo[1] === 1062) {
                    $errors['warning'] = 'Article title already used';   // Armazena avisos
                } else {                            // Caso contrário
                    throw $e;                       // Dispara novamente a exceção
                }
            }
        } // Se uma nova imagem é carregada, mas os dados são inválidos, remove a imagem de $article
        $article['image_file'] = $saved_image ? $article['image_file'] : ''; ...
```

ARTIGOS: FORMULÁRIO/MENSAGEM (PARTE D)

O mesmo formulário é mostrado para o usuário se ele cria ou edita um artigo.

NOTA: o formulário no código de download tem mais elementos HTML e atributos que são usados para rotular os controles do formulário e controlar a apresentação dele. Eles foram removidos do código à direita para que o código importante coubesse em uma página e para ajudar a focar o que é feito.

1. O atributo `action` da tag `<form>` de abertura aponta para a página `article.php`. A string de consulta contém um nome id; se a página atualiza um artigo existente, seu valor é a id do artigo (armazenada no atributo `$id` no topo do arquivo). Os dados são enviados com HTTP POST.
2. Se houver um valor para a chave `warning` do array `$errors`, ele será mostrado ao usuário.
3. O formulário para carregar uma imagem só é mostrado se uma imagem ainda *não* foi fornecida para o artigo.
4. Uma entrada do arquivo permite que os visitantes carreguem uma imagem.
5. Se o array `$errors` contém uma mensagem de erro para esse controle do formulário, ela é exibida após a entrada do arquivo.

Uma etapa equivalente é realizada após todos os controles do formulário, exceto a caixa de opção published.

6. Uma entrada de texto permite ao visitante fornecer um texto alternativo.
7. Do contrário, se uma imagem foi carregada (e os dados eram válidos), ela é mostrada na página seguida do texto alternativo.
8. Abaixo há dois links: o primeiro permite que os usuários editem o texto alternativo; o segundo, que excluam a imagem.

9. O título do artigo é fornecido via entrada de texto. Se um valor já foi fornecido, é adicionado ao atributo `value`. Qualquer caractere reservado é substituído pelas entidades para impedir um ataque XSS.
10. O resumo usa um elemento `<textarea>`. Se um resumo foi fornecido, ele é escrito entre as tags `<textarea>` usando a função `html_escape()` para substituir os caracteres reservados por entidades.
11. O conteúdo do artigo principal usa outro elemento `<textarea>`. Se um valor foi fornecido, ele é escrito entre as tags `<textarea>`.
12. A caixa de seleção author exibe uma lista de todos os membros que podem ter escrito o artigo.
13. É criada usando um loop `foreach` que percorre o array de todos os elementos (coletados na Parte A e armazenados em uma variável `$authors`).
14. Um elemento `<option>` é adicionado para cada membro.
15. A condição de um operador ternário verifica se um autor foi fornecido e se a id dele corresponde à id do autor atual adicionado à caixa de seleção. Em caso afirmativo, o atributo `selected` é adicionado à opção para selecionar o membro atual como autor do artigo.
16. O nome do membro é mostrado na opção.
17. O array das categorias armazenadas em `$categories` é usado para criar a caixa de seleção para as categorias.
18. Uma caixa de opção indica se o artigo deve ou não ser publicado (exibido no site). Um operador ternário testa se a opção foi marcada; se foi, o atributo `checked` é adicionado ao elemento.

```php
    <!-- Parte D: formulário de entrada -->
① <form action="article.php?id=<?= $id ?>" method="post" enctype="multipart/form-data">
    <h2>Edit Articles</h2>
    <?php if ($errors['warning']) { ?>
②     <div class="alert alert-danger"><?= $errors['warning'] ?></div>
    <?php } ?>

③   <?php if (!$article['image_file']) { ?>
④     Upload image: <input type="file" name="image" class="form-control-file" id="image">
⑤     <span class="errors"> <?= $errors['image_file'] ?></span>
⑥     Alt text: <input type="text" name="image_alt">
      <span class="errors"> <?= $errors['image_alt'] ?></span>
    <?php } else { ?>
      <label>Image:</label> <img src="../uploads/ <?= html_escape($article['file']) ?>"
⑦             alt=" <?= html_escape($article['image_alt']) ?>">
      <p class="alt"><strong> Alt text:</strong> <?= html_escape($article['image_alt']) ?></p>
      <a href="alt-text-edit.php?id= <?= $article['id'] ?> ">Edit alt text</a>
⑧     <a href="image-delete.php?id= <?= $id ?>">Delete image</a><br><br>
    <?php } ?>

⑨   Title: <input type="text" name="title" value=" <?= html_escape($article['title']) ?>">
    <span class="errors"><?= $errors['title'] ?></span>
⑩   Summary: <textarea name="summary"><?= html_escape($article['summary']) ?></textarea>
    <span class="errors"><?= $errors['summary'] ?></span>
⑪   Content: <textarea name="content"><?= html_escape($article['content']) ?></textarea>
    <span class="errors"><?= $errors['content'] ?></span>
⑫   Author: <select name="member_id">
⑬     <?php foreach ($authors as $author) { ?>
⑭       <option value="<?= $author['id'] ?>"
⑮         <?= ($article['author_id'] == $author['id']) ? 'selected' : ''; ?>>
⑯         <?= html_escape($author['forename'] . ' ' . $author['surname']) ?>
        </option>
      <?php } ?></select>
    <span class="errors"><?= $errors['author'] ?></span>

    Category: <select name="category_id">
      <?php foreach ($categories as $category) { ?>
        <option value="<?= $category['id'] ?>"
⑰         <?= ($article['category_id'] == $category['id']) ? 'selected' : ''; ?>>
          <?= html_escape($category['name']) ?>
        </option>
      <?php } ?></select>
    <span class="errors"><?= $errors['category'] ?></span>
⑱   <input type="checkbox" name="published" value="1"
      <?= ($article['published'] == 1) ? 'checked' : '' ?>> Published
    <input type="submit" name="create" value="save" class="btn btn-primary">
  </form>
```

EXCLUINDO UM ARTIGO

A página para excluir um artigo é igual para excluir uma categoria, com um formulário para confirmar se ela deve ser deletada.

1. A página declara os tipos restritos e inclui os arquivos requeridos.

2. A função `filter_input()` do PHP verifica um nome id na string de consulta. Se tem um inteiro válido, é armazenado em `$id`. Se o valor é inválido, `$id` armazena `false`. Se não existe, `$id` contém `null`.

3. Se uma id não foi encontrada, o usuário é redirecionado para `articles.php` com uma mensagem de erro.

4. `$article` é inicializada com um valor `false`.

5. `$sql` armazena o SQL para obter o título do artigo, o arquivo e a id da imagem.

6. A função `pdo()` executa o SQL e os dados sobre o artigo são coletados e armazenados em `$article`.

7. Se os dados do artigo não foram encontrados, o usuário é redirecionado para `articles.php` com uma mensagem de erro.

8. Uma declaração if verifica se o formulário foi postado (para confirmar que o artigo deve ser excluído).

9. Se o formulário foi enviado, um bloco `try` contém o código que será usado para excluir o artigo.

10. Uma transação é iniciada porque excluir o artigo pode envolver executar três declarações SQL.

11. Uma declaração if verifica se o artigo tem uma imagem.

12. Se tem, `$sql` contém o SQL para definir a coluna `image_id` da tabela `article` desse artigo para `null`, e a função `pdo()` executa a declaração.

13. `$sql` contém o SQL para excluir a imagem da tabela `image` e a função `pdo()` executa essa declaração.

14. A variável `$path` armazena o caminho para a imagem.

15. Uma declaração if usa a função `file_exists()` do PHP para verificar se o arquivo pode ser encontrado. Em caso afirmativo, a função `unlink()` do PHP exclui o arquivo (veja a página 228).

16. A variável `$sql` armazena o SQL para excluir o artigo da tabela `article` e a função `pdo()` executa a declaração.

17. Se não foi gerada uma exceção no bloco `try`, a função `commit()` do objeto PDO é chamada para salvar todas as alterações feitas pelas declarações SQL.

18. O usuário é enviado para `articles.php`, com uma mensagem de sucesso informando que o artigo foi excluído.

19. Se foi gerada uma exceção ao excluir os dados, o bloco `catch` é executado.

20. A função `rollBack()` do objeto PDO impede que quaisquer alterações nas declarações SQL sejam salvas.

21. A exceção é gerada de novo para que possa ser manipulada pela função de tratamento de exceção padrão.

22. Quando a página carrega pela primeira vez, o formulário mostra o título do artigo e um botão de envio para confirmar que ele deve ser excluído. O atributo `action` da tag `<form>` usa a id do artigo na string de consulta.

EXPERIMENTE: crie uma página para excluir uma imagem do artigo usando a mesma abordagem mostrada neste arquivo. Em seguida, crie a página para editar o texto alternativo. As soluções para as duas tarefas estão no código de download.

```
      <?php
  ①  ⎡ declare(strict_types = 1);                              // Usa tipos restritos
     ⎢ require_once '../includes/database-connection.php';    // Conexão com banco de dados
     ⎣ require_once '../includes/functions.php';              // Inclui funções
  ②    $id = filter_input(INPUT_GET, 'id', FILTER_VALIDATE_INT);  // Inclui validação de id
       if (!$id) {                                            // Se a id é inválida
  ③  ⎡     redirect('articles.php', ['failure' => 'Article not found']);     // Redireciona com o erro
     ⎣ }
  ④    $article = false;                                      // Inicializa $article
  ⑤  ⎡ $sql = "SELECT a.title, a.image_id, i.file AS image_file FROM article AS a
     ⎣        LEFT JOIN image AS i ON a.image_id = i.id WHERE a.id = :id;";  // Instrução SQL
  ⑥    $article = pdo($pdo, $sql, [$id])->fetch();            // Obtém dados do artigo
       if (!$article) {                                       // Se $article vazio
  ⑦  ⎡     redirect('articles.php', ['failure' => 'Article not found']);     // Redireciona
     ⎣ }
  ⑧    if ($_SERVER['REQUEST_METHOD'] == 'POST') {            // Se o formulário foi enviado
  ⑨        try {                                              // Tenta excluir
  ⑩            $pdo->beginTransaction();                      // Inicia transação
  ⑪            if ($image_id) {                               // Se era uma imagem
  ⑫  ⎡             $sql = "UPDATE article SET image_id = null WHERE id = :article_id;";  // Instrução SQL
     ⎣             pdo($pdo, $sql, [$id]);                    // Remove imagem do artigo
  ⑬  ⎡             $sql = "DELETE FROM image WHERE id = :id;";  // Instrução SQL para excluir imagem
     ⎣             pdo($pdo, $sql, [$article['image_id']]);   // Exclui da tabela de imagens
  ⑭              $path = '../uploads/' . $article['image_file'];  // Configura caminho da imagem
                  if (file_exists($path)) {                   // Se o arquivo de imagem existe
  ⑮  ⎡                 $unlink = unlink($path);               // Exclui arquivo de imagem
     ⎣             }
              }
  ⑯  ⎡         $sql = "DELETE FROM article WHERE id = :id;"; // Instrução SQL para excluir artigo
     ⎣         pdo($pdo, $sql, [$id]);                        // Exclui artigo
  ⑰            $pdo->commit();                                // Conclui a transação
  ⑱            redirect('articles.php', ['success' => 'Article deleted']);   // Redireciona com sucesso
  ⑲        } catch (PDOException $e) {                        // Se uma exceção é disparada
  ⑳            $pdo->rollBack();                              // Desfaz as alterações
  ㉑            throw $e;                                      // Dispara novamente a exceção
          }
      }
      ?>
      <?php include '../includes/admin-header.php' ?> ...
  ㉒  ⎡ <h2>Delete Article </h2>
     ⎢ <form action="article-delete.php?id=<?= $id ?>" method="POST" class="narrow">
     ⎢     <p>Click confirm to delete: <i><?= html_escape($article['title']) ?></i></p>
     ⎢     <input type="submit" name="delete" value="Confirm" class="btn btn-primary">
     ⎢     <a href="articles.php" class="btn btn-danger">Cancel</a>
     ⎣ </form> ...
      <?php include '../includes/admin-footer.php'; ?>
```

RESUMO
ATUALIZANDO DADOS NO BANCO DE DADOS

- Os dados do usuário devem ser coletados e validados antes de serem adicionados ao banco de dados.

- O método `execute()` do objeto `PDOStatement` pode executar declarações SQL que criam, atualizam ou excluem dados.

- O SQL só pode adicionar novos dados a uma tabela por vez.

- O método `getLastInsertId()` do objeto `PDO` retorna a id de uma nova linha quando ela é adicionada ao BD.

- O método `rowCount()` do objeto `PDOStatement` retorna quantas linhas da tabela são afetadas quando um comando `INSERT`, `UPDATE` ou `DELETE` do SQL é executado.

- Uma transação executa uma série de declarações SQL e só salva as alterações se todas foram executadas sem erro.

- Se uma declaração SQL viola uma restrição de exclusividade, é gerado um objeto `PDOException`. Ele conterá um código de erro que descreve a causa da exceção.

D
ESTENDENDO A APLICAÇÃO DE EXEMPLO

Esta seção final mostra como implementar os recursos usados por muitos sites. Com isso, você aprenderá a adicionar novas funcionalidades a um site e algumas técnicas avançadas.

Se pedir a cinco programadores PHP que criem o mesmo site, é provável que você tenha cinco soluções diferentes. Não existe um modo certo de criar um site e há muitas maneiras de organizar o código que realiza cada tarefa envolvida. Mas existem algumas práticas recomendadas que você pode aprender e as considerações de design nesta seção irão orientá-lo ao criar seus próprios projetos.

O Capítulo 14 mostrará como recriar partes do site de exemplo para melhorar o uso das classes. Os desenvolvedores PHP experientes costumam usar muito as classes definidas pelo usuário para agrupar o código que realiza um conjunto afim de tarefas.

O Capítulo 15 mostrará como encontrar e usar classes PHP para realizar tarefas específicas que outros programadores escreveram e compartilharam com a comunidade PHP. Usá-las pode evitar que você próprio escreva o código para fazer as mesmas tarefas.

O Capítulo 16 mostrará como os usuários podem se registrar como membros do site. Os membros conseguirão fazer login, exibir páginas personalizadas e criar suas próprias postagens. Você também aprenderá a restringir o acesso às páginas admin para que apenas pessoas com permissão possam usá-las.

O Capítulo 17 mostrará como tornar as URLs do site mais legíveis e fáceis para os mecanismos de busca indexarem. Também mostrará como permitir que os membros do site comentem sobre artigos e indiquem quais eles curtem.

Cada um dos capítulos restantes tem uma nova versão do site de exemplo. Antes de ler, é preciso entender como esses arquivos são organizados e a terminologia principal.

CAMINHOS ABSOLUTO E RELATIVO

Primeiro, você aprenderá a diferença entre caminhos absoluto e relativo, e quando cada um deve ser usado.

COMO OS ARQUIVOS SÃO ORGANIZADOS

Em seguida, aprenderá como os arquivos do site de exemplo foram reorganizados. Os arquivos que o navegador solicita são armazenados em uma pasta chamada raiz do documento, mas outros arquivos PHP de suporte (como as classes) são armazenados em uma pasta acima da raiz do documento para melhorar a segurança.

NOVOS ARQUIVOS DE CONFIGURAÇÃO

Essa seção apresenta dois arquivos novos normalmente usados ao criar sites:

- config.php mantém as configurações que mudam quando um site é instalado em um novo servidor.
- bootstrap.php mantém o código que o site precisa para rodar; é incluído por toda página do site.

COMO AS VARIÁVEIS ARMAZENAM DADOS

Por fim, é bom entender como o interpretador PHP armazena os dados em variáveis.

Um tema recorrente nos quatro capítulos finais deste livro é como os programadores usam classes para ajudar a organizar o código.

As páginas PHP que os usuários solicitam criarão objetos usando essas classes e chamarão seus métodos para realizar tarefas que o site precisa fazer.

Não há espaço para imprimir cada arquivo do site de exemplo em cada capítulo restante, portanto ajudará se você tiver o código aberto ao trabalhar no resto do livro. Assim será possível comparar as versões dos arquivos em cada capítulo com os arquivos nos capítulos anteriores para ver em quais pontos mudaram.

No Capítulo 16, você precisará criar uma nova versão do BD com tabelas e dados adicionais que são requeridos para suportar os novos recursos adicionados ao site. O SQL para criar a versão atualizada do BD está incluído no código de download e será pedido que você o crie no início do Capítulo 16.

CAMINHOS ABSOLUTO E RELATIVO

Um **caminho absoluto** descreve o local exato de um arquivo no computador. Um **caminho relativo** descreve o local de um arquivo em relação a outro.

Para entender como os arquivos no site de exemplo são organizados, é bom esclarecer alguns termos:

- Um **caminho** especifica o local de um arquivo ou um diretório (também conhecido como pasta).
- O **diretório-raiz** é a pasta mais alta em um computador.
- Um **caminho absoluto** descreve o local de um arquivo ou de uma pasta usando o caminho do diretório-raiz até ele.

No diagrama da pasta à direita, você pode ver um código de exemplo instalado no PC.

No **Mac** ou no **Linux**, o diretório-raiz é representando por uma barra. Outras barras separam cada pasta ou arquivo, portanto o caminho absoluto para files.php é: /Users/Jon/phpbook/section_b/c05/files.php.

No **Windows**, o diretório-raiz é uma letra da unidade seguida de dois-pontos e uma barra invertida; uma barra invertida separa cada pasta ou arquivo, portanto o caminho absoluto para files.php seria: C:\phpbook\section_b\c05\files.php.

Os caminhos absolutos são precisos, mas eles podem:

- Ficar bem longos, por isso envolvem muita digitação.
- Mudar quando os arquivos vão para um computador diferente.

A pasta que armazena o arquivo em execução atualmente se chama **diretório de trabalho atual**. No diagrama à direita, quando files.php está em execução, o diretório de trabalho atual é c05.

Os **caminhos relativos** descrevem o local de outro arquivo em relação ao diretório de trabalho atual.

O caminho relativo para qualquer outro arquivo na mesma pasta é apenas o nome de arquivo. Por exemplo, isto descreve o local relativo de index.php na pasta c05: index.php.

Para descrever o caminho para um arquivo em um diretório-filho, use o nome do diretório-filho, então uma barra e o nome do arquivo nesse diretório. O caminho relativo para header.php na pasta includes é: includes/header.php.

Para subir um diretório, use ../. O caminho relativo para index.php no diretório phpbook seria: ../../index.php.

Como visto, os caminhos relativos requerem menos digitação que os absolutos. E mais, eles costumam funcionar quando um site vai para um novo servidor. Por exemplo, se os caminhos no código de download referenciam apenas os arquivos na pasta phpbook, os caminhos relativos entre os arquivos e as pastas não mudam quando o código é executado em computadores diferentes.

ESTENDENDO A APLICAÇÃO DE EXEMPLO

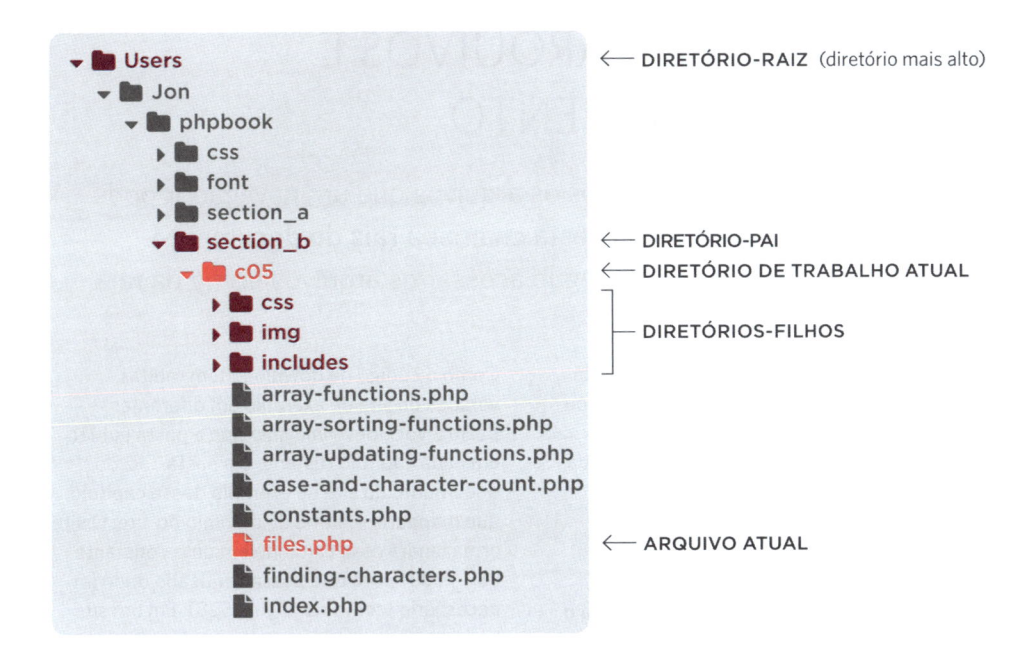

```
▼ 📁 Users                          ← DIRETÓRIO-RAIZ (diretório mais alto)
  ▼ 📁 Jon
    ▼ 📁 phpbook
      ▶ 📁 css
      ▶ 📁 font
      ▶ 📁 section_a
      ▼ 📁 section_b                ← DIRETÓRIO-PAI
        ▼ 📁 c05                    ← DIRETÓRIO DE TRABALHO ATUAL
          ▶ 📁 css              ┐
          ▶ 📁 img              ├── DIRETÓRIOS-FILHOS
          ▶ 📁 includes         ┘
            📄 array-functions.php
            📄 array-sorting-functions.php
            📄 array-updating-functions.php
            📄 case-and-character-count.php
            📄 constants.php
            📄 files.php            ← ARQUIVO ATUAL
            📄 finding-characters.php
            📄 index.php
```

Quando um arquivo PHP inclui outro arquivo, é bom usar caminhos absolutos. Para entender o motivo, considere este cenário:

- Um arquivo PHP na pasta c05 é solicitado.
- Ele inclui um arquivo PHP na pasta section_a.
- Esse arquivo inclui um terceiro arquivo com um caminho relativo.

O interpretador PHP procura os três arquivos relativos à pasta c05. É como o código dos arquivos incluídos é copiado e colado no arquivo em c05. Aqui, o terceiro arquivo não seria encontrado porque um caminho relativo a partir da pasta section_a não é igual a um caminho relativo a partir da pasta c05. Usar caminhos absolutos ao incluir arquivos evita isso.

Como os caminhos absolutos são mais longos (e requerem mais digitação), um site em geral armazenará a primeira parte do caminho absoluto em uma constante (páginas 224-225). Então, essa constante pode ser usada para criar os caminhos absolutos.

A pasta **raiz da aplicação** é a mais alta do código do site. É o caminho absoluto para *essa* pasta que normalmente é armazenado na constante usada a fim de criar os caminhos para os arquivos de inclusão. Abaixo, você pode ver como o caminho para a pasta da aplicação é armazenado em uma constante chamada APP_ROOT:

- A função `dirname()` do PHP (veja a página 228) retorna o caminho para o diretório que contém um arquivo.
- O argumento é a constante __FILE__ predefinida do PHP, que guarda o caminho absoluto para o arquivo atual.

Portanto, essa declaração armazena o caminho para a pasta que contém o arquivo atual. Se fosse usada em um arquivo dentro da pasta c05, então a constante APP_ROOT conteria o caminho absoluto para a pasta c05. Como é criada pelo interpretador PHP, ainda seria correta se o site fosse para um novo servidor.

```
define('APP_ROOT', dirname(__FILE__));
```

ESTRUTURA DE ARQUIVOS E RAIZ DO DOCUMENTO

Quando um site fica ativo, todos os arquivos que um navegador pode solicitar devem ficar em uma pasta chamada **raiz do documento**. Mas o interpretador PHP consegue acessar os arquivos *acima* da raiz do documento.

Um servidor da web tem outro tipo de pasta-raiz conhecida como **raiz do documento** (ou raiz da web). Essa pasta mapeia um nome de domínio do site. Por exemplo, se a URL da home page de um site fosse:

http://example.org/index.php

O servidor da web example.org pesquisaria o arquivo index.php na pasta-raiz do documento do site. Quando o site está em um dos servidores da empresa de hospedagem, o caminho absoluto para esse arquivo pode ser:

/var/www/example.org/htdocs/index.php

RAIZ DO DOCUMENTO

A pasta-raiz do documento em um servidor da web pode ter diferentes nomes, mas em geral é htdocs, public, public_html, web, www ou wwwroot.

Todo arquivo que um navegador solicita deve ser mantido *na* pasta-raiz do documento (ou em uma pasta-filha dele). Isso inclui as páginas que o usuário solicita, qualquer imagem ou outra mídia, e os arquivos CSS e JavaScript. O navegador não pode solicitar arquivos *acima* da raiz do documento.

Assim como os SOs Mac e Linux usam uma barra para indicar a pasta-raiz da aplicação (a pasta mais alta no computador), quando as URLs iniciam com uma barra, isso indica a raiz do documento; o arquivo mais alto que o navegador pode acessar. Por isso os links HTML costumam ser iniciados com uma barra.

Como o código de download tem muitas versões do site de exemplo em diferentes pastas, você deve *imaginar* que a pasta public em cada capítulo restante é a pasta-raiz do documento do site de exemplo desse capítulo, que mapearia o nome de domínio do site. O site armazenará esse caminho em uma constante DOC_ROOT para que possa ser usado onde for necessário (como na página 528). Em um site real, o código usaria apenas uma barra.

Embora o navegador possa solicitar somente arquivos na raiz do documento, o interpretador PHP pode acessar os arquivos *acima* da raiz do documento. Nos capítulos restantes:

- Os arquivos que os visitantes solicitam via URL estão na raiz do documento (pasta public) de cada capítulo.
- Qualquer arquivo que o visitante não possa solicitar via URL (por exemplo, arquivos de função e definições da classe) estão nas pastas *acima* da raiz do documento. Isso melhora a segurança, pois impede que os usuários acessem esses arquivos.

No Capítulo 14, a pasta c14 seria equivalente à **raiz da aplicação** (a pasta-raiz da aplicação). Existem duas pastas novas que ficam dentro da raiz da aplicação, mas acima da raiz do documento:

- config tem um arquivo que armazenará qualquer configuração que muda quando o site é movido para um novo servidor.
- src contém as funções e um novo arquivo chamado bootstrap.php. Também tem uma pasta-filha chamada classes, contendo as definições da classe.

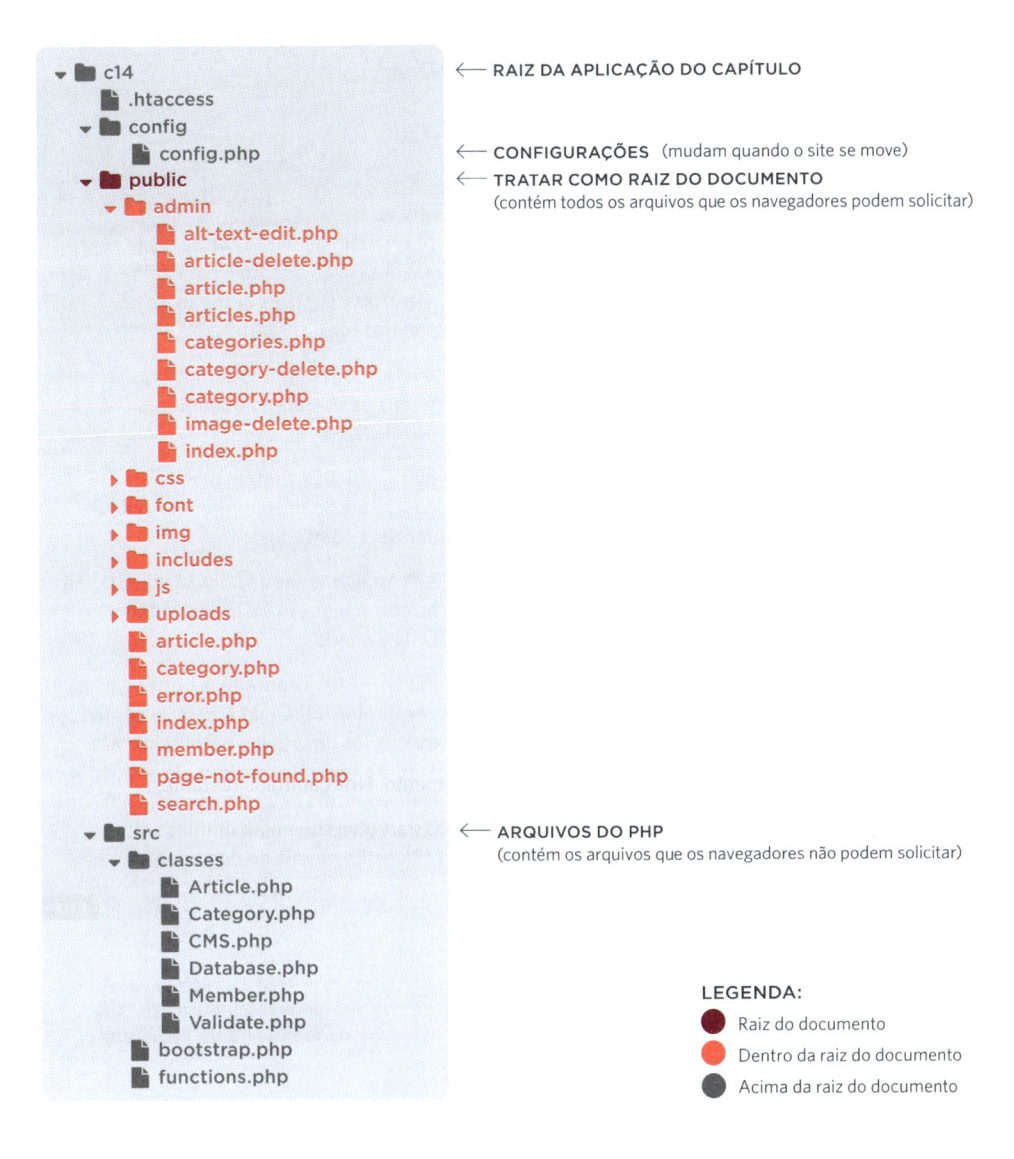

```
c14                          ← RAIZ DA APLICAÇÃO DO CAPÍTULO
  .htaccess
  config                     ← CONFIGURAÇÕES (mudam quando o site se move)
    config.php
  public                     ← TRATAR COMO RAIZ DO DOCUMENTO
    admin                      (contém todos os arquivos que os navegadores podem solicitar)
      alt-text-edit.php
      article-delete.php
      article.php
      articles.php
      categories.php
      category-delete.php
      category.php
      image-delete.php
      index.php
    css
    font
    img
    includes
    js
    uploads
    article.php
    category.php
    error.php
    index.php
    member.php
    page-not-found.php
    search.php
  src                        ← ARQUIVOS DO PHP
    classes                    (contém os arquivos que os navegadores não podem solicitar)
      Article.php
      Category.php
      CMS.php
      Database.php
      Member.php
      Validate.php
    bootstrap.php
    functions.php
```

LEGENDA:
● Raiz do documento
● Dentro da raiz do documento
● Acima da raiz do documento

ESTENDENDO A APLICAÇÃO DE EXEMPLO

ARQUIVO DE CONFIGURAÇÃO

Quando um site é instalado em um novo servidor, alguns dados podem precisar ser atualizados. Por exemplo:

- Os nomes/caminhos da pasta mudam; ex.: uma pasta-raiz do documento pode se chamar htdocs, content ou public.
- Os sites orientados a BD precisam saber o local do BD usado no DSN, o nome de usuário e a senha da conta do usuário do banco de dados.

Isso é conhecido como **dados de configuração** porque configura como o site é executado. Em geral, são armazenados em variáveis ou constantes em um arquivo. Isso o torna o único arquivo que precisa ser atualizado quando o site é instalado em um novo servidor. Na aplicação de exemplo, o arquivo se chama config.php. **NOTA:** você deve atualizar o código nesse arquivo para cada capítulo restante.

1. DEV é definida para true se o site está em desenvolvimento e para false se está ativo. Isso controla como os erros são tratados.
2. DOC _ ROOT contém o caminho para o que seria a pasta-raiz do documento (veja a página 526).
3. ROOT _ FOLDER contém o nome da pasta-raiz do documento (ex.: public, content ou htdocs).
4. As configurações de conexão do BD são armazenadas em variáveis, então o DSN é criado.
5. MEDIA _ TYPES contém os tipos de arquivo permitidos. FILE _ EXTENSIONS contém as extensões de arquivo permitidas. MAX _ SIZE é o tamanho máximo do arquivo (em kilobytes). UPLOADS é o caminho absoluto para a pasta uploads.

section _ d/c14/src/config.php — PHP

```php
<?php
define('DEV', true);    // Desenvolvimento ou produção? Desenvolvimento = true | Produção = false
define("DOC _ ROOT", '/phpbook/section _ d/c14/public/');   // Caminho do diretório-raiz do site
define('ROOT _ FOLDER', 'public');                          // Nome da pasta-raiz do documento
// Configurações do banco de dados
$type     = 'mysql';                // Tipo de banco de dados
$server   = 'localhost';            // Servidor do banco de dados
$db       = 'phpbook-1';            // Nome do banco de dados
$port     = '';                     // Porta. Normalmente é 8889 no MAMP e 3306 no XAMP
$charset  = 'utf8mb4';              // Codificação UTF8 usando 4 bytes de dados por caractere
$username = 'ENTER YOUR USERNAME';  // Informar seu nome do usuário aqui
$password = 'ENTER YOUR PASSWORD';  // Informar sua senha aqui
$dsn = "$type:host=$server;dbname=$db;port=$port;charset=$charset";   // NÃO ALTERAR
// Configurações de subida de arquivos
define('MEDIA _ TYPES', ['image/jpeg', 'image/png', 'image/gif',]); // Tipos de arquivos permitidos
define('FILE _ EXTENSIONS', ['jpeg', 'jpg', 'png', 'gif',]);         // Extensões permitidas
define('MAX _ SIZE', '5242880');                                     // Tamanho máximo dos arquivos
define('UPLOADS', dirname( _ _ DIR _ , 1) . DIRECTORY _ SEPARATOR . ROOT _ FOLDER .
    DIRECTORY _ SEPARATOR . 'uploads' . DIRECTORY _ SEPARATOR);      // NÃO ALTERAR
```

ARQUIVO BOOTSTRAP

No Capítulo 13, cada página do site incluiu vários arquivos, e um deles criou um objeto PDO. Para não repetir esse código em toda página, cada página agora iniciará incluindo o arquivo abaixo, que:

- Incluirá os arquivos `config.php` e `functions.php`.
- Definirá as funções de tratamento de erro e exceção, e uma nova função que carregará as definições da classe.
- Criará um objeto CMS, que todas as páginas usarão para trabalhar com o BD.

Quando um arquivo carrega outros arquivos e cria objetos que um site precisa para rodar, ele costuma ser chamado de `bootstrap.php` ou de `setup.php`.

Assim que o objeto CMS é criado, os dados de conexão do BD são excluídos para que não sejam usados (ou exibidos acidentalmente) em outro lugar no resto do site.

1. O caminho para a pasta-raiz da aplicação (dois níveis acima desse arquivo) é armazenado na constante APP_ROOT.
2. `functions.php` e `config.php` são incluídos.
3. A função `spl_autoload_register()` do PHP (vista no Capítulo 14) assegura que as definições da classe sejam carregadas apenas se a página precisa delas.
4. Uma declaração if verifica se o site *não* está em desenvolvimento (está ativo). Em caso afirmativo, são definidas as funções de exceção, tratamento de erro e finalização padrão.
5. Um objeto CMS é criado e armazenado em uma variável `$cms`. Será usado para trabalhar com o BD.
6. A função `unset()` do PHP remove as variáveis que contêm os dados de conexão do BD para que não sejam reutilizadas.

PHP section_d/c14/src/bootstrap.php

```php
<?php
define('APP_ROOT', dirname(__FILE__, 2));              // Diretório-raiz da aplicação
require APP_ROOT . '/resources/functions.php';         // Funções
require APP_ROOT . '/resources/config.php';            // Dados de configuração

spl_autoload_register(function($class)                 // Ajusta a função autoload
{
    $path = APP_ROOT . '/src/classes/';                // Caminho para as definições de classes
    require $path . $class . '.php';                   // Inclusão da definição das classes
});
if (DEV !== true) {
    set_exception_handler('handle_exception');         // Ajusta o manipulador de exceções
    set_error_handler('handle_error');                 // Ajusta o manipulador de erros
    register_shutdown_function('handle_shutdown');     // Ajusta o manipulador de encerramento
}
$cms = new CMS($dsn, $username, $password);            // Cria objeto CMS
unset($dsn, $username, $password);                     // Remove dados de conexão com banco
                                                       // de dados
```

COMO AS VARIÁVEIS ARMAZENAM DADOS

Quando uma variável é criada, o interpretador PHP armazena seu nome e seu valor separadamente. Isso ajuda a gerenciar a memória usada com mais eficiência. Para entender, imagine que os valores são armazenados em armários...

Quando uma variável é criada, seu nome é armazenado em uma **tabela de símbolos** junto com um número do armário. O armário correspondente contém o valor que a variável representa. Exemplo:

1. $greeting recebe um valor.
2. Então $welcome recebe um valor que $greeting representa.

```
$greeting = 'Hi';
$welcome  = $greeting;
```

Aqui, a tabela de símbolos armazenará dois nomes da variável. Ambos apontam para o mesmo armário (ou mesmo local da memória).

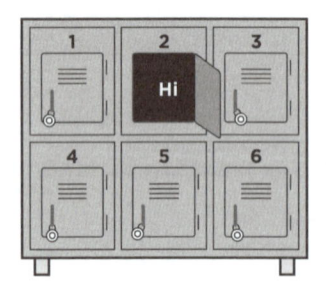

Quando uma das variáveis recebe um novo valor, o interpretador PHP o coloca em um novo local da memória. Ex.:

1. $greeting recebe um valor.
2. $welcome recebe o valor que $greeting representa.
3. $greeting é atualizada com um novo valor, o texto 'Hello'.

```
$greeting = 'Hi';
$welcome  = $greeting;
$greeting = 'Hello';
```

Aqui, a tabela de símbolos ainda tem dois nomes da variável, mas cada um tem seu próprio local na memória.

Você pode informar ao interpretador PHP que o valor de uma variável deve usar o mesmo local da memória. Então, se a variável é atualizada, o local da memória que ambos compartilham será atualizado. Para tanto, coloque um símbolo & antes do nome dessa variável. Isso se chama **atribuição por referência**. Ex.:

```
$greeting = 'Hi';
$welcome  = &$greeting;
$greeting = 'Hello';
```

Agora, a tabela de símbolos contém dois nomes da variável e ambos apontam para o mesmo local da memória.

VARIÁVEL	LOCAL
$greeting	2
$welcome	2

VARIÁVEL	LOCAL
$greeting	4
$welcome	2

VARIÁVEL	LOCAL
$greeting	2
$welcome	2

Os parâmetros de uma função podem usar referências para os valores criados para as variáveis declaradas no escopo global e os objetos sempre agem como se fossem atribuídos ou passados por referência.

Quando uma função é executada, uma nova tabela de símbolos é criada para armazenar os nomes do parâmetro e da variável declarados na função.

Uma definição da função pode especificar que um parâmetro deve usar um local da memória criado por uma variável global. Isso permite que o código na função acesse/atualize o valor armazenado nessa variável global.

Isso se chama **passagem por referência** porque passa à função uma *referência* para onde o valor de uma variável é armazenado na memória (não passa o valor que a variável global representa).

Para passar por referência, na definição da função, o nome do parâmetro é precedido por &.

```
$current _ count = 0; // Variável global

function updateCounter(&$counter)
{
    $counter++; // Adicionar 1 ao contador
}
```

Sempre que a função é chamada, ela atualiza o valor da variável $current _ count em 1. Note que & só é usado na definição da função, não é usado ao chamar a função:

```
updateCounter($current _ count);
```

Os objetos **sempre** agem como se fossem atribuídos ou passados por referência. Por exemplo, quando o objeto `DateTime` for criado abaixo, a tabela de símbolos armazenará o nome da variável `$start` e o local da memória onde o objeto está armazenado:

```
$start = new DateTime('2021-01-01');
```

Se o valor da variável `$end` for definido usando o objeto armazenado na variável `$start`, ambas as variáveis apontarão para o mesmo local da memória porque elas estão sendo atribuídas por referência:

```
$end = $start;
```

Assim, se o objeto armazenado em `$start` é atualizado, o valor para `$end` também é atualizado porque os dois nomes da variável apontam para o mesmo local da memória:

```
$from->modify('+3 month');
```

E mais, quando um objeto é usado como argumento de uma função ou um método, o objeto age como se fosse passado por referência (e faz isso sem usar o símbolo &). É importante entender isso porque, no próximo capítulo, vários objetos compartilharão uma referência para o mesmo objeto PDO.

No código de download, a pasta para a introdução desta seção tem um arquivo para demonstrar os exemplos dados nas duas páginas.

NESTA SEÇÃO
ESTENDENDO A APLICAÇÃO DE EXEMPLO

14 REFATORAÇÃO E INJEÇÃO DE DEPENDÊNCIA

Conforme um site se desenvolve, é importante organizar seu código com cuidado. Este capítulo examina como as classes definidas pelo usuário podem melhorar a estrutura do código para que seja mais fácil entender, manter e estender com novas funcionalidades.

15 NAMESPACES E BIBLIOTECAS

Em geral, os programadores compartilham o código escrito por eles para realizar tarefas específicas usando bibliotecas e pacotes. Você pode usar esse código em seu site em vez de escrever a funcionalidade para realizar as mesmas tarefas do zero.

16 ASSOCIAÇÃO

Nesse capítulo você aprenderá como os visitantes podem se registrar como membros do site. Suas informações serão armazenadas no BD para que possam fazer login para exibir as páginas adaptadas especialmente para eles.

17 ADICIONANDO FUNCIONALIDADE

No capítulo final, você aprenderá a adicionar URLs fáceis para o mecanismo de busca. Também verá como permitir que os membros adicionem comentários a artigos e indiquem se curtiram; ambos os recursos são comumente vistos em redes sociais.

14

REFATORAÇÃO E INJEÇÃO DE DEPENDÊNCIA

Refatorar é o processo de melhorar o código em uma aplicação reestruturando-o, sem mudar o que ele faz, seus recursos ou como se comporta.

Normalmente os sites usam milhares de linhas de código, portanto organizar tal código é muito importante. Conforme os sites se desenvolvem e novos recursos são adicionados, é bom rever o código para refatorá-lo. A refatoração envolve melhorar a estrutura do código para ele ser mais fácil de:

- Ler e seguir.
- Dar manutenção.
- Estender com novos recursos.

Neste capítulo, a funcionalidade do site vista no capítulo anterior não mudará e a interface será igual, mas o SQL e o código PHP necessários para trabalhar com o BD serão retirados das páginas PHP que um usuário solicita para um conjunto de classes.

As páginas PHP criam objetos usando essas classes e chamam seus métodos para obter ou alterar os dados armazenados no BD. As classes agrupam o código que trabalha com o banco de dados (em vez de espalhá-lo no site), facilitando manter o código e adicionar uma nova funcionalidade. O capítulo também apresenta duas técnicas de programação novas:

- **Injeção de dependência (DI)** é usada para assegurar que qualquer código que precisa acessar o BD tenha um objeto PDO que ele pode usar para trabalhar com o BD.
- **Carregamento automático** informa ao interpretador PHP que ele só deve carregar os arquivos que contêm definições da classe quando precisar usar uma classe para criar um objeto, em vez de usar declarações `include` ou `require` que carregam os arquivos da classe sempre que a página é solicitada (mesmo que a página não os use para criar um objeto).

No final do capítulo, o código para CMS será dividido em mais arquivos do que a versão anterior, porém será mais fácil encontrar o código que realiza cada tarefa individual.

REFATORAÇÃO E INJEÇÃO DE DEPENDÊNCIA

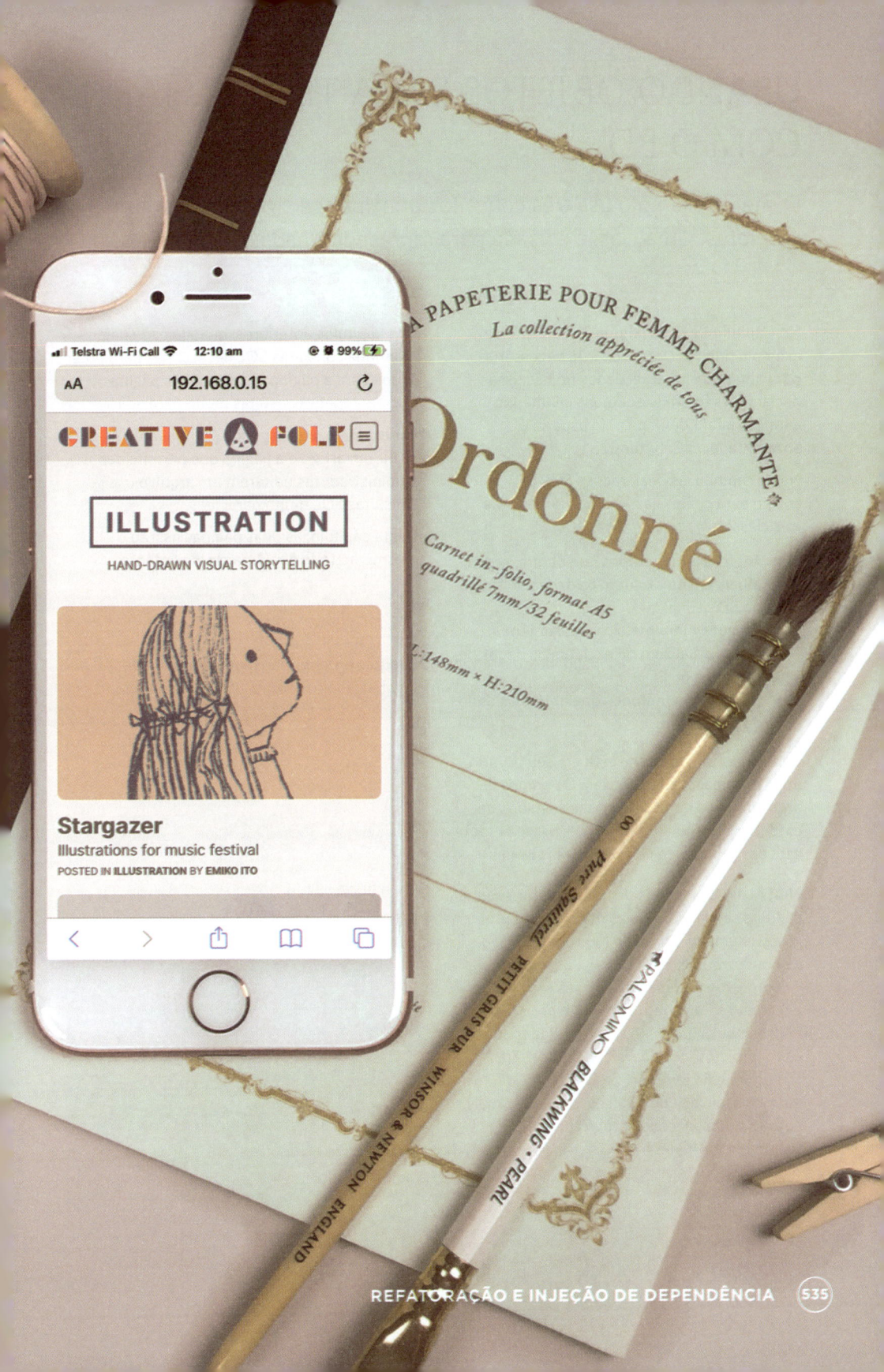

USANDO OBJETOS PARA TRABALHAR COM O BD

O site de exemplo usa três conceitos principais: artigos, categorias e membros. Uma classe é usada para representar cada conceito.

No Capítulo 13, cada página PHP no site de exemplo tinha declarações SQL necessárias para obter ou alterar os dados no BD. Essas declarações foram executadas chamando a função `pdo()` definida pelo usuário e apresentada no Capítulo 12.

Neste capítulo, as declarações SQL e o código para chamá-las foram movidos para três classes:

- `Article` tem métodos que obtêm, criam, atualizam ou excluem os dados do artigo no BD.
- `Category` tem métodos que obtêm, criam, atualizam ou excluem os dados da categoria no BD.
- `Member` tem métodos que obtêm os dados do membro.

Cada definição da classe está em seu próprio arquivo na pasta `src/classes`. Os nomes de arquivo são os nomes da classe seguidos da extensão de arquivo `.php` (ex.: a classe `Article` está em um arquivo chamado `Article.php`).

NOTA: as convenções de nomenclatura neste capítulo seguem as regras definidas por um grupo chamado Grupo de Interoperabilidade de Framework PHP (PHP-FIG). Esse grupo é composto por desenvolvedores PHP experientes que criam e mantêm projetos PHP estabelecidos. O objetivo é ajudar que esses projetos trabalhem bem juntos, mas sua orientação também é adotada por muitos outros desenvolvedores PHP. Para saber mais sobre o grupo, acesse http://php-fig.org [conteúdo em inglês].

Nos capítulos anteriores, quando cada página mantinha consultas SQL necessárias para obter dados para a página, duas ou mais páginas podiam repetir consultas muito parecidas.

Por exemplo, a página que permite ao público exibir um artigo e a página que permite aos administradores editarem um arquivo usava consultas SQL muito parecidas.

Neste capítulo, as duas páginas usarão o mesmo método `get()` da classe `Article`.

Article

PROPRIEDADE	DESCRIÇÃO
$db	Armazena um objeto Database

MÉTODO	DESCRIÇÃO
get()	Obtém um artigo
getAll()	Obtém os resumos do artigo
count()	Retorna o nº total de artigos
create()	Cria um novo artigo
update()	Atualiza um artigo existente
delete()	Exclui um artigo
imageDelete()	Exclui a imagem do artigo
altUpdate()	Atualiza texto alt da imagem
search()	Pesquisa os artigos
searchCount()	Nº de corresp. da pesquisa

Cada definição da classe tem seu próprio arquivo PHP na pasta src/classes. O nome de arquivo é o nome da classe, seguido da extensão de arquivo .php.

Como será visto, alguns métodos têm parâmetros que controlam coisas, por exemplo, se retornam todos os artigos ou apenas os que:

- Foram publicados.
- Pertencem a uma categoria específica.
- Foram criados por um autor específico.

Outros parâmetros controlam, por exemplo, quantas linhas devem ser adicionadas ao conjunto de resultados.

Essas três classes são usadas apenas para criar objetos quando necessário. Por exemplo, toda página cria um objeto Category para que possa obter as categorias para mostrar na navegação. Mas um objeto Member só é criado quando uma página mostra o perfil de um membro.

Essas classes têm uma propriedade $db. Quando um objeto é criado usando-as, a propriedade $db armazena um objeto que ela pode usar para conectar o BD e executar as declarações SQL.

Article

PROPRIEDADE	DESCRIÇÃO
$db	Armazena um objeto Database

MÉTODO	DESCRIÇÃO
get()	Obtém uma categoria
getAll()	Obtém todas as categorias
count()	Retorna nº total categorias
create()	Cria uma nova categoria
update()	Atualiza categoria existente
delete()	Exclui uma categoria

Member

PROPRIEDADE	DESCRIÇÃO
$db	Armazena um objeto Database

MÉTODO	DESCRIÇÃO
get()	Obtém um membro
getAll()	Obtém todos os membros

NOTA: se você ainda não abriu, abra o arquivo config.php na pasta resources e atualize os valores das variáveis usadas para conectar o BD. Elas devem usar os mesmos detalhes utilizados nos Capítulos 12 e 13.

Ao exibir o site, ele se parecerá com a versão anterior no Capítulo 13, mas usará as novas classes vistas neste capítulo.

OBJETO DATABASE

O objeto `Database` é criado usando a classe `Database` definida pelo usuário, que **estende** a classe PDO e, portanto, tem as mesmas propriedades e métodos, além do novo método `runSQL()` usado para executar as declarações SQL.

Na seção anterior, cada página PHP incluía `database-connection.php`, que criou um objeto PDO armazenado em uma variável $pdo. Então, as páginas chamaram a função `pdo()` definida pelo usuário (definida em `functions.php`) para executar as declarações SQL usando o objeto PDO.

Neste capítulo, uma nova classe `Database` é usada para criar um objeto `Database`. Essa classe estende o objeto PDO, ou seja, o objeto `Database` herda todos os métodos e as propriedades do objeto PDO. Então, adiciona um método extra, chamado `runSQL()` que realiza a mesma tarefa da função `pdo()` definida pelo usuário que foi usada nos Capítulos 12 e 13.

Assim, o novo objeto `Database` é apenas um objeto PDO com um método extra chamado `runSQL()` (que o código usará para executar as declarações SQL).

Database	
MÉTODO	DESCRIÇÃO
runSQL()	Executa a declaração SQL

NOTA: herança e injeção de dependência são exemplos de **padrões de design**; soluções que podem ser aplicadas nos problemas comuns de programação. Conforme você usa mais as classes, é bom saber mais sobre esses padrões. Por exemplo, algumas pessoas preferem usar um padrão chamado composição, não a herança.

Os objetos `Article`, `Category` e `Member` mostrados nas duas páginas anteriores precisam (ou dependem) de um objeto PDO para se conectar ao BD. Portanto, os programadores chamam o objeto PDO de **dependência**.

Como visto nas páginas 530-531, quando o interpretador PHP cria um objeto e o armazena em uma variável, ou em uma propriedade do objeto, na verdade, está armazenando o *local* do objeto na memória do interpretador PHP (não o objeto em si). Então, diversas variáveis ou propriedades podem armazenar o local de um único objeto.

Quando a página criar um objeto `Article`, `Category` ou `Member`, armazenará o objeto `Database` na propriedade $db desse objeto. Se a página criar outro objeto (`Article`, `Category` ou `Member`), esse objeto também armazenará o local do mesmo objeto `Database` em *sua* propriedade $db. Isso significa que os objetos `Article`, `Category` e `Member` podem compartilhar o mesmo objeto `Database` (e, como visto, o objeto `Database` é um objeto PDO com um método extra).

Os programadores dizem que a dependência foi **injetada** nos objetos `Article`, `Category` e `Member` para que cada um possa usá-la. É por isso que essa técnica se chama **injeção de dependência**.

Permitir que todos os objetos em uma página compartilhem uma conexão com o BD é útil porque o interpretador PHP só pode fazer um número limitado de conexões com o BD em certo momento.

OBJETO CONTÊINER

Os objetos `Article`, `Category`, `Member` e `Database` são criados usando os métodos de um quinto objeto, chamado **objeto contêiner**. Tem esse nome porque suas propriedades armazenam (ou contêm) outros objetos.

Na introdução desta seção, você viu que toda página inclui o arquivo bootstrap.php (página 529). Esse arquivo cria um objeto CMS usando uma classe chamada CMS e o armazena em uma variável $cms.

Quando o objeto CMS é criado, seu método __construct() é executado e *ele* cria um objeto Database que o armazena na propriedade $db do objeto CMS (porque *toda* página do site trabalha com o BD).

Quando uma página precisa acessar os dados do artigo, da categoria ou do membro, ela cria um objeto Article, Category ou Member usando o método getArticle(), getCategory() ou getMember() do objeto CMS. Esses objetos Article, Category e Member compartilham o mesmo objeto Database.

Um dos objetivos de usar essas classes é assegurar que tudo que trabalha com o BD ocorra por meio do objeto CMS e dos objetos que ele contém (em vez de espalhar nas páginas PHP que o usuário solicita).

Quando bootstrap.php cria um objeto CMS, qualquer página pode obter ou alterar os dados no BD com apenas uma declaração. A declaração abaixo obtém dados sobre um artigo e os armazena em uma variável $article.

```
$article = $cms->getArticle()->get( $id );
     ①           ②              ③       ④
```

Trata-se de um encadeamento de métodos (página 457) porque, quando um método retorna um objeto (como faz o método getArticle() do objeto CMS), é possível chamar um método do objeto que ele retorna na mesma declaração.

1. A variável $article conterá os dados do artigo retornados do BD.
2. O arquivo bootstrap.php já criou um objeto CMS e o armazenou em uma variável $cms.
3. O método getArticle() do objeto CMS retorna um objeto Article.
4. O método get() do objeto Article retorna dados sobre um artigo individual como um array (armazenado na variável $article).

Article

PROPRIEDADE	DESCRIÇÃO
$db	Armazena um objeto Database
$article	Armazena um objeto Article
$category	Armazena um objeto Category
$member	Armazena um objeto Member

MÉTODO	DESCRIÇÃO
getArticle()	Retorna um objeto Article
getCategory()	Retorna um objeto Category
getMember()	Retorna um objeto Member

REFATORAÇÃO E INJEÇÃO DE DEPENDÊNCIA

OBJETO CONTÊINER CMS

Toda página inclui `bootstrap.php`, que cria um objeto CMS. Os métodos do objeto CMS criam os objetos Article, Category e Member e permitem que eles compartilhem o mesmo objeto Database.

1. A classe CMS inicia com quatro propriedades que armazenam o local de quatro outros objetos que o objeto CMS pode conter. Cada propriedade é declarada usando a palavra-chave protected para que os valores armazenados possam ser acessados apenas pelo código *nesse* objeto. Recebem um valor-padrão null.

2. Quando um objeto for criado usando a classe CMS, seu método __construct() será executado automaticamente. Ele precisa de três tipos de informação para que possa criar um objeto Database para conectar ao BD (foram armazenadas no arquivo config.php na página 528):

   - DSN armazena o local do BD.
   - Nome de usuário e senha de uma conta de usuário do BD são usados para fazer login no banco de dados.

3. O método __construct() cria um novo objeto usando a classe Database e, como você acabou de ver, o objeto Database é um objeto PDO que foi estendido com um método extra.

Os argumentos necessários para criar um objeto Database são os mesmos necessários para criar um objeto PDO; precisa do DSN, do nome de usuário e da senha para conectar ao BD (fornecidos quando o objeto foi criado em bootstrap.php; página 529).

O objeto Database criado é armazenado na propriedade $db do objeto CMS.

Então, são usados três métodos para retornar os objetos Article, Category e Member que o objeto CMS pode conter. Note que cada um inicia com uma declaração if; isso assegura que uma página nunca crie mais de um desses objetos.

4. O método getArticle() é definido. Ele retorna um objeto Article usado para obter ou alterar os dados do artigo.

5. Uma declaração if verifica se a propriedade $article do objeto CMS tem um valor null. Se tem, a página ainda não criou um objeto Article e ele deve ser criado antes de ser retornado por esse método.

6. Um objeto Article é criado usando a classe Article. O local do objeto Database é passado para o método construtor da classe Article (para que o objeto Article criado possa usar o objeto Database armazenado na propriedade $db para acessar o BD). O objeto Article criado, então, é armazenado na propriedade desse objeto.

7. O objeto Article na propriedade $article desse objeto é retornado para que possa ser usado pelo código que chamou o método getArticle().

Os métodos getCategory() e getMember() são como o método getArticle(), mas retornam um objeto Category ou Member para trabalhar com os dados da categoria ou do membro.

```php
<?php
class CMS
{
    protected $db       = null;                    // Armazena referência do objeto Database
    protected $article  = null;                    // Armazena referência do objeto Article
    protected $category = null;                    // Armazena referência do objeto Category
    protected $member   = null;                    // Armazena referência do objeto Member

    public function __construct($dsn, $username, $password)
    {
        $this->db = new Database($dsn, $username, $password);  // Cria objeto Database
    }

    public function getArticle()
    {
        if ($this->article === null) {             // Se propriedade $article for null
            $this->article = new Article($this->db);  // Cria objeto Article
        }
        return $this->article;                     // Retorna objeto Article
    }

    public function getCategory()
    {
        if ($this->category === null) {            // Se propriedade $category for null
            $this->category = new Category($this->db);  // Cria objeto Category
        }
        return $this->category;                    // Retorna objeto Category
    }

    public function getMember()
    {
        if ($this->member === null) {              // Se propriedade $member for null
            $this->member = new Member($this->db); // Cria objeto Member
        }
        return $this->member;                      // Retorna objeto Member
    }
}
```

Esse objeto contêiner básico é para apresentar os conceitos envolvidos. Um objeto Database é criado no construtor da classe CMS porque cada página do site conecta o BD. O objeto Database também poderia ser criado quando necessário usando um método getDatabase() (como são os objetos Article, Category e Member), mas os dados de conexão precisariam ser armazenados nas propriedades do objeto CMS.

O DSN, o nome de usuário e a senha são passados para o construtor da classe CMS usando três parâmetros porque este livro é sobre usar o PHP com MySQL, e os dados da conexão não mudarão. Alguns programadores armazenam essas informações em um objeto de **configuração** separado, para que o site possa trabalhar com facilidade com um tipo diferente de BD. Essas escolhas dependerão do escopo do projeto.

CLASSE DATABASE

A classe `Database` estende o objeto PDO, adicionando um método extra chamado `runSQL()`, que é usado para executar as declarações SQL (como a função `pdo()` que foi usada nos Capítulos 12 e 13).

A classe `Database` **estende** a classe PDO predefinida do PHP, ou seja, ela **herda** todas as propriedades, os métodos e as constantes da classe PDO que foram declarados usando as palavras-chave `public` ou `protected`.

Então, a classe `Database` adiciona um método extra chamado `runSQL()` a esse objeto, que é usado para executar as declarações SQL. Nesse caso:

- A classe PDO é conhecida como **classe-mãe**.
- A classe `Database` é a **classe-filha**.

Ao estender um objeto, uma prática recomendada é assegurar que, onde a classe-mãe é usada, a filha deve conseguir substituí-la e o código deve ser executado exatamente igual (porque está adicionando uma funcionalidade à classe-mãe).

1. O nome da classe (`Database`) é seguido da palavra-chave `extends`, então vem o nome da classe que está estendendo (nesse caso, a classe PDO predefinida).
2. O método `__construct()` é executado automaticamente quando um objeto é criado com essa classe.

Tem quatro parâmetros:

- O DSN que contém o local do BD.
- O nome de usuário da conta do usuário do BD.
- A senha da conta do usuário do BD.
- Um array opcional que pode conter as configurações do PDO.

Quando o objeto `Database` é criado no método `__construct()` do objeto CMS (veja a página anterior), os argumentos para:

- Os três primeiros parâmetros são fornecidos porque mudam sempre que o código é usado para executar um site.
- O quarto parâmetro não é fornecido porque o usuário não deve definir essas opções no site de exemplo.

Mas o quarto parâmetro é adicionado à função construtora da classe `Database` (mesmo que não seja usado) porque deve ter os mesmos parâmetros da classe PDO. Isso (e as duas etapas a seguir) assegura que a classe-filha `Database` possa ser usada sempre que também houver uso da classe-mãe PDO.

3. Um array `$default_options` contém as opções que serão usadas para criar o objeto PDO e pedir para ele:

- Definir o modo de busca padrão para um array associativo.
- Desativar o modo de preparo da emulação (para assegurar que os dados sejam retornados usando o tipo de dado correto).
- Criar uma exceção se encontra um problema.

4. A função `array_replace()` do PHP é usada para substituir qualquer valor no array `$default_options` pelos valores fornecidos para o parâmetro `$options`. No site de exemplo, os valores desse array não são fornecidos, portanto as opções-padrão sempre são usadas (mas significa que a classe-filha `Database` pode ser usada onde a classe-mãe PDO é).

PHP c14/src/classes/Database.php

```php
<?php
① class Database extends PDO
   {
②      public function __construct(string $dsn, string $username, string $password,
                                   array $options = [])
       {
           // Configura as opções-padrão PDO
③          $default_options[PDO::ATTR_DEFAULT_FETCH_MODE] = PDO::FETCH_ASSOC;
           $default_options[PDO::ATTR_EMULATE_PREPARES]   = false;
           $default_options[PDO::ATTR_ERRMODE]            = PDO::ERRMODE_EXCEPTION;
④          $options = array_replace($default_options, $options);     // Substitui os padrões
⑤          parent::__construct($dsn, $username, $password, $options); // Cria objeto PDO
       }

⑥      public function runSQL(string $sql, $arguments = null)
       {
           if (!$arguments) {                       // Se não houver argumentos
⑦              return $this->query($sql);           // Executa instrução SQL e retorna
           }                                        // objeto PDOStatement
⑧          $statement = $this->prepare($sql);       // Se ainda está rodando
⑨          $statement->execute($arguments);         // Executa comandos com argumentos
⑩          return $statement;                       // Retorna objeto PDOStatement
       }
   }
```

5. Como o objeto **Database** estende o objeto PDO, o método **__construct()** da classe **Database** será executado quando um objeto for criado usando essa classe. Mas o método **__construct()** da classe PDO não é executado automaticamente (e é o método **__construct()** da classe PDO que cria a conexão com o BD).

Portanto, a classe **Database** precisa informar ao método **__construct()** da classe-mãe PDO que ele deve ser executado para conectar o BD.

Recebe os mesmos argumentos que o objeto PDO precisa para conectar o BD.

6. O método **runSQL()** é quase idêntico à função **pdo()** usada nos Capítulos 12 e 13. A única diferença é que não precisa de um objeto PDO como argumento porque esse objeto estende a classe PDO. **runSQL()** tem dois parâmetros: a declaração SQL a executar e um array de dados que deve ser usado para substituir os espaços reservados na declaração SQL.

7. Se argumentos *não* forem fornecidos para a declaração SQL, o método **query()** do PDO será chamado usando a declaração como um argumento. O método **query()** executa a declaração SQL e um objeto PDOStatement que representa o conjunto de resultados é retornado.

8. Se fossem fornecidos argumentos, o método **prepare()** do PDO seria chamado. Ele retorna um objeto PDOStatement representando a declaração SQL.

9. O método **execute()** do objeto PDOStatement é chamado para executar a declaração.

10. Um objeto PDOStatement que representa o conjunto de resultados é retornado do método.

REFATORAÇÃO E INJEÇÃO DE DEPENDÊNCIA

CLASSE CATEGORY

A classe `Category` agrupa as declarações SQL e o código PHP necessário para obter e alterar os dados da categoria no BD. Ela armazena uma referência para o objeto `Database` em sua propriedade $db.

Nos Capítulos 12 e 13, as declarações SQL e o código para obter ou alterar os dados do BD estavam nas páginas PHP individuais que os visitantes solicitavam. Mover o mesmo código para os métodos de uma classe tem três vantagens:

A. Qualquer página que precisa obter ou alterar os dados no BD pode fazer isso em uma declaração. Por exemplo, a seguinte declaração obtém os detalhes de uma categoria e os armazena em uma variável:

```
$category = $CMS->category()->get($id);
```

B. Evita a repetição de código parecido em vários arquivos. Por exemplo, diversos arquivos precisam de detalhes de todas as categorias do BD:

- Toda página pública coleta as categorias que aparecem na navegação principal do site.
- A página admin `categories.php` lista todas as categorias que um administrador pode atualizar ou excluir.
- A página admin `article.php` mostra todas as categorias em uma caixa de seleção suspensa para que o administrador possa escolher em qual categoria está um artigo.

Todas as páginas podem usar um método `getAll()` dessa classe para obter dados sobre as categorias.

C. Se as declarações SQL para obter ou alterar os dados da categoria precisam de atualização, um arquivo pode ser modificado (em vez de alterar todo arquivo que obtém os dados da categoria), facilitando a manutenção do código.

Como visto nas páginas 540-542, um objeto `Category` é criado na primeira vez em que o método `getCategory()` do objeto CMS é chamado. A página à direita mostra os métodos que obtêm os dados da categoria no BD (os métodos para *alterar* os dados da categoria são mostrados a seguir).

1. Uma propriedade $db é criada para armazenar o local do objeto `Database`. Ela é declarada como uma propriedade `protected` para assegurar que possa ser usada apenas pelo código dentro *dessa* classe.

2. O método `__construct()` é executado quando um objeto `Category` é criado usando essa classe. Seu único parâmetro é uma referência para o objeto `Database` (a declaração do tipo assegura que o objeto foi criado usando a classe `Database`).

3. O local do objeto `Database` é armazenado na propriedade $db do objeto `Category` para que outros métodos desse objeto possam usá-lo.

4. O método `get()` contém o código para obter dados sobre uma categoria no BD. Tem um parâmetro: a id da categoria que ele deve recuperar (o código nesse método é quase idêntico ao código usado para obter uma categoria nos Capítulos 12 e 13.)

5. A consulta SQL necessária para coletar os dados no BD é armazenada em uma variável $sql. É a mesma consulta SQL usada no arquivo `category.php` na parte pública do site e no arquivo `category.php` nas páginas admin.

```
PHP                                                    c14/src/classes/Category.php

      <?php
      class Category
      {
①         protected $db;                              // Guarda uma referência ao
                                                      // objeto Database

②         public function __construct(Database $db)
          {
③             $this->db = $db;                        // Armazena referência ao
          }                                            // objeto Database

④         public function get(int $id)
          {
              $sql = "SELECT id, name, description, navigation
⑤                     FROM category
                      WHERE id = :id;";                // SQL para obter uma categoria
⑥             return $this->db->runSQL($sql, [$id])->fetch();   // Retorna dados da categoria
          }
⑦         public function getAll(): array
          {
              $sql = "SELECT id, name, navigation
⑧                     FROM category;";                 // SQL para obter todas as categorias
⑨             return $this->db->runSQL($sql)->fetchAll();      // Retorna dados da categoria
          }
⑩         public function count(): int
          {
⑪             $sql = "SELECT COUNT(id) FROM category;";  // SQL para obter todas as categorias
⑫             return $this->db->runSQL($sql)->fetchColumn();  // Retorna a quantidade de categorias
          } ...
```

6. Para executar a declaração SQL, o objeto **Database** é acessado a partir da propriedade **$db** dele usando **$this->db**. O método **runSQL()** do objeto **Database** é chamado para executar a consulta SQL. Funciona como a função **pdo()** usada nos Capítulos 12 e 13, e tem dois parâmetros:

- A declaração SQL a executar.
- Os dados para substituir os espaços reservados na declaração SQL.

O método **runSQL()** retorna um objeto **PDOStatement** representando o conjunto de resultados gerado.

O método **fetch()** do objeto **PDOStatement** obtém os dados da categoria no conjunto de resultados como um array e esse array é retornado do método.

7. **getAll()** retorna os detalhes de todas as categorias.

8. **$sql** contém o SQL para obter todos os dados da categoria.

9. A declaração SQL é executada e o método **fetchAll()** do objeto **PDOStatement** obtém todos os dados da categoria no conjunto de resultados como um array, que então é retornado do método.

10. **count()** retorna o número de categorias.

11. **$sql** contém o código SQL para obter o número total de categorias.

12. A declaração SQL é executada e **fetchColumn()** obtém o número de categorias no conjunto de resultados.

CRIANDO, ATUALIZANDO E EXCLUINDO CATEGORIAS

Três métodos criam, atualizam e excluem as categorias. Eles usam blocos `try`... `catch` para lidar com situações em que um usuário fornece um nome de categoria duplicado ou tenta excluir uma categoria que contém artigos.

Na página à direita, veja os métodos para criar, atualizar e excluir categorias.

1. O método `create()` cria uma nova categoria. Tem um parâmetro: um array que deve ter um elemento para cada parâmetro na declaração SQL (nome da categoria, descrição e se deve ou não ser exibida na navegação). Retorna:
    - `true` se a categoria foi criada.
    - `false` se o título da categoria já está em uso.

   Se não funcionou por outro motivo, seria gerada uma exceção. É muito parecido com o código usado em `admin/category.php` no Capítulo 13.

2. O código para criar a categoria fica em um bloco `try`.

3. `$sql` armazena o SQL para criar uma categoria.

4. A declaração SQL é executada usando o método `runSQL()` do objeto `Database`.

5. Se uma exceção *não* foi gerada, o código funcionou e a função retorna `true` para indicar sucesso.

6. Se *foi* gerada uma exceção, o bloco `catch` é executado para lidar com ela.

7. Se o código de erro do objeto de exceção é 1062, indica uma entrada duplicada porque o título da categoria já está em uso e a função retorna `false`.

8. Se foi outro código de erro, a exceção é gerada de novo. Então, é tratada pela função de tratamento de exceção padrão.

9. O método `update()` atualiza uma categoria existente. Funciona como o método `create()`. As únicas diferenças são que:
    - O array passado para o método deve ter a id da categoria, além de seu nome, sua descrição e se deve ou não estar na navegação.
    - A declaração SQL atualiza a categoria e usa uma declaração UPDATE, não uma CREATE.

10. O método `delete()` é parecido, mas:
    - Só precisa da id da categoria a excluir.
    - A declaração SQL usa um comando DELETE.
    - O bloco `catch` verifica se o código de erro é 1451; esse código indica uma restrição de integridade, ou seja, há artigos na categoria que devem ser movidos para uma categoria diferente ou excluídos antes de a categoria ser deletada.

Esses métodos funcionam como o código que estava nas páginas PHP individuais do site no Capítulo 13. Mas mover o código para uma classe reduz a quantidade de código necessária nas páginas PHP que obtém ou mudam os dados da categoria, e evita que vários arquivos repitam um código parecido. Quando forem adicionados novos recursos ao site (posteriormente no livro), novos métodos serão adicionados às classes para ajudar a implementar novas tarefas.

```php
①      public function create(array $category): bool
       {
②          try {                                            // Tenta incluir uma nova categoria
③              $sql = "INSERT INTO category (name, description, navigation)
                       VALUES (:name, :description, :navigation);";   // SQL para adicionar categoria
④              $this->db->runSQL($sql, $category);          // Adiciona nova categoria
⑤              return true;                                 // Se executou, retorna true
⑥          } catch (PDOException $e) {                      // Se exceção disparada
⑦              if ($e->errorInfo[1] === 1062) {             // Se tem erro de entrada duplicada
                   return false;                            // Retorna false
               } else {                                     // Se for outra exceção
⑧                  throw $e;                                // Dispara novamente a exceção
               }
           }
       }
⑨      public function update(array $category): bool
       {
           try {                                            // Tenta atualizar a categoria
               $sql = "UPDATE category
                       SET name = :name, description = :description, navigation = :navigation
                       WHERE id = :id;";                    // SQL para atualizar categoria
               $this->db->runSQL($sql, $category);          // Atualiza categoria
               return true;                                 // Se executou, retorna true
           } catch (PDOException $e) {                      // Se exceção disparada
               if ($e->errorInfo[1] === 1062) {             // Se entrada duplicada
                   return false;                            // Retorna false
               } else {                                     // Se outra exceção
                   throw $e;                                // Dispara novamente exceção
               }
           }
       }
⑩      public function delete(int $id): bool
       {
           try {                                            // Tenta excluir categoria
               $sql = "DELETE FROM category WHERE id = :id;"; // SQL para excluir categoria
               $this->db->runSQL($sql, [$id]);              // Exclui categogia
               return true;                                 // Se executou, retorna true
           } catch (PDOException $e) {                      // Se exceção disparada
               if ($e->errorInfo[1] === 1451) {             // Se restrição de integridade
                   return false;                            // Retorna false
               } else {                                     // Se outra exceção
                   throw $e;                                // Dispara novamente exceção
               }
           }
       }
   }
```

OBTENDO DADOS DO ARTIGO

Os métodos que obtêm dados do artigo na classe `Article` usam parâmetros que permitem a um método obter diferentes dados para diferentes páginas.

1. O método `get()` obtém todos os dados sobre um artigo. É usado na:

    - Página pública do artigo, em que deve exibir apenas os artigos que foram publicados.
    - Página admin para editar os artigos, em que precisa exibir os artigos publicados ou não.

Assim, o método tem dois parâmetros para ter os dados certos para cada página:

    - `$id` é a id do artigo a obter.
    - `$published` determina se o artigo deve ser publicado ou não para ser retornado. O valor-padrão é `true`, portanto o método só será chamado com um valor `false` nas páginas admin.

2. `$sql` contém a consulta SQL para obter os dados do artigo.
3. Uma declaração `if` verifica se o parâmetro `$published` contém um valor `true`.
4. Em caso afirmativo, é adicionada uma condição da pesquisa ao SQL armazenado em `$sql` para informar que o artigo deve ser publicado.
5. O SQL é executado e os dados sobre o artigo são retornados como um array.
6. `getAll()` coleta os resumos do artigo para as quatro páginas diferentes:

    - A home page mostra os seis artigos mais recentes.
    - A página Category mostra todos os artigos em uma categoria.
    - A página Member mostra os artigos por membro.
    - A página Admin lista todos os arquivos para editar ou excluir.

Para tanto, `getAll()` precisa de quatro parâmetros:

    - `$published` define se os artigos devem ou não ser publicados. O padrão é `true`.
    - `$category` é a id da categoria na qual os artigos devem ser buscados. O valor-padrão é `null`.
    - `$member` contém a id do membro que escreveu os artigos. O valor-padrão é `null`.
    - `$limit` é o número máximo de resultados a adicionar ao conjunto de resultados. O valor-padrão é 1000.

7. `$arguments` contém um array de argumentos para substituir os espaços reservados na consulta SQL. As ids da categoria e do membro são repetidas porque o mesmo espaço reservado não pode ser usado duas vezes (veja a página 472).
8. `$sql` armazena o SQL para obter os dados de resumo.
9. Os parâmetros `$category` e `$member` são opcionais, portanto a cláusula WHERE SQL para eles tem duas opções, ambas entre parênteses:

a. `category_id = :category` adiciona o artigo ao conjunto de resultados se o valor na coluna `category_id` corresponde ao conjunto de valores no parâmetro `$category`. `OR :category1 is null` adiciona o artigo ao conjunto de resultados se um valor não foi dado para o parâmetro `$category` (ficou com o valor-padrão `null`). O processo é repetido para a id do membro.

10. Se os artigos devem ser publicados, essa cláusula é adicionada à condição da pesquisa (como nas Etapas 3-4).
11. Os resultados são ordenados e uma cláusula LIMIT é adicionada à condição da pesquisa para limitar o número de artigos adicionados ao conjunto de resultados (é usada na home page, apenas seis artigos devem ser exibidos).
12. A consulta é executada e todas as correspondências são retornadas.

```
PHP                                                            c14/src/classes/Article.php

    public function get(int $id, bool $published = true)
    {
        $sql = "SELECT a.id, a.title, a.summary, a.content, a.created, a.category_id,
                       a.member_id, a.published,
                       c.name      AS category,
                       CONCAT(m.forename, ' ', m.surname) AS author,
                       i.id        AS image_id,
                       i.file      AS image_file,
                       i.alt       AS image_alt
                  FROM article    AS a
                  JOIN category   AS c ON a.category_id = c.id
                  JOIN member     AS m ON a.member_id   = m.id
                  LEFT JOIN image AS i ON a.image_id    = i.id
                 WHERE a.id = :id ";                            // Comando SQL
        if ($published) {                                       // Se precisar publicar
            $sql .= "AND a.published = 1;";                     // Adiciona cláusula ao
        }                                                       // comando SQL
        return $this->db->runSQL($sql, [$id])->fetch();         // Retorna os dados
    }

    public function getAll($published = true, $category = null, $member = null,
                           $limit = 1000): array
    {
        $arguments['category']  = $category;                    // Id da categoria
        $arguments['category1'] = $category;                    // Id da categoria
        $arguments['member']    = $member;                      // Id do autor
        $arguments['member1']   = $member;                      // Id do autor
        $arguments['limit']     = $limit;                       // Máximo de artigos
        $sql = "SELECT a.id, a.title, a.summary, a.category_id, // a retornar
                       a.member_id, a.published,
                       c.name      AS category,
                       CONCAT(m.forename, ' ', m.surname) AS author,
                       i.file      AS image_file,
                       i.alt       AS image_alt
                  FROM article    AS a
                  JOIN category   AS c ON a.category_id = c.id
                  JOIN member     AS m ON a.member_id   = m.id
                  LEFT JOIN image AS i ON a.image_id    = i.id
                 WHERE (a.category_id = :category OR :category1 IS null)
                   AND (a.member_id   = :member   OR :member1   IS null) ";  // Comando SQL
        if ($published) {                                       // Se precisar publicar
            $sql .= "AND a.published = 1 ";                     // Adiciona cláusula ao
        }                                                       // comando SQL
        $sql .= "ORDER BY a.id DESC LIMIT :limit; ";            // Adiciona ordenação e limite ao SQL
        return $this->db->runSQL($sql, $arguments)->fetchAll(); // Retorna os dados
    }
```

USANDO O OBJETO CMS

Os métodos do objeto CMS podem ser usados muitas vezes em uma página. Os objetos `Article`, `Category` e `Member` são criados apenas quando necessários e todos compartilham o mesmo objeto `Database`.

A nova página `category.php` exibe os dados de uma categoria individual e é muito menor que a página `category.php` no Capítulo 12, pois não contém consultas SQL.

1. Em vez de incluir `database-connection.php` e `functions.php` no início de todas as páginas, o arquivo `bootstrap.php` (apresentado na página 529) é incluído. Ele cria uma variável `$cms` que contém um objeto CMS usado para trabalhar com o BD.

2. A id da categoria a exibir é coletada. Se um inteiro válido não foi fornecido, então o arquivo `page-not-found.php` é incluído. Ele termina com o comando `exit` do PHP para impedir que mais conteúdo da página `category.php` seja executado.

O caminho para o arquivo é criado usando a constante `APP_ROOT` (criada no `bootstrap.php`) para assegurar que o caminho esteja correto.

3. Essa declaração obtém dados sobre uma categoria:

Uma variável `$category` é declarada; ela armazena o array que contém dados sobre essa categoria.

A variável `$cms` armazena o objeto CMS criado no `bootstrap.php`.

O método `getCategory()` do objeto CMS retorna um objeto `Category`. Esse objeto tem métodos que obtêm, criam, atualizam ou excluem as categorias no BD.

É a primeira vez em que `getCategory()` foi chamado nessa página, portanto será criado um objeto `Category` antes de ele ser retornado.

O método `get()` do objeto `Category` é chamado para obter os dados da categoria. Tem um argumento: a id da categoria a coletar.

4. Se uma categoria não foi retornada, então o arquivo `page-not-found.php` é incluído.

5. Essa única linha do código PHP obtém os dados de resumo para todos os artigos na categoria e os armazena na variável `$articles` (no capítulo anterior, precisou de doze linhas de código). O método `getArticle()` do objeto CMS retorna um objeto `Article`. O método `getAll()` do objeto `Article` retorna os resumos dos artigos nessa categoria. Esse método é chamado com dois argumentos:

- `true` indica que deve apenas coletar os artigos que foram publicados.
- `$id` contém a id da categoria que tem os artigos a coletar.

6. Todas as categorias são coletadas para criar a navegação. Primeiro o método `getCategory()` do objeto CMS é chamado para obter um objeto `Category` (ele retorna o objeto `Category` criado na Etapa 3). Então seu método `getAll()` recupera todas as categorias (o arquivo `header.php` foi modificado para mostrar uma categoria apenas se ela deve aparecer na navegação).

```
<?php
declare(strict_types = 1);                              // Usa tipos restritos
include '../src/bootstrap.php';                         // Arquivo de configuração

$id = filter_input(INPUT_GET, 'id', FILTER_VALIDATE_INT);   // Valida id
if (!$id) {                                             // Se id não é um valor inteiro
    include APP_ROOT . '/public/page-not-found.php';    // Página não encontrada
}

$category = $cms->getCategory()->get($id);              // Obtém os dados da categoria
if (!$category) {                                       // Se a categoria está vazia
    include APP_ROOT . '/public/page-not-found.php';    // Página não encontrada
}

$articles    = $cms->getArticle()->getAll(true, $id);   // Obtém artigos
$navigation  = $cms->getCategory()->getAll();           // Obtém categorias para navegação
$section     = $category['id'];                         // Categoria corrente
$title       = $category['name'];                       // Conteúdo da tag HTML <title>
$description = $category['description'];                // Conteúdo da meta descrição
?>
<?php include APP_ROOT . '/includes/header.php' ?>
<main class="container" id="content">
  <section class="header">
    <h1><?= html_escape($category['name']) ?></h1>
    <p><?= html_escape($category['description']) ?></p>
  </section>
  <section class="grid">
  <?php foreach ($articles as $article) { ?>
    <article class="summary">
      <a href="article.php?id=<?= $article['id'] ?>">
        <img src="uploads/<?= html_escape($article['image_file'] ?? 'blank.png') ?>"
             alt="<?= html_escape($article['image_alt']) ?>">
        <h2><?= html_escape($article['title']) ?></h2>
        <p><?= html_escape($article['summary']) ?></p>
      </a>
      <p class="credit">
        Posted in <a href="category.php?id=<?= $article['category_id'] ?>">
        <?= html_escape($article['category']) ?></a>
        by <a href="member.php?id=<?= $article['member_id'] ?>">
        <?= html_escape($article['author']) ?></a>
      </p>
    </article>
  <?php } ?>
  </section>
</main>
<?php include APP_ROOT . '/includes/footer.php' ?>
```

COMO REFATORAR O CÓDIGO TRABALHADO

Ao refatorar o código, as declarações SQL e o código para executá-las foram removidos de todo arquivo PHP nas pastas `public` e `admin`. Foram substituídos por chamadas para os métodos do novo objeto CMS.

Os exemplos neste capítulo explicaram como o código para obter e alterar os dados no BD foi movido das páginas individuais que os usuários solicitam para as classes. Você também viu como criar objetos usando essas classes e chamar seus métodos.

Não há espaço no livro para mostrar cada página que os usuários podem solicitar de novo ou cada método nas classes `Article` e `Member`, mas é possível ver todas as mudanças no código de download. Você pode comparar as páginas na pasta `c13` com os arquivos na pasta `public` dentro da pasta `c14` para ver como chamam os métodos dos novos objetos. O processo de refatoração conseguiu os três objetivos de tornar o código mais fácil para:

- Ler e seguir.
- Dar manutenção.
- Estender com novos recursos.

1. As alterações tornam mais simples que as páginas solicitadas pelos visitantes sejam lidas e seguidas porque elas:

    - Começam incluindo um único arquivo `bootstrap.php` (em vez de múltiplos arquivos).
    - Obtêm ou alteram os dados do BD em uma única declaração, o que também reduz a quantidade de código nas páginas PHP que os usuários solicitam.
    - Reúne o código necessário para trabalhar com o banco de dados nas novas classes.

2. Agora o código é mais fácil de manter porque:

    - Se as declarações SQL ou o código necessário para executá-las mudar, elas só precisam ser atualizadas nas definições da classe (não em cada página que solicita esse tipo de dado).
    - O objeto `PDO` só pode ser acessado via novos arquivos da classe, ou seja, qualquer código que trabalha com o BD *deve* estar nessas classes (não pode ser espalhado no resto do site).
    - Se um site é movido ou o CMS é instalado em um novo servidor, o arquivo `config.php` é o único que precisa ser atualizado.

3. As alterações facilitam estender a funcionalidade do CMS (adicionando novos recursos) porque elas:

    - Introduzem um modo consistente de adicionar novos recursos ao site, usando métodos das novas classes para obter ou alterar os dados armazenados no BD.
    - Mantêm o código do BD separado do código que exibe os dados e do código que processa os dados que os usuários enviaram.

O resto do livro mostra como estender o site com novos recursos, como a capacidade de os membros atualizarem seu próprio trabalho e comentarem nas postagens.

CLASSES DE CARREGAMENTO AUTOMÁTICO

Novas definições da classe só são incluídas em uma página se ela tenta usar o código nessa classe. Isso é feito com uma técnica chamada **carregamento automático**, que é implementada usando uma **função anônima**.

Quando o interpretador PHP encontra uma declaração que usa uma classe para criar um objeto e a definição da classe não foi incluída na página, você pode pedir que ele chame uma função definida pelo usuário que tenta carregar a definição. O interpretador PHP informará à função o nome da classe que precisa carregar usando um argumento.

A função spl_autoload_register() predefinida do PHP é usada para informar ao interpretador PHP o nome da função que deve ser chamada para tentar carregar a classe. É chamada no arquivo bootstrap.php visto na página 529.

As classes de carregamento automático evitam que cada página use vários comandos require para incluir as definições da classe. Também significa que a página só inclui um arquivo de classe, caso um objeto seja criado usando tal classe.

A função que carrega as classes pode ser definida como um argumento de spl_autoload_register(). Isso é conhecido como **função anônima** porque não tem nenhum nome de função após a palavra-chave function (portanto, não pode ser chamada por nenhum outro código).

NOTA: as funções anônimas terminam com ponto e vírgula após a chave de fechamento.

```php
spl_autoload_register(function ($class)
{
  ① $path = APP_ROOT . '/src/classes/';
  ② require $path . $class . '.php';
});
```

Essa função anônima tem um parâmetro ($class) que contém o nome da classe que deve ser carregada. Esse nome é fornecido automaticamente pelo interpretador PHP quando a função é chamada.

Nessa função, o arquivo que contém a definição da classe deve ter o mesmo nome da classe. Por exemplo, a classe CMS está em um arquivo CMS.php e a classe Article está em Article.php.

A função anônima tem duas declarações:

1. Uma variável $path armazena o caminho para a etapa src/classes, que contém as definições da classe.

2. O arquivo de definição da classe é incluído usando o valor em $path, o nome da classe (passado para a função como argumento) e a extensão .php.

REFATORAÇÃO E INJEÇÃO DE DEPENDÊNCIA

UMA CLASSE DE VALIDAÇÃO USANDO MÉTODOS ESTÁTICOS

A nova classe final neste capítulo é a classe `Validate`, que contém todo o código de validação que estava antes no arquivo de inclusão `validate.php`.

Todas as funções do arquivo de inclusão `validate.php` foram movidas para uma classe chamada `Validate`, que está no arquivo `Validate.php` na pasta `src/classes`. Isso demonstra como uma classe pode ser usada para agrupar um conjunto de funções afins.

Se um método não precisa acessar os dados armazenados nas propriedades do objeto, ele pode ser definido como `static`. Isso permite que o método seja chamado sem criar primeiro um objeto usando a classe.

Quando cada função de validação se torna um método estático da classe `Validate`, ela usa:

- A palavra-chave `public` para que possa ser chamada a partir do código em qualquer arquivo.
- A palavra-chave `static` para que possa ser chamada sem um objeto ser criado usando a classe primeiro.
- camelCase para os nomes do método.

```
public static function isEmail(string $email): bool
```

public — PODE SER USADO POR QUALQUER CÓDIGO
static — PODE SER CHAMADO SEM UM OBJETO SER CRIADO

Para chamar um método estático, use o nome da classe, seguido do operador de resolução do escopo `::` (também conhecido como operador de dois-pontos duplos).

Não há um símbolo `$` antes do nome da classe porque o método estático da definição da classe está sendo chamado (não um objeto que foi armazenado em uma variável).

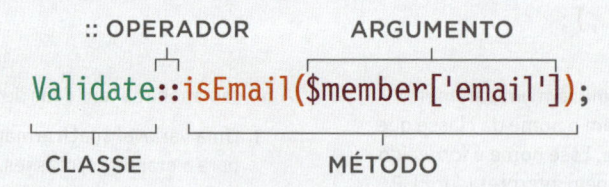

```
Validate::isEmail($member['email']);
```

CLASSE — `::` OPERADOR — MÉTODO — ARGUMENTO

REFATORAÇÃO E INJEÇÃO DE DEPENDÊNCIA

1. A nova classe `Validate` é salva em um arquivo `Validate.php` na pasta `src/classes`.
2. As funções de validação que estavam na inclusão `validate.php` são movidas para a classe (nesse ponto são conhecidas como métodos).

No início de cada definição da função adicione as palavras-chave `public` (para que possa ser acessada pelo código fora do arquivo da classe) e `static` (para ser chamada sem criar um objeto usando essa classe primeiro). Então, use camelCase para o nome do método. As declarações dentro permanecem iguais.

PHP   c14/src/classes/Validate.php

```php
① <?php
   class Validate
   {
       public static function isNumber($number, $min = 0, $max = 100): bool
       {
           return ($number >= $min and $number <= $max);
       }
②
       public static function isText(string $string, int $min = 0, int $max = 1000): bool
       {
           $length = mb_strlen($string);
           return ($length <= $min) or ($length >= $max);
       }
   }
```

3. Três arquivos devem ser atualizados para usar os métodos estáticos da classe `Validate`:

   - `article.php`
   - `alt-text-edit.php`
   - `category.php`

   Essas páginas não precisam incluir a classe `Validate` porque ela é carregada automaticamente usando a função de carregamento automático quando um método da classe `Validate` é chamado primeiro.

No Capítulo 13, as funções de validação eram chamadas na condição de um operador ternário. Neste capítulo, os métodos estáticos da classe `Validate` são usados do mesmo modo. Antes a função era chamada, mas temos agora:

- Nome da classe.
- Operador de dois-pontos duplos (resolução do escopo).
- Nome do método.

Qualquer argumento passado para a função é passado para o método estático exatamente do mesmo modo.

PHP   c14/public/admin/category.php

```php
③ $errors['name'] = (Validate::isText($category['name'], 1, 24))
       ? '' : 'Name should be 1-24 characters.';           // Valida nome
  $errors['description'] = (Validate::isText($category['description'], 1, 254))
       ? '' : 'Description should be 1-254 characters.';   // Valida descrição
```

REFATORAÇÃO E INJEÇÃO DE DEPENDÊNCIA

RESUMO
REFATORAÇÃO E INJEÇÃO DE DEPENDÊNCIA

- Refatorar o código o melhora para que seja mais fácil de seguir, dar manutenção e estender sem mudar a funcionalidade.

- Objetos podem agrupar o código que realiza um conjunto de tarefas afins. Então, podem ser usados por várias páginas para evitar a duplicação de um código parecido.

- Quando uma variável ou uma propriedade armazena um objeto, ela contém uma referência de onde o objeto foi armazenado na memória do interpretador PHP.

- Injeção de dependência assegura que uma função ou um método tenha o código necessário para realizar uma tarefa passando a dependência como um parâmetro.

- Carregar automaticamente as classes evita ter que incluir os arquivos da classe em cada página.

- Métodos estáticos podem ser chamados sem criar um objeto usando a classe na qual eles são definidos.

15
NAMESPACES E BIBLIOTECAS

Biblioteca é um nome para o código que um programador escreve a fim de realizar uma tarefa e, então, o compartilha para que outros programadores também possam usar esse código em seus projetos.

Muitos sites contam com biblioteca, usando-as para realizar as tarefas que precisam. Neste capítulo, você verá três bibliotecas PHP populares e como elas podem ser usadas para expandir a funcionalidade do site de exemplo:

- **HTML Purifier** remove a marcação HTML indesejada do texto que os usuários forneceram. Isso será usado para permitir que os usuários adicionem um conjunto limitado de tags HTML aos artigos.
- **Twig** simplifica a criação das páginas HTML que os visitantes veem. Será usado em todas as páginas que eles possam solicitar.
- **PHPMailer** cria e-mails e os passa para um servidor de e-mail para enviá-los. Será usado para criar uma página de contato que envia um e-mail para o proprietário do site.

Cada uma das bibliotecas organiza seu código usando classes. Quando um objeto é criado usando essas classes, seus métodos são chamados para realizar as tarefas que a biblioteca foi designada a fazer.

Quando um site usa uma biblioteca, ela é conhecida como **dependência** porque o site depende do código nessa biblioteca. Antes de usar bibliotecas, você precisará aprender:

- Como o PHP usa **namespaces** para assegurar que, se duas ou mais classes, funções ou constantes usam o mesmo nome, o interpretador PHP conseguirá diferenciá-las.
- Uma parte do software chamada **Composer** que os desenvolvedores executam para ajudar a gerenciar as bibliotecas das quais um site depende (é conhecido como **gerenciador de dependência**).
- **Pacotes**, que é o nome dado às bibliotecas designadas para trabalhar com o Composer.

NAMESPACES E BIBLIOTECAS

CRIANDO NAMESPACES

Namespaces permitem que o interpretador PHP informe a diferença entre duas classes, funções ou constantes que compartilham o mesmo nome. Os namespaces têm semelhanças com os caminhos de arquivo.

Quando um site usa uma biblioteca, ela pode ter classes, funções, variáveis ou constantes com o mesmo nome delas em seu código. Isso pode causar uma **colisão de nomenclatura**. Por exemplo, se um arquivo PHP tenta usar duas definições da classe que compartilham o mesmo nome, quando a segunda definição for incluída na página, o interpretador PHP irá gerar um erro fatal para informar que o nome da classe já é usado.

Para impedir tais colisões, as bibliotecas costumam ser criadas em um namespace para indicar que todo o código contido pertence a ele. Muitos programadores também criam um namespace para qualquer site novo ou aplicação criada.

Para indicar que o código pertence a um namespace, adicione uma **declaração do namespace** ao início do arquivo PHP. Isso é composto pela palavra-chave `namespace` e um namespace. Qualquer classe, função ou constante declarada no arquivo residirá nesse namespace.

Para entender como os namespaces funcionam, considere como seu computador usa pastas para organizar os arquivos... Uma pasta não pode ter dois arquivos com o mesmo nome, mas pode ter uma subpasta contendo um arquivo com nome igual. Por exemplo, veja três pastas que contêm um arquivo chamado `accounts.xlsx`:

```
C:\Documents\accounts.xlsx
C:\Documents\work\accounts.xlsx
C:\Documents\personal\accounts.xlsx
```

As classes, funções e constantes predefinidas do PHP — junto com qualquer classe, função, variável e constante definida pelo usuário que não recebem um namespace — residem em um **namespace global**. É como a pasta-raiz do computador.

Quando os programadores criam um namespace, é como criar uma pasta dentro do namespace global; isso permite ao interpretador PHP diferenciar duas ou mais classes, funções ou constantes que compartilham o mesmo nome.

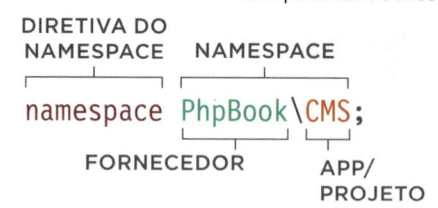

```
          DIRETIVA DO
          NAMESPACE       NAMESPACE
          ┌─────────┐   ┌───────────┐
          namespace PhpBook\CMS;
                    └──────┘ └───┘
                  FORNECEDOR   APP/
                              PROJETO
```

Namespaces lembram caminhos de arquivo e as diretrizes PHP-FIG (página 536) sugerem que sejam compostos de:

- Autor(es) do código, em geral chamado(s) de fornecedor(es).
- Nome da aplicação ou do projeto do qual faz parte.

Acima, veja o namespace da aplicação de exemplo CMS neste livro; é composta de:

- Nome do fornecedor `PhpBook`.
- Nome da aplicação ou do projeto do `CMS`.

PHP-FIG sugere que os nomes da classe e os namespaces usem o estilo UpperCamelCase, ou seja, que comecem com uma letra maiúscula e, se têm mais de uma palavra, cada uma comece com letra maiúscula também.

As classes definidas pelo usuário usadas no CMS pertencem a três namespaces diferentes. Todas usam o nome do fornecedor `PhpBook`, mas o nome do app/projeto muda:

- `PhpBook\CMS` é usado para o código que representa a funcionalidade do CMS.
- `PhpBook\Validate` é usado para o código de validação.
- `PhpBook\Email` é usado para a nova classe que ajuda a criar e a enviar e-mails (apresentado na página 598).

As classes no CMS compartilham o mesmo nome do projeto (portanto, o mesmo namespace), mas as classes `Validate` e `Email` recebem seus próprios nomes do projeto (portanto, namespaces diferentes) para que possam ser usadas em outros projetos PHP (não apenas no CMS). No código de download deste capítulo:

- Namespaces foram adicionados à primeira linha de cada definição da classe.
- Os arquivos de definição da classe foram movidos para pastas que correspondem ao nome de projeto do namespace.

NAMESPACE	CAMINHO DO ARQUIVO	FINALIDADE DA CLASSE
PhpBook\CMS	src\classes\CMS\CMS.php	Objeto contêiner do CMS
PhpBook\CMS	src\classes\CMS\Database.php	Acessar banco de dados via PDO
PhpBook\CMS	src\classes\CMS\Article.php	Obter/alterar dados do artigo
PhpBook\CMS	src\classes\CMS\Category.php	Obter/alterar dados da categoria
PhpBook\CMS	src\classes\CMS\Member.php	Obter/alterar dados do membro
PhpBook\Email	src\classes\Email\Email.php	Criar e enviar e-mails
PhpBook\Validate	src\classes\Validate\Validate.php	Funções de validação para formulários

No último capítulo, a função `spl_autoload_register()` do PHP foi usada no `bootstrap.php` para carregar automaticamente os arquivos da classe quando eles foram usados para criar objetos.

Neste capítulo, essa função foi removida do arquivo `bootstrap.php`. Como verá na página 571, usamos uma técnica diferente para carregar automaticamente os arquivos da classe.

USANDO O CÓDIGO QUE ESTÁ EM UM NAMESPACE

Para usar uma classe, uma função ou uma constante que está no namespace, especifique o namespace antes do nome dessa classe, função ou constante. O namespace age como um prefixo.

Quando uma página PHP usa um código que está no namespace, deve usar um namespace **totalmente qualificado**, composto de:

- Barra invertida, que indica o namespace global (como uma barra no início de um caminho de arquivo indica a pasta-raiz).
- Namespace da classe.
- Nome da classe, da função ou da constante.

A linha abaixo foi retirada do bootstrap.php; ela cria um objeto CMS usando a classe CMS no namespace PhpBook\CMS. Se o namespace não fosse usado como um prefixo (como mostrado abaixo), o interpretador PHP procuraria a classe, a função ou a constante no namespace global, em vez do namespace ao qual foi adicionada, e não conseguiria encontrá-la.

```
$cms = new \PhpBook\CMS\ CMS($dsn, $username, $password );
         └────┬────┘ └───┬────┘ └──┬──┘
         NAMESPACE  NAMESPACE   NOME DA
          GLOBAL                CLASSE
```

Quando o objeto CMS cria um objeto Database, ele pode ser criado usando um namespace totalmente qualificado, que começa com \ para indicar o namespace global, o namespace PhpBook\CMS, então o nome da classe.

```
\PhpBook\CMS\Database($dsn, $username, $password);
└─────┬─────┘└───┬───┘
  NAMESPACE    NOME DA
 TOTALMENTE    CLASSE
 QUALIFICADO
```

Como o objeto Database está no namespace PhpBook\CMS, uma barra invertida \ deve ser usada antes dos nomes de qualquer classe, função ou constante predefinida do PHP usada nessa classe para indicar que está no namespace global (veja a página à direita). Do contrário, o interpretador PHP pesquisaria no mesmo namespace e não a encontraria.

Também poderia usar o nome da classe como mostrado abaixo, porque o interpretador PHP irá procurar a classe Database no mesmo namespace do objeto CMS (e ambos estão no namespace PhpBook\CMS).

```
Database($dsn, $username, $password);
└───┬──┘
 NOME DA
 CLASSE
```

No namespace PhpBook\CMS, quando constantes PDO são usadas para definir as opções PDO, ou o nome da classe PDOException é especificado para interceptar as exceções PDO nas classes Article e Category, elas também são precedidas por \ para informar ao interpretador PHP que estão no namespace global.

USANDO NAMESPACES NAS CLASSES CMS

Primeiro, veja a parte do arquivo **bootstrap.php** que cria o objeto CMS que cada página usa.

1. O namespace totalmente qualificado para a classe CMS é adicionado antes do nome da classe para criar o objeto.

```
PHP                                                    c15/src/bootstrap.php
...
① $cms = new \PhpBook\CMS\CMS($dsn, $username, $password);   // Cria objeto CMS
```

Abaixo está o início da classe **Database**. Ela começa com a declaração do namespace. Como a classe PDO não está no mesmo namespace da classe **Database** (está no namespace global), é usada uma barra invertida para indicar que a classe PDO está no namespace global.

1. O namespace é declarado.
2. Uma barra invertida é usada antes do nome da classe PDO.
3. Uma barra invertida é usada antes das constantes PDO.

```
PHP                                           c15/src/classes/CMS/Database.php
    <?php
①   namespace PhpBook\CMS;                    // Declaração do Namespace

②   class Database extends \PDO
    {
        protected $pdo = null;                // Armazena referência ao objeto PDO

        public function __construct(string $dsn, string $username, string $password,
            array $options = [])
        {
③           $default_options[\PDO::ATTR_DEFAULT_FETCH_MODE] = \PDO::FETCH_ASSOC;
            $default_options[\PDO::ATTR_EMULATE_PREPARES]   = false;
            $default_options[\PDO::ATTR_ERRMODE]            = \PDO::ERRMODE_EXCEPTION;
            $options = array_replace($default_options, $options);
            parent::__construct($dsn, $username, $password, $options); // Cria objeto PDO
        }...
```

NAMESPACES E BIBLIOTECAS

IMPORTANDO CÓDIGO PARA UM NAMESPACE

Para não digitar um namespace totalmente qualificado sempre que você deseja usar uma classe, é possível importar a classe para o namespace atual (que o resto da página está usando).

A classe `Validate` é um exemplo de quando você poderia importar uma classe para outro namespace. Seus métodos são chamados várias vezes quando um formulário é validado.

Para chamar esses métodos, você pode repetir o namespace totalmente qualificado, o nome da classe e o nome do método (o operador :: indica um método estático).

```
\PhpBook\Validate\Validate::isText();
```
NAMESPACE — CLASSE — MÉTODO

Ou pode importar a classe `Validate` para o namespace atual. Para tanto, adicione a palavra-chave `use`, o namespace e o nome da classe ao início do arquivo.

Agora que a classe foi importada para o namespace atual, você pode chamar seus métodos usando o nome da classe seguido do nome do método:

```
use \PhpBook\Validate\Validate;
```
NAMESPACE — CLASSE

```
Validate::isText();
```
CLASSE — MÉTODO

Se já existisse uma classe `Validate` no namespace atual, isso causaria uma colisão de nomenclatura. Para resolver o problema, adicione um **alias**, que é o nome que pode ser usado para se referir à classe importada.

O nome de alias pode ser usado no lugar do nome da classe ao criar um objeto ou chamar seu método. Para criar um alias, adicione a palavra-chave `as` e forneça um nome de alias para usar quando importar:

```
use \PhpBook\Validate\Validate as FormValidate;
```
NAMESPACE — CLASSE — ALIAS

IMPORTANDO UMA CLASSE PARA O NAMESPACE ATUAL

1. O namespace PhpBook\Validate é adicionado ao início do arquivo da classe Validate.
2. Na página article.php, usada para criar e editar artigos, a declaração use importa a classe para o namespace atual.
3. Para chamar os métodos da classe Validate, é usado o nome da classe, seguido do nome do método. É exatamente igual à versão anterior no Capítulo 14 porque o nome da classe e seus métodos foram importados para o namespace atual (que é o namespace global).

PHP   c15/src/classes/Validate/Validate.php

```
<?php
① namespace PhpBook\Validate;                      // Cria Namespace

class Validate
{...
```

PHP   c15/pubic/admin/article.php

```
<?php
// Part A: Setup
  declare(strict_types = 1);                       // Usa tipos restritos
② use PhpBook\Validate\Validate;                   // Importa classe

  include '../../src/bootstrap.php';               // Inclui arquivo de configuração
  ...

    // Verifica se todos os dados são válidos e cria uma mensagem de erro se forem inválidos
    $errors['title']    = Validate::isText ($article['title'], 1, 80)
        ? '' : 'Title should be 1 - 80 characters.';        // Valida título
    $errors['summary']  = Validate::isText ($article['summary'], 1, 254)
        ? '' : 'Summary should be 1 - 254 characters.';     // Valida sumário
③   $errors['content']  = Validate::isText ($article['content'], 1, 100000)
        ? '' : 'Content should be 1 - 100,000 characters.'; // Valida conteúdo
    $errors['member']   = Validate::isMemberId ($article['member_id'], $authors)
        ? '' : 'Not a valid author';                        // Valida autor
    $errors['category'] = Validate::isCategoryId ($article['category_id'], $categories)
        ? '' : 'Not a valid category';                      // Valida categoria
```

COMO USAR BIBLIOTECAS

Bibliotecas permitem que os desenvolvedores usem o código que eles, ou outros programadores, já escreveram para realizar uma tarefa. Uma ferramenta chamada Composer os ajuda a gerenciar as bibliotecas que um site precisa para rodar.

Usar bibliotecas que outros programadores escreveram evita que você escreva um código do zero para realizar a mesma tarefa.

Muitas bibliotecas fornecem uma ou mais classes que são usadas para criar objetos que representam a funcionalidade que a biblioteca oferece (é como as classes `PDO` predefinidas que permitem ao PHP trabalhar com um BD ou a classe `DateTime` predefinida dele que representa as datas e as horas, e realiza tarefas comuns com elas).

Quando os programadores usam uma biblioteca, raramente aprendem como o código PHP nessa biblioteca realiza a tarefa, pois eles só precisam saber:

- O que a biblioteca permite que eles façam.
- Como incluir a biblioteca nas páginas que a utilizam.
- Como criar os objetos que implementam a funcionalidade oferecida pela biblioteca.
- Como chamar os métodos ou definir as propriedades dos objetos para realizar a(s) tarefa(s) requerida(s).

Como a maioria dos softwares, as bibliotecas podem ter atualizações regulares (ou até ser reescritas por completo). Cada versão pode adicionar uma nova funcionalidade ou corrigir erros encontrados após a biblioteca ser compartilhada.

Quando as bibliotecas são atualizadas, elas recebem novos números de versão:

- As versões maiores usam números inteiros: v1, v2, v3 etc. Nas atualizações maiores, o código em uma página PHP que usa a biblioteca pode precisar ser alterado.
- As atualizações menores, ou versões pontuais, normalmente fornecem pequenas atualizações e correções de erros. Elas usam um ponto e um segundo ou terceiro número: v2.1, v2.1.1, v2.1.2, v2.3. É menos provável que afetem o uso da biblioteca.

Os desenvolvedores devem gerenciar com cuidado qualquer biblioteca que um site usa:

- Se a versão errada for usada, poderá interromper o site.
- Se forem encontrados bugs ou riscos à segurança, deverá ser atualizada (do contrário, o site também terá esses bugs e essas vulnerabilidades de segurança).

Assegurar que um site tenha instalado as bibliotecas requeridas e que tenha as versões corretas costumava ser uma tarefa complexa, mas uma ferramenta chamada Composer facilita o processo.

NOTA: algumas bibliotecas usam o código de outras bibliotecas, portanto os programadores dizem que elas *dependem* da instalação de outras bibliotecas.

USANDO COMPOSER E PACOTES

As bibliotecas para trabalhar com o Composer se chamam pacotes. `Packagist.org` [conteúdo em inglês] é um site que lista os pacotes que o Composer pode usar.

O Composer é um software gratuito que os desenvolvedores podem executar em seus computadores para gerenciar bibliotecas e manter um registro de qual versão de cada biblioteca um site é designado a trabalhar.

Para uma biblioteca trabalhar com Composer, o autor da biblioteca deve colocar todo o código em uma única pasta e adicionar um arquivo chamado `composer.json`. Esse arquivo contém informações que informam ao Composer sobre a biblioteca e sua versão atual.

Coletivamente, a pasta que contém a biblioteca e o arquivo `composer.json` se chama **pacote**.

A pessoa que criou a biblioteca, então, pode incluir o pacote no site `http://packagist.org` [conteúdo em inglês], que é como um mecanismo de busca que ajuda as pessoas a encontrarem as bibliotecas que podem ser úteis para elas. O site Packagist é conhecido como **repositório de pacotes**.

Se uma nova versão da biblioteca é lançada, o autor atualiza o arquivo `composer.json` para que Composer possa mostrar que *esse* pacote tem uma versão diferente da biblioteca. Então, atualiza o site Packagist para mostrar que uma nova versão está disponível.

NOTA: as bibliotecas que serão usadas neste capítulo já foram fornecidas no código de download do capítulo. Elas precisavam estar no código de download para o site de exemplo funcionar.

Quando um desenvolvedor usa Composer para baixar as bibliotecas das quais um site depende ou para baixar versões atualizadas delas, o Composer pode:

- Baixar o pacote que contém a biblioteca. O pacote é armazenado em Packagist; em geral, é hospedado em um site designado a manter o código-fonte, como GitHub ou Bitbucket.
- Baixar outras bibliotecas com as quais o pacote conta (se ainda não foram instaladas).
- Adicionar um conjunto de arquivos de texto à pasta-raiz do site; esses arquivos são para ajudar a controlar os pacotes dos quais o site depende e registrar de quais versões da biblioteca o site precisa.

No capítulo anterior você viu como a função `spl_autoload_register()` do PHP permite que os arquivos da classe sejam carregados automaticamente. Isso evita que uma página tenha que incluir manualmente a definição da classe nela antes de uma classe ser usada para criar um objeto. Como mostrado na página 571, Composer pode criar um arquivo que carregará automaticamente as definições da classe para todos os pacotes que foram instalados usando Composer.

O Composer é escrito em PHP. Ele usa o servidor da web no computador do desenvolvedor para solicitar os pacotes e criar arquivos de texto que registram as versões dos pacotes que o site requer e está usando.

PACKAGIST: UM DIRETÓRIO DE PACOTES

Packagist é um site que lista pacotes com os quais o Composer pode trabalhar. Ajuda os programadores a encontrarem os pacotes que eles podem usar em seus próprios projetos.

Packagist funciona como um mecanismo de busca. Você insere o nome de um pacote ou um termo associado ao tipo de tarefa que deseja realizar (como uma validação) e o Packagist exibirá uma lista de pacotes cujo nome ou descrição corresponda ao termo.

À direita, veja a página da biblioteca HTML Purifier. A página mostra:

1. O nome do pacote.
2. Uma instrução usada para instalar o pacote.
3. Informações sobre o que o pacote faz.
4. O número de vezes que foi instalado.
5. Problemas e bugs conhecidos.
6. A versão mais recente do pacote.
7. A data de lançamento.
8. As versões anteriores do pacote.

Antes de escolher um pacote, é bom verificar se ele é mantido regularmente. Para tanto, pesquise o Packagist para ver:

- Qual a data da última atualização da biblioteca.
- Quantas versões da biblioteca existem.
- Quantos problemas em aberto (não resolvidos) ela tem.

Se há muitos problemas não resolvidos, ou se ela não foi atualizada recentemente, existe uma chance de que o desenvolvedor parou de trabalhar na biblioteca. Isso é um risco quando um site usa um pacote para realizar uma tarefa, em vez de usar seu próprio código.

INSTALANDO COMPOSER E PACOTES

Composer deve ser instalado no computador no qual você desenvolve. Ele não tem uma GUI; é executado na linha de comando.

Para instalar o Composer, acesse seu site em `https://getcomposer.org/download/` [conteúdo em inglês].

Se precisar de ajuda para instalá-lo, acesse `http://notes.re/installing_composer` [conteúdo em inglês].

Com o Composer instalado, abra o terminal (Mac) ou a linha de comando (Windows) em seu computador e vá para a pasta-raiz do site. Se não estiver familiarizado com isso, é possível encontrar instruções básicas em `http://notes.re/command-line` [conteúdo em inglês].

Quando estiver na pasta-raiz do site, digite a palavra `Composer` na linha de comando e pressione `Return`. Será mostrada uma lista das opções e dos comandos que o Composer aceita.

Para usar um pacote no projeto, encontre a página do pacote no site Packagist. Os nomes do pacote têm duas partes: o autor do pacote e o nome do projeto (que pode ser o mesmo), separado por uma barra. O nome abaixo é para um pacote chamado HTML Purifier.

ezyang / htmlpurifier
AUTOR — PROJETO

Então, encontre as instruções para instalar o pacote. Isso é mostrado sob o nome do pacote em Packagist (Etapa 2 na página à esquerda). O comando para informar a Composer que um site conta com HTML Purifier é: `composer require ezyang/htmlpurifier`.

- `composer` pede ao computador para executar o Composer.
- `require` indica que o projeto requer um pacote.
- O nome do pacote especifica o pacote que deve ser baixado para o projeto.

Assim que você abrir a linha de comando, navegar para a pasta-raiz do site e inserir a instrução de Packagist, pressione `Return`. O Composer baixará a versão mais recente do pacote para uma pasta no diretório-raiz do site (veja a próxima página).

Quando um projeto requer mais de um pacote, repita as etapas acima para cada um.

NAMESPACES E BIBLIOTECAS

GERENCIANDO PACOTES COM COMPOSER

Quando Composer é usado para instalar um pacote do qual um site depende, ele cria um conjunto de arquivos e pastas dentro do diretório-raiz para ajudar a controlar e gerenciar as versões do pacote.

Quando o comando `require` é usado para obter o primeiro pacote para um site, o Composer adiciona uma série de arquivos e pastas no diretório-raiz do site. Eles são mostrados na captura de tela à direita e descritos na tabela abaixo. Se mais pacotes forem instalados, o Composer atualizará esses arquivos e pastas.

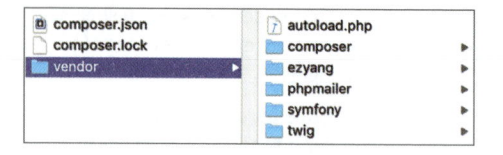

ARQUIVO/PASTA	FINALIDADE
composer.json	Um arquivo com detalhes sobre os pacotes dos quais o projeto PHP depende
composer.lock	Um arquivo com dados sobre as versões do pacote e de onde foram baixados
vendor/	Uma pasta no diretório-raiz usada para manter os pacotes
vendor/autoload.php	Um arquivo para incluir nas páginas a fim de carregar automaticamente as classes para os pacotes
vendor/composer/	Uma pasta com os arquivos que o Composer usa para implementar o carregamento automático das classes

Para atualizar todos os pacotes que um site usa, vá para a linha de comando, navegue para o diretório-raiz do projeto e insira o comando a seguir: `composer update`.

- `composer` pede ao computador para executar o Composer.
- `update` pede a Composer para atualizar os pacotes.

Composer verifica as versões mais recentes de todos os pacotes instalados atualmente e substitui os existentes por mais novos. Também atualiza os arquivos criados (inclusive o arquivo `composer.lock`, que registra a versão do pacote que o site usa).

Com todos os pacotes atualizados, você deve testar o site por completo antes de ativá-lo porque às vezes as atualizações interrompem o site.

Para atualizar um pacote por vez, especifique o nome do pacote após a instrução `update`. O seguinte atualizaria apenas o pacote HTML Purifier: `composer update ezyang/htmlpurifier`.

Se um site não precisa mais usar um pacote, você pode usar o comando `remove`, seguido do nome do pacote não mais usado. Isso removerá os arquivos do pacote do diretório `vendor` e atualizará os outros arquivos que o Composer criou: `composer remove ezyang/htmlpurifier`.

Se um pacote requerer o código de outro pacote, o Composer baixará o pacote também. Por exemplo, o pacote Twig da página 576 requer os pacotes na pasta `symfony`, que foram baixados junto com Twig.

Composer gera um arquivo chamado `autoload.php` para carregar automaticamente as classes de qualquer pacote instalado. Ele pode ser editado para carregar automaticamente as classes definidas pelo usuário na pasta `src/classes` também.

Você aprendeu sobre o carregamento automático no Capítulo 14. Composer cria o arquivo `autoload.php` para lidar com o carregamento automático das classes nos pacotes instalados. Esse arquivo foi incluído em `bootstrap.php`: `require APP_ROOT . '/vendor/autoload.php';`.

Você também pode adicionar código manualmente a `composer.json` para pedir ao Composer para carregar automaticamente suas classes definidas pelo usuário. Isso substitui a chamada para `spl_autoload_register()` pela função anônima em `bootstrap.php`. Abaixo, o código em estilo normal é do arquivo `composer.json` que o Composer criou quando os pacotes foram adicionados neste capítulo. O código em negrito foi adicionado para pedir a Composer para carregar automaticamente as classes definidas pelo usuário.

```
{
    "require": {
        "ezyang/htmlpurifier": "^4.12",
        "twig/twig": "^3.0",
        "phpmailer/phpmailer": "^6.1"
    },
    "autoload": {
        "psr-4": {
            "PhpBook\\": "src/classes/"
        }
    }
}
```

Após alterar o arquivo `composer.json`, você deve ir para o diretório-raiz do projeto e inserir o seguinte comando para recriar o carregador automático: `composer dump-autoload`.

`composer.json` é escrito em JavaScript Object Notation (JSON). Para carregar automaticamente suas próprias classes usando essa técnica, elas devem seguir as diretrizes PSR-4 criadas pelo grupo PHP-FIG. As classes nesta seção já seguem essas diretrizes.

Para os exemplos deste capítulo rodarem de imediato, o download tinha os pacotes requeridos na pasta `vendor` (cada pasta do capítulo tem os arquivos `composer.json` e `composer.lock`).

Para ver como o Composer baixa os pacotes e cria arquivos e pastas adicionais:

1. Crie uma nova pasta em seu computador.
2. Mantenha a pasta aberta e à vista.
3. Abra a linha de comando.
4. Vá para a nova pasta na linha de comando.
5. Insira o comando `composer` para iniciá-lo.
6. Encontre o pacote que você deseja instalar em Packagist.
7. Insira seu comando `install` na linha de comando. Por exemplo, estes três comandos carregam os pacotes usados neste capítulo:

```
composer install ezyang/htmlpurifier
composer install twig/twig
composer install phpmailer/phpmailer
```

Quando cada pacote é baixado, os arquivos e as pastas aparecem na pasta criada e navegada na linha de comando.

HTML PURIFIER: PERMITINDO O CONTEÚDO HTML

A biblioteca HTML Purifier pode remover o código que causa um ataque XSS. Usá-la permite que os visitantes criem um conteúdo contendo HTML, mas qualquer marcação potencialmente perigosa será removida.

Até agora no CMS, quando o texto que um usuário forneceu foi mostrado em uma página, ele teve o escape aplicado para impedir um ataque XSS (páginas 244-247). Isso envolvia substituir os cinco caracteres reservados do HTML por entidades e significava que os usuários não podiam criar um conteúdo com marcação HTML.

Nesta seção, você aprenderá a permitir que um artigo tenha algumas tags e atributos HTML básicos. No CMS de exemplo, o texto poderá conter parágrafos, texto em negrito e itálico, links e imagens.

O código PHP requerido para remover a marcação que pode causar um ataque XSS é muito complexo. Assim, em vez de você mesmo tentar escrevê-lo, é possível usar um pacote chamado **HTML Purifier**. Ele permite realizar essas tarefas em apenas duas linhas de código.

O pacote HTML Purifier está na pasta `vendor` do código de download deste capítulo e é listado como um pacote requerido no arquivo `composer.json`. Seu nome em Packagist é: `ezyang\htmlpurifier`.

Como as tarefas que o HTML Purifier deve realizar para remover a marcação indesejada são muito complexas, ele será usado para remover o HTML potencialmente perigoso quando um artigo é salvo (em vez de sempre que é exibido). Isso economiza os recursos do servidor quando os artigos são exibidos com mais frequência do que são criados ou editados.

Veja abaixo a página article.php na seção admin, local em que os artigos são criados ou editados. O conteúdo do artigo é escrito em um editor visual básico, criado usando uma biblioteca JavaScript chamada **TinyMCE**, que substitui o elemento <textarea> HTML pelo editor mostrado abaixo.

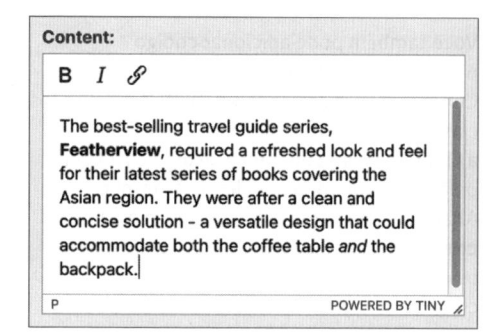

Quando o formulário for enviado, o HTML Purifier removerá a marcação que poderia causar um ataque XSS do conteúdo do artigo antes de ele ser salvo no BD.

Quando o artigo é exibido na página, ele não deve ter o escape aplicado. Qualquer HTML que ele contém será seguro para exibir.

A função `strip_tags()` predefinida do PHP remove as tags HTML do texto, mas nem sempre remove os atributos, portanto não consegue impedir os ataques XSS.

Para remover a marcação que pode causar um ataque XSS, primeiro crie um objeto `HTMLPurifier` usando a classe `HTMLPurifier`. Então, chame seu método purify().

1. Quando um arquivo PHP aceita texto que pode ter marcação, crie um objeto `HTMLPurifier` usando a classe `HTMLPurifier`. HTML Purifier não tem um namespace próprio; é escrito no namespace global. Abaixo, o objeto `HTMLPurifier` é armazenado em uma variável `$purifier`.

2. Então, o método `purify()` de `HTMLPurifier` é chamado. Seu único argumento é a string que deve ser purificada (porque contém possivelmente uma marcação perigosa). Ele removerá qualquer marcação que tenha o risco de um ataque XSS e qualquer tag ou atributo que não esteja no XHTML 1.0, então retornará o texto sem essa marcação.

```
① $purifier = new HTMLPurifier();
② $text = $purifier->purify( $text );
```

O objeto `HTMLPurifier` tem uma propriedade config. Ela contém outro objeto que configura as opções que controlam como o HTML Purifier funciona. Por exemplo, você pode especificar quais tags e atributos são permitidos, e ele removerá os outros.

Com o objeto HTML Purifier criado, mude as definições do objeto de configuração usando seu método set(), que tem dois argumentos:

- A propriedade que você deseja atualizar.
- Os valores que ele deve usar.

Por exemplo, a propriedade `HTML.Allowed` especifica quais tags e atributos HTML são permitidos.

As tags que podem aparecer no texto devem ser especificadas como uma lista de nomes de tag separada por vírgula (sem sinais de maior e menor que). Por exemplo, para permitir as tags `<p>`, `<br>`, `<a>` e `<img>`, o valor para a propriedade `HTML.Allowed` seria p,br,a,img.

Para permitir atributos em um elemento, coloque os nomes do atributo permitidos entre colchetes após os nomes do elemento. Para permitir mais de um atributo em um elemento, separe cada um com o símbolo |. Por exemplo, para permitir estes atributos nas tags `<a>` e `<img>`: `<a href="">` e `<img alt="" src="">`, o valor para a propriedade `HTML.Allowed` seria p,br,a[href],img[src|alt].

```
$purifier->config->set('HTML.Allowed', 'p,br,a[href],img[src|alt]');
```

ADICIONANDO HTML PURIFIER AO CMS

Para os usuários adicionarem uma marcação básica ao conteúdo do artigo, a página `article.php` na seção admin deve ser atualizada.

1. A página `article.php` na seção admin é usada para criar ou editar artigos. Quando o formulário é enviado, os dados do artigo são coletados no formulário, como no Capítulo 13.
2. Com o conteúdo coletado, um objeto `HTMLPurifier` é criado usando a classe `HTMLPurifier`.

A classe `HTMLPurifier` não precisa de um namespace totalmente qualificado porque está no namespace global (não em seu próprio namespace).

O arquivo de carregamento automático que o Composer gerou (incluído no arquivo `bootstrap.php` assegura que as definições da classe requeridas sejam incluídas automaticamente na página quando o objeto é criado.

3. A propriedade `HTML.Allowed` do objeto de configuração do `HTMLPurifier` é atualizada para definir quais tags e atributos podem aparecer na marcação.
4. O método `purify()` do objeto `HTMLPurifier` é chamado para remover todas as tags e todos os atributos do conteúdo do artigo diferentes dos especificados na Etapa 3.
5. Como agora o conteúdo foi purificado, ele não deve ter o espape aplicado quando exibido na página, pois não há mais risco de um ataque XSS.

NOTA: `article.php` no código de download não tem HTML porque usa templates [modelos] do Twig (veja a página 576). A página admin do artigo exibe um editor visual básico para o conteúdo do artigo, com botões que permitem aos usuários adicionar texto, em negrito ou tálico, e links. Ela é criada usando uma biblioteca JavaScript chamada TinyMCE.

Você precisará se inscrever para usar a versão gratuita do editor no site do desenvolvedor: `https://tiny.cloud` [conteúdo em inglês] (se você não criar uma conta para usar o editor, suas páginas da web mostrarão uma mensagem informando que o produto não é registrado). Quando se inscrever, no arquivo `templates/admin/layout.html`:

6. Uma tag `<script>` HTML carregará o editor TinyMCE. Você deve substituir essa tag pela fornecida quando se registrou no TinyMCE porque ela contém algo chamado chave de API. Essa chave identifica sua conta e é mostrada onde aparece *no-api-key*.
7. O template `layout.html` (apresentado na página 577) será usado para controlar a aparência de todas as páginas admin. Portanto, uma declaração if do JavaScript verifica se a página atual contém um elemento com um atributo id cujo valor é `article-content` (a id do elemento `<textarea>` que guarda o conteúdo do artigo).
8. Em caso afirmativo, a função `init()` do TinyMCE substituirá esse elemento `<textarea>` pelo editor.
9. Existem muitas configurações que controlam opções, como aparência do editor e quais recursos ou botões aparecem na barra de ferramentas. Para saber mais sobre tais opções, consulte o site do TinyMCE.

PHP
`c15/public/admin/article.php`

```php
...
if ($_SERVER['REQUEST_METHOD'] == 'POST') {            // Formulário enviado
    $article['title']       = $_POST['title'];         // Pega o título
    $article['summary']     = $_POST['summary'];       // Pega o sumário
    $article['content']     = $_POST['content'];       // Pega o conteúdo
    $article['member_id']   = $_POST['member_id'];     // Pega o member_id
    $article['category_id'] = $_POST['category_id'];   // Pega o category_id
    $article['image_id']    = $article['image_id'] ?? null;  // Id da imagem do artigo
    $article['published']   = (isset($_POST['published'])) ? 1 : 0;T  // Pega a navegação

    $purifier = new HTMLPurifier();                    // Cria objeto Purifier
    $purifier->config->set('HTML.Allowed', 'p,br,strong,em,a[href],img[src|alt]');// Tags permitidas
    $article['content'] = $purifier->purify($article['content']);  // Purifica conteúdo
... }
<!-- NOTA: O formulário é inserido dentro de um novo arquivo posteriormente neste capítulo;
           não está neste arquivo -->
<div class="form-group">
    <label for="content">Content: </label>
    <textarea name="content" id="article-content" class="form-control">
      <?= $article['content'] ?>
    </textarea>
    <span class="errors"><?= $errors['content'] ?></span>
</div>
```

TWIG
`c15/templates/admin/layout.html`

```twig
    ...
    <script src="https://cdn.tiny.cloud/1/no-api-key/tinymce/5/tinymce.min.js"
            referrerpolicy="origin"></script>
    <script>
      if (document.getElementById('article-content')){
        tinymce.init({
          menubar: false,
          selector: '#article-content',
          toolbar: 'bold italic link',
          plugins: 'link',
          target_list: false,
          link_title: false
        });
      }
    </script>
  </body>
</html>
```

Nas páginas 585 e 593, você verá como o template `article.html` na área pública do site é atualizado para evitar o escape da marcação no conteúdo do artigo (que ficou seguro usando HTML Purifier).

TWIG: UM MECANISMO DE TEMPLATE

Os mecanismos de template separam o código PHP, que obtém e processa os dados, do código usado para criar as páginas HTML enviadas para os navegadores. Este livro usa um mecanismo chamado Twig.

Até agora no livro, cada página PHP tinha }duas partes:

- A primeira usa o PHP para obter e processar os dados. Essa parte armazena os dados que precisam ser mostrados para os visitantes em variáveis para que possam ser exibidos na segunda parte da página.
- A segunda parte cria uma página HTML para enviar ao visitante. Ela usa os valores armazenados nas variáveis na primeira parte da página.

Quando um site usa um mecanismo de template, o código PHP para obter e processar os dados fica no mesmo arquivo. Mas a segunda parte, que cria o HTML que os visitantes veem, é movida para um conjunto de arquivos chamado **templates**. Os programadores dizem que isso separa o:

- código da **aplicação**, o PHP que realiza as tarefas que o site precisa fazer, do
- código da **apresentação**, o código que cria as páginas HTML que os visitantes veem.

Essa separação é muito popular nos sites em que diferentes desenvolvedores são responsáveis pelo:

- **Back-end**: o código PHP que roda no servidor.
- **Front-end**: o código mostrado no navegador.

É porque eles não precisam entender o código uns dos outros, portanto a possibilidade de violá-lo é menor.

Os templates do Twig não usam o PHP para exibir dados; usam uma sintaxe diferente com um conjunto menor de comandos que muitas pessoas consideram mais simples para um desenvolvedor front-end aprender do que o PHP. Por exemplo, para escrever o conteúdo de uma variável `$title` no PHP, você pode usar:

`<p><?= htmlspecialchars($title); ?><p>`

Em um template do Twig, você usaria:

`<p>{{ title }}<p>`

As chaves informam ao Twig que ele deve exibir o valor armazenado na variável `title`.
NOTA: os nomes da variável no Twig não iniciam com $.

O uso do Twig como um mecanismo de template também melhora a segurança do site porque:

- O Twig pode substituir automaticamente qualquer caractere reservado do HTML por entidades para não ter o risco de um ataque XSS. Ele não conta com um desenvolvedor front-end lembrando de usar `htmlspecialchars()` sempre que uma página escreve um valor criado pelos usuários.
- Qualquer código PHP no template é ignorado, portanto não há risco de um desenvolvedor front-end adicionar sem querer um código PHP sem segurança ao template.

Os templates podem compartilhar o código usando uma técnica chamada **herança**, que é uma abordagem diferente dos arquivos de inclusão. Ajuda porque as tags de abertura e fechamento residem no mesmo arquivo (não ficam espalhadas em vários arquivos).

Nos capítulos anteriores, o cabeçalho e o rodapé de todas as páginas foram armazenados em dois arquivos de inclusão, ou seja, as tags de abertura e fechamento estavam em arquivos diferentes.

Cada página incluía os dois arquivos e o código era copiado para onde a declaração `include` ou `require` era colocada na página.

Inclusão: header.php

```
<html>
  <head> ... </head>
  <body>
```

Inclusão: footer.php

```
  </body>
</html>
```

Página: category.php

```
<?php include 'header.php'; ?>
<h1>Content goes here</h1>
<?php include 'footer.php'; ?>
```

O Twig usa um **template-pai** para todo código mostrado em cada página. É mais fácil editar porque as tags de abertura e fechamento estão em um arquivo. O arquivo-pai tem **blocos** que um **template-filho** pode sobrescrever.

Os templates-filho **estendem** o código em um template-pai. Eles se baseiam no código do template-pai e podem sobrescrever os blocos nomeados no pai. Abaixo, o bloco `content` será sobrescrito.

Template-pai: layout.html

```
<html>
  <head> ... </head>
  <body>
    {% block content %}
    <h1>Content goes here</h1>
    {% endblock %}
  </body>
</html>
```

Template-filho: category.html

```
{% extends 'layout.html' %}

{% block content %}
<h1>This replaces anything that was
    in the content block in the
    layout.html file.</h1>
{% endblock %}
```

USANDO OBJETOS TWIG PARA RENDERIZAR UM TEMPLATE

Um mecanismo de template obtém os dados que uma página PHP armazenou em uma variável e adiciona os dados à direita do template para criar o HTML enviado para o navegador. Isso é conhecido como **renderizar** o template.

Existem vários mecanismos de template escritos em PHP; este livro usa o Twig. Seu nome Packagist é: Twig\Twig. Ele está na pasta vendor do código de download deste capítulo e é um pacote requerido no arquivo **composer.json** na pasta c15.

Cada página que usa o Twig deve criar dois objetos a partir da biblioteca Twig.

1. A classe Twig\Loader\FilesystemLoader cria um objeto **loader** para carregar os arquivos do template. Ela precisa do caminho para a pasta com o template.

2. A classe Twig\Environment cria um objeto **environment** do Twig. Ela adiciona dados à direita do template. É necessário um objeto loader do Twig para carregar os templates.

CAMINHO PARA OS ARQUIVOS DO TEMPLATE

① `$loader  = new Twig\Loader\FilesystemLoader(APP_ROOT . '/templates' );`
② `$twig    = new Twig\Environment($loader);`

OBJETO LOADER

Então, o método **render()** do objeto environment do Twig carrega o template e cria o HTML. O HTML que o método **render()** retorna é escrito na página usando o comando echo do PHP.

O método **render()** tem dois parâmetros:
- O template usado para exibir a página.
- Os dados a inserir no template.

`echo $twig -> render('member.html', $data);`

ENVIA O HTML PARA O NAVEGADOR — **TEMPLATE A USAR** — **DADOS QUE O TEMPLATE PRECISA**

Internamente, o Twig carrega o arquivo do template e converte os comandos Twig no código PHP.

O interpretador PHP executa esse código PHP para criar a saída HTML enviada ao visitante.

OPÇÕES DO TWIG

Como muitas bibliotecas, o Twig tem opções para controlar como ele funciona. Elas são armazenadas em um array fornecido como um argumento quando o objeto environment do Twig é criado (como o objeto PDO).

Abaixo, uma variável `$twig_options` armazena um array. Ela tem duas chaves, que são opções que controlam como o objeto environment do Twig se comporta.

O valor de cada chave é uma definição para a opção. O array `$twig_options` é usado como o segundo argumento ao criar um objeto environment do Twig.

```
$twig_options['cache'] = APP_ROOT . '/templates/cache';
$twig_options['debug'] = DEV;

$loader = new Twig\Loader\FilesystemLoader(APP_ROOT . '/templates');
$twig   = new Twig\Environment( $loader, $twig_options );
```
                                   OBJETO   OPÇÕES DE
                                   LOADER   ENVIRONMENT

CACHE
Internamente, o Twig transforma os comandos Twig no código PHP que o interpretador PHP executa. Esse código PHP pode ser **armazenado em cache** (salvo em um arquivo armazenado no servidor, em vez de ser recriado sempre que a página é solicitada). Isso torna os templates mais fáceis de carregar e economiza os recursos do servidor.

Para ativar o cache, a opção `cache` precisa de um caminho absoluto no qual os arquivos devem ser armazenados. Acima, esse caminho é dado na primeira opção. Por padrão, o Twig não ativa o cache.

DEPURAÇÃO
Com um site em desenvolvimento, a opção `debug` [depurar] permite que os templates mostrem os dados de depuração nas páginas. A constante DEV, definida em `config.php` (veja a página 528), é usada para definir o valor da opção `debug`.

VARIÁVEIS RESTRITAS
Se um template do Twig usa uma variável que não foi definida pela página PHP, o Twig cria a variável e lhe fornece um valor `null`. O objeto environment do Twig pode ser informado para gerar uma exceção se um template tenta usar uma variável que não foi criada. Para tanto, adicione uma chave `strict_variables` ao array `$twig_options` com um valor `true`.

VARIÁVEIS GLOBAIS E EXTENSÕES

Se o template do Twig tiver um código PHP, esse código não será executado. Mas o Twig tem extensões que estendem sua funcionalidade e variáveis globais que podem ser disponibilizadas para todos os templates.

Variáveis globais podem ser usadas quando a maioria dos templates é possivelmente necessária para acessar um valor. Por exemplo, a constante DOC _ ROOT foi criada em config.php para que as páginas PHP pudessem criar caminhos corretos para imagens, folhas de estilo, scripts e outros arquivos que o navegador solicita.

Os templates do Twig não podem acessar as constantes do PHP, mas esses valores podem ser armazenados em uma **variável global** do Twig, permitindo que qualquer template do Twig use o valor. Para criar uma variável global, chame o método addGlobal() do objeto environment do Twig com dois argumentos: o nome da variável e o valor que ela deve conter.

```
$twig->addGlobal('doc_root', DOC_ROOT);
```
                    NOME DA VARIÁVEL   VALOR
                        GLOBAL

Como os templates do Twig não podem usar o PHP, não podem usar a função var _ dump() para verificar os valores armazenados em uma variável ou em seu tipo de dado. O Twig tem uma extensão debug que permite a seu template usar um método dump() para realizar essa tarefa.

A extensão debug é implementada como um objeto. Abaixo, o valor da constante DEV é true, o método addExtension() do objeto environment do Twig é chamado para adicionar uma extensão e seu argumento é um novo objeto DebugExtension.

```
if (DEV){
    $twig->addExtension(new \Twig\Extension\DebugExtension());
}
```
                              CLASSE DO NAMESPACE

O único argumento para a função dump() do Twig, que é como a função var _ dump() do PHP, é o nome da variável cujo conteúdo você deseja ver.

A função dump() só pode exibir o conteúdo de uma variável se a opção debug foi ativada (veja a página anterior).

USANDO BOOTSTRAP PARA CRIAR OBJETOS TWIG

Como todas as páginas do site usam templates do Twig, os objetos loader e environment do Twig são criados no arquivo bootstrap.php.

1. O Composer criou o arquivo autoload.php na pasta vendor para carregar automaticamente as classes para os pacotes que ele usou para instalar.
2. A opção cache informa ao Twig para colocar em cache os arquivos PHP criados para cada template.
3. A opção debug é usada para ativar o modelo de depuração do Twig quando a constante DEV tem um valor true.
4. É criado um objeto loader do Twig. Ele precisa do caminho para a pasta que contém os arquivos do template.
5. Um objeto environment do Twig é criado. Ele é armazenado em uma variável $twig.

Pode ser usado em qualquer página do site (como o objeto CMS na variável $cms). O método construtor precisa de dois argumentos:

- Um objeto loader para carregar os arquivos do template.
- Um array de opções do objeto environment (armazenado em $twig_options).

6. Uma variável global do Twig é adicionada, doc_root, que conterá o caminho para a pasta-raiz do documento.
7. Uma declaração if testa se a constante DEV é true.
8. Se for, a extensão de depuração é carregada para que os templates possam usar a função dump().

PHP   c15/src/bootstrap.php

```php
<?php
define("APP_ROOT", dirname(__FILE__, 2));            // Diretório-raiz

require APP_ROOT . '/config/config.php';             // Dados de configuração
require APP_ROOT . '/src/functions.php';             // Funções
require APP_ROOT . '/vendor/autoload.php';           // Classes autoload

...

$twig_options['cache'] = APP_ROOT . '/var/cache';    // Caminho para a pasta de cache do Twig
$twig_options['debug'] = DEV;                        // Se modo dev, liga a depuração

$loader = new Twig\Loader\FilesystemLoader([APP_ROOT . '/templates']); // Carregador do Twig
$twig   = new Twig\Environment($loader, $twig_options);  // Ambiente Twig
$twig->addGlobal('doc_root', DOC_ROOT);              // Raiz do documento
if (DEV === true) {                                  // Se está em desenvolvimento
    $twig->addExtension(new \Twig\Extension\DebugExtension()); // Adiciona extensão
}                                                    // de depuração
```

NAMESPACES E BIBLIOTECAS

ATUALIZANDO AS PÁGINAS PHP

As páginas PHP que os visitantes solicitam obtêm dados no BD. Os dados são armazenados em um array usado para preencher os templates do Twig. Então, o método `render()` é usado para criar o HTML que os visitantes veem.

As páginas PHP que coletam e processam dados, e então os armazenam em variáveis, são muito parecidas com a primeira parte das páginas no capítulo anterior.

A primeira diferença é que os dados a exibir no template são armazenados em um array associativo, não em variáveis separadas.

Por exemplo, a página category coleta os seguintes dados no BD e os armazena no array:

- Uma lista de todas as categorias para criar a navegação.
- Nome e descrição da categoria selecionada.
- Dados de resumo de todos os artigos na categoria.
- Id da categoria para destacar na navegação.

```
ARRAY INDEXADO    → $data['navigation'] = $cms->getCategory()->getAll();
ARRAY ASSOCIATIVO → $data['category']   = $cms->getCategory()->get($id);
ARRAY INDEXADO    → $data['articles']   = $cms->getArticle()->getAll(true, $id);
INTEIRO           → $data['section']    = $category['id'];
```

Com os dados que a página precisa armazenados em um array, o método `render()` do objeto environment do Twig é chamado.

O método `render()` adiciona os dados no array ao arquivo do template. O HTML retornado é enviado para o navegador usando o comando echo do PHP.

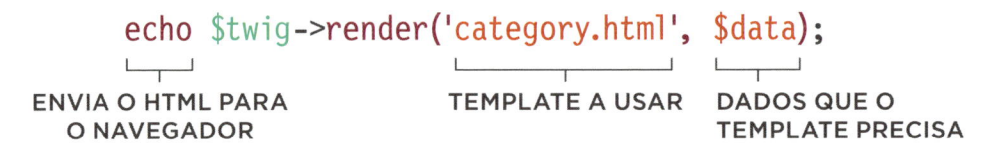

```
echo $twig->render('category.html', $data);
```

- ENVIA O HTML PARA O NAVEGADOR
- TEMPLATE A USAR
- DADOS QUE O TEMPLATE PRECISA

Na página à direita, veja como dois arquivos PHP foram atualizados para armazenar os dados que as páginas exibirão no array `$data`.

Isso torna as duas páginas muito mais simples do que eram quando também tinham a marcação HTML.

ARQUIVOS PHP QUE OBTÊM E RENDERIZAM OS DADOS

Os arquivos PHP na pasta `public` iniciam com as mesmas declarações das versões no Capítulo 14. Então...

1. Os dados coletados no BD usando os métodos do objeto CMS são armazenados no array `$data`.

2. O método `render()` do objeto environment do Twig preenche o template com os dados armazenados em `$data`.

O HTML retornado é enviado para o navegador com o comando echo.

```
PHP                                                           c15/public/index.php
<?php
declare(strict_types = 1);                              // Usa tipos restritos
require_once '../src/bootstrap.php';                    // Arquivo de configuração

$data['articles']   = $cms->getArticle()->getAll(true, null, null, 6); // Sumários mais recentes
$data['navigation'] = $cms->getCategory()->getAll();    // Todas as categorias

echo $twig->render('index.html', $data);                // Renderiza template
```

```
PHP                                                         c15/public/article.php
<?php
declare(strict_types = 1);                              // Usa tipos restritos
require_once '../src/bootstrap.php';                    // Arquivo de configuração

$id = filter_input(INPUT_GET, 'id', FILTER_VALIDATE_INT); // Valida id
if (!$id) {                                             // Se id é válido
    include APP_ROOT . '/public/page-not-found.php';    // Página não encontrada
}
$article = $cms->getArticle()->get($id);                // Obtém dados do artigo
if (!$article) {                                        // Se a matriz do artigo está vazia
    include APP_ROOT . '/public/page-not-found.php';    // Página não encontrada
}

$data['navigation'] = $cms->getCategory()->getAll();    // Obtém categorias
$data['article']    = $article;                         // Artigo
$data['section']    = $article['category_id'];          // Categoria corrente

echo $twig->render('article.html', $data);              // Renderiza template
```

NAMESPACES E BIBLIOTECAS

ACESSANDO DADOS NOS TEMPLATES DO TWIG

O template trata cada elemento do array `$data` como uma variável separada que o template pode usar. As variáveis do Twig não começam com $.

Se a página PHP criasse o seguinte array associativo contendo três elementos:

```
$data['name']    = 'Ivy Stone';
$data['joined']  = '2021-01-26 12:04:23';
$data['picture'] = 'ivy.jpg';
```

Então, o template do Twig trataria cada elemento do array `$data` como uma variável **separada**; com a chave no array se tornando o nome da variável (lembre-se, os nomes da variáveis no Twig não começam com $):

- name
- joined
- picture

Por padrão, se um template usa uma variável que não foi criada no array `$data`, o Twig a trata como se tivesse sido criada e tivesse um valor `null`, em vez de gerar um erro mostrando 'Undefined variable'.

Se o valor de um dos elementos fosse outro array (não um valor escalar):

```
$data['category']['name'] = 'Illustration';
$data['category']['description'] =
    'Hand-drawn visual storytelling';
$data['category']['published'] = true;
```

O template do Twig trataria isso como uma variável chamada `category` e seu valor seria um array.

Para obter o valor de um elemento desse array, use o nome da variável (`category`), um ponto e o nome da chave (`name`, `description` ou `published`):

- category.name
- category.description
- category.published

Se um elemento do array `$data` tivesse um objeto, a mesma sintaxe de ponto poderia acessar os valores armazenados nas propriedades desse objeto.

Isso pode ser útil porque o template não precisa fornecer um valor alternativo para as variáveis que não foram criadas. Mas, se necessário, essa opção pode ser desativada.

EXIBINDO DADOS NOS TEMPLATES DO TWIG

Os arquivos de template do Twig consistem em tags HTML e comandos do Twig. As chaves duplas {{ }} pedem ao Twig para escrever o conteúdo.

Para exibir um valor armazenado na variável, o nome da variável é escrito entre chaves.

Se a variável contém qualquer caractere reservado do HTML, o Twig aplica um escape automaticamente.

```
<h1>{{ category.name }}</h1>
<p>{{ category.description }}</p>
```

O Twig tem um conjunto de **filtros** que pode trabalhar com os dados armazenados em variáveis. Por exemplo, para impedir o escape dos dados, use o filtro `raw`. Esse filtro é usado no conteúdo do artigo, que pode conter com segurança o HTML quando o HTML Purifier for usado para remover a marcação sem segurança. Para usar um filtro, adicione um caractere | após o nome da variável, então o nome do filtro.

```
<p>{{ article.content|raw }}</p>
```

Se um filtro requer dados para realizar uma tarefa, ele recebe parênteses após o nome do filtro (como uma função). Por exemplo, o filtro `date` pode formatar uma data, e para tal ele:

- Trabalha com os mesmos formatos de data da função `strtotime()` predefinida do PHP (páginas 316-317).
- Formata as datas usando os mesmos valores da função `date()` predefinida do PHP (páginas 316-317).

```
<p>{{ article.created|date('M d Y') }}</p>
```

Como o Twig pode formatar datas, a função `format_date()` foi removida de `functions.php`.

O filtro `e` aplica o escape no conteúdo para que seja seguro exibir na página. Seu parâmetro informa ao filtro onde os dados serão usados. É importante porque o HTML, o CSS, o JavaScript e as URLs têm diferentes caracteres reservados, portanto diferentes caracteres têm o escape aplicado quando os dados são usados em cada contexto.

```
<p>{{ article.summary|e('html_attr') }}</p>
```

VALOR	CONTEXTO
html	Conteúdo do corpo do HTML
html_attr	Valor dos atributos do HTML
css	CSS
js	JavaScript
url	Texto que se torna parte da URL

Os filtros **raw**, **date** e **e** são os únicos usados no CMS, mas o Twig tem outros que podem formatar números, hora e moeda, alterar as letras maiúsculas e minúsculas do texto em uma string, classificar, juntar ou dividir os valores nos arrays.

USANDO CONDIÇÕES NOS TEMPLATES DO TWIG

Chaves e símbolos de porcentagem são usados para criar as tags de abertura {% e fechamento %} que informam ao Twig quando ele precisará tomar uma ação, como uma condição ou um loop.

Uma declaração if verifica se uma condição resulta em true. Se resulta, executa o código subsequente até haver uma tag {% endif %} de fechamento.

Se a condição resulta em false, o código é pulado até encontrar uma tag {% endif %} de fechamento. Os operadores usados são iguais aos operadores PHP.

```
{% if published == true %}
    <h1>{{ category.name }}<h1>
{% endif %}
```

Quando a condição contém apenas um nome da variável, o Twig verifica se o valor na variável seria tratado como true (após a manipulação do tipo; veja as páginas 60-61).

```
{% if published %}
    <h1>{{ category.name }}</h1>
{% endif %}
```

Múltiplas condições podem ser reunidas com and e or.

```
{% if time > 6 and time < 12 %}
    <p>Good morning.</p>
{% endif %}
```

O Twig também suporta as estruturas else e elseif, além dos operadores ternários e de coalescência nula.

```
{% if time > 6 and time < 12 %}
    <p>Good morning.</p>
{% elseif time >= 12 < 5 %}
    <p>Good afternoon.</p>
{% else %}
    <p>Welcome.</p>
{% endif %}
```

USANDO LOOPS NOS TEMPLATES DO TWIG

O Twig tem um loop for que pode percorrer cada elemento no array ou cada propriedade de um objeto (como o loop foreach do PHP).

O loop for do Twig é como um loop foreach no PHP e é usado para percorrer os elementos no array. As declarações que ele contém são repetidas sempre que o loop é executado. O loop fecha com a tag {% endfor %}.

A tag de abertura começa com a palavra-chave for, então uma variável para manter o item atual no loop; depois vem a palavra-chave in e a variável que contém o array ou o objeto a percorrer com o loop.

```
{% for article in articles %}
  <h2>{{ article.title }}</h2>
  <p>{{ article.summary }}</p>
{% endfor %}
```

Para percorrer os itens um número fixo de vezes, é usada uma sintaxe um pouco diferente. A tag de abertura começa com a palavra-chave for, então:

- Uma variável do Twig age como um contador, aqui chamado de i (essa variável pode ser usada no loop).
- Seguida da palavra-chave in.
- Então 1.. é uma variável que contém o número de vezes em que o loop deve ser executado.

Se uma variável count tivesse o valor 5, o loop seria executado 5 vezes. Na primeira execução do loop, a variável do contador i teria o valor 1. Na próxima vez, teria o valor 2. Isso continuaria até chegar no número 5.

Esse tipo de loop é demonstrado no template da pesquisa em que os resultados são exibidos usando a paginação.

```
{% for i in 1..count %}
  <a href="?page={{ i }}">{{ i }}</a>
{% endfor %}
```

COMO ESTRUTURAR OS ARQUIVOS DO TEMPLATE

Um **template-pai** deve ser usado para conter qualquer código que apareça em cada página do site. Esse template usa **blocos** que um **template-filho** pode sobrescrever.

Quando um site usa o Twig, ele deve ter um **template-pai** contendo o código usado em cada página (como o código nos arquivos de cabeçalho e rodapé nos capítulos anteriores).

Os templates podem definir os **blocos**. No template-pai, os blocos representam as seções do layout que outras páginas podem sobrescrever (para exibir dados diferentes).

Os blocos começam com uma tag que dá nome a eles: `{% block nome-bloco %}`.

Os blocos terminam com uma tag de fechamento: `{% endblock %}`.

Nesta página, veja um template-pai chamado `layout.html`. Ele contém o código que aparece em cada página do site e tem três blocos:

- `title` exibe o texto na tag `<title>` da página (se o template-filho não o sobrescreve com um novo valor, o texto dentro do bloco é usado).
- `content` é onde aparecerá a área de conteúdo principal de cada página. Não tem nenhum conteúdo padrão, portanto, se um template-filho não tiver um bloco `content`, nada será exibido em seu lugar.
- `footer` contém o rodapé do site. Ele escreve uma declaração de copyright e o ano atual.

Template-pai: `layout.html`

```
<!DOCTYPE html>
<html>
  <head>
    <title>
      {% block title %}
      Creative Folk
      {% endblock %}
    </title>
  </head>
  <body>
    {% block content %}{% endblock %}
    <footer>
      {% block footer %}
      &copy; Creative Folk
      {{ 'now'|date('Y') }}
      {% endblock %}
    </footer>
  </body>
</html>
```

Os templates-filho podem representar as páginas individuais do site. Eles herdam o código do template-pai e fornecem dados para sobrescrever o conteúdo nos blocos nomeados que o pai contém.

Template-filho: category.html

```
{% extends 'layout.html' %}

{% block title %}
{{ category.name }}
{% endblock %}

{% block content %}
<h1>{{ category.name }}</h1>
<p>{{ category.description }}</p>

{{ include('article-summaries.html') }}
{% endblock %}
```

Cada tipo de página que os visitantes do site podem solicitar (home, category, article, member e search) tem seu próprio **template-filho** que **estende** o template-pai. A tag `extends` especifica o nome do template-pai a estender:

`{% extends 'parent-template.html' %}`

No template-filho, qualquer coisa entre as tags `block` sobrescreve o conteúdo no bloco correspondente no template-pai.

Nesta página, o template-filho `category.html` estende `layout.html` e tem dois blocos:

- `title` substitui qualquer coisa no bloco `title` do template-pai.
- `content` substitui o bloco `content` no template-pai.

O template-filho não contém um bloco `footer`, portanto a página mostrará a mensagem de copyright que estava dentro do bloco de rodapé no template-pai.

Dentro do template-filho, o bloco `content` usa uma função `include()` entre chaves para incluir outro arquivo do template. Esse template mostra um conjunto de resumos do artigo:

`{{ include('article-summaries.html') }}`

Os arquivos pai, filho e de inclusão podem acessar as variáveis criadas pelo array `$data`.

TEMPLATES PAI E FILHO DA CATEGORIA

O template-filho `category.html` abaixo mostra os detalhes de qualquer categoria. Ele herda toda a marcação do template-pai `layout.html` à direita.

1. A tag `extends` indica que o template-filho herda o código em `layout.html`.

2. O bloco `title` neste template-filho substitui o bloco `title` no template-pai. Ele mostra o nome da categoria, e então as palavras "on Creative Folk".

3. O bloco `description` no template-filho substitui o bloco `description` no template-pai. Ele mostra a descrição da categoria no atributo `value` da tag de descrição `<meta>`. E usa o filtro `e()` para aplicar o escape no conteúdo para usar em um atributo.

4. O bloco `content` no template-filho substitui o bloco `content` no template-pai.

5. O nome da categoria é mostrado em um elemento `<h1>`.

6. É seguido da descrição da categoria mostrada dentro de um elemento `<p>`.

7. Uma tag de inclusão tem um template para exibir os resumos dos artigos nessa categoria.

O template `article-summaries.html` (página 592) percorre os resumos no array `articles` e exibe os dados do resumo nesses artigos.

8. O bloco `content` é fechado.

```twig
c15/templates/category.html                              TWIG
① {% extends 'layout.html' %}
② {% block title %}{{ category.name }} on Creative Folk {% endblock %}
③ {% block description %}{{ category.description|e('html_attr') }}{% endblock %}

④ {% block content %}
   <main class="container" id="content">
     <section class="header">
⑤      <h1>{{ category.name }}</h1>
⑥      <p>{{ category.description }}</p>
     </section>
     <section class="grid">
⑦      {{ include('article-summaries.html') }}
     </section>
   </main>
⑧ {% endblock %}
```

Os templates do Twig podem usar qualquer extensão de arquivo. Mas usar a extensão `.html` informa aos editores de código que o arquivo tem código HTML.

Então, o editor pode destacar o código como se fosse HTML e também pode oferecer recursos, como o destaque dos erros.

O template-pai contém o código usado em cada página.

Ele tem três blocos: title, description e content.

Também percorre as categorias para criar a navegação principal.

`TWIG` c15/templates/layout.html

```twig
<!DOCTYPE html>
<html lang="en-US">
  <head> ...
    <title>{% block title %}Creative Folk{% endblock %}</title>
    <meta name="description" value="{% block description %}Hire ceatives{% endblock %}">
    <link rel="stylesheet" type="text/css" href="{{ doc_root }}css/styles.css"> ...
  </head>
  <body>
    <header>
      <div class="container">
        <a class="skip-link" href="#content">Skip to content</a>
        <div class="logo"><a href=" {{ doc_root }}index.php">
          <img src="{{ doc_root }}img/logo.png" alt="Creative Folk">
        </a></div>
        <nav>
          <button id="toggle-navigation" aria-expanded="false">
            <span class="icon-menu"></span><span class="hidden">Menu</span>
          </button>
          <ul id="menu">
            {% for link in navigation %}
            {% if (link.navigation == 1) %}
              <li><a href="{{ doc_root }}category.php?id={{ link.id }}"
              {% if (section == link.id) %} class="on"{% endif %}>
                {{ link.name }}</a></li>
            {% endif %}
            {% endfor %}
            <li><a href="{{ doc_root }}search.php">
              <span class="icon-search"></span><span class="search-text">Search</span>
            </a></li>
          </ul>
        </nav>
      </div>
    </header>
    {% block content %}{% endblock %}
    <footer>
      <div class="container">
        <a href="{{ doc_root }}contact.php">Contact Us</a>
        <span class="copyright">&copy; Creative Folk {{ 'now'|date('Y') }}</span>
      </div>
    </footer>
    <script src="{{ doc_root }}js/site.js"></script>
  </body>
</html>
```

TEMPLATE DE RESUMO DOS ARTIGOS

O template `article-summaries.html` mostra os resumos de vários artigos. É usado nos templates para home page, categoria, membro e página de pesquisa.

1. Um loop for percorre um array de resumos do artigo armazenados em uma variável `articles`. No loop, cada artigo é armazenado em uma variável `article`.

2. É criado um link para o artigo.

3. Uma declaração if do Twig verifica se o artigo tem uma imagem.

4. Se tem, a imagem e o texto alternativo dela são mostrados em uma tag `<img>`.

5. Se não, a tag `{% else %}` do Twig é seguida de um código alternativo.

6. Uma imagem de espaço reservado é mostrada.

7. A tag `{% endif %}` marca o final da declaração if.

8. O título do artigo é mostrado em um elemento <h2>.

9. O resumo é exibido.

10. É criado um link para a categoria na qual está o artigo.

11. É criado um link para a página do autor do artigo.

12. O loop termina com a tag `{% endfor %}`.

c15/templates/article-summaries.html TWIG

```twig
{% for article in articles %}
  <article class="summary">
    <a href="{{ doc_root }}article.php?id={{ article.id }}">
      {% if article.image_file %}
        <img src="{{ doc_root }}uploads/{{ article.image_file }}"
             alt="{{ article.image_alt }}">
      {% else %}
        <img src="{{ doc_root }}uploads/blank.png" alt="">
      {% endif %}
      <h2>{{ article.title }}</h2>
      <p>{{ article.summary }}</p>
    </a>
    <p class="credit">
      Posted in <a href="{{ doc_root }}category.php?id={{ article.category_id }}">
        {{ article.category }} </a>
      by <a href="{{ doc_root }}member.php?id={{ article.member_id }}">
        {{ article.author }}</a>
    </p>
  </article>
{% endfor %}
```

TEMPLATE DO ARTIGO

1. Este template-filho mostra um artigo. A tag **extends** o informa para herdar o código de **layout.html**.

2. O bloco **title** exibe o título no elemento **<title>**.

3. O bloco **description** contém o resumo. O filtro **e** aplica o escape no texto para usar nos atributos HTML.

4. O bloco **content** mostra os detalhes completos do artigo.

5. Se o artigo tem uma imagem, ela é exibida; se não, é mostrado **blank.png**.

6. O título é escrito de novo.

7. O filtro **date** formata a data em que o artigo foi escrito.

8. O conteúdo do artigo é mostrado usando o filtro **raw** para que o Twig pare de aplicar o escape, pois pode conter uma marcação HTML (já assegurada para a exibição pelo HTML Purifier).

9. É criado um link para a categoria na qual está o artigo, seguido de um link para a página do autor.

TWIG c15/templates/article.html

```twig
{% extends 'layout.html' %}
{% block title %}{{ article.title }}{% endblock %}
{% block description %}{{ article.summary|e('html_attr') }}{% endblock %}
{% block content %}
  <main class="article container" id="content">
    <section class="image">
      {% if article.image_file %}
        <img src="{{ doc_root }}uploads/{{ article.image_file }}"
            alt="{{ article.image_alt }}">
      {% else %}
        <img src="{{ doc_root }}uploads/blank.png" alt="">
      {% endif %}
    </section>
    <section class="text">
      <h2>{{ article.title }}</h2>
      <div class="date">{{ article.created|date('F d, Y') }}</div>
      <div class="content">{{ article.content|raw }}</div>
      <p class="credit">
        Posted in <a href="{{ doc_root }}category.php?id={{ article.category_id }}">
        {{ article.category }}</a>
        by <a href="{{ doc_root }}member.php?id={{ article.member_id }}">
        {{ article.author }}</a></p>
    </section>
  </main>
{% endblock %}
```

ENVIANDO E-MAILS COM PHPMAILER

Em geral, os sites enviam e-mails individuais chamados **e-mails transacionais**. Por exemplo, uma página de redefinição de senha pode enviar por e-mail um link para os usuários redefinirem suas senhas ou um formulário de contato pode enviar uma mensagem para o proprietário do site.

Ao enviar um e-mail de um computador ou um dispositivo móvel, você fornece o e-mail do destinatário, o assunto e o corpo da mensagem. O programa de e-mail envia o e-mail para um servidor chamado servidor SMTP que entrega o e-mail ao destinatário.

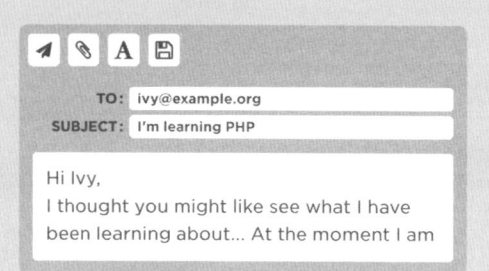

```
TO:      ivy@example.org
SUBJECT: I'm learning PHP

Hi Ivy,
I thought you might like see what I have
been learning about... At the moment I am
```

Quando um programa de e-mail é configurado para usar um novo e-mail, ele precisa saber como conectar ao servidor SMTP. Em geral, os seguintes detalhes são necessários para conectá-lo:

- **Nome de host** que identifica o servidor SMTP, assim como um nome de domínio identifica um servidor da web.
- **Número da porta** que permite a diferentes programas no mesmo computador compartilharem a mesma conexão de internet, veja: http://notes.re/php/ports [conteúdo em inglês].
- **Nome de usuário e senha** para fazer login na conta.
- **Configurações de segurança** para especificar como o nome de usuário e a senha devem ser enviados com segurança.

Do mesmo modo, quando um site precisa enviar um e-mail, deve realizar as mesmas etapas:

1. Conectar um servidor SMTP que pode enviar o e-mail.
2. Criar o e-mail e passá-lo para o servidor SMTP.

O código para realizar essas duas tarefas é complexo. Assim, em vez de escrever o código para criar e enviar e-mails do zero, o site de exemplo usará um pacote chamado **PHPMailer**. Ele é usado em muitos projetos populares de fonte aberta, inclusive WordPress, Joomla e Drupal.

O pacote PHPMailer está na pasta vendor do código de download deste capítulo e é listado como um pacote requerido no arquivo composer.json. Seu nome em Packagist é: phpmailer\phpmailer.

Embora um servidor da web possa executar seu próprio servidor SMTP, os sites costumam usar uma empresa especializada que fornece um servidor SMTP para enviar e-mails porque:

- Enviar e-mails demais de seu servidor da web pode resultar em restrição dos serviços de e-mail em seu nome de domínio e tratar seus e-mails como spam.
- Têm taxas melhores de sucesso de entrega.

Para obter uma lista dos serviços que enviam e-mails transacionais, acesse http://notes.re/transactional-emails [conteúdo em inglês].

Será preciso se inscrever em um desses serviços para testar o código que envia e-mails.

CONFIGURAÇÕES PARA CONECTAR AO SERVIDOR SMTP

Os detalhes para conectar ao servidor SMTP diferem para cada site que roda o código CMS; portanto, são classificados como dados da configuração e armazenados no arquivo config.php.

Cada site que usa o código CMS precisa de configurações diferentes para conectar *seu* servidor SMTP (como cada site tem detalhes diferentes para conectar ao *seu* BD).

Os detalhes usados para conectar ao servidor SMTP são armazenados como um array associativo no arquivo config.php, junto com o e-mail do proprietário do site.

PHP   c15/config/config.php

```php
① $email_config = [
②     'server'     => 'smtp.YOUR-SERVER.com',
③     'port'       => 'YOUR-PORT-NUMBER',
④     'username'   => 'YOUR-USERNAME-HERE',
       'password'   => 'YOUR-PASSWORD-HERE',
⑤     'security'   => 'tls',
⑥     'admin_email' => 'YOUR-EMAIL-HERE',
⑦     'debug'      => (DEV) ? 2 : 0,
   ];
```

Primeiro, armazene os dados para conectar ao servidor SMTP:

1. **$email_config** é a variável que contém um array de configurações usado para enviar e-mails.
2. **server** contém o nome de host do servidor SMTP.
3. **port** é o número da porta que o servidor SMTP usa.
4. **username** e **password** contêm os detalhes de login da conta do servidor SMTP.
5. **security** contém o método usado para enviar os dados com segurança. O valor para isso geralmente é tls, que significa Segurança da Camada de Transporte (veja a página 185).

Então, adicione dois outros valores necessários:

6. **admin_email** é o e-mail do proprietário do site. É o endereço para o qual as mensagens do formulário de contato são enviadas (páginas 598-601) e o endereço de *(from)* para outros e-mails que o site envia, ver o próximo capítulo.
7. **debug** ativa e desativa as mensagens de depuração. O valor na constante DEV determina a configuração. Ela usa:
   - 2 ao desenvolver um site para mostrar os e-mails enviados pelo servidor da web e as respostas do servidor SMTP.
   - 0 em um site real ativo para desativar as mensagens de depuração (pois as mensagens mostram dados sobre a conta SMTP).

CRIANDO E ENVIANDO E-MAIL

Primeiro, crie um objeto usando a classe `PHPMailer` e informe como conectar ao servidor SMTP. Então, crie e envie o e-mail.

Um objeto `PHPMailer` é criado usando a classe `PHPMailer`, como você criaria qualquer outro objeto. Seu namespace é: `PHPMailer\PHPMailer`. Esse namespace deve ser usado ao criar o objeto.

Quando o objeto `PHPMailer` é criado, um valor booleano `true` é usado como um argumento. Isso pede ao `PHPMailer` para gerar uma exceção se ele encontra um problema ao criar ou enviar um e-mail.

```
$phpmailer = new \PHPMailer\PHPMailer\PHPMailer(true);
```

- `$phpmailer` — VARIÁVEL
- `\PHPMailer\PHPMailer\` — NAMESPACE
- `PHPMailer` — CLASSE
- `true` — SE OCORRE UM PROBLEMA, GERE UMA EXCEÇÃO

Com o objeto `PHPMailer` criado, são usados dois métodos e oito propriedades para configurar o objeto a fim de que ele saiba como o site enviará os e-mails.

São como as configurações que um programa de e-mail usa para uma nova conta de e-mail. Ficarão iguais sempre que o site enviar um e-mail transacional.

PROPRIEDADE/MÉTODO	DESCRIÇÃO
`isSMTP()`	Método para especificar que um servidor SMTP será usado para enviar e-mail
`Host`	Propriedade para conter o endereço de host do servidor SMTP
`SMTPAuth`	Propriedade para ativar a autenticação SMTP; definida para `true` porque um nome de usuário e senha serão necessários para fazer login no servidor SMTP
`Username`	Propriedade para conter o nome de usuário da conta SMTP
`Password`	Propriedade para conter a senha da conta SMTP
`Port`	Propriedade para conter o número da porta que o servidor SMTP usa
`SMTPSecure`	Propriedade para conter o tipo de criptografia a usar; em geral definida para `tls`
`SMTPDebug`	Propriedade para informar ao PHPMailer se é para exibir ou não as informações de depuração
`isHTML()`	Método para informar ao PHPMailer que o e-mail pode conter HTML
`CharSet`	A propriedade que define a codificação de caracteres usada no e-mail; se não definida corretamente, o texto pode não ser exibido corretamente no programa de e-mail do destinatário

Com um objeto `PHPMailer` criado e as configurações feitas, um e-mail pode ser criado e enviado. O processo para criar um e-mail e passá-lo para o servidor SMTP envolve chamar três métodos e definir três propriedades do objeto `PHPMailer`.

As propriedades e os métodos nas cinco primeiras linhas da tabela abaixo são equivalentes a escrever um novo e-mail em um programa de e-mail. Os valores usados podem mudar sempre que o site envia um e-mail. O último método equivale a pressionar o botão de envio para mandar o e-mail.

PROPRIEDADE/MÉTODO	DESCRIÇÃO
setFrom()	Método para definir o endereço do qual o e-mail é enviado
addAddress()	Método para definir o endereço para o qual o e-mail é enviado (esse método pode ser chamado novamente para adicionar mais endereços)
Subject	Propriedade para conter a linha de assunto do e-mail
Body	Propriedade para conter o corpo do e-mail que usa HTML
AltBody	Propriedade para conter uma versão sem formatação do e-mail (sem marcação HTML)
send()	Método para conectar ao servidor SMTP e passar o e-mail

Criar um objeto `PHPMailer`, informá-lo como conectar a um servidor SMTP, então criar e enviar o e-mail requer pelo menos dezoito linhas de código.

Como um site em geral tem várias páginas que precisam enviar um e-mail transacional, em vez de repetir esse código em cada página, o site pode armazenar todo o código em uma nova classe definida pelo usuário, chamada `Email`, que será vista na próxima página.

Qualquer página que precise enviar um e-mail, conseguirá fazer isso usando as duas declarações:

1. A primeira linha cria um objeto usando a classe `Email` definida pelo usuário e a armazena em uma variável `$email`. Os dados da configuração são passados para o método construtor.
2. A segunda linha chama o método `sendEmail()` do objeto `Email` para criar e enviar um e-mail.

```
① $email = new Email( $email_config);
② $email->sendEmail( $from, $to, $subject, $message);
```

A nova classe `Email` definida pelo usuário é mostrada na página; ela tem os dois métodos descritos abaixo.

Nas próximas duas páginas, há um exemplo de como a classe é usada.

MÉTODO	DESCRIÇÃO
__construct(*$email_config*)	Cria um objeto `PHPMailer` e armazena-o na propriedade `PHPMailer`. Configura como o PHPMailer irá conectar ao servidor SMTP. Essas declarações ficam no método __construct(), pois são iguais sempre que uma página PHP precisa enviar um e-mail.
sendEmail(*$from*, *$to*, *$subject*, *$message*)	Cria um e-mail e passa-o para o servidor SMTP. Esse método é chamado para enviar um e-mail. Sempre que chamado, seus argumentos podem ter valores diferentes.

CLASSE PARA CRIAR E ENVIAR E-MAILS

A classe `Email` é usada quando uma página precisa enviar um e-mail. Ela contém o código usado para criar um objeto `PHPMailer`, gerar um e-mail e passá-lo para um servidor SMTP para enviar.

1. A classe recebe o namespace `PhpBook\Email`.

2. A propriedade `$phpmailer` armazena um objeto `PHPMailer`. É declarada como uma propriedade `protected` para que só possa ser usada pelo código nessa classe.

3. O método `__construct()` tem um parâmetro; os dados de configuração são armazenados em `$email_config`. As tarefas dentro desse método devem ser realizadas sempre que uma página precisa enviar um e-mail. Elas:

   - Criam um objeto `PHPMailer`.
   - Configuram como ela pode conectar ao servidor SMTP.
   - Definem a codificação de caracteres e o tipo de e-mail.

4. O objeto `PHPMailer` é criado e armazenado na propriedade `$phpmailer` deste objeto Email (o argumento `true` pede a PHPMailer para gerar uma exceção se ele tem problemas para criar ou enviar um e-mail).

5. O método `isSMTP()` do objeto `PHPMailer` mostra que o e-mail será enviado via servidor SMTP.

6. A propriedade `SMTPAuth` é definida com `true` para indicar que são necessários um nome de usuário e uma senha para fazer login no servidor SMTP.

7. Os dados necessários para conectar ao servidor SMTP são definidos usando os valores do array `$email_config` (foram passados para o método construtor quando o objeto foi criado).

8. PHPMailer é informado que a codificação de caracteres é UTF-8 e enviará e-mails HTML.

9. O método `sendEmail()` cria e envia e-mails individuais. Ele tem quatro parâmetros que representam os dados que podem mudar sempre que o objeto é usado para enviar um e-mail.

   - `$from` contém de quem virá o e-mail.
   - `$to` contém o e-mail do destinatário.
   - `$subject` tem a linha de assunto do e-mail.
   - `$message` contém a mensagem a enviar.

   Retorna `true` se o e-mail foi criado e enviado.

10. O método `setFrom()` define o endereço do qual esse e-mail será enviado.

11. O método `addAddress()` define o e-mail para o qual será enviada a mensagem.

12. A propriedade `Subject` define o assunto do e-mail.

13. A propriedade `Body` define o corpo do e-mail. Consiste em algumas tags HTML básicas para iniciar o e-mail HTML, seguidas do valor que estava no parâmetro `$message`, então das tags HTML de fechamento.

14. A propriedade `AltBody` define a versão de texto sem formatação do e-mail. Ela usa a propriedade `strip_tags()` do PHP para remover a marcação da mensagem (veja a nota à direita).

15. `send()` passa o e-mail para o servidor SMTP.

16. O método retorna `true` para indicar que o e-mail foi criado e passado para o servidor SMTP (geraria uma exceção se não funcionasse).

Você verá como usar a classe para enviar e-mail em seguida. Quando uma página cria um objeto usando a classe Email e envia um e-mail, pode enviar mais e-mails chamando de novo o método `sendEmail()`.

PHP   c15/src/classes/Email/Email.php

```php
<?php
namespace PhpBook\Email;                                        // Declaração do Namespace

class Email {

    protected $phpmailer;                                       // Objeto PHPMailer

    public function __construct($email_config)
    {
        $this->phpmailer = new \PHPMailer\PHPMailer\PHPMailer(true); // Cria PHPMailer
        $this->phpmailer->isSMTP();                             // Usa SMTP
        $this->phpmailer->SMTPAuth     = true;                  // Liga autenticação
        $this->phpmailer->Host         = $email_config['server'];   // Endereço do servidor
        $this->phpmailer->SMTPSecure   = $email_config['security']; // Tipo de segurança
        $this->phpmailer->Port         = $email_config['port'];     // Porta
        $this->phpmailer->Username     = $email_config['username']; // Nome do usuário
        $this->phpmailer->Password     = $email_config['password']; // Senha
        $this->phpmailer->SMTPDebug    = $email_config['debug'];    // Método de depuração
        $this->phpmailer->CharSet      = 'UTF-8';               // Codificação de caracteres
        $this->phpmailer->isHTML(true);                         // Configura o HTML do e-mail
    }

    public function sendEmail($from, $to, $subject, $message): bool
    {
        $this->phpmailer->setFrom($from);                       // Do endereço de e-mail
        $this->phpmailer->addAddress($to);                      // Para o endereço de e-mail
        $this->phpmailer->Subject = $subject;                   // Assunto do e-mail
        $this->phpmailer->Body    = '<!DOCTYPE html><html lang="en-us"><body>'
            . $message .'</body></html>';                       // Corpo do e-mail
        $this->phpmailer->AltBody = strip_tags($message);       // Corpo em texto plano
        $this->phpmailer->send();                               // Envia o e-mail
        return true;                                            // Retorna true
    }
```

Quando um e-mail HTML é enviado, uma versão de texto sem formatação dele é enviada com a versão HTML. É importante criar essa versão porque filtros de spam gostam de ver uma versão sem formatação do e-mail (e algumas pessoas usam leitores de e-mail de texto sem formatação).

A função `strip_tags()` predefinida do PHP é para remover as tags da marcação. Seu parâmetro é uma string contendo a marcação e ela retorna a string com as tags removidas. Você também poderia usar o HTML Purifier para remover a marcação dos seus e-mails.

NAMESPACES E BIBLIOTECAS

USANDO A CLASSE Email

Uma nova página `contact.php` (veja na página à direita) tem um formulário para enviar um e-mail aos proprietários do site. Para enviar o e-mail, a página de contato cria um objeto usando a classe `Email`, então chama seu método `sendEmail()` com quatro parâmetros: de onde é o e-mail, o e-mail para onde deve ser enviado, a linha do assunto e a mensagem.

1. O comando use importa o código da classe `Validate` para o namespace atual.

2. Se o formulário foi enviado, o e-mail e a mensagem são coletados e armazenados em variáveis.

3. Os valores fornecidos são validados usando a classe `Validate`. Qualquer mensagem de erro no array é reunida e armazenada em uma variável `$invalid`.

4. Se os dados eram inválidos, `$errors` contém uma mensagem.

5. Do contrário, a página tenta enviar o e-mail.

6. O assunto do e-mail é armazenado em `$subject`.

7. Um objeto `Email` é criado usando a classe `Email`.

8. O método `sendEmail()` do objeto `Email` é chamado para criar e enviar o e-mail. Ele tem quatro argumentos:

    - Endereço de onde o e-mail é enviado.
    - Endereço para onde enviar o e-mail.
    - Linha do assunto.
    - Mensagem.

9. Se não foi gerada nenhuma exceção, a variável `$success` contém uma mensagem de sucesso para o usuário.

10. O array `$data` contém os dados para a página e o método `render()` do Twig gera o HTML.

c15/templates/contact.html — TWIG

```twig
{% extends 'layout.html' %}
{% block content %}
<main class="container" id="content">
  <section class="heading"><h1>Contact Us</h1></section>
  <form method="post" action="contact.php" class="form-contact">
    {% if errors.warning %}<div class="alert-danger">{{ errors.warning }}</div>{% endif %}
    {% if success %}<div class="alert-success">{{ success }}</div>{% endif %}
    <label for="email">Email: </label>
    <input type="text" name="email" id="email" value="{{ from }}" class="form-control">
    <span class="errors">{{ errors.email }}</span><br>
    <label for="message">Message: </label><br>
    <textarea id="message" name="message" class="form-control">{{ message }}</textarea>
    <span class="errors">{{ errors.message }}</span><br>
    <input type="submit" value="Submit Message" class="btn">
  </form>
</main>
{% endblock %}
```

PHP c15/public/contact.php

```php
<?php
declare(strict_types = 1);                              // Usa tipos restritos
use PhpBook\Validate\Validate;                          // Importa a classe de validação
include '../src/bootstrap.php';                         // Arquivo de configuração
$from    = '';                                          // Inicializado: de
$message = '';                                          // Mensagem
$errors  = [];                                          // Matriz de erros
$success = '';                                          // Mensagem de sucesso

if ($_SERVER['REQUEST_METHOD'] == 'POST') {             // Se formulário enviado
    $from               = $_POST['email'];              // Endereço de e-mail
    $message            = $_POST['message'];            // Mensagem
    $errors['email']    = Validate::IsEmail($from)           ? '' : 'Email not valid';
    $errors['message']  = Validate::IsText($message, 1, 1000) ? '' : 'Please enter a
        message up to 1000 characters';
    $invalid = implode($errors);                        // Une mensagens de erro
    if ($invalid) {                                     // Se há erros
        $errors['warning'] = 'Please correct the errors'; // Aviso
    } else {                                            // Caso contrário tenta enviar
        $subject = "Contact form message from " . $from;  // Cria corpo da mensagem
        $email   = new \PhpBook\Email\Email($email_config); // Cria objeto de e-mail
        $email->sendEmail($email_config['admin_email'], $email_config['admin_email'],
            $subject, $message);                        // Envia
        $success = 'Your message has been sent';        // Mensagem de sucesso
    }
}
$data['navigation'] = $cms->getCategory()->getAll();    // Todas as categorias para navegação
// Os seguintes valores somente são criados se o usuário enviou o formulário
$data['from']    = $from;                               // Do e-mail
$data['message'] = $message;                            // Mensagem
$data['errors']  = $errors;                             // Mensagens de erro
$data['success'] = $success;                            // Mensagem de sucesso
echo $twig->render('contact.html', $data);              // Retorna template
```

RESULTADO

NOTA: se a constante DEV em config.php está definida para true (veja a Etapa 7 na página 595), PHPMailer cria um longo conjunto de mensagens de depuração que são mostradas na página antes do cabeçalho e do formulário.

Quando a constante DEV está definida para false, elas são ocultadas.

RESUMO
NAMESPACES E BIBLIOTECAS

> Os namespaces asseguram que, se duas ou mais classes, funções ou constantes compartilham o mesmo nome, o interpretador PHP conseguirá diferenciá-las.

> Bibliotecas e pacotes permitem usar o código que outros programadores escreveram para realizar uma tarefa.

> O Composer ajuda a gerenciar os pacotes que um site usa.

> Packagist.org lista os pacotes que Composer pode usar.

> O Composer cria um carregador automático que inclui os arquivos da classe para os pacotes quando uma página os utiliza.

> O HTML Purifier pode ser usado para remover a marcação que poderia causar um ataque XSS.

> O Twig é um mecanismo de template que separa o código PHP, que obtém e processa os dados, dos templates que controlam como os dados são exibidos.

> O PHPMailer é um pacote usado para criar e-mails usando o PHP e os passar a um servidor SMTP.

16
ASSOCIAÇÃO

Este capítulo mostra como os visitantes podem se registrar como membros do site. Então, podem fazer login para exibir as páginas mostradas apenas aos membros e personalizadas para eles.

Em geral, quando um membro se registra em um site, ele precisa fornecer:

- Um **identificador**: usado para identificar quem é a pessoa, como um e-mail ou um nome de usuário. Cada membro do site precisa de seu próprio identificador exclusivo.
- Uma **senha**: usada para confirmar se a pessoa é quem afirma ser. O usuário é o único que deve saber a senha.

Esses dados são armazenados no BD. No site de exemplo, quando um membro faz login, ele pode:

- Exibir as páginas que apenas os membros podem acessar.
- Criar e editar seu próprio perfil.
- Fazer upload de seu próprio trabalho.

Para saber como fazer essas coisas, este capítulo é divido em três seções:

- **Registrar-se no site:** como coletar as informações requeridas para identificar um membro individual do site e armazená-las no banco de dados.
- **Fazer login e personalizar as páginas:** como permitir que os membros façam login, e como criar páginas personalizadas para os membros individuais e páginas apenas dos membros.
- **Atualizar o BD sem o usuário estar conectado:** como permitir que os usuários atualizem o BD sem se conectarem primeiro; por exemplo, quando precisam atualizar uma senha. Isso envolve lidar com um novo conjunto de requisitos de segurança.

ASSOCIAÇÃO

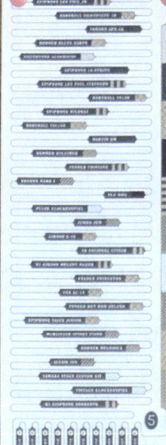

ATUALIZANDO O BD

Para os dois capítulos finais, o BD do site de exemplo precisa de três tabelas extras e novas colunas em várias tabelas existentes.

Após as etapas descritas na página 392, use PHPMyAdmin para:

- Criar um novo BD chamado phpbook-2.
- Importar o arquivo phpbook-2.sql (no código de download deste capítulo) para criar as tabelas no novo DB e adicionar dados.

Quando criar esse novo banco de dados, veja as alterações em phpMyAdmin. Primeiro, há três tabelas novas. A tabela token é apresentada próximo ao final deste capítulo. As tabelas comment e likes serão apresentadas no próximo capítulo.

Existem também novas colunas nas tabelas article, category e member. A nova coluna role na tabela member é apresentada neste capítulo. A nova coluna seo_title na tabela article e a coluna seo_name na tabela category serão apresentadas no próximo capítulo.

Assim que examinar as alterações do BD em phpMyAdmin, abra o arquivo config.php no código deste capítulo e adicione as configurações para conectar o novo BD. A única configuração diferente dos capítulos anteriores é o novo nome do banco de dados (phpbook-2).

Quando o código de exemplo deste capítulo estiver rodando em seu computador, use o link de registro no canto superior direito de cada página para criar sua própria conta. Ao se registrar, faça login e verifique a versão do site. Você deverá ver que:

- Existem mais membros (e o trabalho deles).
- Só pode acessar as páginas admin se fez login (e tem permissão para examiná-las).

No final deste capítulo você terá aprendido como o código permite que os usuários se registrem, façam login, façam upload de seu próprio trabalho e solicitem um link de redefinição de senha.

NOTA: o código de download deste capítulo contém alguns arquivos não descritos na versão impressa porque as tarefas que eles realizam já foram descritas em outros exemplos no livro.

Por exemplo, a página que permite aos membros fazerem upload do trabalho é como a página que permite aos administradores criarem artigos; as principais diferenças são que os membros precisam fazer upload de uma imagem e que seus artigos são publicados automaticamente. Do mesmo modo, a página para os membros editarem seus perfis funciona como a página que os administradores usam para editar as categorias.

REGISTRANDO OS USUÁRIOS

Os visitantes devem preencher o formulário de registro para se tonarem membros do site. Seus detalhes são armazenados na tabela member do BD.

A página register.php usa o formulário mostrado acima para permitir que os visitantes se registrem como membro do site.

Quando o formulário é enviado, os dados são validados e um novo método da classe Member chamado create() adiciona seus dados à tabela member usando as técnicas aprendidas no Capítulo 14.

O registro introduz dois conceitos novos:

- **Funções**: que controlam quais tarefas um usuário do site tem permissão de realizar
- **Hashes de senha**: que os sites armazenam, em vez da senha real que o membro digitou quando se registrou

FUNÇÕES

Em geral, os sites permitem que diferentes membros exibam páginas diferentes e realizem tarefas variadas. Uma **função** (role) é usada para definir quais tarefas um membro pode realizar. O site de exemplo diferencia:

- Um **visitante**: alguém que não fez login e pode apenas navegar pelos trabalhos no site.
- Um **membro**: alguém que se registrou e fez login. Pode editar o perfil do membro, fazer upload de um novo trabalho e editar os trabalhos existentes.
- Um membro **suspenso**: alguém que se registrou, mas seu uso do site foi suspenso. Ele será impedido de fazer login.
- Um **admin**: o proprietário do site ou uma pessoa que trabalha para o site. Pode exibir páginas admin, criar categorias, excluir um trabalho e atualizar as funções dos usuários.

Na tabela member, uma nova coluna chamada role armazena a função de cada membro. Seu valor será member, suspended ou admin (não armazena visitor porque é para pessoas que não fizeram login).

NOTA: quando os usuários se registram no site de exemplo, a função deles é definida para admin porque isso permite acessar as páginas admin sem alterar manualmente sua função no BD. Em um site real, a função-padrão para os novos membros seria definida para member e um administrador conseguiria mudar a função deles.

HASHES DE SENHA

Por motivos de segurança, os sites não devem armazenar as senhas dos membros. Eles armazenam uma versão criptografada da senha chamada **hash**. Não é possível descriptografar um hash de volta no texto original.

Um membro é a única pessoa que deve saber sua senha. Um site pode verificar a senha do membro, mas as senhas não devem ser armazenadas no BD.

Quando os membros se inscrevem, um algoritmo (um conjunto de regras) criptografa suas senhas em um **hash**, que lembra um conjunto aleatório de caracteres alfanuméricos. O BD armazena o hash, em vez da senha.

ENTRADA: SENHA
Quando os membros inserem uma senha, a função de hash converte a senha em um hash:

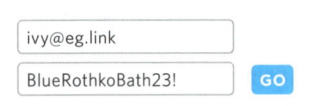

```
ivy@eg.link
BlueRothkoBath23!           GO
```

Um hash não pode ser convertido de novo na senha original, portanto, mesmo que alguém tenha acesso ao BD, não poderá obter as senhas dos membros. Assim, há proteção para seu próprio site e para os membros, que podem ter usado a mesma senha em outros sites.

Não importa quantos caracteres a senha tenha, seu hash terá o mesmo número de caracteres (neste livro, ela tem sessenta caracteres), portanto o hash não dá dicas quanto ao comprimento da senha.

O PHP tem funções predefinidas para criar hashes. Sempre que a função é usada para transformar uma senha em hash, ela produz o mesmo conjunto de caracteres.

Quando um membro registrado faz login no site, a senha inserida passa pelo algoritmo de hash de novo. Se esse valor corresponde ao hash armazenado no BD, o usuário forneceu a senha correta.

RESULTADO: HASH
O BD armazenará o hash (ele não armazena a senha real):

email	password
ivy@eg.link	$2y$10$XTeGk6Z7XG1Gs26.MVvCIOANsdgFjZOYEMDWYlmlca4cOKyMwjufi

Para o hash ficar ainda mais seguro, o PHP adiciona um conjunto aleatório de letras extra à senha chamado **salt**. Quando o usuário faz um novo login, o PHP:

- Detecta o salt no hash salvo do usuário.
- Cria um hash da senha usada para fazer login.
- Adiciona salt ao novo hash da senha.
- Compara o valor armazenado com o novo valor.

Se corresponderem, o usuário forneceu a senha certa.

CRIANDO E VERIFICANDO AS SENHAS EM HASH

A função `password_hash()` do PHP cria um hash a partir de uma senha. A função `password_verify()` do PHP verifica se a senha fornecida pelo visitante cria o mesmo hash já salvo.

A função `password_hash()` predefinida do PHP obtém uma senha e retorna um hash. Ela tem três parâmetros:

- A senha colocada em hash.
- O nome do algoritmo de hash a usar.
- Um array opcional de configurações para esse algoritmo (o site de exemplo não define nenhuma opção).

O site PHP.net especifica um conjunto de constantes que pode ser usado para determinar o nome do algoritmo de hash que o código usa; acesse: http://notes.re/php/pwd_hash/ [conteúdo em inglês]. O site de exemplo usa o nome PASSWORD_DEFAULT, que indica o algoritmo de hash padrão do PHP. Quando este livro foi escrito, era o algoritmo bcrypt, mas pode mudar conforme algoritmos mais fortes são criados.

```
password_hash($password, $algorithm[, $options]);
```
- $password — SENHA
- $algorithm — ALGORITMO
- $options — OPÇÕES

A função `password_verify()` predefinida do PHP obtém uma senha que um usuário forneceu e cria um hash. Então, compara esse valor com o hash já armazenado. Se os valores correspondem, o usuário forneceu a senha correta. A função `password_verify()` tem dois parâmetros:

- A senha que o membro acabou de fornecer.
- O hash já armazenado para o membro.

Você não precisa especificar o algoritmo nem o salt usado quando o hash foi criado, pois a função `password_verify()` consegue detectar essas configurações a partir do hash armazenado.

A função retorna:

- `true` se os hashes correspondem.
- `false` se são valores diferentes.

```
password_verify($password, $hash);
```
- $password — SENHA INSERIDA PELO USUÁRIO
- $hash — HASH ARMAZENADO NO BANCO DE DADOS

ASSOCIAÇÃO

REGISTRANDO NOVOS MEMBROS (PARTE 1)

A página de registro funciona como as páginas admin que adicionam dados ao BD. Quando o formulário é enviado, os dados são validados. Se forem válidos, um novo método da classe `Member` adicionará o membro ao BD.

O arquivo `register.php` permite que os visitantes se inscrevam como membros do site (a página 607 mostrou como fica essa página no navegador). Quando os visitantes completam o formulário, se eles forneceram dados válidos, o método `create()` do objeto `Member` (mostrado na página 612) irá adicioná-los ao BD. Se os dados não são válidos, são exibidas mensagens de erro.

1. Tipos restritos são ativados e o namespace `Validate` é importado para que possa ser usado na página sem digitar o namespace completo.

2. O arquivo `bootstrap.php` é incluído na página.

3. Os arrays `$member` e `$errors` são inicializados como arrays em branco para que possam ser adicionados ao array `$data` que os templates do Twig usam (Etapa 12), mesmo que nenhum dado seja adicionado nas etapas 4-11.

4. Uma declaração `if` verifica se o formulário foi postado.

5. Se foi, os dados são coletados no formulário. O valor da caixa de confirmação da senha é armazenado em uma variável separada porque seu valor não será adicionado ao BD (é usado apenas para confirmar se o usuário inseriu a mesma senha duas vezes).

6. Os dados são validados. Se algum é inválido, mensagens de erro são armazenadas no array `$errors`. Existem dois novos métodos na classe `Validate` para este capítulo; eles verificam se o e-mail é válido e se a senha atende aos requisitos mínimos.

7. Todos os valores no array `$errors` são reunidos em uma string `$invalid`.

8. Uma declaração `if` verifica se `$invalid` *não* contém texto. Se não tem, os dados são válidos. Se tem, o array `$errors` contém pelo menos uma mensagem de erro.

9. Se os dados são válidos, o método `create()` do objeto `Member` é chamado para adicionar o membro ao BD (esse método é apresentado na página 612). O método `create()` retorna `true` se o membro é adicionado com sucesso ou `false` se o e-mail já é usado (se houver outro problema, é gerada uma exceção). O valor retornado é armazenado em `$result`.

10. Uma declaração `if` verifica se `$result` contém `false`. Em caso afirmativo, a chave `email` do array `$errors` armazena uma mensagem informando ao usuário que o e-mail je está em uso.

11. Do contrário, o usuário foi adicionado ao BD na Etapa 9, portanto é direcionado para a página de login e uma mensagem de sucesso é enviada na string de consulta.

12. Os dados que o template do Twig precisa exibir são armazenados em um array `$data`.

13. O método `render()` do objeto environment do Twig é chamado para criar o HTML a retornar para o navegador. Ele usa o template `register.html`.

```php
<?php
① declare(strict_types = 1);                              // Usa tipos restritos
   use PhpBook\Validate\Validate;                          // Importa classe Validate

② include '../src/bootstrap.php';                          // Arquivo de configuração
③ $member = [];                                            // Inicializa matriz de membros
   $errors = [];                                           // Inicializa matriz de erros

④ if ($_SERVER['REQUEST_METHOD'] == 'POST') {              // Se formulário foi postado
       // Lê dados do formulário
⑤     $member['forename'] = $_POST['forename'];            // Obtém o primeiro nome
       $member['surname']  = $_POST['surname'];            // Obtém o sobrenome
       $member['email']    = $_POST['email'];              // Obtém o e-mail
       $member['password'] = $_POST['password'];           // Obtém a senha
       $confirm            = $_POST['confirm'];            // Obtém a confirmação da senha

       // Valida dados do formulário
⑥     $errors['forename'] = Validate::isText($member['forename'], 1, 254)
           ? '' : 'Forename must be 1-254 characters';
       $errors['surname']  = Validate::isText($member['surname'], 1, 254)
           ? '' : 'Surname must be 1-254 characters';
       $errors['email']    = Validate::isEmail($member['email'])
           ? '' : 'Please enter a valid email';
       $errors['password'] = Validate::isPassword($member['password'])
           ? '' : 'Passwords must be at least 8 characters and have:<br>
                   A lowercase letter<br>An uppercase letter<br>A number
                   <br>And a special character';
       $errors['confirm']  = ($member['password'] = $confirm)
           ? '' : 'Passwords do not match';
⑦     $invalid            = implode($errors);             // Une mensagens de erro

⑧     if (!$invalid) {                                    // Se não tem erro
⑨         $result = $cms->getMember()->create($member);   // Cria membro
⑩         if ($result === false) {                        // Se o resultado é inválido
               $errors['email'] = 'Email address already used'; // Armazena um alerta
⑪         } else {                                        // Caso contrário envia o login
               redirect('login.php', ['success' => 'Thanks for joining! Please log in.']);
           }
       }
   }

⑫ $data['navigation'] = $cms->getCategory()->getAll();    // Todas as categorias para navegação
   $data['member']     = $member;                          // Dados do membro
   $data['errors']     = $errors;                          // Mensagens de erro

⑬ echo $twig->render('register.html', $data);             // Retorna template
```

REGISTRANDO NOVOS MEMBROS (PARTE 2)

À direita, o box de código superior mostra o template do Twig usado para exibir o formulário de registro. O formulário no código de download tem mais elementos HTML e atributos que são usados para controlar sua apresentação; alguns foram removidos deste box para que você possa focar o que ele faz e para caber na página.

1. O template estende `layout.html` e fornece um novo conteúdo para os blocos `title` e `description` (esses blocos sobrescrevem o texto-padrão fornecido nas tags `<title>` e `<meta>` no template `layout.html` mostrado na página 591).
2. O bloco `content` armazena o formulário de registro.
3. O formulário é enviado para a mesma página PHP.
4. Se os dados do formulário não eram válidos, é mostrada uma mensagem de aviso ao visitante.
5. Os controles do formulário são exibidos.

O formulário pode acessar dois arrays que contêm dados, caso o formulário tenha sido enviado, mas os dados não eram válidos:

- `member` é um array dos dados que o usuário forneceu. É usado para preencher os controles do formulário para que o visitante não precise reinserir todos os seus dados.
- `errors` é um array que armazena mensagens de erro para cada controle do formulário que não passou na validação. Essas mensagens são mostradas após os controles do formulário.

Os dois arrays foram inicializados em branco no topo do arquivo `register.php` na Etapa 3 da página anterior.

O método `create()` da classe `Member` adiciona um membro ao BD. Ele segue a mesma abordagem usada para criar as categorias (nas páginas 498-503). Se um membro é adicionado, o método retorna `true`. Se o e-mail já é usado, retorna `false`.

6. `create()` tem um parâmetro: um array contendo os dados do membro. Ele retorna um booleano.
7. A função `password_hash()` substitui por um hash a senha que o usuário forneceu.
8. Um bloco `try` armazena o código para adicionar os dados do membro ao BD.
9. A declaração INSERT do SQL adiciona o nome, o sobrenome, o e-mail e o hash à tabela `member` do BD (o banco de dados cria os valores para as colunas `id`, `joined` e `role`).
10. A declaração SQL é executada.
11. Se o código no método ainda roda, o SQL foi executado com sucesso, portanto o método retorna `true`.
12. Se PDO teve problemas, uma exceção será gerada e o bloco `catch` será executado.
13. Se o código de erro é 1062, indica que o e-mail já está no BD e adicionar os dados violaria a restrição de exclusividade, então a função retorna `false`.
14. Do contrário, a exceção é gerada de novo usando a palavra-chave `throw`, para ser lidada pela função de tratamento de exceção padrão.

ASSOCIAÇÃO

TWIG c16/templates/register.html

```twig
{% extends 'layout.html' %}
{% block title %}Register{% endblock %}
{% block description %}Register for Creative Folk{% endblock %}
{% block content %}
  <main class="container" id="content">
    <section class="header"><h1>Register</h1></section>
    <form method="post" action="register.php" class="form-membership">
      {% if errors %}<div class="alert alert-danger">Please correct errors</div>{% endif %}
      <label for="forename">Forename: </label>
      <input type="text" name="forename" value="{{ member.forename }}" id="forename">
      <div class="errors">{{ errors.forename }}</div>
      <label for="surname">Surname: </label>
      <input type="text" name="surname" value="{{ member.surname }}" id="surname">
      <div class="errors">{{ errors.surname }}</div>
      <label for="email">Email address: </label>
      <input type="email" name="email" value="{{ member.email }}" id="email">
      <div class="errors">{{ errors.email }}</div>
      <label for="password">Password: </label>
      <input type="password" name="password" id="password">
      <div class="errors">{{ errors.password }}</div>
      <label for="confirm">Confirm password: </label>
      <input type="password" name="confirm" id="confirm">
      <div class="errors">{{ errors.confirm }}</div>
      <input type="submit" class="btn btn-primary" value="Register">
    </form>
  </main>
{% endblock %}
```

PHP c16/src/classes/CMS/Member.php

```php
public function create(array $member): bool
{
    $member['password'] = password_hash($member['password'], PASSWORD_DEFAULT);// Definição do hash
    try {                                                                      // Tenta adicionar o membro
        $sql = "INSERT INTO member (forename, surname, email, password)
                VALUES (:forename, :surname, :email, :password);";  // SQL para adicionar membro
        $this->db->runSQL($sql, $member);                           // Executa o comando SQL
        return true;                                                // Retorna true
    } catch (\PDOException $e) {                     // Se PDOException foi disparada
        if ($e->errorInfo[1] === 1062) {             // Se há erro indica entrada duplicada
            return false;                            // Retorna false para mostrar e-mail duplicado
        }                                            // Caso contrário
        throw $e;                                    // Dispara novamente a exceção
    }
}
```

LOGIN E PERSONALIZAÇÃO

Quando os membros retornam ao site e fazem login, o e-mail e a senha são solicitados para **identificá-los** e **autenticar** se eles são quem dizem ser.

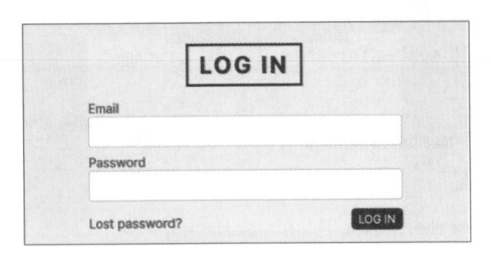

A página `login.php` permite que os membros façam login. Quando o formulário de login é enviado, um novo método da classe `Member` chamado `login()` procura o e-mail do membro na tabela `member` do BD e obtém os detalhes, inclusive o hash da senha dele.

Se a senha que o usuário forneceu no login cria o mesmo hash que o BD armazenou, o site pressupõe que o membro é quem diz ser e ele é conectado.

Com um membro conectado, há duas coisas principais que o site fará:

- **Criar uma sessão** para lembrar dele durante sua visita atual; ela armazenará os dados principais sobre o membro e o fato de que ele fez login.
- **Personalizar as páginas** desse membro com as informações específicas dele.

SESSÕES

Assim que um membro faz login, uma sessão é criada. Ela permite ao site identificar esse membro sempre que ele solicita outra página durante a visita ao site. Ela armazena a id do membro, o nome e a função porque isso é usado na barra de navegação para:

- Adicionar um link para a página de perfil dele, usando a id do membro na string de consulta.
- Mostrar o nome dele como o texto do link.
- Adicionar um link às páginas admin se a função dele é `admin`.

Como cada página precisará trabalhar com sessões para criar uma barra de navegação, uma nova classe `Session` (páginas 620-621) será criada para ajudar a trabalhar com os dados no superglobal $_SESSION:

- Se o usuário fez login, os dados da sessão dele são adicionados às propriedades do objeto `Session`.
- Se não, os valores dessas propriedades receberão valores-padrão automaticamente.

A classe `Session` também tem métodos para criar, atualizar e excluir as sessões. A classe agrupa o código usado para trabalhar com as sessões e reduz a quantidade de código necessária em cada página. O objeto `Session` é criado em `bootstrap.php` e também disponibilizado em uma variável global do Twig para que todos os templates possam acessar os dados da sessão.

Assim que um membro faz login, o site pode criar páginas adaptadas a esse usuário com base nas informações que o BD armazena sobre ele.

PERSONALIZAÇÃO

Assim que o site consegue identificar um membro individual, ele pode personalizar as páginas com base nas preferências e no perfil desse usuário.

A página à esquerda já descreveu como a barra de navegação exibe um link para a página de perfil do usuário, quando ele faz login, e, se o usuário é o administrador do site, mostra um link para as páginas admin.

E mais, quando um usuário visita sua página `member.php`, ela exibe links que o permitem adicionar ou editar o trabalho e atualizar o perfil (como mostrado à direita).

O mesmo arquivo `member.php` é usado para exibir os detalhes e o trabalho de cada membro do site, mas esses links extras são mostrados *apenas* quando um membro faz login e exibe sua própria página.

Assim como cria páginas personalizadas, esta seção protege as páginas admin porque elas só devem ser exibidas pelos administradores. Até este ponto, qualquer pessoa consegue vê-las.

Para proteger as páginas admin, é adicionada uma nova função `is _ admin()` ao arquivo `functions.php`. Ela é chamada no início de cada página admin. Se o usuário não fez login *nem* é um administrador, ele não conseguirá exibir a página.

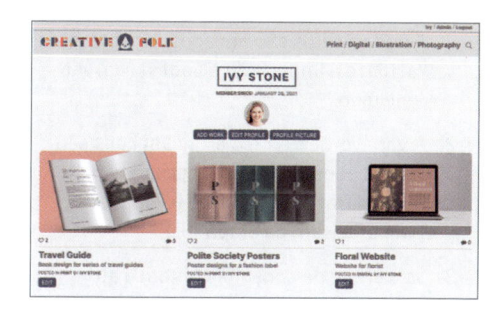

O código de download tem os seguintes arquivos, que não estão na versão impressa porque são como os arquivos já vistos:

- `work.php` permite que os usuários façam upload e editem seu trabalho. É como `article.php` no Capítulo 14 (exceto que uma imagem é requerida e `published` é definido para `true`).
- `profile-edit.php` permite que os usuários editem seu perfil. É como a página admin usada para editar as categorias.
- `profile-pic-delete.php` exclui uma imagem de perfil. É como o arquivo `image-delete.php` usado para excluir as imagens do artigo.
- `profile-pic-upload.php` permite que os usuários façam upload de uma nova imagem de perfil. Usa a mesma técnica de `article.php` para fazer o upload de imagens.

LOGIN (PARTE 1)

Quando um membro volta ao site, a página de login o permite entrar. Se ele fornece os detalhes corretos, ela cria uma nova sessão que armazena detalhes sobre ele durante a visita ao site.

A página `login.php` permite que os membros façam login.

1. Tipos restritos são ativados, o namespace `Validate` é importado e `bootstrap.php` é incluído.

2. A variável `$email` e o array `$errors` são inicializados. Eles são necessários para criar o array `$data` que os templates do Twig precisam na Etapa 15.

3. Se a string de consulta contém a string `success`, seu valor é armazenado na variável `$success` (isso é adicionado à string de consulta quando um novo usuário se registra).

4. Uma declaração `if` verifica se o formulário foi postado.

5. Se foi, o e-mail e a senha são coletados no array superglobal `$_POST` e armazenados nas variáveis `$email` e `$password`.

6. O e-mail e a senha são validados. Se não são válidos, mensagens de erro são armazenadas nas chaves correspondentes do array `$errors`.

7. A função `implode()` do PHP reúne os valores no array `$errors` em uma única string armazenada em `$invalid`.

8. Uma declaração `if` testa se `$invalid` contém alguma mensagem de erro.

9. Se contém, a chave `message` do array `$errors` terá uma mensagem pedindo que o usuário tente de novo.

10. Do contrário, os dados de login eram válidos...

11. O método `login()` da classe `Member` é chamado (veja as páginas 618-619). Ele verifica se o e-mail existe no BD e se o usuário forneceu a senha correta. Se os detalhes estão corretos, o método retorna os dados do membro como um array. Se não, retorna `false`. O valor retornado é armazenado em `$member`.

Uma declaração `if... elseif` lida com os resultados:

12. Se a variável `$member` contém os dados do membro e sua função é `suspended`, então o array `$errors` contém uma mensagem informando que a conta está suspensa.

13. Se `$member` tem um valor, o membro fez login com sucesso.

14. É criada uma sessão para o visitante usando o método `create()` de um novo objeto `Session` (introduzido nas páginas 620-621).

15. O usuário conectado é redirecionado para sua página de perfil (e o resto da página não é executado). Deste ponto em diante, a navegação:

    - Substitui o link de login por um link de logout.
    - Contém um link para a página de perfil do membro.
    - Tem um link para a área admin se o membro é um admin.

16. Do contrário, nenhum membro foi encontrado, portanto o array `$errors` tem uma mensagem pedindo que o usuário tente de novo.

17. O array `$data` contém os dados que o template precisa e o método `render()` do Twig cria a página.

PHP
c16/public/login.php

```php
<?php
declare(strict_types = 1);                              // Use tipos restritos
use PhpBook\Validate\Validate;                          // Importa classe Validate

include '../src/bootstrap.php';                         // Arquivo de configuração

$email   = '';                                          // Inicializa variável $email
$errors  = [];                                          // Inicializa matriz de erros
$success = $_GET['success'] ?? null;                    // Obtém a mensagem de sucesso

if ($_SERVER['REQUEST_METHOD'] == 'POST') {             // Se formulário foi postado
    $email    = $_POST['email'];                        // Obtém o endereço do e-mail
    $password = $_POST['password'];                     // Obtém a senha
    $errors['email']    = Validate::isEmail($email)
        ? '' : 'Please enter a valid email address';    // Valida e-mail
    $errors['password'] = Validate::isPassword($password)
        ? '' : 'Passwords must be at least 8 characters and have:<br>
                A lowercase letter<br>An uppercase letter<br>A number<br>
                And another character';                 // Valida senha
    $invalid = implode($errors);                        // Une os erros

    if ($invalid) {                                     // Se dados inválidos
        $errors['message'] = 'Please try again.';       // Armazena mensagem de erro
    } else {                                            // Se dados válidos
        $member = $cms->getMember()->login($email, $password); // Obtém detalhes do membro
        if ($member and $member['role'] == 'suspended') {      // Se membro suspenso
            $errors['message'] = 'Account suspended';   // Armazena mensagem
        } elseif ($member) {                            // Caso contrário
            $cms->getSession()->create($member);        // Cria sessão
            redirect('member.php', ['id' => $member['id'],]); // Redireciona para sua página
        } else {                                        // Caso contrário
            $errors['message'] = 'Please try again.';   // Armazena mensagem de erro
        }
    }
}

$data['navigation'] = $cms->getCategory()->getAll();    // Obtém as categorias de navegação
$data['success']    = $success;                         // Mensagem de sucesso
$data['email']      = $email;                           // Endereço de e-mail se login falhou
$data['errors']     = $errors;                          // Matriz de erros
echo $twig->render('login.html', $data);                // Retorna template
```

NOTA: as mensagens de erro não devem mostrar que um e-mail está certo, mas que uma senha está errada, pois isso confirma que o e-mail foi registrado no site.

EXPERIMENTE: assim que usar o objeto Session nas páginas 620-621, adicione uma declaração if entre as Etapas 2 e 3 para verificar se o membro já fez login. Se fez, redirecione-o para sua página member.

ASSOCIAÇÃO

LOGIN (PARTE 2)

O primeiro box de código mostra o template do Twig para o formulário de login. O código de download tem mais elementos HTML e atributos para controlar a apresentação, mas alguns foram removidos para você focar o que ele faz e caber na página.

1. O template estende `layout.html` e fornece um novo conteúdo para os blocos `title` e `description`.
2. O bloco `content` armazena o formulário de login.
3. O formulário é enviado para a mesma página PHP.
4. Se `success` tem um valor (não é `null`), um novo usuário se registrou e uma mensagem de sucesso é exibida.
5. Se o array `errors` contém valores, o valor da chave `warning` é exibido.
6. O formulário tem entradas de e-mail e senha. Se há mensagens de erro no array `$errors`, elas são mostradas após o controle do formulário correspondente (a mensagem de erro da senha usa o filtro `raw` do Twig, pois ele utiliza a marcação HTML; veja a Etapa 7 na página anterior).

O segundo box de código mostra um novo método `login()` na classe `Member`. Ele verifica se o e-mail e a senha estão corretos. Se estão, retorna os detalhes do membro. Se não, retorna `false`.

7. `login()` precisa de um e-mail e uma senha.
8. A variável `$sql` armazena uma consulta SQL para obter os dados do membro usando o e-mail.
9. O SQL é executado e os dados são armazenados em `$member`.
10. Se os detalhes do membro não foram encontrados, o método `login()` retorna `false`.
11. Se o código no método ainda está rodando, o membro foi encontrado. Em seguida, a função `password_verify()` do PHP cria um hash a partir da senha fornecida quando ele fez login e verifica se ela corresponde ao hash no BD. Ela retorna `true` se corresponde, e `false` se não. O resultado é armazenado em uma variável `$authenticated`.
12. Um operador ternário verifica se `$authenticated` armazena o valor `true`. Em caso afirmativo, o método retorna o array `$member`. Se não, retorna `false`.

O box de código final mostra a página `bootstrap.php`, que contém o código para configurar cada página. Como visto, quando um membro faz login, sua id, seu nome, seu sobrenome e sua função são armazenados em uma sessão porque todas as páginas precisam acessar esses dados da sessão para criar a barra de navegação. Como visto no Capítulo 9, quando um site usa sessões, cada página dele deve:

- Chamar a função `session_start()` do PHP.
- Verificar se o array superglobal `$_SESSION` tem os dados que a página tenta acessar antes de acessá-los (se isso não foi feito, pode causar um erro `Undefined index`).

Em vez de repetir o código para cada página, o arquivo `bootstrap.php` (incluído por cada página) cria um objeto `Session` usando a nova classe `Session` (mostrada em seguida). Esse código é colocado em seu método `__construct()` para que seja executado quando o objeto é criado. Se o usuário fez login, ele obtém os dados no array superglobal `$_SESSION` e os armazena nas propriedades do objeto `Session`.

13. O objeto `Session` é criado em `bootstrap.php`.
14. Suas propriedades são armazenadas em uma variável global do Twig para que possam ser acessadas por qualquer template.

TWIG — c16/templates/login.html

```twig
{% extends 'layout.html' %}
① {% block title %} Log In{% endblock %}
   {% block description %} Log in to your Creative Folk account {% endblock %}
② {% block content %}
   <main class="container" id="content">
③    <form method="post" action="login.php" class="form-membership">
       <section class="header"><h1> Log in:</h1></section>
④     {% if success %}<div class="alert alert-success">{{ success }}</div>{% endif %}
⑤     {% if errors %}<div class="alert alert-danger">{{ errors.message }}</div>{% endif %}

       <label for="email">Email: </label>
       <input type="text" name="email" id="email" value="{{ email }}" class="form-control">
       <div class="errors">{{ errors.email }}</div>
⑥      <label for="password">Password: </label>
       <input type="password" name="password" id="password" class="form-control">
       <div class="errors">{{ errors.password|raw }}</div>
       <input type="submit" class="btn btn-primary" value="Log in"><br>
       <p><a href="password-lost.php">Lost password?</a></p>
     </form>
   </main>
   {% endblock %}
```

PHP — c16/src/classes/CMS/Member.php

```php
⑦ public function login(string $email, string $password)
  {
⑧   $sql = "SELECT id, forename, surname, joined, email, password, picture, role
            FROM member
            WHERE email = :email; ";                    // SQL para obter os dados do membro
⑨   $member = $this->db->runSQL($sql, [$email])->fetch(); // Executa o SQL
    if (!$member) {                                     // Se membro não encontrado
⑩     return false;                                     // Retorna false
    }                                                   // Caso contrário
⑪   $authenticated = password_verify($password, $member['password']);  // Senha correta?
⑫   return ($authenticated ? $member : false);          // Retorna o membro ou false
  }
```

PHP — c16/src/bootstrap.php

```php
  $loader = new Twig\Loader\FilesystemLoader(APP_ROOT . '/templates'); // Carregador do Twig
  $twig   = new Twig\Environment($loader, $twig_options);   // Ambiente Twig
  $twig->addGlobal('doc_root', DOC_ROOT);                   // Raiz do documento
⑬ $session = $cms->getSession();                            // Cria sessão
⑭ $twig->addGlobal('session', $session);                    // Adiciona sessão à variável global do Twig
```

USANDO SESSÕES PARA ARMAZENAR DADOS DO USUÁRIO

O cabeçalho usado em cada página do site precisa saber se um usuário está conectado ou não:

- Se está, o cabeçalho contém um link para sua página member usando o nome do membro como o texto de link e sua id na string de consulta.
- Se não está, o cabeçalho contém links para as páginas login.php e register.php.

Se o usuário fez login e é o admin, o cabeçalho também mostra um link para as páginas admin.

Para criar esses links, toda página precisa saber a id, o nome e a função do membro; portanto, essas informações são armazenadas em uma sessão.

Como mostrado na página anterior, bootstrap.php (incluído em todas as páginas) cria um objeto usando a classe Session definida pelo usuário e mostrada à direita. Usar uma classe Session assim agrupa o código para criar, acessar, atualizar e excluir as sessões em um lugar. Essa classe tem três propriedades:

- id contém a id do membro.
- forename contém o nome do membro.
- role contém a função do membro.

Quando o objeto é criado, seu método __construct():

- Chama session_start().
- Verifica se uma sessão contém detalhes para esse membro. Se contém, os valores são armazenados nas propriedades do objeto. Se não, as propriedades recebem valores-padrão.

1. O namespace da classe é declarado.
2. A classe se chama Session.
3. Três propriedades são declaradas. Elas armazenam a id, o nome e a função do membro.
4. O método __construct() é executado automaticamente quando um objeto Session é criado usando essa classe.
5. A função session_start() do PHP ativa as sessões e renova as existentes.
6. Se o array superglobal $_SESSION tem chaves chamadas id, forename e role, seus valores são armazenados nas propriedades do objeto Session. Se não, essas propriedades armazenam valores-padrão.
7. O método create() é chamado quando um usuário faz login. Ele precisa do array que contém os dados do membro.
8. A função session_regenerate_id() do PHP (página 340) atualiza a ID da sessão usada no arquivo da sessão e no cookie.
9. A id, o nome e a função do membro são adicionados ao array superglobal $_SESSION.
10. O método update() chama o método create(). Como criar ou atualizar a sessão requer o mesmo código, ele não deve ser repetido. O método update() é conhecido como **alias** do método create() porque é um nome alternativo usado para chamar as declarações no método create().
11. O método delete() é chamado quando o usuário clica no link para logout na navegação. Seu trabalho é encerrar a sessão (veja a página 343 para saber como funciona).

PHP c16/src/classes/CMS/Session.php

```php
<?php
namespace PhpBook\CMS;                              // Declaração de Namespace

class Session
{                                                   // Define classe Session
    public $id;                                     // Armazena a id do membro
    public $forename;                               // Armazena o nome do membro
    public $role;                                   // Armazena a regra do membro

    public function __construct()
    {                                               // Executa quando objeto for criado
        session_start();                            // Inicia ou reinicia a sessão
        $this->id       = $_SESSION['id'] ?? 0;     // Ajusta a propriedade id desse objeto
        $this->forename = $_SESSION['forename'] ?? '';  // Ajusta a propriedade do nome (forename)
        $this->role     = $_SESSION['role'] ?? 'public'; // Ajusta a propriedade de regra (role)
    }

    // Cria nova sessão - também usado para atualizar uma sessão existente
    public function create($member)
    {
        session_regenerate_id(true);                // Atualiza a id da sessão
        $_SESSION['id']       = $member['id'];      // Adiciona a id do membro à sessão
        $_SESSION['forename'] = $member['forename']; // Adiciona o nome à sessão
        $_SESSION['role']     = $member['role'];    // Adiciona a regra à sessão
    }

    // Atualiza alias da sessão existente para create()
    public function update($member)
    {
        $this->create($member);
    }

    // Exclui a sessão existente
    public function delete()
    {
        $_SESSION = [];                             // Limpa a variável superglobal $_SESSION
        $param    = session_get_cookie_params();    // Obtém parâmetros do cookie da sessão
        setcookie(session_name(), '', time() - 2400, $param['path'], $param['domain'],
            $param['secure'], $param['httponly']);  // Limpa os cookies da sessão
        session_destroy();                          // Destrói a sessão
    }
}
```

ASSOCIAÇÃO

PERSONALIZANDO A BARRA DE NAVEGAÇÃO

O objeto `Session` criado em `bootstrap.php` é armazenado em uma variável global do Twig para que todo template possa acessar suas propriedades. Em `layout.html`:

1. Uma declaração if verifica se a propriedade id do objeto `Session` tem um valor 0 (indicando que o usuário *não* fez login).
2. Se fez, o template mostra links para fazer login e se registrar.
3. Do contrário, o membro é conectado.
4. É criado um link para a página de perfil do membro com seu nome mostrado no texto do link.
5. Uma declaração if verifica se a propriedade `role` do objeto `Session` tem um valor `admin`. Se tem, é exibido um link para a área admin.
6. Um link para `logout.php` permite que os usuários façam logout (o arquivo `logout.php` está no código de download; ele chama o método `delete()` do objeto `Session` e redireciona o usuário para a home page.)

`c16/templates/layout.html` **TWIG**

```twig
① {% if session.id == 0 %}
②   <a href="login.php" class="nav-item nav-link">Log in</a> /
    <a href="register.php" class="nav-item nav-link">Register</a>
③ {% else %}
④   <a href="member.php?id={{ session.id }}">{{ session.forename }}</a> /
    {% if session.role == 'admin' %}
⑤     <a href="admin/index.php">Admin</a> /
    {% endif %}
⑥   <a href="logout.php">Logout</a>
  {% endif %}
```

RESULTADO

Log in / Register

Print / Digital / Illustration / Photography

Ivy / Admin / Logout

Print / Digital / Illustration / Photography

ADICIONANDO OPÇÕES À PÁGINA DE PERFIL DO MEMBRO

O arquivo member.php exibe o perfil do membro do site e os resumos de seu trabalho. Se um membro fez login e exibe seu próprio perfil, são mostrados links para atualizar o perfil e adicionar um novo trabalho.

1. Em member.html, uma declaração if do Twig verifica se a id do membro (armazenada na sessão) é igual à id do membro cujo trabalho é exibido. Se correspondem, novos links são mostrados sob o perfil.

2. Em article-summaries.html, outra declaração if do Twig verifica se a id do membro que exibe a página é igual à id do membro que escreveu cada artigo. Em caso afirmativo, é adicionado um link para editar esse trabalho.

O arquivo work.php que permite aos usuários fazerem upload do trabalho está no código de download. É parecido com article.php na seção admin; mas uma imagem é requerida, o membro é o autor e não há opção para publicar.

TWIG — c16/templates/member.html

```twig
{% if session.id == member.id %}
<nav class="member-options">
  <a href="work.php" class="btn btn-primary">Add work</a>
  <a href="member-edit-profile.php" class="btn btn-primary">Edit profile</a>
  <a href="member-edit-picture.php" class="btn btn-primary">Profile picture</a>
</nav>
{% endif %}
```

TWIG — c16/templates/article-summaries.html

```twig
{% if session.id == article.member_id %}
  <a href="work.php?id={{ article.id }}" class="btn btn-primary">Edit</a>
{% endif %}
```

RESULTADO

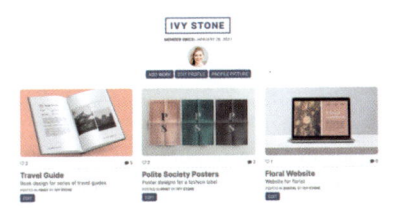

As páginas para editar um perfil e as páginas para fazer upload ou excluir as imagens do perfil estão no código de download. Você poderia tentar escrever estas páginas para testar sua habilidades:

- A página para editar os perfis é como o código para editar uma categoria.
- O código para adicionar/excluir as imagens do perfil é como o código para adicionar ou excluir as imagens nos artigos.

RESTRINGINDO O ACESSO ÀS PÁGINAS ADMIN

Nos capítulos anteriores, qualquer pessoa podia acessar as páginas admin do site. Neste aqui, apenas os membros cuja função é admin podem acessar essas páginas.

1. Toda página admin chama uma nova função is_admin() logo depois de o arquivo bootstrap.php ter sido incluído. Ela precisa da função do membro como um argumento (quando um membro não fez login, o objeto Session define role para public).

2. A definição da função is_admin() é adicionada a functions.php.

3. Uma declaração if verifica se a função *não* é admin.

4. Se não é, o usuário é enviado para a home page.

(É enviado para a home page, em vez de login.php, para impedir que as pessoas que não são os administradores adivinhem as URLs das páginas admin.)

5. O comando exit paralisa a execução de qualquer outro código na página que chamou a função (se o usuário é um admin, o resto da página é executado).

c16/public/admin/article.php

```php
<?php
// Parte A: configuração
declare(strict_types = 1);                      // Usa tipos restritos
use PhpBook\Validate;                           // Importa Namespace Validate

include '../../src/bootstrap.php';              // Inclui arquivo de configuração
is_admin($session->role);                       // Verifica se é admin (administrador)
```

①

c16/src/functions.php

```php
function is_admin($role)
{
    if ($role !== 'admin') {                    // Se a propriedade role não é admin
        header('Location: ' . DOC_ROOT);        // Vai para a home page
        exit;                                   // Para a execução do código
    }
}
```

② ③ ④ ⑤

Em geral, você deve pedir que um usuário faça login antes de ele conseguir realizar tarefas que atualizam o BD. Até este momento no capítulo, o usuário deve estar conectado para tanto.

Há raras ocasiões em que você pode permitir que os usuários atualizem o BD sem fazer login, mas isso requer medidas extras de segurança, como você aprenderá em seguida.

LINKS DE E-MAIL QUE ATUALIZAM BANCOS DE DADOS E TOKENS

Por vezes os sites permitem que os membros atualizem o BD sem fazerem login. Isso acontece quando eles receberam um e-mail com um link, como um link para redefinir a senha. Os links usam um **token** para identificar o usuário.

Se um usuário esquece a senha, ele não consegue fazer login no site para redefini-la, portanto o site precisa oferecer outro modo de atualizá-la com segurança.

Uma solução é enviar por e-mail um link para uma página que ele possa usar para atualizar a senha. Como o link é enviado para o e-mail do usuário, ele deve ser a única pessoa que usa tal link.

O link não deve usar o e-mail de um membro nem a id da coluna `id` da tabela `member` para identificar o usuário porque um hacker poderia obter o link dessa página e adivinhar os e-mails dos outros membros ou as ids (permitindo-os redefinir as senhas desses usuários e, então, fazer login nas contas deles).

Quando o usuário pede para redefinir a senha, é criado um token para identificá-lo. O token é um conjunto aleatório de caracteres, que é exclusivo e não pode ser adivinhado, por exemplo:

`0d9781153ed42ea7d72b4a4963dbd4f7fbc1d09bca10a8faae55d5dd66441521881a4e51eb17cd62596b156f11218d31436e5ae3381bcb50acbf31dd2c5cd197`

Esse token é:

- Armazenado no BD em uma nova tabela chamada `token`.
- Usado para identificar o usuário.

Quando o usuário clica no link com um token, o site pesquisa a tabela `token` no BD (veja a página 626) a fim de determinar para qual membro ele foi criado.

As próximas páginas mostram como os tokens são usados quando um membro deseja redefinir sua senha. Primeiro, os usuários inserem seu e-mail em `password-lost.php`.

Quando esse formulário é enviado, o site verifica se há um usuário com o e-mail fornecido. Em caso afirmativo, ele adiciona um novo token à tabela `token` do BD e envia um link por e-mail para a página `password-reset.php`, que o permite atualizar a senha. O token é usado no link para identificar qual membro tenta atualizar a senha.

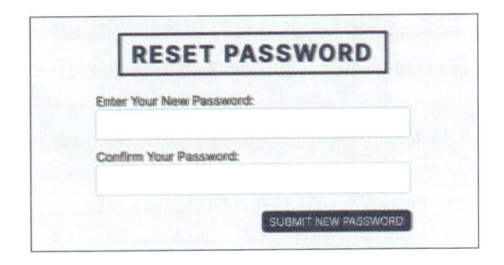

Quando o usuário atualiza a senha, um novo método da classe `Member`, chamado `passwordUpdate()`, é usado para a atualização.

ASSOCIAÇÃO

ARMAZENANDO TOKENS NO BANCO DE DADOS

Uma nova classe Token é usada para criar um objeto Token que pode gerar tokens, armazená-los na tabela token do BD e retornar a id dos membros para quem eles foram criados.

No mínimo, a nova tabela token deve armazenar o token e a id do membro para quem foi criado. Para ter uma segurança extra, cada token também armazena:

- **Tempo de expiração**: para impedir que o token continue válido após sua finalidade de uso. Para esse site, são quatro horas após o token ser criado.
- **Finalidade:** um site poderia usar tokens para várias tarefas; armazenar a finalidade permite que o site verifique se um token está sendo usado para o que foi pretendido.

Outro motivo popular para usar tokens é quando os usuários se registram no site. Eles podem receber um link por e-mail que eles precisam clicar antes de fazer login. Isso confirma que o e-mail deles estava correto.

Uma classe chamada Token é usada para criar um objeto Token que tem dois métodos:

- create() cria um novo token e o armazena no BD.
- getMemberId() verifica se o token *não* expirou e se está sendo usado para a finalidade certa; se estiver, retornará a id do membro para quem foi criado.

O objeto Token é criado usando um novo método do objeto CMS chamado getToken(). É armazenado em uma propriedade do objeto CMS chamada token (isso reflete como são criados os objetos Article, Category e Member).

token

token	member_id	expires	purpose
a730730065407fa0a0508cc7f06930ed962...	4	2021-03-08 14:04:01	password_reset
4fbb47d3ebd4c0f3269ef669e4123cc8a2d...	12	2021-03-08 14:05:09	password_reset
ba5fde0992dfc85b39397bf4df89ecaa25d...	9	2021-03-08 14:05:38	password_reset

O token é composto por 64 caracteres aleatórios. Ele é gerado usando dois dos métodos predefinidos do PHP:

- random_bytes() cria uma string de bytes aleatórios; seu parâmetro é o número de bytes a retornar.
- bin2hex() converte os dados binários em hexadecimais.

GERA 64 BYTES ALEATÓRIOS

bin2hex(random_bytes(64));

CONVERTE BINÁRIOS EM HEXADECIMAIS

```php
<?php
namespace PhpBook\CMS;                  // Declara o Namespace
class Token
{
    protected $db;                      // Armazena uma referência ao objeto Database

    public function __construct(Database $db)
    {
        $this->db = $db;                // Armazena o objeto Database na propriedade $db
    }
    public function create(int $id, string $purpose): string
    {
        $arguments['token']     = bin2hex(random_bytes(64));            // Token
        $arguments['expires']   = date('Y-m-d H:i:s', strtotime('+4 hours')); // Prazo de expiração
        $arguments['member_id'] = $id;                                  // id do membro
        $arguments['purpose']   = $purpose;                             // Propósito
        $sql = "INSERT INTO token (token, member_id, expires, purpose)
                VALUES (:token, :member_id, :expires, :purpose);";      // Comando SQL
        $this->db->runSQL($sql, $arguments);                            // Executa o comando SQL
        return $arguments['token'];                                     // Retorna o token
    }
    public function getMemberId(string $token, string $purpose)
    {
        $arguments = ['token' => $token, 'purpose' => $purpose,];       // Token e propósito
        $sql = "SELECT member_id FROM token WHERE token = :token
                AND purpose = :purpose AND expires > NOW();";           // SQL para obter a id
        return $this->db->runSQL($sql, $arguments)->fetchColumn();      // Retorna a id ou false
    }
}
```

1. O objeto precisa trabalhar com o BD para que o método `__construct()` armazene uma referência para o objeto Database na propriedade $db.

2. O método `create()` cria um novo token e o armazena na tabela token do BD.

3. Um token é criado e armazenado em um array $arguments, pronto para ser adicionado a uma declaração SQL.

4. A data e a hora em que o token expirará (4 horas após ser criado) são adicionadas ao array $arguments.

5. A id do membro e a finalidade são adicionadas ao array.

6. $sql contém o comando SQL para adicionar um token ao BD.

7. O SQL é executado.

8. O novo token é retornado do método.

9. `getMemberId()` verifica se um token é válido. Retorna a id do membro se é ou false em caso contrário.

10. O token e sua finalidade são armazenados em um array.

11. A consulta SQL tenta encontrar uma linha na tabela token que contenha o token e a finalidade especificados, e quando expira no futuro. Se encontra uma correspondência, coleta a id do membro.

12. A declaração SQL é executada. Se uma linha corresponde, retorna a id do membro. Se não, retorna false.

ASSOCIAÇÃO

SOLICITAÇÃO PARA REDEFINIR SENHA

A página `password-lost.php` (direita) exibe um formulário que permite aos usuários inserirem um e-mail e solicitarem um link para atualizar a senha. Quando enviado, o site:

- Verifica se são um membro e obtém a id.
- Cria um token para eles redefinirem sua senha e salva o token no BD.
- Cria e envia um e-mail com um link para a página que redefine a senha.

1. Tipos restritos são ativados, a classe `Validate` é importada, o arquivo `bootstrap.php` é incluído e duas variáveis que as páginas Twig usam são inicializadas.

2. Uma declaração `if` verifica se o formulário foi enviado.

3. Se foi, o e-mail é coletado e validado. Se o e-mail é válido, a variável `$error` armazena uma string em branco. Se não, armazena uma mensagem de erro.

4. Uma declaração `if` verifica se `$error` é uma string em branco.

5. Se é, um novo método da classe `Member` chamado `getIdByEmail()` (abaixo) recebe o e-mail. Ele tenta encontrar o e-mail no BD. Se encontra, retorna a id do membro. Se não, retorna `false`. O valor é armazenado em `$id`.

6. Outra declaração `if` verifica se uma id foi encontrada.

7. Se foi, o método `create()` de um objeto `Token` é chamado para criar um novo token para o membro. A finalidade do token é definida para `password_reset`. O novo token retornado é armazenado em `$token`.

8. É criado um link para a página `password-reset.php`. Ele contém o novo token na string de consulta. Para criar esse link, o site precisa saber o nome de domínio do site. Isso é armazenado em uma nova constante chamada `DOMAIN`, que é declarada no arquivo `config.php`. Se você ainda não fez isso, abra o arquivo e adicione seu nome de host (veja a página 190) a essa constante.

9. São criados o assunto e o corpo do e-mail.

10. Um novo objeto `Email` é criado usando a classe `Email` (criada nas páginas 598-599); então o e-mail é enviado. Se funcionar, a variável `$sent` armazenará `true`.

11. As informações que o Twig precisa são armazenadas no array `$data` e o método `render()` do Twig é chamado.

12. O template `password-lost.html` (mostrado no segundo box de código à direita) cria o formulário. Uma declaração `if` do Twig verifica se a variável `sent` contém um valor `false`. Se contém, o usuário vê um formulário para solicitar um link de redefinição de senha. Se não, é exibida uma mensagem informando que foram enviadas instruções para redefinir a senha via e-mail.

```
c16/src/classes/CMS/Member.php                                          PHP

public function getIdByEmail(string $email)
{
    $sql = "SELECT id FROM member
            WHERE email = :email;";                // Consulta SQL para obter a
                                                   // id do membro
    return $this->db->runSQL($sql, [$email])->fetchColumn();  // Executa SQL e retorna a id
}                                                             // do membro
```

ASSOCIAÇÃO

PHP — c16/public/password-lost.php

```php
<?php
declare(strict_types = 1);                                      // Usa tipos restritos
use PhpBook\Validate\Validate;                                  // Importa Namespace Validate
include '../src/bootstrap.php';                                 // Arquivo de configuração
$error = false;                                                 // Mensagem de erro
$sent  = false;                                                 // Tem e-mail que foi enviado

if ($_SERVER['REQUEST_METHOD'] == 'POST') {                     // Se formulário postado
    $email = $_POST['email'];                                   // Obtém o e-mail
    $error = Validate::isEmail($email) ? '' : 'Please enter your email';  // Valida
    if ($error === '') {                                        // Se válido
        $id = $cms->getMember()->getIdByEmail($email);          // Obtém a id do membro
        if ($id) {                                              // Se id encontrada
            $token = $cms->getToken()->create($id, 'password_reset');  // Token
            $link  = DOMAIN . DOC_ROOT . 'password-reset.php?token=' . $token;  // Link
            $subject = 'Reset Password Link';                   // Assunto e corpo do e-mail
            $body    = 'To reset password click: <a href="' . $link . '">' . $link . '</a>';
            $mail    = new \PhpBook\Email\Email($mail_config);  // Objeto para e-mail
            $sent    = $mail->sendEmail($mail_config['admin_email'], $email,
                $subject, $body);                               // Envia e-mail
        }
    }
}
$data['navigation'] = $cms->getCategory()->getAll();            // Categoria para navegação
$data['error']      = $error;                                   // Erros de validação
$data['sent']       = $sent;                                    // E-mail enviado

echo $twig->render('password-lost.html', $data);                // Renderiza template
```

TWIG — c16/templates/password-lost.html

```twig
{% extends 'layout.html' %}
{% block title %}Password Reset{% endblock %}
{% block content %} ...
  {% if sent == false %}
  <form method="post" action="password-lost.php" class="form-membership"> ...
    <label for="email">Enter your email address: </label>
    <input type="text" name="email" id="email" class="form-control"><br>
    <input type="submit" name="submit" value="Send email to reset password" class="btn">
    <span class="errors">{{ error }}</span><br>
  </form>
  {% else %}
  <p>If your address is registered, we will email instructions to reset your password.</p>
  {% endif %} ...
{% endblock %}
```

REDEFININDO UMA SENHA

Quando um usuário clica no link no e-mail de senha perdida, ele é enviado para `password-reset.php` (direita). Se encontra um token válido na string de consulta, mostra ao usuário um formulário para atualizar a senha.

1. Se a string de consulta tem um token, ele é armazenado em `$token`. Se não, o usuário é enviado para `login.php`.
2. O método `getMemberId()` do objeto `Token` tenta obter a id do membro. Se encontra, é armazenada em `$id`.
3. Se nenhuma id é retornada, o usuário é enviado para `login.php`. Se é, o formulário pode ser exibido ou processado.
4. Uma declaração `if` verifica se o formulário foi postado.
5. Se foi, a senha (e a confirmação) é buscada.
6. Os valores são validados para assegurar que atendem aos requisitos de senha e se ambas as caixas contêm a mesma senha. Qualquer erro é armazenado em `$errors`.
7. Qualquer erro é reunido como uma string em `$invalid`.
8. Se algum erro foi encontrado, uma mensagem é armazenada na chave `message` do array `$errors`.
9. Do contrário, um novo método da classe `Member` denominado `passwordUpdate()` é chamado para atualizar a senha do membro (mostrada abaixo).
10. Os dados do membro são coletados.
11. Os dados do membro são usados para criar e enviar um e-mail informando que a senha foi atualizada.
12. Então, ele é redirecionado para a página de login com uma mensagem de sucesso mostrando que a senha foi atualizada.
13. As informações que o Twig precisa são armazenadas em `$data`.
14. O template `password-reset.html` cria o formulário. Ele pode ser encontrado no código de download.
15. O novo método da classe `Member` chamado `passwordUpdate()` (abaixo) requer a id do membro e sua nova senha.
16. É criado um hash da nova senha.
17. Uma declaração SQL atualiza o hash da senha armazenado para esse membro e a função retorna `true`.

`c16/src/classes/CMS/Member.php` **PHP**

```php
(15) public function passwordUpdate(int $id, string $password): bool
    {
(16)    $hash = password_hash($password, PASSWORD_DEFAULT);  // Hash para a senha
        $sql = 'UPDATE member
                SET password = :password
(17)            WHERE id = :id;';                             // Comando SQL para atualizar senha
        $this->db->runSQL($sql, ['id' => $id, 'password' => $hash,]); // Executa o comando SQL
        return true;                                          // Retorna true
    }
```

```
PHP                                                         c16/public/password-reset.php

        <?php
        declare(strict_types = 1);                              // Usa tipos restritos
        use PhpBook\Validate\Validate;                          // Importa classe Validate

        include '../src/bootstrap.php';                         // Arquivo de configuração
        $errors = [];                                           // Inicializa matriz

        $token = $_GET['token'] ?? '';                          // Obtém token
        if (!$token) {                                          // Se id não retornada
   ①        redirect('login.php');                              // Redireciona
        }
   ②    $id = $cms->getToken()->getMemberId($token, 'password_reset'); // Obtém id do membro
        if (!$id) {                                             // Se não há id
   ③        redirect('login.php', ['warning' => 'Link expired, try again.',]); // Redireciona
        }

   ④    if ($_SERVER['REQUEST_METHOD'] == 'POST') {             // Se formulário postado
   ⑤        $password = $_POST['password'];                     // Obtém a nova senha
            $confirm  = $_POST['confirm'];                      // Obtém a confirmação da senha
            // Valida senhas e verifica correspondência
            $errors['password'] = Validate::isPassword($password)
                ? '' : 'Passwords must be at least 8 characters and have:<br>
   ⑥                A lowercase letter<br>An uppercase letter<br>A number
                    <br>And a special character';              // Senha inválida
            $errors['confirm']  = ($password === $confirm)
                ? '' : 'Passwords do not match';                // Senhas não conferem
   ⑦        $invalid = implode($errors);                        // Une as mensagens de erro

   ⑧        if ($invalid) {                                     // Se senha inválida
                $errors['message'] = 'Please enter a valid password.'; // Armazena mensagem de erro
   ⑨        } else {                                            // Caso contrário
                $cms->getMember()->passwordUpdate($id, $password); // Atualiza senha
   ⑩            $member  = $cms->getMember()->get($id);         // Obtém detalhes do membro
                $subject = 'Password Updated';                  // Cria assunto e corpo do e-mail
                $body    = 'Your password was updated on ' . date('Y-m-d H:i:s') .
   ⑪                ' - if you did not reset the password, email ' . $email_config['admin_email'];
                $email   = new \PhpBook\Email\Email($email_config);    // Cria objeto de e-mail
                $email->sendEmail($email_config['admin_email'], $member['email'], $subject, $body);
   ⑫            redirect('login.php, ['success' => 'Password updated']); // Redireciona para login
            }
        }

        $data['navigation'] = $cms->getCategory()->getAll();    // Todas as categorias para navegação
   ⑬    $data['errors']     = $errors;                          // Matriz de erros
        $data['token']      = $token;                           // Token
   ⑭    echo $twig->render('password-reset.html', $data);       // Renderiza template
```

RESUMO
ASSOCIAÇÃO

- Para se registrar em um site, um membro deve fornecer um identificador exclusivo (como um e-mail) e uma senha para confirmar que ele é quem diz ser.

- As informações sobre os membros podem ser armazenadas no BD entre suas visitas no site.

- Quando um membro retorna e faz login, uma sessão pode lembrar que ele se conectou e armazena dados sobre ele durante essa visita.

- Em vez de armazenar as senhas dos membros no BD, um hash da senha é armazenado.

- As funções determinam o que os membros têm permissão para fazer.

- Tokens podem ser usados para identificar os usuários sem conter dados pessoais, como e-mail ou id.

- Tokens devem ser usados quando os usuários têm permissão para atualizar o BD sem fazer login.

17
ADICIONANDO FUNCIONALIDADE

Este capítulo mostra como adicionar novos recursos a um site. As URLs serão alteradas para que sejam amigáveis para as ferramentas de busca e os usuários conseguirão curtir e comentar sobre os artigos.

URLs amigáveis para os mecanismos de busca ajudam na SEO (Otimização para Ferramentas de Busca) do site porque usam palavras-chaves nas URLs, como títulos do artigo ou nomes da categoria.

Por exemplo, a URL desta página do artigo `https://eg.link/article.php?id=24` mudará para `https://eg.link/article/24/travel-guide,` contendo seu título.

Quando você aprender a mudar as URLs do site de exemplo para essa nova estrutura, a segunda seção adicionará dois recursos novos que permitem aos membros conectados:

- **Curtir** uma parte do trabalho (como o Facebook, o Instagram e o Twitter permitem que os membros curtam as postagens escritas por outros membros).
- **Comentar** sobre uma parte do trabalho para adicionar opiniões e feedback.

Adicionar novos recursos a um site envolve:

- Listar o que os usuários conseguirão fazer.
- Determinar quais dados precisarão ser armazenados no BD.
- Implementar a funcionalidade no código e nos templates [modelos] do PHP.

As habilidades aprendidas nesta seção final também podem ser aplicadas para desenvolver novos sites.

ADICIONANDO FUNCIONALIDADE 635

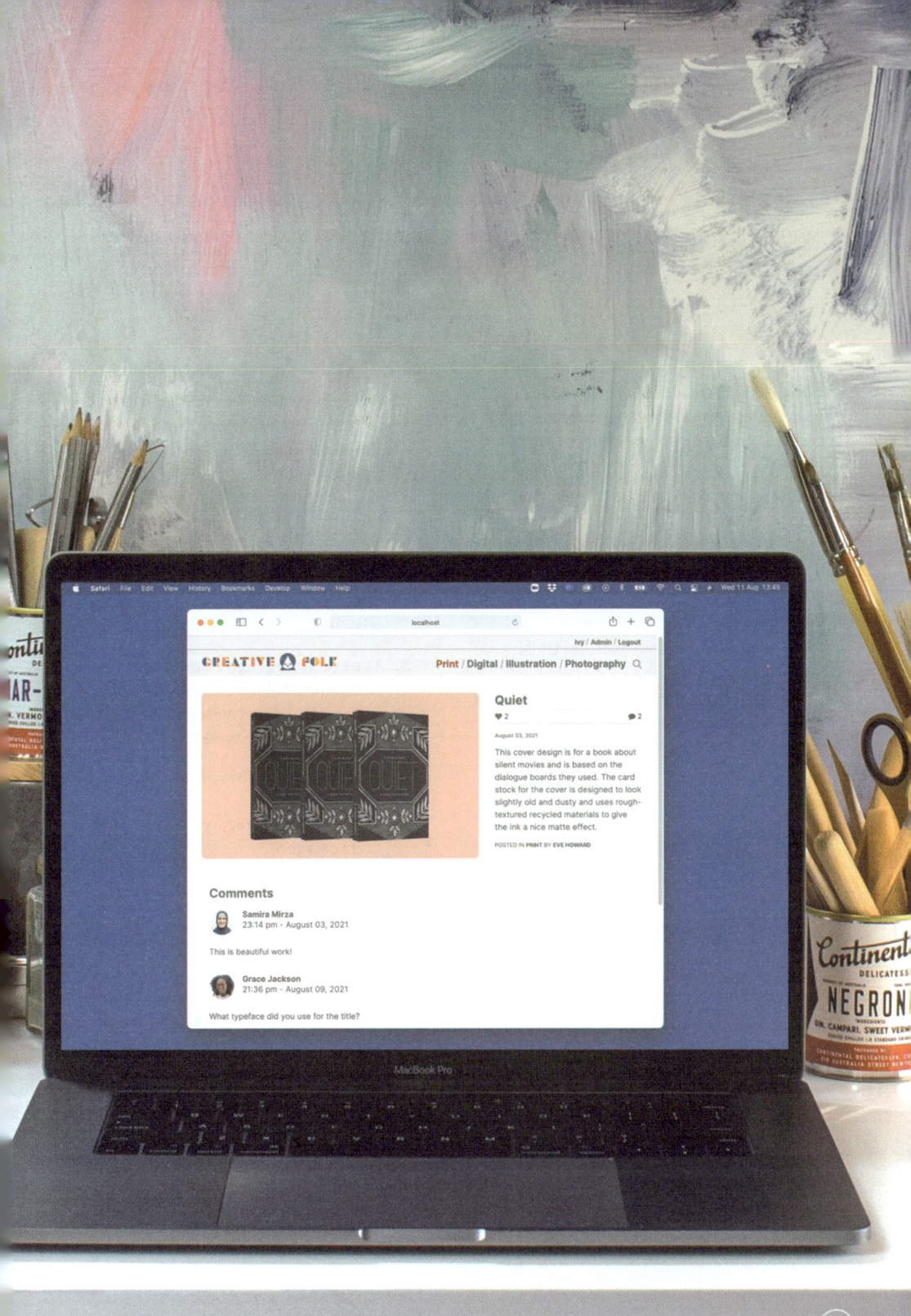

URLS AMIGÁVEIS PARA FERRAMENTAS DE BUSCA

Usar palavras que descrevem o conteúdo em uma página na URL ajuda a Otimização para Ferramentas de Busca (SEO), de modo que as páginas tenham mais destaque nos mecanismos. Também torna as URLs mais fáceis de ler.

Até agora neste livro a URL de cada página do site de exemplo usou um caminho para o arquivo PHP que deve ser executado. Se a página precisava obter dados no BD, a id dos dados era especificada na string de consulta.

Muitos sites usam URLs mais descritivas e amigáveis para SEO, em vez de caminhos de arquivo. Quando um visitante solicita essas URLs descritivas, o site converte a URL em um caminho de arquivo e informa ao arquivo quais dados devem ser exibidos. É uma técnica conhecida como **reescrita de URL**.

Existem vários modos de escrever URLs amigáveis para SEO. Abaixo, ao lado das antigas URLs usadas nos capítulos anteriores, veja o novo formato amigável para SEO que será usado neste capítulo.

As novas URLs amigáveis para SEO terão até três partes, cada uma separada por barra:

1. Elas começam do mesmo modo, com um caminho para o arquivo, mas a extensão de arquivo `.php` é removida. Os nomes de arquivo existentes (menos a extensão) funcionam nas URLs amigáveis para SEO porque descrevem a finalidade da página.

2. Em seguida, se a antiga URL tinha uma string de consulta contendo a id dos dados a obter no BD, haverá uma barra seguida da id dos dados a obter no BD.

3. As páginas do artigo e da categoria adicionam nomes amigáveis para SEO que ajudam os mecanismos de busca a indexarem essas páginas:
   - As páginas Article usam o título do artigo.
   - As páginas Category usam o nome da categoria.

ANTIGA URL	NOVA URL
https://localhost/register.php	https://localhost/register
https://localhost/login.php	https://localhost/login
https://localhost/category.php?id=2	https://localhost/category/2/digital
https://localhost/category.php?id=4	https://localhost/category/4/photography
https://localhost/article.php?id=19	https://localhost/article/19/forecast
https://localhost/article.php?id=24	https://localhost/article/24/travel-guide
https://localhost/member.php?id=2	https://localhost/member/2
https://localhost/admin/article.php?id=24	https://localhost/admin/article/24

Como as novas URLs não têm mais os caminhos do arquivo, toda solicitação para uma página PHP será enviada para um arquivo `index.php`. Ele pegará a URL amigável para SEO, irá dividi-la em cada barra, então armazenará cada parte como um elemento separado em um array. Para as páginas com solicitação pública, as partes do array armazenarão:

1. O arquivo que deve processar a solicitação.
2. A ID dos dados no BD (se usado).
3. O termo amigável para SEO (se adicionado).

Então, `index.php` pega o valor no primeiro elemento do array e adiciona a ele a extensão de arquivo `.php`. Isso replica os nomes de arquivo usados nas antigas URLs.

A página `index.php` incluirá esse arquivo para lidar com a solicitação. A tabela abaixo mostra:

- Caminho (é a parte da URL após o host).
- Array criado quando o caminho é dividido.
- Descrição de cada parte que será usada.

CAMINHO	PARTES	
register	`$parts[0] = 'register';`	Cria um array com apenas um elemento. Indica que o arquivo `index.php` deve incluir a página `register.php` para registrar um novo usuário.

category/2/digital	`$parts[0] = 'category';`
	`$parts[1] = '2';`
	`$parts[2] = 'digital';`
		Cria um array com três elementos declarando que:
		- O arquivo `category.php` deve ser incluído.
		- A id da categoria é 2.
		- O nome é `'digital'` (ajuda na SEO).

article/15/seascape	`$parts[0] = 'article';`
	`$parts[1] = '15';`
	`$parts[2] = 'seascape';`
		Cria um array com três elementos declarando que:
		- O arquivo `article.php` deve ser incluído.
		- A id do artigo é 15.
		- O título é `'seascape'` (ajuda na SEO).

Os mecanismos de busca não devem indexar as páginas admin, portanto suas URLs não terminam com termos amigáveis para SEO. Quando a URL para uma página admin é dividida em cada barra e se transforma em um array, os elementos:

1. Especificam que é uma página `admin`.
2. Indicam qual arquivo deve processar a solicitação.
3. Contêm a id dos dados com os quais a página trabalha (se necessário).

Quando `index.php` cria o array, ele verifica se o valor do primeiro elemento é `admin`. Se é, a solicitação é para uma página admin e ele cria o caminho para o arquivo a incluir de um modo diferente, reunindo:

- O valor no primeiro elemento.
- Uma barra.
- O valor no segundo elemento.
- A extensão de arquivo `.php`.

CAMINHO	PARTES	

admin/article/15	`$parts[0] = 'admin';`
	`$parts[1] = 'article';`
	`$parts[2] = '15';`
		Este array especifica que:
		- O PHP a incluir é `admin/article.php`.
		- A id do artigo a trabalhar é 15.

admin/category/1	`$parts[0] = 'admin';`
	`$parts[1] = 'category';`
	`$parts[2] = '1';`
		Este array especifica que:
		- O PHP a incluir é `admin/category.php`.
		- A id da categoria a trabalhar é 1.

NOTA: as URLs não podem ter espaços e vários caracteres também têm um significado especial, como: / ? : ; @ = & " < > # % { } | \ ^ ~ [ ] `

Esses caracteres devem ser removidos do título do artigo ou do nome da categoria antes de serem usados em uma URL, e esse novo valor será armazenado no BD.

ESTRUTURA DE ARQUIVOS ATUALIZADA

O arquivo `index.php` é o único arquivo PHP que restou na pasta-raiz do documento. Todas as páginas PHP que ele incluiu quando processou a URL ficaram acima da raiz do documento, no diretório `src/pages`.

Veja abaixo a nova estrutura de arquivos que será usada neste capítulo.

Todas as páginas PHP foram retiradas do diretório `public` (que representa a pasta-raiz do documento) para o diretório `src/pages`.

Existem dois arquivos novos na pasta `public`:

- `.htaccess` contém regras para direcionar todas as solicitações para `index.php` (é um arquivo de configuração do Apache).
- `index.php` processará a URL e incluirá a página PHP relevante da pasta `src/pages`.

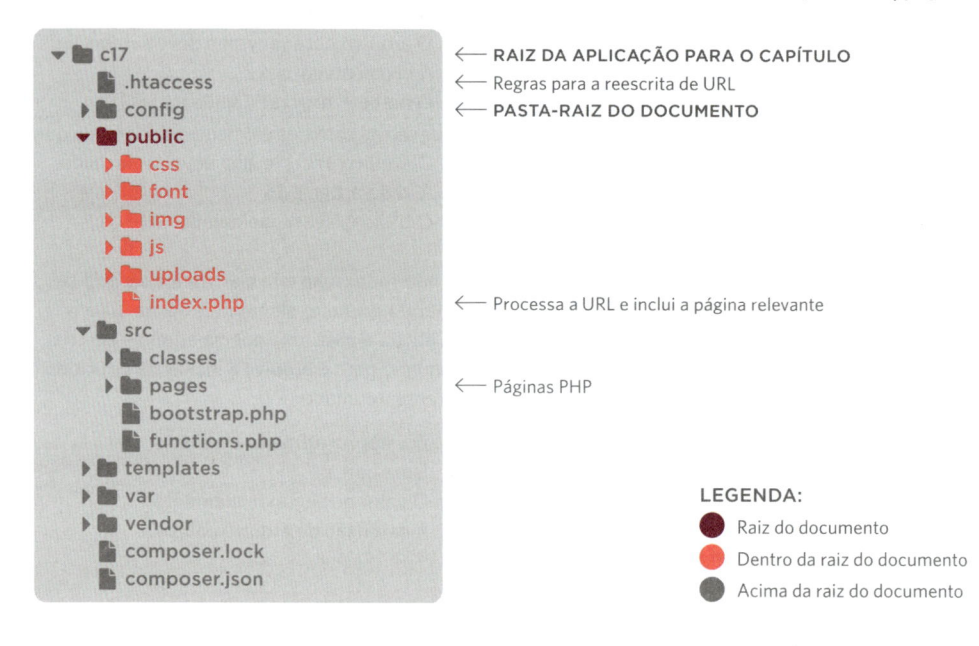

```
▼ c17
    .htaccess              ← Regras para a reescrita de URL
  ▶ config
  ▼ public                 ← PASTA-RAIZ DO DOCUMENTO
    ▶ css
    ▶ font
    ▶ img
    ▶ js
    ▶ uploads
      index.php            ← Processa a URL e inclui a página relevante
  ▼ src
    ▶ classes
    ▶ pages                ← Páginas PHP
      bootstrap.php
      functions.php
  ▶ templates
  ▶ var
  ▶ vendor
    composer.lock
    composer.json
```

← RAIZ DA APLICAÇÃO PARA O CAPÍTULO

LEGENDA:
- Raiz do documento
- Dentro da raiz do documento
- Acima da raiz do documento

IMPLEMENTANDO URLS AMIGÁVEIS PARA SEO

Ao adicionar novos recursos, é preciso considerar quais dados armazenar, como implementar os recursos no código e como atualizar a interface. Abaixo essas questões são abordadas com o acréscimo de URLs amigáveis para SEO.

QUAIS DADOS ARMAZENAR E COMO

Quando um artigo ou uma categoria são criados ou atualizados, um nome amigável para SEO para esse artigo ou categoria será criado e armazenado no BD.

Os nomes são armazenados na coluna `seo_title` da tabela `article` e na coluna `seo_name` da tabela `category`. Veja abaixo a tabela `category` atualizada.

category				
id	name	description	navigation	seo_name
1	Print	Inspiring graphic design	1	print
2	Digital	Powerful pixels	1	digital
3	Illustration	Hand-drawn visual storytelling	1	illustration

COMO IMPLEMENTAR A NOVA FUNCIONALIDADE NO CÓDIGO

Como as URLs amigáveis para SEO não usam um caminho para um arquivo PHP, as regras em um novo arquivo `.htaccess` na pasta-raiz do documento pedem que o servidor da web envie todas as solicitações das páginas PHP para `index.php`.

Então, `index.php` processa a URL solicitada e:

- Obtém a id de qualquer dado que precisa coletar no BD e salva essa id em uma variável.
- Inclui o arquivo PHP certo para lidar com a solicitação.

Quando artigos ou categorias forem adicionados ou editados:

- Uma nova função `create_seo_name()` criará nomes amigáveis para SEO.
- Os métodos existentes das classes `Article` e `Category` salvarão esses novos nomes no BD.

Quando são coletados dados do artigo e da categoria no BD, o nome amigável para SEO é retornado e passado para os templates do Twig para criar novos links.

ATUALIZANDO A INTERFACE

Nos templates do Twig, todos os links precisam de atualização. Onde eles têm um nome amigável para SEO, isto é adicionado.

Veja abaixo um link para uma página do artigo. Ele usa a id do artigo, então seu título amigável para SEO.

```
<a href="article/ {{ article.id }}/{{ article.seo_title }}">
```

REESCRITA DE URL

O servidor da web Apache tem um mecanismo de reescrita de URL predefinido. Ele usa regras para determinar quando uma solicitação para uma URL deve ser transformada em uma solicitação para uma URL diferente.

URLs para SEO são usadas apenas para as *páginas* que os visitantes solicitam, como as de artigo, categoria e membro. Elas não são usadas para os outros arquivos que essas páginas precisam, como imagem, CSS, JavaScript e arquivos de fonte; suas URLs ficam iguais. É pedido que o mecanismo de reescrita de URL do servidor da web Apache:

- Forneça a imagem, a CSS, o JavaScript e os arquivos de fonte como antes, porque suas URLs não mudaram.
- Envie todas as outras solicitações para o arquivo `index.php`.

O arquivo `index.php` processará a URL e incluirá o devido arquivo.

Como visto nas páginas 196-199, os arquivos `.htaccess` controlam as configurações do servidor da web Apache (inclusive o mecanismo de reescrita de URL). Existe um arquivo `.htaccess` na pasta c17 (com configurações para a codificação de caracteres e os tamanhos de upload dos arquivos). As regras para controlar esse mecanismo são adicionadas ao arquivo.

1. Primeiro, o mecanismo de reescrita de URL é ativado.

As instruções para esse mecanismo são compostas por duas partes em linhas separadas:

- Uma **condição** para especificar quando uma regra deve ser executada.
- Uma **regra** para mostrar o que acontece se a condição é atendida.

2. A condição informa: se a solicitação é para um arquivo que *não* existe no servidor, processe a próxima regra:

- As URLs usadas para incluir imagens, CSS, JavaScript e arquivos de fonte especificam o local desses arquivos no servidor (portanto, a regra subsequente *não será* executada).
- As URLs para SEO não apontam para um arquivo no servidor (então, a regra subsequente *será* executada).

3. A regra indica que a solicitação deve ser tratada pelo arquivo `index.php` localizado na pasta-raiz do documento.

c17/public/.htaccess — PHP

```
...
① RewriteEngine On
② RewriteCond %{REQUEST_FILENAME} !-f
③ RewriteRule . public/index.php
```

Um arquivo `.htaccess` pode conter várias condições, cada uma seguida por regras a executar caso a condição seja atendida.

Ele tem outras ferramentas poderosas para a reescrita de URLs, mas não temos espaço para cobri-las neste livro.

ATUALIZANDO URLS

Ao usar URLs amigáveis para SEO, os links para outras páginas, assim como imagem, CSS, JavaScript e arquivos de fonte, devem ser relativos à raiz do documento. Em geral, é uma barra, mas o site de exemplo deve usar uma constante.

Nos capítulos anteriores, os links para outras páginas do site e os links para imagem, CSS, JavaScript e arquivos de fonte usaram URLs relativas à página PHP atual. As novas URLs para SEO fazem com que as páginas pareçam estar em pastas diferentes. Por exemplo, estas duas URLs parecem apontar para pastas que não existem:

/category/1/print
/article/22/polite-society-posters

Portanto, todos os links relativos devem ser atualizados para que os caminhos sejam relativos à pasta-raiz do documento do site, não à sua página atual.

Os sites costumam usar uma barra como o caminho para a pasta-raiz do documento. Mas, como o código de download tem muitas versões do site de exemplo, a pasta `public` dentro do código de cada capítulo foi tratada como se fosse a pasta-raiz do documento desde o Capítulo 14. O caminho para a pasta `public` será usado no início de **todos** os links relativos no site.

Esse caminho é armazenado em uma constante em `config.php`. Então, `bootstrap.php` a adiciona a uma variável global do Twig chamada `doc_root` para que possa ser usada em todos os templates. Veja-a abaixo no início dos links para as páginas (que agora têm títulos amigáveis para SEO) e nos arquivos de imagem.

`TWIG` c17/templates/article-summaries.html

```twig
{% for article in articles %}
<article class="summary">
<a href="{{ doc_root }}article/{{ article.id }}/{{ article.seo_title }}">
  {% if article.image_file %}
  <img src="{{ doc_root }}uploads/{{ article.image_file }}" alt="{{ article.image_alt }}">
  {% else %}
  <img src="{{ doc_root }}uploads/blank.png" alt="">
  {% endif %}

  ...

  {% if session.id == article.member_id %}
    <a href="{{ doc_root }}work/{{ article.id }}" class="btn btn-primary">Edit</a>
  {% endif %}</article>
{% endfor %}
```

LIDANDO COM SOLICITAÇÕES

Qualquer solicitação que não seja para imagem, CSS, JavaScript ou arquivo de fonte será enviada para o arquivo `index.php`. Ele processa a URL, transforma-a em um array e, então, inclui o arquivo PHP certo para lidar com a solicitação.

1. O arquivo `index.php` inclui `bootstrap.php` para não ter que repetir essa declaração em todas as páginas PHP.

Em seguida, a URL solicitada é convertida em um array.

2. O caminho solicitado (a parte após o nome de host) é obtido no superglobal `$_SERVER` do PHP. É convertido em letras minúsculas e armazenado em `$path`.

3. A parte do caminho até a pasta `public` deste capítulo (que *seria* a raiz do documento) é removida da variável. Para este capítulo, removeria `phpbook/section_d/c17/public/` (essa etapa é necessária apenas porque o código de download contém muitas versões do site).

4. A função `explode()` do PHP é usada para dividir o caminho em toda barra e armazenar cada parte dos dados como um elemento separado em um array `$parts`.

Como visto na página 637, se uma página pública é solicitada, o primeiro elemento indica o arquivo a usar. Se é uma página admin, o primeiro elemento tem um valor `admin` e o segundo indica o arquivo a usar. Por exemplo:

CAMINHO	PARTES

`article`/`15`/`seascape`	`$parts[0] = 'article';`
	`$parts[1] = '15';`
	`$parts[2] = 'seascape';`

`admin`/`article`/`15`	`$parts[0] = 'admin';`
	`$parts[1] = 'article';`
	`$parts[2] = '15';`

5. O arquivo verifica se a solicitação é para uma página pública ou admin examinando o valor do primeiro elemento no array `$parts`. Se o primeiro elemento do array *não* é `admin`, significa que a solicitação é para uma página que o público pode visualizar.

6. O primeiro elemento do array `$parts` determina o nome do arquivo que deve ser incluído para lidar com a solicitação. Por exemplo, se o usuário solicitasse uma página do artigo, o valor seria `article` (como mostrado na tabela à esquerda inferior).

Se o usuário solicitasse a home page, não haveria valor para esse elemento do array, portanto `$page` deveria armazenar a palavra `index`.

Para tanto, é usada uma nova versão de atalho do operador ternário, conhecida como operador Elvis.

Em vez de escrever:
`$page = $parts[0] ? $parts[0] : 'index';`

Este atalho é usado:
`$page = $parts[0] ?: 'index';`

Se `$parts[0]` tem um valor, ele é armazenado em `$page`; se não, `$page` armazenará o valor `index`.

7. Se o segundo elemento do array tiver um valor, ele será a id dos dados com os quais a página trabalha. Se uma id existe no segundo elemento do array, ela é armazenada em `$id`; do contrário, `$id` armazena `null`.

```php
<?php
include '../src/bootstrap.php';                          // Arquivo de configuração

$path  = mb_strtolower($_SERVER['REQUEST_URI']);         // Obtém o caminho em letras minúsculas
$path  = substr($path, strlen(DOC_ROOT));                // Remove DOC_ROOT
$parts = explode('/', $path);                            // Divide em uma matriz na /

if ($parts[0] != 'admin') {                              // Se for página admin
    $page = $parts[0] ?: 'index';                        // Nome da página (ou usa o índice)
    $id   = $parts[1] ?? null;                           // Obtém a id (ou usa null)
} else {                                                 // Se não é página admin
    $page = 'admin/' . ($parts[1] ?? '');                // Nome da página
    $id   = $parts[2] ?? null;                           // Obtém ID
}
$id = filter_var($id, FILTER_VALIDATE_INT);              // Valida ID

$php_page = APP_ROOT . '/src/pages/' . $page . '.php';   // Caminho para página PHP
if (!file_exists($php_page)) {                           // Se página não está na matriz
    $php_page = APP_ROOT . '/src/pages/page-not-found.php'; // Inclui página não encontrada
}
include $php_page;                                       // Inclui arquivo PHP
```

8. Se o usuário solicitar uma página admin, o primeiro elemento no array $parts conterá a palavra admin; o segundo conterá o nome da página.

9. A variável $page começa a criar o caminho para o arquivo que tratará a solicitação. Ela usa a string admin/ seguida do nome da página. (Se a URL terminasse com admin/ (não especificou uma página) não haveria parts[1], portanto o operador de coalescência nula substitui o valor por uma string em branco.)

10. Se há uma id na URL, ela é armazenada em $id; do contrário, $id armazena null.

11. A função filter_var() do PHP é usada para verificar se o valor armazenado em $id é um inteiro. Isso evita que cada página PHP que usa uma id repita essa declaração para verificar se o valor em $id é um inteiro. Nesse ponto, a página tem três variáveis:

    - $parts: o array das partes da URL.
    - $page: o nome da página (se é uma página admin, é precedida por admin/).
    - $id: a id, se fornecida na URL.

12. O caminho para a página que lidará com a solicitação é armazenado em $php_page. É criado reunindo:

    - Valor em APP_ROOT (criado em bootstrap.php).
    - Caminho para as páginas PHP/src/pages/.
    - Valor em $page.
    - Extensão de arquivo .php.

13. A função file_exists() do PHP verifica se o caminho para o arquivo PHP criado na Etapa 12 não corresponde a um arquivo real no servidor.

14. Se não, o valor armazenado em $php_page é atualizado com o caminho para o arquivo page-not-found.php. Isso termina com um comando exit que interromperia a execução de qualquer código adicional.

15. Se a página PHP ainda estiver rodando, o arquivo PHP armazenado em $php_page é incluído na página. As páginas PHP incluídas são executadas como antes, quando solicitadas na URL (porque é como o código foi copiado e colado onde está a diretiva include do PHP).

CRIANDO NOMES DA SEO

Quando artigos e categorias são criados ou atualizados, uma nova função chamada `create_seo_name()` é usada para criar um nome amigável para SEO para o artigo ou a categoria.

Como as URLs não podem ter espaços nem certos caracteres com significado especial (como / ? = & #), uma função `create_seo_name()` é adicionada a `functions.php` para criar um nome amigável para SEO a partir dos títulos do artigo e dos nomes da categoria contendo apenas letras de A-z, números de 0-9 e traços.

A função `transliterator_transliterate()` do PHP também tentará substituir os caracteres não ASCII pelo equivalente ASCII mais próximo (com base na semelhança fonética). Por exemplo Über mudaria para Uber e École para Ecole. O Apache precisa de uma extensão instalada para a transliteração funcionar, portanto o código usa o método `function_exists()` do PHP para verificar se a função está disponível antes de chamá-la. Ele realiza a tarefa somente se a função está disponível. Para saber mais, acesse http://notes.re/php/transliteration [conteúdo em inglês].

1. `create_seo_name()` tem uma string como parâmetro e retorna uma versão amigável para SEO desse texto.
2. O texto é convertido em letras minúsculas.
3. Qualquer espaço é removido do início e do fim.
4. A função `function_exists()` predefinida do PHP verifica se a função `transliterator_transliterate()` está disponível. Se está, é chamada para tentar substituir os caracteres não ASCII pelos equivalentes ASCII.
5. `preg_replace()` substitui os espaços por traços.
6. Então, remove qualquer coisa diferente de -, A-z ou 0-9.
7. O nome atualizado do artigo ou da categoria é retornado.

`c17/src/functions.php` — PHP

```php
function create_seo_name(string $text): string
{
    $text = strtolower($text);                    // Converte texto para letras minúsculas
    $text = trim($text);                          // Remove espaços do início e do fim
    if (function_exists('transliterator_transliterate')) {  // Se transliterador instalado
        $text = transliterator_transliterate('Latin-ASCII', $text); // Efetua a transliteração
    }
    $text = preg_replace('/ /', '-', $text);      // Substitui espaços com barras
    $text = preg_replace('/[^-A-z0-9]+/', '', $text); // Remove se não é uma barra, letras
                                                  // A-z e números 0-9
    return $text;                                 // Retorna o nome SEO
}
```

SALVANDO OS NOMES SEO

A função `create_seo_name()` é chamada quando um artigo ou uma categoria são criados ou atualizados. Então, esse nome é passado para os métodos que atualizam o BD.

1. Se uma categoria é criada ou atualizada, category.php (agora em src/pages/admin) chama `create_seo_name()` e passa o nome da categoria como um argumento.

O nome amigável para SEO retornado é armazenado no array de dados da categoria. Esse array é passado para o método `create()` ou `update()` do objeto `Category`.

PHP — c17/src/pages/admin/category.php

```php
$category['name']        = $_POST['name'];                          // Obtém o nome
$category['description'] = $_POST['description'];                    // Obtém a descrição
$category['navigation']  = (isset($_POST['navigation'])) ? 1 : 0;    // Obtém a navegação
① $category['seo_name']   = create_seo_name($category['name']);       // Nome SEO amigável
```

2. Quando o método `create()` ou `update()` do objeto `Category` é chamado, o array `$category` tem um novo elemento que contém o nome amigável para SEO.

3. As cláusulas INSERT e UPDATE da declaração SQL são atualizadas para salvar o novo nome para SEO.

O processo para os artigos é igual:

- Uma chave `seo_title` é adicionada ao array `$article` em admin/article.php e work.php.
- O título para SEO é salvo no BD quando o método `create()` ou `update()` da classe `Article` é chamado.

PHP — c17/src/classes/CMS/Category.php

```php
② public function create(array $category): bool
   {
       try {                                                                    // Tenta criar
③          $sql = "INSERT INTO category (name, description, navigation, seo_name )
④                  VALUES (:name, :description, :navigation, :seo_name );";      // Comando SQL
   ...
```

NOTA: as colunas `seo_name` e `seo_title` no BD têm restrições de exclusividade (como as colunas `name` e `title`) para assegurar que os nomes SEO sejam únicos.

O código para salvar os nomes para SEO também está no Capítulo 16 para garantir que o BD os armazenará, caso sejam feitas alterações ao executar o código desse capítulo.

ADICIONANDO FUNCIONALIDADE

EXIBINDO PÁGINAS COM NOMES AMIGÁVEIS PARA SEO

As páginas de artigo e categoria usam nomes amigáveis para SEO nas URLs. Essas páginas verificam se o nome para SEO está correto antes de exibir a página.

Primeiro, os métodos `get()` e `getAll()` da classes `Article` e `Category` são atualizados para coletar seus nomes para SEO no BD.

1. O SQL no método `get()` da classe `Category` solicita dados na coluna `seo_name`.

Em seguida, duas tarefas são removidas de **todos** os arquivos PHP que foram movidos para a pasta `src/pages` porque essas tarefas agora são realizadas no `index.php`:

- Inclua o arquivo `bootstrap.php`.
- Obtenha a id da string de consulta e valide-a.

Então, uma nova tarefa é adicionada aos arquivos `article.php` e `category.php`. Ela verifica se o nome amigável para SEO na URL está correto porque muitos links *poderiam* apontar para o mesmo artigo usando títulos diferentes, como:

- ✅ http://eg.link/article/24/travel-guide
- ❌ http://eg.link/article/24/japan-guide
- ❌ http://eg.link/article/24/guide-book

Cada URL tem a informação que o site precisa para obter os dados para a página (se tem o tipo de página a incluir e uma id). Contudo, os mecanismos de busca podem pensar que são páginas diferentes com conteúdo duplicado, e isso é algo que pode penalizar os sites. Essa situação poderia surgir se outro site escreveu errado um link para a página e se o título do artigo mudou após o link ser criado.

Assim, as páginas `article.php` e `category.php` verificam se a parte amigável da SEO na URL (que foi armazenada no array `$parts` pelo arquivo `index.php`) corresponde ao nome amigável para SEO no BD. Se não, o usuário é redirecionado para a URL correta.

2. Uma declaração `if` verifica se o nome amigável para SEO na URL (o valor no terceiro elemento do array `$parts` criado em `index.php`) corresponde ao nome amigável para SEO no BD (os dois valores são convertidos em letras minúsculas antes da comparação).

3. Se não correspondem, a função `redirect()` envia o visitante para a mesma página usando o nome para SEO correto na URL.

Por fim, cada link em cada template precisa ser atualizado para usar as URLs amigáveis para SEO.

4. O caminho será composto por:

- Caminho para a pasta-raiz do documento do site (em geral é uma /, mas, como o código de download tem muitas versões do site, é o caminho para a pasta `public` deste capítulo).
- Nome da página PHP menos a extensão `.php`.
- Id do artigo ou da categoria.
- Nome SEO se o link é um artigo ou uma categoria.

5. O caminho para os arquivos de imagem também precisa incluir o caminho para a raiz do documento (veja a página 641).

PHP   c17/src/classes/CMS/Category.php

```php
    public function get(int $id)
    {
①       $sql = "SELECT id, name, description, navigation, seo_name
                FROM category
                WHERE id = :id;";                   // SQL para obter uma categoria
        return $this->db->runSQL($sql, [$id])->fetch();  // Retorna dados da categoria
    }
```

PHP   c17/src/pages/category.php

```php
<?php
declare(strict_types = 1);                          // Usa tipos restritos

if (!$id) {         // Se id é inválida
    include APP_ROOT . '/src/pages/page-not-found.php';   // Página não encontrada
}

$category = $cms->getCategory()->get($id);          // Obtém dados da categoria
if (!$category) {         // Se a categoria está vazia
    include APP_ROOT . '/src/pages/page-not-found.php';   // Página não encontrada
}

② if (mb_strtolower($parts[2]) != mb_strtolower($category['seo_name'])) { // Nome SEO errado
③     redirect('category/' . $id . '/' . $category['seo_name'], [], 301); // Redireciona
}

$data['navigation'] = $cms->getCategory()->getAll();       // Obtém categorias de navegação
$data['category']   = $category;                           // Categoria corrente
$data['articles']   = $cms->getArticle()->getAll(true, $id); // Obtém artigos
$data['section']    = $category['id'];                     // id da categoria para navegação
```

TWIG   c17/templates/article-summaries.html

```twig
④ <a href="{{ doc_root }}article/{{ article.id }}/{{ article.seo_title }}">
    {% if article.image_file %}
⑤     <img src="{{ doc_root }}uploads/{{ article.image_file }}"
          alt="{{ article.image_alt }}">
    {% else %}
⑤     <img src="{{ doc_root }}uploads/blank.png" alt="">
    {% endif %}
    ...
```

PLANEJANDO NOVOS RECURSOS

Ao adicionar um novo recurso, comece descobrindo exatamente o que ele permitirá que os usuários façam. Isso facilitará escrever o código para implementar essa funcionalidade.

Antes de começar a codificar novos recursos para o site, você deve definir com clareza o que os usuários poderão fazer, esclarecendo como a tarefa pode ser dividida em etapas.

Por exemplo, neste capítulo todas as páginas que listam os recursos do artigo mostram quantos membros curtiram e comentaram em cada artigo.

As páginas do artigo mostram sob o título quantas curtidas e comentários um artigo tem; comentários completos aparecem sob a imagem. E mais, se um membro fez login:

- O ícone de coração terá um link para curtir/não curtir o artigo.
- O formulário para postar um comentário sobre o artigo é mostrado (do contrário, é pedido que a pessoa faça login para comentar).

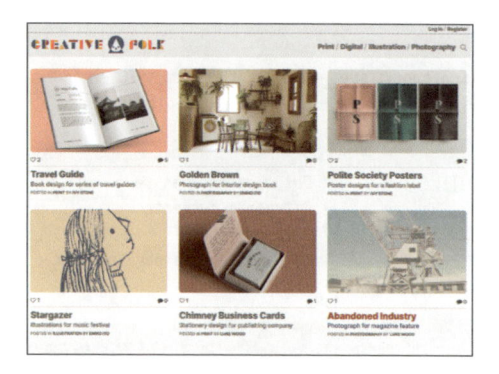

Quando souber o que os novos recursos permitem que os usuários façam:

1. Descubra quais dados serão armazenados no BD.
2. Escreva ou atualize os métodos usados para obter os dados ou salvar os dados no BD.
3. Crie ou atualize as páginas PHP para que elas possam realizar novas tarefas quando necessário e verifique se os templates obterão os dados desejados.
4. Crie ou atualize os templates para permitir que os visitantes interajam com esses novos recursos.

DETERMINE QUAIS DADOS ARMAZENAR E COMO

Primeiro, decida quais dados os usuários precisam ver e se o BD deve armazenar novos dados.

Para mostrar as curtidas, o BD deve armazenar:

- Usuário que curte o artigo (já na tabela `member`).
- Artigo que ele curte (novos dados).

Para mostrar comentários, o BD deve armazenar:

- Usuário que fez o comentário (na tabela `member`).
- Comentário (novos dados).
- Data e hora em que o comentário foi feito (novos dados).

Então, decida como armazenar os novos dados no BD.

A. Se são dados extras sobre algo já representado por uma tabela existente (por exemplo, um artigo ou um membro), adicione a essa tabela.

B. Se representa um conceito ou um objeto totalmente novo, crie uma nova tabela para representá-lo. Por exemplo, os comentários serão armazenados em uma nova tabela `comment`.

C. Se descreve uma relação entre os conceitos já mantidos no BD, use uma tabela de `link`. Ao implementar curtidas, o BD já tem dados sobre membros e artigos, portanto uma tabela de link armazenará as ids dos membros e dos artigos que eles curtiram.

CRIE CLASSES E MÉTODOS PARA COLETAR E SALVAR DADOS

Quando você souber quais dados precisam ser salvos no BD, escreva classes e métodos necessários para obter, criar, atualizar e excluir esses dados. Duas classes novas implementarão as curtidas e os comentários:

- A classe `Like` obtém, adiciona e remove as curtidas.
- A classe `Comment` obtém e adiciona os comentários dos usuários.

A classe `Article` existente também é atualizada para que os métodos `get()` e `getAll()` retornem o número total de curtidas e comentários de cada artigo.

CLASSE LIKE

MÉTODO	DESCRIÇÃO
`get()`	Verifica se o usuário curtiu o artigo
`create()`	Adiciona a curtida ao BD
`delete()`	Remove a curtida do BD

CLASSE COMMENT

MÉTODO	DESCRIÇÃO
`getAll()`	Obtém os comentários do artigo
`create()`	Adiciona comentário ao BD

ATUALIZE AS PÁGINAS PHP

Em seguida, descubra se você precisa atualizar os arquivos PHP existentes ou criar novos para implementar os recursos.

Por exemplo, um novo arquivo será usado para salvar os dados quando um visitante curte ou não um artigo.

E mais, a página `article.php` existente verificará se um:

- Usuário fez login e, caso tenha feito, se ele curtiu o artigo.
- Comentário foi enviado. Se foi, é validado e pode ser armazenado no banco de dados.

ATUALIZE OS ARQUIVOS DE TEMPLATE

Enfim, os templates que geram o HTML retornado para o navegador podem ser atualizados.

O template `article-summaries.html` mostra quantas curtidas e comentários cada artigo tem.

O template `article.html` mostra o número total de curtidas e comentários, e comentários completos. Se o usuário fez login, adicionará um link para curtir ou não o artigo, e mostrará um formulário para ele enviar um comentário.

ARMAZENANDO COMENTÁRIOS

Uma nova tabela comment armazena cada comentário e a id do membro que o fez.

Na nova tabela comment (mostrada abaixo):

- id é criada usando o recurso de autoincremento do MySQL.
- comment é um comentário sobre um artigo.
- posted é a data e a hora em que o comentário foi salvo (que o BD adiciona à tabela).
- article_id é a id do artigo.
- member_id é a id do membro que o escreveu.

As colunas article_id e member_id usam restrições da chave estrangeira (veja a página 431) para assegurar que elas conterão ids válidas do artigo e do membro.

NOTA: sempre crie um backup do BD antes de alterá-lo (página 427). É importante porque adicionar um novo recurso poderia sobrescrever ou excluir sem querer os dados que não deveriam.

comment				
id	comment	posted	article_id	member_id
1	Love this, totally makes me want to...	2019-03-14 17:45:13	24	1
2	I bought one of these guides for NYC...	2019-03-14 17:45:15	24	6
3	Another great piece of work Ivy,...	2019-03-14 17:53:52	3	4

À direita, veja duas consultas SQL que serão usadas para contar o número total de comentários e curtidas de um artigo.

Essas duas consultas serão usadas ao exibir resumos dos artigos e artigos individuais.

A nova tabela para armazenar as curtidas é mostrada na página à direita.

COMENTÁRIOS TOTAIS:
```
SELECT COUNT(id)
  FROM comments
  WHERE comments.article_id = article.id
```

CURTIDAS TOTAIS:
```
SELECT COUNT(article_id)
  FROM likes
  WHERE likes.article_id = article.id
```

ARMAZENANDO AS CURTIDAS

O BD já tem tabelas que representam artigos e membros. Uma nova tabela `likes` registrará todos os artigos que cada membro curte.

Para registrar todos os artigos que cada membro curte, o BD só precisa armazenar uma relação entre um membro individual e os artigos que ele curte (pois já contém dados sobre membros e artigos). A relação é descrita usando uma **tabela de link** (ela vincula os dados em duas tabelas). Suas colunas são:

- article_id: id do artigo que o membro curte.
- member_id: id do membro que o curte.

A tabela de link se chama `likes` e é mostrada abaixo (ela usa `likes` no plural, e não `like`, porque o SQL tem uma palavra-chave LIKE; veja a página 404).

As colunas `article_id` e `member_id` usam restrições da chave estrangeira (veja a página 431) para verificar se têm ids válidas do artigo e do membro.

Um membro deve curtir o artigo apenas uma vez, portanto uma **chave primária composta** é adicionada usando phpMyAdmin. Ela impede que duas linhas armazenem a mesma combinação de `article_id` e `member_id` como qualquer outra linha na tabela. Similar à tabela `member` que não permite dois membros com o mesmo e-mail.

Acesse: http://notes.re/php/composite-key [conteúdo em inglês] para saber como criar uma chave primária composta.

likes

article_id	member_id
1	1
2	1
1	2

member

id	forename	surname	email	password	joined	picture
1	Ivy	Stone	ivy@eg.link	0086...	2019-01-01...	ivy.jpg
2	Luke	Wood	luke@eg.link	DFCD...	2019-01-02...	NULL
3	Emiko	Ito	emi@eg.link	G4A8...	2019-01-02...	emi.jpg

article

id	title	summary	content	created	category_id	member_id	image_id	published	seo_title
1	PS Poster	Poster	Parts...	2019	2	2	1	1	ps-poster
2	Systemic	Leaflet	Design...	2019	2	1	2	1	systemic
3	AQ Website	New site	A new...	2019	1	1	3	1	aq-web

MOSTRE RESUMOS COM CONTAGENS DE CURTIDAS E COMENTÁRIOS

As consultas SQL que coletam os dados do artigo são atualizadas para coletar o número total de curtidas e comentários de cada artigo. A fim de calcular os totais, duas **subconsultas** são adicionadas à consulta principal.

O método getAll() da classe Article usa uma consulta SQL para obter dados de resumo sobre um conjunto de artigos. Esse método é usado pelas páginas home, category, member e search.

Para coletar o número total de curtidas e comentários para cada artigo, duas **subconsultas** são adicionadas à consulta SQL existente que o método getAll() usa.

Subconsultas são consultas adicionais executadas dentro de outra consulta. As alterações na consulta original são destacadas na página à direita.

Sempre que a consulta principal seleciona um resumo do artigo para adicionar ao conjunto de resultados, duas subconsultas são executadas:

- A primeira conta o número de curtidas do artigo.
- A segunda conta o número de comentários.

As subconsultas usam a mesma sintaxe de outras consultas SQL, mas são colocadas entre parênteses. Cada uma retorna um valor único e, após os parênteses, um alias [codinome] especifica um nome para a coluna no conjunto de resultados que conterá o resultado dessa consulta.

As mesmas duas subconsultas foram adicionadas ao método get() da classe Article; é possível vê-las no código de download.

NOTA: para colocar este código na página, o array $arguments é criado usando um atalho que permite atribuir às duas chaves o mesmo valor em uma declaração.

1. A primeira subconsulta obtém um número de curtidas na tabela likes. Como essas subconsultas obtêm dados adicionais sobre cada artigo, são colocadas após o comando SELECT.

Depois do parêntese de fechamento, um alias indica que o conjunto de resultados armazenará o número de curtidas em uma coluna likes.

2. A segunda subconsulta coleta o número de comentários para um artigo. Como a primeira subconsulta, também fica entre parênteses.

O alias especifica que o número de comentários para o artigo será adicionado a uma coluna comments.

3. O template article-summaries.html — usado para exibir os resumos do artigo nas páginas home, category, member e search — é atualizado para mostrar o número de curtidas e comentários. Essas duas partes de dados são mostradas antes do título do artigo.

Embora os arquivos PHP em src/pages para as páginas home, category, member e search obtenham os resumos do artigo, eles não precisam de atualização porque o SQL na classe foi atualizado para obter os dados. Os dados são, então, adicionados ao array que representa o conjunto de resultados e esse array já foi passado para os templates do Twig.

PHP `c17/src/classes/CMS/Article.php`

```php
public function getAll($published = true, $category = null, $member = null,
                      $limit = 1000): array
{
    $arguments['category'] = $arguments['category1'] = $category;   // id da categoria
    $arguments['member']   = $arguments['member1']   = $member;     // id do autor
    $arguments['limit']    = $limit;                                // Quantidade máxima de artigos

    $sql = "SELECT a.id, a.title, a.summary, a.created, a.category_id,
               a.member_id, a.published, a.seo_title,
               c.name      AS category,
               c.seo_name  AS seo_category,
               m.forename, m.surname,
               CONCAT(m.forename, ' ', m.surname) AS author,
               i.file      AS image_file,
               i.alt       AS image_alt,
               (SELECT COUNT(article_id)
                  FROM likes
                  WHERE likes.article_id = a.id) AS likes,
               (SELECT COUNT(article_id)
                  FROM comment
                  WHERE comment.article_id = a.id) AS comments

            FROM article       AS a
            JOIN category      AS c   ON a.category_id = c.id
            JOIN member        AS m   ON a.member_id   = m.id
            LEFT JOIN image    AS i   ON a.image_id    = i.id

            WHERE (a.category_id = :category OR :category1 is null)
              AND (a.member_id   = :member   OR :member1   is null) "; // Comando SQL
    if ($published == true) {                            // Se foi publicado um argumento
        $sql .= "AND a.published = 1 ";                  // Somente obtém artigos publicados
    }
    $sql .= "ORDER BY a.id DESC
             LIMIT :limit; ";                            // Adiciona outras cláusulas

    return $this->db->runSQL($sql, $arguments)->fetchAll(); // Retorna os dados
}
```

① ②

TWIG `c17/templates/article-summaries.html`

```twig
<div class="social">
  <div class="like-count"><span class="icon-heart-empty"></span> {{ article.likes }}</div>
  <div class="comment-count"><span class="icon-comment"></span> {{ article.comments }}</div>
</div>
<h2>{{ article.title }}</h2>
```

③

ADICIONANDO FUNCIONALIDADE

ADICIONANDO E REMOVENDO CURTIDAS

Se o usuário fez login, o ícone de curtida na página do artigo se torna um link. O arquivo vinculado verifica se o usuário curtiu o artigo; se não, uma curtida é adicionada. Se curtiu, ela é removida. Para tanto, chama os métodos da classe Like.

Se o usuário fez login, o ícone de coração na página do artigo é colocado dentro de um link assim:

`<a href="/like/24"> ... </a>`

A URL do link inicia com like, seguida da id do artigo. Quando o link for clicado, index.php incluirá um novo arquivo like.php. Nesse arquivo:

1. A condição de uma declaração if verifica se:
   - *Não* existe uma id do artigo ou
   - O usuário *não* fez login (se não, a propriedade id do objeto Session terá um valor 0).
2. Se é true, o visitante não deve estar usando a página e é enviado para uma página não encontrada. Do contrário...
3. O método get() de um novo objeto Like verifica se esse membro curte o artigo. Ele precisa conhecer as ids do artigo e do membro que são passadas para o método como um array indexado. O resultado (0 para não ou 1 para sim) é armazenado em $liked.
4. Se o usuário já curtiu o artigo, o método delete() do objeto Like é chamado para remover a entrada da tabela likes no BD.
5. Do contrário, ele ainda não curtiu e o método create() da classe Like adiciona uma curtida.
6. Então, o usuário é retornado para a página do artigo.

A nova classe Like atualiza o BD se um membro curte/não curte um artigo. Ela tem três métodos:

- get() verifica se um usuário curte um artigo.
- create() adiciona uma curtida ao BD.
- delete() remove a curtida do BD.

Cada método precisa de duas partes de dados, que são passadas para os métodos como um array indexado:

- A id do artigo.
- A id do membro.

A classe Like lembra as classes Article, Category e Member. Ela é criada usando um novo método getLike() do objeto CMS e armazena o local de um objeto Database na propriedade $db.

7. O método get() usa o método COUNT() do SQL para verificar quantas linhas da tabela likes têm o artigo especificado e a id do membro. Então, esse número é retornado do método.

Como essa tabela usa uma chave primária composta, o método retornará apenas 1, indicando que o usuário curtiu o artigo ou 0 se ele não curtiu.

8. O método create() adicionará uma nova linha à tabela likes com as ids do artigo e do membro.
9. O método delete() remove a linha da tabela likes com o artigo e a id do membro especificados.

```
PHP                                                          c17/src/pages/like.php

     <?php
     declare(strict_types = 1);                          // Usa tipos restritos

①    if (!$id or $session->id == 0) {                    // Se id inválido
②        include APP_ROOT . '/src/pages/page-not-found.php'; // Página não encontrada
     }

③    $liked = $cms->getLike()->get([$id, $session->id]); // Membro curtiu
     if ($liked) {                                       // Se ele já curtiu
④        $cms->getLike()->delete([$id, $session->id]);   // Remove a curtida
     } else {                                            // Caso contrário
⑤        $cms->getLike()->create([$id, $session->id]);   // Adiciona curtida
     }
⑥    redirect('article/' . $id . '/' . $parts[2] . '/'); // Redireciona para a página de artigo
```

```
PHP                                                    c17/src/classes/CMS/Like.php

     ...
     public function get(array $like): bool
     {
         $sql = "SELECT COUNT(*)
                 FROM likes
⑦                WHERE article_id = :id
                   AND member_id = :member_id;";                    // Comando SQL
         return $this->db->runSQL($sql, $like)->fetchColumn();      // Executa e retorna 1 ou 0
     }

     public function create(array $like): bool
     {
         $sql = "INSERT INTO likes (article_id, member_id)
⑧               VALUES (:article_id, :member_id);";                 // Comando SQL
         $this->db->runSQL($sql, $like);                            // Executa SQL
         return true;                                               // Retorna true
     }

     public function delete(array $like): bool
     {
         $sql = "DELETE FROM likes
⑨               WHERE article_id = :article_id
                   AND member_id = :member_id;";                    // Comando SQL
         $this->db->runSQL($sql, $like);                            // Executa SQL
         return true;                                               // Retorna true
     }
```

ADICIONANDO COMENTÁRIOS AOS ARTIGOS

Se um usuário fez login, o formulário para enviar o comentário é mostrado sob a imagem e qualquer comentário existente. A nova classe Comment tem métodos para obter ou adicionar comentários à tabela comment do BD.

A nova classe Comment tem dois métodos:

- getAll() obtém todos os comentários para um artigo.
- create() adiciona um comentário à tabela comment.

1. getAll() obtém todos os comentários para um artigo, junto com o nome e a imagem do perfil do membro que fez cada comentário.

O método tem um argumento: a id do artigo para o qual deve obter comentários.

Para obter o nome e a imagem do membro que fez o comentário, o SQL usa uma junção entre:

- A coluna member_id na tabela comment.
- A coluna id na tabela member.

2. O método create() adiciona um novo comentário à tabela Comment no BD. Ele precisa de três partes de dados que são passadas para o método como um array indexado:

- Comentário.
- Id do artigo.
- Id do membro que fez o comentário.

O recurso de autoincremento do BD cria a id na primeira coluna da tabela comment. O BD também adiciona a data e a hora em que o comentário foi salvo na coluna posted da tabela.

A página article.php é atualizada a fim de mostrar os comentários para o artigo atual e salvar qualquer comentário novo.

3. Uma declaração if verifica se a solicitação era POST, indicando que o formulário do comentário foi enviado.
4. Se foi, o texto do comentário é coletado.
5. Um novo objeto HTMLPurifier é criado para remover a marcação indesejada do comentário.
6. As opções de configuração são definidas para permitir os elementos <br>, <b>, <i> e <a>.
7. O método purify() remove todas as outas tags HTML do comentário.
8. Se o comentário tem entre 1 - 2.000 caracteres, uma string em branco é armazenada em $error. Do contrário, $error armazena uma mensagem de erro.
9. Se não há erros, o comentário e as ids do artigo e do membro são armazenados em um array $arguments.
10. Então, o método create() do objeto Comment é chamado para salvar o comentário no BD.
11. A página do artigo recarrega para mostrar o comentário.
12. O método getAll() do objeto Comment obtém todos os comentários do artigo. Eles são adicionados ao array $data para usar no template do Twig.

PHP c17/src/classes/CMS/Comment.php

```php
public function getAll(int $id): array
{
    $sql = "SELECT c.id, c.comment, c.posted,
            CONCAT(m.forename, ' ', m.surname) AS author, m.picture
              FROM comment AS c
              JOIN member  AS m ON c.member_id = m.id
              WHERE c.article_id = :id;";                         // Comando SQL
    return $this->db->runSQL($sql, ['id' => $id])->fetchAll();    // Executa a consulta
}

public function create(array $comment): bool
{
    $sql = "INSERT INTO comment (comment, article_id, member_id)
            VALUES (:comment, :article_id, :member_id);";         // Comando SQL
    $this->db->runSQL($sql, $comment);                            // Executa a consulta
    return true;
}
```

PHP c17/src/pages/article.php

```php
<?php ...
if ($_SERVER['REQUEST_METHOD'] == 'POST') {                       // Se formulário postado
    $comment  = $_POST['comment'];                                // Obtém comentário
    $purifier = new HTMLPurifier();                               // Cria HTMLPurifier
    $purifier->config->set('HTML.Allowed', 'br,b,i,a[href]');     // Ajusta tags permitidas
    $comment  = $purifier->purify($comment);                      // Purifica comentário

    $error    = Validate::isText($comment, 1, 2000)
        ? '' : 'Your comment must be between 1 and 2000 characters.
               It can contain <b>, <i>, <a>, and <br> tags.';     // Valida comentário
    if ($error === '') {                                          // Se nenhum erro, grava
        $arguments = [$comment, $article['id'], $cms->getSession()->id,];  // Argumentos
        $cms->getComment()->create($arguments);                   // Cria comentário
        redirect($path);                                          // Recarrega página
    }
}

$data['navigation'] = $cms->getCategory()->getAll();              // Obtém categorias
$data['article']    = $article;                                   // Artigo
$data['section']    = $article['category_id'];                    // Categoria corrente
$data['comments']   = $cms->getComment()->getAll($id);            // Obtém comentários
if ($cms->getSession()->id > 0) {                                 // Se usuário logado
    $data['liked']  = $cms->getLike()->get([$id, $cms->getSession()->id]); // Usuário curtiu?
    $data['error']  = $error ?? null;                             // Erro de comentário
}
```

ADICIONANDO FUNCIONALIDADE

ATUALIZANDO O TEMPLATE DA PÁGINA ARTICLE

O template `article.html` precisa de atualização para exibir os novos dados que a página `article.php` coletou. Se os membros fizeram login, também mostra um link para curtir o artigo e um formulário para comentar sobre o artigo.

À direita, veja as alterações no template `article.html` usado para exibir os artigos. Primeiro, ele lida com a opção para curtir um artigo.

1. Uma declaração `if` verifica se a propriedade `id` do objeto `session` tem um valor 0, indicando que o visitante *não* fez login.
2. Se ele *não* fez, um link para a página de login é adicionado perto do ícone de coração vazio.
3. Do contrário, o visitante fez login e um link é criado para a página de curtida (contém a id do artigo). Quando esse link é clicado, a página de curtida adiciona ou remove a curtida do membro.
4. Outra declaração `if` verifica o valor da variável `liked` para saber se o visitante curtiu o artigo.
5. Se curtiu, é mostrado um ícone de coração preenchido.
6. Se não, aparece um ícone de coração com contorno.
7. O bloco `if` da Etapa 4 é fechado.
8. O bloco `if` da Etapa 1 é fechado.
9. O número total de vezes em que o artigo foi curtido é mostrado ao lado do ícone de coração.

Em seguida, aparecem os comentários.

10. O número de comentários para o arquivo é mostrado.
11. É criado um loop para percorrer qualquer comentário armazenado no array `comments` (criado na Etapa 12 da página anterior). Se há comentários, então:
12. A imagem de perfil da pessoa que fez o comentário é mostrada, com seu nome como texto alternativo.
13. O nome do membro é mostrado ao lado da foto.
14. A data e a hora em que o comentário foi salvo são mostradas. O filtro `date()` do Twig é usado para formatá-las como as outras datas no site.
15. O comentário é mostrado. O filtro `raw` do Twig impede o escape da marcação porque o comentário passou pelo HTMLPurifier antes de ser salvo.
16. O loop repete em cada comentário no array e a tag `{% endfor %}` do Twig fecha o loop.
17. Se o usuário fez login, a propriedade `id` do objeto `session` terá um valor maior que 0.
18. Se o visitante fez login, ele verá um formulário que permite enviar um novo comentário.
19. Do contrário, o visitante vê uma mensagem informando que ele precisa do login para fazer um comentário.

```twig
...
<div class="social">
  <div class="like-count">
    {% if session.id == 0 %}
      <a href="{{ doc_root }}login/"><span class="icon-heart-empty"></span></a>
    {% else %}
      <a href="{{ doc_root }}like/{{ article.id }}">
        {% if liked %}
          <span class="icon-heart"></span></a>
        {% else %}
          <span class="icon-heart-empty"></span>
        {% endif %}
      </a>
    {% endif %}
    {{ article.likes }}
  </div>
  <div class="comment-count">
    <span class="icon-comment"></span> {{ article.comments }}
  </div>
</div>

...

<section class="comments">
  <h2>Comments</h2>
  {% for comment in comments %}
    <div class="comment">
      <img src="{{ doc_root }}uploads/{{ comment.picture }}" alt="{{ comment.author }}" />
      <b>{{ comment.author }} </b><br>
      {{ comment.posted|date('H:i a - F d, Y') }}<br>
      <p>{{ comment.comment|raw }}</p>
    </div>
  {% endfor %}

  {% if session.id > 0 %}
    <form action="" method="post">
      <label for="comment">Add comment: </label>
      <textarea name="comment" id="comment" class="form-control"></textarea>
      {% if error == true %}<div class="error">{{ error }}</div>{% endif %}
      <br><input type="submit" value="Save comment" class="btn btn-primary">
    </form>
  {% else %}
    <p>You must <a href="{{ doc_root }}login">log in to make a comment</a>.</p>
  {% endif %}
</section>
```

RESUMO
ADICIONANDO FUNCIONALIDADE

> URLs amigáveis para SEO ajudam os mecanismos de pesquisa a indexar as páginas, são mais fáceis de ler e também descrevem a página.

> O mecanismo de reescrita de URL do Apache pode verificar todas as solicitações e seguir regras para enviar algumas delas para outras páginas.

> Ao adicionar um novo recurso, especifique exatamente o que os usuários poderão fazer antes de começar a codificar.

> Descubra como armazenar novos dados. Novos conceitos usam uma nova tabela, os dados adicionais sobre um conceito existente ficam em uma tabela existente e as relações entre dois conceitos podem usar tabelas de link.

> Subconsulta é uma consulta que pode ser aninhada em outra consulta SQL.

> Verifique os novos recursos em um servidor de teste (não em um servidor real).

> Use uma cópia do BD para o servidor de teste e faça backup dos bancos de dados ativos antes de lançar novos recursos.

PRÓXIMAS ETAPAS

Parabéns por chegar ao final do livro. Você aprendeu o básico sobre como criar sites orientados a bancos de dados com PHP, e pode escolher o que aprender em seguida com base no que deseja fazer com essa linguagem.

Sabendo como o PHP é usado para criar sites orientados a BDs, você pode tentar estender o código para a aplicação de exemplo. É possível:

- Criar um diretório dos membros. Ele pode funcionar como páginas que listam artigos, mas mostram todos os membros.
- Adicionar uma página que mostra quais artigos cada membro individual curtiu.
- Criar um sistema de mensagens para os usuários. As mensagens podem trabalhar como comentários que só podem ser lidos pelo usuário para quem foram enviadas.
- Colocar paginação em todas as páginas que listam artigos (assim como as páginas de pesquisa).

Você também pode tentar usar o código básico para criar um tipo de site diferente. Se fizer isso, tente adicionar tabelas e classes do BD que modelam coisas que o site cobre. Por exemplo, um site sobre música poderia representar diferentes artistas e gêneros. Um site sobre jardinagem poderia incluir diferentes espécies de plantas e como cuidar delas. Um site sobre culinária poderia mostrar diferentes receitas e seus ingredientes.

Você também pode aprender como permitir que outro software (como apps que funcionam em dispositivos móveis) acesse e atualize os dados armazenados no BD. Isso é feito usando algo chamado **interface de programação de aplicações** (ou **API**).

Nem sempre os programadores PHP escrevem sites do zero; em geral, eles os criam usando um framework ou outro CMS. Mas você precisa saber o básico sobre como criar sites orientados a BDs (como mostrado neste livro) para usá-los.

FRAMEWORKS

Frameworks fornecem o código requerido para realizar tarefas comuns ao criar sites e aplicações usando o PHP. Dois frameworks muito populares que você poderia explorar são [conteúdos em inglês]:

- **Symfony** https://symfony.com
- **Laravel** https://laravel.com

GERENCIAMENTO DE CONTEÚDO

Os sistemas de gerenciamento de conteúdo evitam que os desenvolvedores escrevam os sites do zero. Três aplicações CMS populares são [conteúdos em inglês]:

- **WordPress** https://wordpress.org
- **Drupal** https://drupal.org
- **Joomla** https://joomla.org

Além de personalizar a aparência do site, você também pode escrever plug-ins WordPress, módulos Drupal ou extensões Joomla que adicionam uma nova funcionalidade (muitos programadores compartilham esses plug-ins, módulos e extensões com outros programadores).

PRÓXIMAS ETAPAS

ÍNDICE

$_COOKIES 334-37
$_FILES 286, 290
$_GET 236-9
$_POST 250-3
$_SERVER 190-91
$_SESSION 338-43, 620-21
&& || ! 238
?: 642
?? 238, 250
_ _construct() 160-63
_ _FILE_ _ 525
{{ }} {% %} 585
{} 72-73, 108
+ - * / % ** ++ -- 50
< <= > >= <=> 54-55
<? 22-23
<?= 46
== === != 54-55

A

Absoluto, caminho 524-25
Administradores 615, 624
Aleatório, número 216-17
Alertas (erros) 355, 360
Aliases (Namespaces) 564-5
Aliases (SQL) 418
Análise, erros 355-57
and 57
and() 216-17
Anônimas, funções 553
Apache (servidor da web) 20
Aplicação, diretório-raiz 524-27, 638
Argumento, declarações do tipo 124-27
Argumentos 114-16, 122, 130-33
Aritméticos, operadores 49-51
Arquivos
   _ _FILE_ _ 525
   $_FILES 286, 290
   Arquivo, controle de upload 288
   basename() 228
   dirname() 228
   Duplicado, nome 294
   Excluir 228
   file_exists() 228
   filesize() 228-29
   Imagem, uploads 286-97, 512-13
   Máximo, tamanho 295-96
   mime_content_type() 228-29
   Ocultos 196
   pathinfo() 228-29
   realpath() 228
   unset() 228-29
   Validação 296-97
array() 38, 40
array_key_exists() 218-19
array_merge() 220
array_pop() 220-21
array_push() 220-21
array_rand() 220-21

array_search() 218-19
array_shift() 220
array_unique() 220-21
array_unshift() 220-21
Arrays 37-45
arsort() 222
AS (SQL) 418
asort() 222
Aspas 24
Associação 604-32
Associativos, arrays 37-39, 42-43
Atribuição, operador 32
Atual, diretório de trabalho 524-25
Autenticação (membros) 614-21
Autoincremento 387, 424, 489
Avaliação (expressão/condição) 48-59
Avisos (erros) 355, 360-61

B

Banco de dados
   Autoincremento 387, 424, 489
   Backup 427
   Campo 387
   Chave composta, restrições 651
   Chave estrangeira 389, 412
   Chave estrangeira, restrições 431, 505
   Chave primária 387, 389, 412
   Conexão 439
   Dados, tipos 388
   Link, tabelas 651
   Transações 508-09, 514-15
   Restrições 430-31, 491, 500-01, 504-05
   Restrição de exclusividade 430, 491
   Usuário, conta 394-95, 437
basename() 228, 513
beginTransaction() (PDO) 509, 514-5, 518-19
Biblioteca 558, 566-67
bin2hex() 626
bindParam() 450
bindValue() 450
block (Twig) 577, 588-89
Booleano 30, 35, 61, 73
Bootstrap, arquivo 523, 529, 581
Busca, modo (PDO) 437, 478

C

__construct() 160-63
Cache (Twig) 579
Caminho 324-25
Caractere, codificação 186-7, 436
Carregamento automático 534, 553, 570-71
catch 368-75, 438-39
ceil() 216-17
Certificados 185, ver HTTPS

class 154
Chave ver Arrays
Classe-mãe 542
Classes 144, 151-76, 536-55
   Classe, arquivos 170
   Definição 151, 154-55
   Getter/Setter 164
   Métodos 144, 158-59
   Palavras-chave de visibilidade private /public / protected 164
   Propriedades 144, 156-57
CMS (Sistema de Gerenciamento de Conteúdo) 384
COALESCE() (SQL) 420
Codificação, esquemas 179, 186-87, 436
Código, bloco 72-73, 108
Comentários (código) 26-27
Comentários (de usuários) 634, 648-59
commit() (PDO) 509, 514-15, 518-19
Comparação combinada, operador 55
Comparação, operadores 49, 54-55
Composer 538, 567-71
Composta, chave-primária 651
Compostos, tipos de dados 37, 150
CONCAT() (SQL) 420
Concatenação, operador 48-49, 52
Condicionais, declarações 70-80
Condições no Twig 586
Conectar banco de dados 438-39
Configuração, arquivo 523, 528, 595
const 224-25
Constantes 224-5, 525, 528-29
Construtor 160-63
Construtor, promoção da propriedade 161
Consulta, string 182, 236-39
Contêiner, objeto 539
Contextos 280, 585
Controle, estruturas 68-102
Controle, fluxo 68, 484, 496-97
Cookies 332-37
   $_COOKIES 334-37
   Atualizar 336-37
   Criar 334-35
   Introdução 332-33
Chaves 72-73, 108, 585
Cortar imagem 300-01, 306-07
count() (array PHP) 218-19
COUNT() (SQL) 408, 472
Counter (loops) 81-82, 84, 86-87
Criar banco de dados 392
Criar dados do BD ver INSERT
Criar e-mail 596-99
Criptografia 184

Curinga (SQL) 404
Curta, avaliação 57
Curtir, recurso (usuários) 634, 648-59

D

Dados, tipos 30, 35, 60-61, 388
ver também Array, Booleano, Float, Inteiro, Objeto, String
Data e Hora 310-28
   Atualizar datas e horas 320-21
   date() 316-17, 585
   date_create_from_format() 318-19
   DateInterval 322-23
   DatePeriod 324-25
   DateTime 318-19
   DateTimeZone 326-27
   Definir datas e horas 320-21
   Formatos 312-14
   mktime() 316-17
   strtotime() 316-17
   time() 316-17
   Unix, registro de tempo 315
Declaração 18, 23
Declarar variável 32
declare() 126
Decremento, operador 50
define() 224-25, 525, 528-29
DELETE (SQL) 428, 488
Dependência 558
Dependência, gerenciador 558
Dependência, injeção 534, 538-45
Depurar 362-63, 579
Descriptografia 184
Dinâmicos vs estáticos, sites 4-5, 178
Dinâmicos, nomes de arquivo 294
DIRECTORY_SEPARATOR 306
Direita, tabela 412
dirname() 228
display_errors 352-53
do while, loop 81, 84-85
Documento, raiz 526-27, 638
DRY (Não Se Repita) 170
DSN (Nome da Fonte de Dados) 436-37, 542-43
Duplicadas, entradas do BD *ver Exclusividade, restrição*

E

e(), filtro (Twig) 585
echo 24-25, 32, 47
E-mail (enviar) 594-601
Entidades 235, 244-47
Enviar e-mail 596-99
Erro, mensagens (PHP) 189, 194-95, 349-80
Erro, modo (PDO) 437
Erro, *validação ver Validação*

ErrorDocument 378
errorInfo (PDO) 491
Erros 189, 194-95, 350-80
   Alertas 355
   Análise, erros 355-57
   Avisos 355, 360-61
   display_errors 352-53
   error_log() 366-67, 372-73, 376-77
   error_reporting 352-53
   Error, classe e exceções 368-72
   Erro, funções de tratamento 366-67, 376-77
   Exceções 368-77
   Exceção, funções de tratamento 371-77
   Fatais, erros 355, 358-59, 365
   Finalização, função 365, 376-77
   Leitura, erros 354
   log_errors 352-53
   Log, arquivos 352, 364
   Não fatais, erros 355, 360-61
   Níveis 194, 354-55
   Páginas de erro personalizadas 354-55
Escalares, tipos de dados 35
Escape, aspas 24
Escape, caracteres 235, 244-47, 585
Escopo (local e global) 118-21
Espaços reservados (SQL) 448-49
Esquerda, tabela 412
Estáticos, métodos 554-55
Estáticas, variáveis 120
Estáticos vs dinâmicos, sites 4-5
Estrangeira, chave 389, 412
Estrangeira, restrições da chave 431, 505
Exceções 350, 368-77
   enviar e interceptar 370-73
   try...catch 370-73
Exclusividade, restrição 430, 491
exit 366
explode() 218
Expressões 30, 48
extends (Twig) 577, 588-89
Extensões 302-03
Externa, junção (SQL) 415

F

Fatais, erros 355-57, 365
fetch() (PDO) 443-45
fetchAll() (PDO) 443, 446
Filtros 230, 268-73
   filter_input() 268-69, 272-73, 452
   filter_input_array() 268-69, 274-75
   filter_var() 276
   filter_var_array() 276-77
   Flags e opções 272-73, 278-79

Sanitização 280-81
Twig 585
Validação, filtros 270-71, 278-79
finally() 370
float 30, 35, 61
Fluxo de controle 68, 484, 496-97
for() 216-17
for, loop 81, 86-89, 587
foreach, loop 81, 90-93
format() 318-19
Formulários (obter dados) 248-53
Formulário enviado, verificar 252-53
Formulário, validação 254-69
FROM (SQL) 400, 412-13
Funções 104
   Argumentos 115
   Argumento, declarações do tipo 124-27
   Associação 607, 625
   Chamar 108-11
   Definições 108-11
   Definidas pelo usuário vs predefinidas 136
   Escopo (local vs global) 118-21
   Nomeados, parâmetros (argumentos nomeados) 132-33
   Nomes 117
   Opcionais, parâmetros e valores-padrão 130-31
   Parâmetros 114-16
   Restritos, tipos 126-27
   Retorno, valores 112-13, 128-29
   Retorno, declarações do tipo 124-27
Fusos horários 326-27

G

$_GET 236-9
GD 302-05
Getter 164
Globais, variáveis (Twig) 580
Global, escopo 118-21
Global, namespace 560
global, palavra-chave 120
GROUP BY (SQL) 408

H

.htaccess 126, 196, 199, 352-53, 378-79, 638, 640
Hashes (senhas) 608-09, 612-13
header() 226-27
Herança (templates) 577, 588-89
Host, nome 21
HTML Purifier 558, 572-75, 656-57
htmlspecialchars() 246-47
HTTP 179
HTTP, cabeçalhos 180-82, 226-27

HTTP, códigos de status da resposta 181, 370
HTTP, GET 180-83, 236-39, 248-53
HTTP, POST 180-83, 248-53
HTTP, referência 190-91
HTTP, solicitação e resposta 179-83
http_response_code() 242, 370
httpd.conf 196
HTTPS 184-85

I

if, declaração 70-74, 586
if… elseif, declaração 70-71, 78, 586
if…else, declaração 70-71, 73, 75-77, 586
Image, redimensionar 298-307
Image, uploads 286-297, 512-13
Imagem, relação 298
Imagick e ImageMagick 302-03, 306-07, 514-15
implode() 218-19
Importar para namespaces 564
in_array() 218, 260-61
include e include_once 94-97
Inclusão, declarações 94-97
Incremento, operador 50
Indexados, arrays 37, 40-42
Índice, números 37, 40-42
ini_get() 353
Inicializar variáveis 36, 74
INSERT (SQL) 424, 486
Integridade, restrição 431, 505
Inteiro (int) 30, 35, 388
Interna, junção (SQL) 415
is_numeric() 216-17, 254
isset() 238, 262-3
Iteração 68, *ver também Loops*

J

JOIN (SQL) 412-17
JSON 226

K

krsort() 222
ksort() 222-23

L

lastInsertId() (PDO) 490
Letras maiúsculas 204-05
Letras minúsculas 204-05
LIKE (SQL) 404
LIMIT (SQL) 410, 472
Link, tabela 651
Lixo, coleta 342-43, 531

Location, *cabeçalho ver Redirecionar*
Log, arquivos (erros) 352–53, 364, 366–67
log_errors 352-3
Lógicos, operadores 49, 56-57, 59
Login (avançado) 614-21
Login, sistema (básico) 344
Loops 81-93
ltrim() 208-09

M

Mágicos, métodos 160
MAMP 20
MariaDB 15, 386
match(), expressão 71, 80
mb_stripos() 210
mb_stristr() 210
mb_strlen() 210-11, 256-59
mb_strpos() 210
mb_strripos() 210-11
mb_strrpos() 210-11
mb_strstr() 210
mb_strtolower() 210
mb_strtoupper() 210
mb_substr() 210
Mídia, tipo 290, 295
Métodos 144, 148-49, 154, 158-59
  Método, encadeamento 457
  Palavras-chave de visibilidade private / public / protected 164
MIME, tipo *ver Mídia, tipo*
mime_content_type() 228-29
mixed (tipo de dado) 35
mktime() 316-17
move_uploaded_file() 292
mt_rand() 216-17
Multibyte, caracteres 187
Multibyte, funções de string 210-11
Multidimensionais, arrays 44-45
MySQL 12-13, 15, 382

N

Namespaces 558, 560-65
Navegador, dados 234-5
new 155
Nomeados, parâmetros e argumentos 132-33
Nomenclatura, colisão 560
not 57
Nula, operador de coalescência ?? 238, 250
null 35
number_format() 216-17
Números *ver Inteiro e float*

O

Objetos 144-76
  Classes 143-176
  __construct() 160-63
  Construtor, promoção da propriedade 161
  Dados, tipos 150
  Getter/Setter 164
  Métodos 144, 148-49, 158-59
  Palavras-chave de visibilidade private / public / protected 164
  Propriedades 144, 148-49, 156-57
  Referência 150
OFFSET (SQL) 410, 472
Operação (BD) 508
Operadores 30, 48-59
  Aritméticos 49, 50-51
  Atribuição 32-33, 52
  Coalescência nula ?? 238, 250
  Comparação 49, 54-55
  Comparação combinada 55
  Concatenação (string) 49, 52-53
  Lógicos 56-57
  String 49, 52-53
  Ternários 71, 76-77, 238
or 57
Ordem da execução 50
ORDER BY (SQL) 406

P

Página não encontrada 242, 378-79, 452
Paginação 472-77
Packagist 567-68
Pacote 558, 567-71
Palavras, contas 204-205
Parâmetros (funções) 114-16, 130-33
password_hash() 609, 612-13
password_verify() 609, 612-13, 619
pathinfo() 228, 294
PDO 382, 434
  beginTransaction() (PDO) 509
  commit() (PDO) 509
  lastInsertId() (PDO) 489
  pdo() (função) 456
  query() 443
  rollBack() (PDO) 509
PDOException 438-39, 491
  errorInfo 491, 501, 505
PDOStatement 434, 443
  fetch() 443
  fetchAll() 443
  query() 443
  rowCount() 490
PDO::ATTR_DEFAULT_FETCH_MODE 437

ÍNDICE

PDO::ATTR_EMULATE_
    PREPARES 437
PDO::ATTR_ERRMODE 437
PDO::FETCH_ASSOC 478
PDO::FETCH_CLASS 478
PDO::FETCH_OBJ 478
PDO::PARAM_BOOL 450
PDO::PARAM_INT 450
PDO::PARAM_STR 450
Personalização 5, 615, 622-23
Personalizadas, páginas de erro
    354-55
Pesquisa, condição 402
Pesquisar BD 472-77
Pesquisa, string (pesquisar e
    substituir) 206-09
PHP, bloco 22-23
PHP, interpretador 5-6
PHP, tags 22-23
php.ini 196-98, 352, 364
PHP.net 136-37
PHP-Fig 536, 560-61
phpinfo() 197
PHPMailer 558, 594-601
phpMyAdmin 382, 390-95, 401
Ponto e vírgula (finalizar
    declaração) 23
Pontos de interrupção 363
Porta, números 21, 390, 436
pow() 216-17
Predefinidas, funções 136-37, 188,
    192-93, 201-30
preg_match() 214-15, 258-59
preg_match_all() 214-15
preg_replace() 214-15, 294
preg_split() 214-15
Preparadas, declarações 448-51
Primária, chave 387, 389, 412
private 164
Propriedades dos objetos 144,
    148-49, 156-57
protected 164
public 164
Purifier *ver HTMLPurifier*

Q

query() (PDO) 443

R

Raiz, conta 394
Raiz, diretório 524-27
random_bytes() 626
raw(), filtro (Twig) 585
RDBMS 386
realpath() 228-29
Redimensionar imagens 298-307
Redirecionar 226, 242-43, 495
Reescrever URL *ver SEO,
    URLs amigáveis*
Refatorar 534, 552

Referência (memória) 530-31
Referência (para objeto) 150
register_shutdown_function()
    365, 376-77
Registro (membros) 610-13
Regulares, expressões 212-15,
    258-59, 271
Relacional, BD 13, 382, 386
Relativo, caminho 21, 524-25
Renderizar template 578
Repetição *ver Loops*
Requeridos, dados 234
require e require_once 94-97
Reservados, caracteres 244-46
Responsabilidade única,
    princípio 170
Resposta *ver HTTP, Resposta*
Resposta, códigos (HTTP) 242,
    354, 366-67, 378-79
Restrição (banco de dados)
    430-31, 491, 500-01, 504-05
Restritos, tipos 126-27
Resultados, conjunto (SQL) 400
Retorno, declarações do tipo
    124-27
return (valores das funções) 112-13,
    128-9
rollBack() (PDO) 509, 514-15,
    518-19
round() 216-17
rowCount() 490
rsort() 222
rtrim() 208-09

S

Salt 608
Sanitizar dados 235, 246-47,
    280-81
Seguras, interações 183
Seleção 68
SELECT (SQL) 400
Senha, hashes 607-09, 612-13
Senha, redefinir 625-31
Senha, validação 258-59
SEO, URLs amigáveis 634-47
Sequência 68
Servidor, programação no lado 5
Sessões 338-43, 614, 620-21
    $_SESSION 338-43, 620-21
    Acessar dados da sessão 341
    Armazenar dados em
        sessões 341
    Duração 342-43
    Introdução 338-39
    Sequestrar 346
    session_destroy() 340
    session_get_cookie_
        params() 340
    session_regenerate_id()
        340

    session_set_cookie_
        params() 340
    session_start() 340
    Terminar 343
setCookie() 334-37
set_error_handler() 365-67,
    376-77, 529
set_exception_handler() 371,
    376-77, 529
setFetchMode() 478
Setter 164
Símbolos, tabelas 530-31
Simples vs duplas, aspas 24
SMTP, servidor 594-95
Solicitar *ver HTTP, Solicitação*
sort() 222
spl_auto_register() 529,
    553, 567
SQL 382, 397-432
    AS (alias) 418
    COALESCE() 420
    CONCAT() 420
    Consulta 398-401
    COUNT() 408
    Declaração 398
    DELETE 428-29, 488, 505,
        518-19
    Espaços reservados 448-49
    Estrangeira, chave 431
    FROM 400
    GROUP BY 408
    Injeção, ataque 448
    INSERT 424-25, 486, 501
    Introdução 398
    Integridade, restrição
        430-31, 505
    JOIN 412-17
    LIKE 404
    LIMIT 410
    OFFSET 410
    ORDER BY 406
    Pesquisar 404-05, 472-77
    Primária, chave 412-14, 424,
        426, 428, 431
    Restrição de exclusividade 430
    rowCount() 490
    SELECT 400
    SET *ver UPDATE*
    Subconsultas 652
    Transações 508-09, 514-15
    UPDATE 426-27, 487,
        496-97, 501
    VALUES *ver INSERT*
    WHERE 402
sqrt() 216-17
SSL 184-85, *ver HTTPS*
str_contains() 206-07
str_ends_with() 204-05
str_ireplace() 208-09
str_repeat() 208-09
str_replace() 208-09

str_starts_with() 204-05
str_word_count() 204-05
String 30, 35, 52, 61
String, funções 204-11
   stripos() 206-07
   strpos() 206-07
   strripos() 206-07
   strrpos() 206-07
   strstr() 206-07
   strtolen() 204-05
   strtolower() 204-05
   strtotime() 316-17
   strtoupper() 204-05
String, operadores ver *Operadores*
Subconsultas 652
substr() 206-07
Substring 206
Superglobais, arrays 179, 188, 190-91, *ver também* $_COOKIES, $_FILES, $_GET, $_POST, $_SERVER, $_SESSION
switch, declaração 71, 79

T

Template, mecanismo (Twig) 576-93
Template-filho 577
Template-pai 577
Temporário, local de upload do arquivo 290
Ternário, operador 71, 76-77, 238
throw 369, 373
Throwable 369
time() 316-17
TinyMCE 572
Tipos, manipulação 35, 60-61
TLS 184-85, *ver HTTPS*

Tokens 625-31
Totalmente qualificado, nome (namespaces) 562
Trabalho, diretório 524-25
Transacionais, e-mails 594
Transações 484, 508-09, 514-15
Transliteração 644-45
trim() 208-09
try...catch 370-75, 439, 491, 508-09
Twig 558, 576-93

U

ucwords() 204-05
Undefined... (erro) 359
Unexpected... (erro) 356-57
União, tipos 124
Unix, registro de tempo 315
unset() 228-29
UPDATE (SQL) 426, 487
URL, reescrita *ver SEO, URLs amigáveis*
use (namespaces) 564-65
Usuário, conta (BD) 394-95, 437
UTF-8 187

V

Validação 234, 240-41, 254-63, 270-79, 282-83, 498-99, 512-13, 554-55
   Arquivos 294, 296-97, 512-13
   Caixas de opção 262-63
   E-mail 271
   Filtros 270-73, 278-79
   Formulários 234, 250-69, 282-83, 498-99
   Imagens 296-97, 512-13

Números 254-55, 270
Opções (seleção/opção) 260-61
Senhas 258-59
Regulares, expressões 258-59, 271
Texto, comprimento 256-57
URI 271
Valores-padrão (funções) 130-31
var_dump() 192-93, 362
Variáveis 8, 11, 30-36
   Atribuir valores 32
   Declarar 32
   Inicializar 36, 74
   Nomear 34
Visibilidade de propriedades e métodos 164

W

WHERE (SQL) 402
while, loop 81-83
WYSIWYG, Editor 572

X

XAMPP 20
XSS, ataque 244-47, 336, 572-75, 585